无敌绿宝书

必考句型 + 基础句型 + 超纲句型

新日语能力考试 N1 语法

李晓东⊙主 编

张 曼 沈英莉 毕素珍⊙副主编

扫码领卡

世界图书出版公司

北京·广州·上海·西安

图书在版编目（CIP）数据

无敌绿宝书——新日语能力考试N1语法：必考句型+基础句型+超纲句型 / 李晓东主编.—北京：世界图书出版公司北京公司，2015.9（2021.4重印）

（新日本语能力测试备考丛书）

ISBN 978-7-5192-0251-4

Ⅰ.①无… Ⅱ.①李… Ⅲ.①日语—词汇—水平考试—自学参考资料 Ⅳ.①H360.41

中国版本图书馆 CIP 数据核字（2015）第 233357 号

书　　名	无敌绿宝书——新日语能力考试 N1 语法（必考句型 + 基础句型 + 超纲句型）
	WUDI LVBAOSHU: XIN RIYU NENGLI KAOSHI N1 YUFA
主　　编	李晓东
副 主 编	张　曼　沈英莉　毕素珍
责任编辑	刘小芬　王晓楠
出版发行	世界图书出版有限公司北京分公司
地　　址	北京市东城区朝内大街 137 号
邮　　编	100010
电　　话	010–64038355（发行）　64037380（客服）　64033507（总编室）
网　　址	http://www.wpcbj.com.cn
邮　　箱	wpcbjst@vip.163.com
销　　售	新华书店
印　　刷	三河市国英印务有限公司
开　　本	787 mm×1092 mm　1/16
印　　张	17.5
字　　数	600 千字
版　　次	2016 年 1 月第 1 版
印　　次	2021 年 4 月第 5 次印刷
国际书号	ISBN 978–7–5192–0251–4
定　　价	69.80 元

前 言

本丛书秉承全新的理念、依照全新的体例、囊括全新的内容，堪称前所未有的一套新日语能力考试语法书。

自《无敌绿宝书——新日语能力考试N2语法（必考句型+基础句型+超纲句型）》面世以来，众多读者朋友通过不同的交流渠道询问《无敌绿宝书——新日语能力考试N1语法（必考句型+基础句型+超纲句型）》一书的面世时间。承蒙大家的关心和期待，如今该书终于要与读者见面了。

本书严格按照新日语能力考试的大纲要求，深入研究并总结了2010～2015年5年的最新真题，按照句型的难易程度，分为必考句型、基础句型和超纲句型。

第1～16单元是必考句型，包含历年N1级日语能力考试中所有考过的句型，是必须掌握的。必考句型共有240个。

第17单元是基础句型，包含要熟练掌握的常用句型。这类句型通常在听力部分出现，是最基础的句型，同时也是必须彻底掌握的句型。基础句型共有91个。

第18单元是超纲句型，包含新日语能力考试阅读题中出现的较难句型，建议读者可以根据自己的备考时间来酌情学习这部分句型。超纲句型共有164个。

本书的最大特点就是涵盖了最多、最全的N1级语法知识点，在重点突出必考句型的基础之上，又兼顾了考试中会出现的基础句型和超纲句型。

本书特点如下：

1、和同类书相比，本书包含的句型数量最多，一共收录了495个N1级句型。

2、每个句型后面除接续、解说、例句、历年真题之外，还包含近义句型辨析及派生句型总结。

3、本书总结了每个句型的考试出题频率，同时把所有句型的考试原题附在句型后面，进行了详解与分析。该特点是其他同类书中所不具备的。考生看到每个句型的出题频率后，就能清晰了解每个句型的考查形式，迅速掌握句型。

4、每个单元配备对应练习。背诵单元句型之后，可以通过做练习来检测掌握情况，帮助考生快速攻破每个句型，及时查漏补缺。

5、本书配备了精缩版语法手册，方便考生随身携带，随时查看句型。

本书在编写过程中，得到了北京邮电大学李凡荣老师、国际关系学院孙敏老师、北京第二外国语学院王鹏老师、西安外国语大学韩思远老师、大连外国语大学白春阳老师、大连交通大学王盟老师的大力支持和鼎力相助，在此表示最真挚的谢意。

　　在本书编写结束后，为了使其能够更好地满足读者需求，真正助考级同学一臂之力，我们特别邀请来自国内五所著名院校日语专业的优秀大学生对本书做了试读。他们在认真阅读的基础上，对本书提出了非常中肯、宝贵的意见和建议。感谢这些优秀的大学生朋友们，他们是：李佳芯、杨靖钰、李欣悦、慈翔、李树萱。他们的宝贵建议与热情回馈，成为我们几易其稿，不断修改和完善此书的动力和源泉。

　　由于本书涉及的内容较多，在编写体例方面也进行了新的尝试，难免有错漏之处，敬请日语教学同行和读者给予批评指正，以便今后修改、完善。

　　最后，衷心希望本书能够对考生朋友们有所帮助，并祝愿各位在考试中取得好成绩。

李晓东

2015年9月22日

目　录

必考句型

第 1 单元

第 2 单元

Ｖ

第11単元

第12単元

第 15 単元

第 16 単元

基础句型

第 17 单元

超纲句型

第 18 単元

关于本书使用的语法用语

動詞

動詞辞書形：作る、行く
動詞ない形：作ら、行か
動詞ます形：作り、行き
動詞て形：作って、行って
動詞た形：作った、行った
動詞ば形：作れば、行けば
動詞ている形：作っている、行っている
動詞命令形：作れ、行け
動詞意向形：作ろう、行こう
動詞可能形：作られる、行ける

イ形容詞

イ形容詞辞書形：寒い
イ形容詞語幹：寒
イ形容詞く形：寒く
イ形容詞て形：寒くて
イ形容詞た形：寒かった
イ形容詞ば形：寒ければ

ナ形容詞

ナ形容詞辞書形：元気だ
ナ形容詞た形：元気だった
ナ形容詞語幹：元気
ナ形容詞て形：元気で
ナ形容詞な形：元気な
ナ形容詞に形：元気に
ナ形容詞ば形：元気ならば

名詞

名詞：先生

動詞：作る、作らない、作った、作らなかった
　　　作っている、作っていない
　　　作っていた、作っていなかった
名詞：先生だ、先生ではない、先生だった、先生ではなかった
　　　先生である、先生であった
イ形容詞：寒い、寒くない、寒かった、寒くなかった
ナ形容詞：元気だ、元気ではない、元気だった
　　　　　元気ではなかった、元気である、元気であった

動詞：作る、作らない、作った、作らなかった
　　　作っている、作っていない
　　　作っていた、作っていなかった
名詞：先生の、先生ではない、先生だった
　　　先生ではなかった、先生である、先生であった
イ形容詞：寒い、寒くない、寒かった、寒くなかった
ナ形容詞：元気な、元気ではない、元気だった
　　　　　元気ではなかった、元気である、元気であった

必考句型

第1单元

1　～あっての　有了……才有……、没有……就没有……、没有……就不能……

接续　名詞＋あっての

解说　以「名詞＋あっての＋名詞」的形式表示正因为有了前项的条件，后项的结果才成立，或者如果没有前项的条件，后项的结果就不能成立。即对于后项来说，前项是绝对必要的。有时可以在「あっての」的前面加上「が」。

- 両親あっての私です。両親がいなければ今日の私はいない。

  有了父母才有我。如果没有父母就不可能有今天的我。

- 我が社は創業以来、お客様あっての商売をモットーに経営している。

  我公司自创业以来，一直遵循着没有客人就没有生意的宗旨进行运营。

- 彼女が退学したのは、きっと何か訳があってのことだろう。

  一定是有什么原因，她才会退学的吧。

考题解析及译文

①どんな小さな成功も努力＿＿＿＿＿＿ことだ。（97年1級）

　　　　1. あっては　　2. あってで　　3. あっても　　4. あっての

解析　本题考查的是句型的搭配。选项1「あっては」接在「に」的后面意为"在……的时候、在……情况下"。选项2「あってで」没有这样的表达。选项3「あっても」意为"即使有……"。　　　　　　　　　　　　　　**答案4**

译文　无论多么小的成功，都是通过努力才获得的。

②こうして私たちが商売を続けられるのも、お客様＿＿＿＿＿＿のものと感謝しております。（05年1級）

　　　　1. だって　　2. あって　　3. かぎり　　4. ばかり

解析　选项1「だって」意为"即使……、就连……"。选项3「かぎり」意为"只限于……、以……为限"。选项4「ばかり」意为"光、仅仅"。　　　　　　　　　　　　**答案2**

译文　正是因为有顾客，我们才能够这样维持买卖，对此我们深表感谢。

③辛い治療に耐え、病気を克服することができたのは、家族の励ましが＿＿＿＿＿＿。（07年1級）

　　　　1. あってのことだ　　2. あるかのようだ　　3. あるかぎりだ　　4. ありながらだ

解析　选项2「あるかのようだ」意为"就好像有……一样"。选项3「あるかぎりだ」没有这样的表达。选项4「ありながらだ」没有这样的表达。　　　　　　　**答案1**

译文　正因为有了家人的鼓励，我才能挺过艰辛的治疗，从而战胜病魔。

④山田監督は私の恩人です。今の＿＿＿＿　＿＿＿＿　★　＿＿＿＿ ことです。（10年12月N1級）

1. あっての　　2. あるのも　　3. わたしが　　4. 監督

全文　山田監督は私の恩人です。今のわたしがあるのも監督あってのことです。

答案4　正确的排序：3、2、4、1

译文　山田教练是我的恩人。正是因为有了教练，才有了今天的我。

2　～（を）あてにする　指望……、依靠……、相信……

接续　名詞＋（を）あてにする

解说　表示相信、指望、依靠着前项。

• 初めから他人の助けを当てにするような人間は、決して成功しません。

从一开始就依靠他人帮助的那种人是绝对不会成功的。

• 彼は今年の予定の収入をあてにして多額の金を借りた。

他指望着今年预期的收入，借了很多的钱。

• あんな奴があなたに金を貸してくれるとあてにするな。

你不要指望那种人会借钱给你。

3　強ち～ない　不一定……、未必……

接续　強ち＋動詞ない形＋ない

強ち＋イ形容詞く形＋ない

強ち＋ナ形容詞語幹＋ではない／じゃない

強ち＋名詞＋ではない／じゃない

解说　表示并非完全是那样。

• あの人は頼りにならない男だが、あながち無能というわけではない。

他虽然不是一个可以依靠的男人，但也未必就是无能。

• その件は難しいが、あながち不可能ではない。

那件事虽然很难，但未必就办不到。

• 彼の論理には難点もあるが、あながち間違いとは言えない。

他的逻辑虽然也有缺点，但不能说就一定是错误的。

辨析

「**あながち～ない**」和「**必ずしも～ない**」都可以表示"不一定……、未必……"的意思，经常可以互换。但「必ずしも～ない」强调的是"如果有前项的条件就一定会有后项结果"的道理并不是任何时候都适用的；而「あながち～ない」则强调"不能说一定就是那样"的意思，有反对进行断定之意。如下表：

	～いやというわけではない	～正しいとは言いきれない	金持ちだからといって～えらくはない
必ずしも	○	○	○
あながち	○	○	×

---

4 ~以外の何物でもない　不外乎是……、无非是……、就是……

接続　動詞辞書形＋以外の何物でもない
　　　　イ形容詞＋以外の何物でもない
　　　　ナ形容詞語幹＋以外の何物でもない
　　　　名詞＋以外の何物でもない

解説　表示强烈的肯定，意思是"无非是这样的"，等同于「～にほかならない」。

- 私にとって、子育ては愉快以外の何物でもない。
  对于我来说，育儿是非常愉快的。

- 1週間ぶりの学校だから、だるい以外の何物でもない。
  因为隔了一周才上学，所以感觉懒洋洋的。

- 彼は以前の取材で「運を呼び寄せるのは努力以外の何物でもない」と語ってくれました。
  在以前的采访中，他曾经对我说"能招来运气的不外乎努力"。

---

5 ~いかんだ／~いかんで（は）／~いかんによって（は）　根据……、取决于……

接続　名詞（＋の）＋いかんだ

解説　表示某事能否实现是由前项的内容、状态来决定的。与N2级语法点「～次第だ/～次第で（は）」的用法相似。「～いかんだ」用于句末，「～いかんで（は）/～いかんによって（は）」用于句子中顿处，表示至关重要的决定条件。

- 成績が伸びるかどうかは、本人の今後の努力いかんだ。
  成绩能否提高取决于本人今后的努力。

・新製品に対する 客 の反応いかんでは、 商 品開発チームの解散もありうる。
根据顾客对新产品的反应，也有可能解散商品开发团队。

・原則として禁止だが、理由のいかんによっては、特別に例外を認めることもある。
原则上是禁止的，但是根据原因，有时也会承认个别例外。

辨析 | 「～いかんだ/～いかんで（は）/～いかんによって（は）」和「～次第だ/～次第で（は）」的意思、用法均相同，但是前者语气更为生硬，一般用于正式场合。

派生 | 「～いかんだ」也可以采用「～いかんにかかっている」或「～いかんにきまっている」的形式，意思不变。

・この 試 みが成功するか否かは君たちの 協 力 いかんにきまっている。
这项尝试成功与否取决于你们的合作。

・学校の発展は、 職 員一同の努 力 いかんにかかっている。
学校的发展取决于全体教职员工的共同努力。

以「～いかんともしがたい」的形式表示虽然遗憾，但实在力不从心，毫无办法。

・心 から何かしてあげたいのだが、 私 の 力 ではいかんともしがたい。
内心虽然很想为你做些什么，但就我的能力而言实在是力不从心。

考题解析及译文

①話し合いの結果_____では、ストライキも辞さない覚悟だ。（95 年 1 級）
　　　1. のわけ　　2. かぎり　　3. いかん　　4. のよう

解析　选项1「のわけ」意为"……的道理"。选项2「かぎり」意为"只限于……、以……为限、尽……、只要……"。选项4「のよう」意为"就好像……"。　　　**答案3**

译文　根据商谈的结果，我们甚至会进行罢工。

②国の情勢いかん_____訪問を中止することもある。（98 年 1 級）
　　　1. ときたら　　2. をしらず　　3. ともなると　　4. によっては

解析　选项1「ときたら」意为"提到……、说到……"。选项2「をしらず」意为"不知道……"。选项3「ともなると」意为"要是……"。　　　**答案4**

译文　根据国家的形势，也有可能中止访问。

③出席状況・学業成績_____、奨学金の支給を停止することもある。（06 年 1 級）
　　　1. のいかんでは　　2. のきわみで　　3. といえども　　4. としたって

解析　选项2「のきわみで」表示到达极限、顶点的意思。选项3「といえども」意为"虽然说……但是……"。选项4「としたって」意为"作为……也……、即使……也……"。

　　　答案1

译文　根据出勤状况、学习成绩，也有可能停止支付奖学金。

6 **～いかんにかかわらず / ～いかんによらず / ～いかんを問わず**　不论……都……、不管……都……

接续　名詞（＋の）＋いかんにかかわらず

解说　表示无论前项如何，后项都成立。强调后项的成立不受前项内容的影响。一般用于正式场合。

- 入場券を紛失された場合は、理由の如何にかかわらず入場をお断りします。

  如果丢失入场券，不论是何理由都禁止入场。

- 筆記試験の結果いかんによらず、次の面接試験を受けることになっています。

  无论笔试结果如何，都将接受之后的面试。

- 我が社では、年齢・性別・学歴のいかんを問わず、優秀な人材を採用する方針です。

  我公司的方针是，无论年龄、性别、学历，择优录用。

考题解析及译文

①一度使用した商品は、理由のいかん＿＿＿＿＿＿、返品、交換には一切応じることができません。（09年7月1級）

　　1. によっては　　2. にかかわらず　　3. をよそに　　4. をものともせず

解析　选项1「によっては」意为"根据……"。选项3「をよそに」接在表示他人给予的感情或评价的名词后，意为"无视……、不顾……"。选项4「をものともせず」表示毫不畏惧地去应付严峻的条件，意为"不当回事、不放在眼里"。　　　　　　　　**答案2**

译文　商品一经使用，无论理由如何，都不接受退货、换货。

②次回の交渉では、相手の態度の＿＿＿＿＿＿にかかわらず、こちらはこちらの主張を貫き通すつもりだ。（93年1級）

　　1. 多少　　2. 次第　　3. ごとき　　4. いかん

解析　选项1「多少」意为"多少、稍微"。选项2「次第」意为"全凭……、取决于……"。选项3「ごとき」意为"好像、正如"。　　　　　　　　**答案4**

译文　在下次的交涉当中，不论对方态度如何，我们都打算坚持我们的主张。

③採否＿＿＿＿＿＿、結果は郵便でお知らせします。電話でのお問い合わせには応じられません。（95年1級）

　　1. にあらず　　2. をものともせず　　3. にほかならず　　4. のいかんにかかわらず

解析　选项1「にあらず」意为"不在……"。选项2「をものともせず」表示毫不畏惧地去应付严峻的条件，意为"不当回事、不放在眼里"。选项3「にほかならず」意为"不外乎……、无非是……"。　　　　　　　　**答案4**

译文　不管录取与否，结果都将邮寄通知大家。我们不接受电话询问。

④この奨学金は留学生のためのものです。出身国の＿＿＿＿＿＿＿によらず応募することができます。（97年1級）

　　1.　どこ　　2.　なに　　3.　いかん　　4.　どちら

解析　本题考查的是句型的搭配。选项1「どこ」意为"哪里"。选项2「なに」意为"什么"。
　　　选项4「どちら」意为"哪里、哪位"。　　　　　　　　　　　　　　　　　　**答案3**

译文　该奖学金是给留学生提供的。不管来自哪个国家都可以申请。

⑤出席欠席の＿＿＿＿＿＿＿、同封した葉書にてお返事くださるようお願いいたします。（02年1級）

　　1.　そばから　　2.　ないまでも　　3.　次第にしては　　4.　いかんによらず

解析　选项1「そばから」意为"刚一……就……"。选项2「ないまでも」表示即使没到某种程度至少也要这样，意为"即使不……至少也……、就是……也应该……"。选项3「次第にしては」没有这样的表达。　　　　　　　　　　　　　　　　　　**答案4**

译文　无论是出席还是缺席，都请用随信同寄的明信片予以回复。

7 一概（いちがい）に～ない　　**不能一概地……、不能笼统地……**

接続　一概に＋動詞ない形＋ない

解説　后面接续「できない」、「言えない」等表示否定某种可能性的表达方式，表示不能一概地做某事之意。言外之意是要考虑其他条件或情况。

· 学校（がっこう）の成績（せいせき）が悪（わる）いからといって、一概（いちがい）に将来（しょうらい）の見通（みとお）しが暗（くら）いとは言（い）えない。
　虽说在学校的成绩差，但是也不能笼统地说将来前景黯淡。

· 一概（いちがい）に漫画（まんが）が悪（わる）いと言（い）うことができない。中（なか）には素晴（すば）らしいものもある。
　不能笼统地说漫画就不好。其中也有非常好的东西。

· 一概（いちがい）に言（い）えないが、大体（だいたい）中学生（ちゅうがくせい）ぐらいの年頃（としごろ）は、女（おんな）の子（こ）の成長（せいちょう）が早（はや）い。
　虽然不能一概而论，但是大体上中学生这样大小的年纪，女孩子的成长发育要早。

8 今（いま）でこそ　　**现在虽然是……**

接続　今でこそ＋動詞／イ形容詞／ナ形容詞語幹／名詞

解説　以「今でこそ～（だ）が、～」的形式，表示"现在这种事情已经是理所当然的了，但是以前……"之意。后项一般为"在过去没有这种事"或"正好相反"之意。

· 彼（かれ）は今（いま）でこそ売（う）れっ子（こ）の漫画家（まんがか）だが、以前（いぜん）は売（う）れない画家（がか）だった。
　他现在虽然是人气极高的漫画家，但以前就是一个不知名的画家。

· 今（いま）でこそ日本人（にほんじん）とうまく交流（こうりゅう）できるが、日本語（にほんご）を勉強（べんきょう）し始（はじ）めた頃（ころ）は全然（ぜんぜん）駄目（だめ）だった。

现在虽然能够跟日本人流利交流，但是刚开始学日语的时候根本就不行。

- 今^{いま}でこそ外科医^{げかい}は医者^{いしゃ}のメインストリームみたいな 扱^{あつか}いだけど、 昔^{むかし}は外科^{げか}
  医^いは医者^{いしゃ}ではなかった。

  虽然现在外科医生被当作医生的主流，但是以前外科医生根本就不被当作医生。

考题解析及译文

① ＿＿＿ ＿＿＿ ★ ＿＿＿ 小さな町工場だった。 （11 年 7 月 N1 級）
1. もともとは　　2. 我が社だが　　3. 今でこそ　　4. 一流企業と言われる

全文　今でこそ一流企業と言われる我が社だが、 もともとは小さな町工場だった。

　　　　　　　　　　　　　　　　答案2　正确的排序：3、4、2、1

译文　我们公司虽然现在被称为一流企业，但原本只是镇上的一家小工厂而已。

9　言^いわずもがな

（1）不说为好、不说为妙、没有必要说

接续　言わずもがな＋の＋名詞
　　　言わずもがな＋だ

解说　表示没有必要说或最好不要说的意思。「もがな」是助词，表示强烈的愿望，意思相当于「～といいなあ」。

- 彼女^{かのじょ}はいつも言^いわずもがなのことを言^いう。
  她总是说不该说的事。

- 彼女^{かのじょ}に言^いわずもがなのことを言^いってしまって嫌^{きら}われた。
  对她说了不必要的话，被讨厌了。

- そんなことはもう分^わかり切^きっているのだから、言^いわずもがなだ。
  那种事已经是非常明了的了，所以不需要说了。

（2）当然、不待言、别说是……

接续　言わずもがな＋名詞

解说　表示不用说的意思，相当于「もちろん」之意。

- そんな簡単^{かんたん}なことは大人^{おとな}は言^いわずもがな、子供^{こども}さえ知^しっている。
  那么简单的事情，别说是大人了，就连小孩子都知道。

- 彼^{かれ}は英語^{えいご}は言^いわずもがな、スペイン語^ごも流暢^{りゅうちょう}に話^{はな}すことができる。
  英语自不待言，就连西班牙语他都说得很流利。

- 学生^{がくせい}は言^いわずもがな、教師^{きょうし}までが集^{あつ}まった。
  别说是学生了，就连老师都到场了。

考题解析及译文

①あんまり腹が立ったので、つい言わず_____のことを言ってしまった。（00 年 1 级）

  1. じまい 2. がてら 3. もがな 4. ながら

解析 本题考查的是语法词汇的搭配。选项1「じまい」接在表示否定的「ず」后面，意为"没能……"。选项2「がてら」意为"顺便、借……之便"。选项4「ながら」意为"一边……一边……、虽然……但是……"。   **答案3**

译文 我太生气了，所以没留神就说了不该说的话。

---

10 ～（よ）うが／～（よ）うと／～（よ）うとも 不管……、即使……、不论……

接续 動詞意向形＋が
    イ形容詞語幹＋かろう＋が
    ナ形容詞語幹＋だろう＋が
    名詞＋だろう＋が

解说 表示逆接条件，不管前项如何，后项都是成立的。后项一般为表示意志、决心或是像「自由だ」（自由的）、「勝手だ」（随意的）、「関係ない」（没有关系）等意思的表达方式。经常与疑问词「だれ」、「何」、「いつ」、「どこ」及副词「どんなに」等一起使用。

• 私が何時に家に帰ろうとも、あなたには関係ないことでしょう。
 不管我几点钟回家，都跟你没有关系吧。

• 報酬が多かろうと少なかろうと、私はやるべきことをやるだけだ。
 不论报酬多还是少，我都只是在做我应该做的事。

• たとえ上司だろうが、間違いは指摘しなければならないと思う。
 我想即使是上司，也必须要指出他的错误。

考题解析及译文

①誰が何と_____と、謝る気は全くない。（02 年 1 级）

  1. 言おう 2. 言う 3. 言った 4. 言われる

解析 本题考查的是句型的搭配。选项2「言う」意为"说"。选项3「言った」意为"说了"。选项4「言われる」意为"被说"。   **答案1**

译文 不管谁说什么，都完全没有道歉的意思。

②誰が何と_____、私の決意は変わりません。（07 年 1 级）

  1. 言おうと 2. 言いながら 3. 言うおかげで 4. 言ったはずで

解析 选项2「言いながら」意为"一边说……一边……、虽然说……但是……"。选项3「言うおかげで」意为"多亏了说……"。选项4「言ったはずで」意为"应该说了……"。   **答案1**

译文 不管谁说什么，我的决心都不会改变。

③どんなに反対され＿＿＿＿＿＿、自分が正しいと思う道を進みたい。（01 年 1 級）

    1．てまで　　2．ながら　　3．かけては　　4．ようとも

解析　选项1「てまで」意为"甚至到……地步"。选项2「ながら」意为"虽然……但是……、一
边……一边……"。选项3「かけては」接在「に」后面，意为"在……方面"。　　**答案4**

译文　即使再怎么被反对，我也想按照自己认为正确的道路前进。

11　～（よ）うが～まいが／～（よ）うと～まいと　　不管……还是……

接续　五段動詞意向形＋が＋五段動詞辞書形＋まいが

    一段動詞意向形＋が＋一段動詞辞書形／一段動詞ます形＋まいが

    サ変動詞の接続：しよう＋が＋するまいが／すまいが／しまいが

    カ変動詞の接続：来よう＋が＋くるまいが／こまいが

解说　用同一动词的肯定推量与否定推量的并列来表示"无论是不是……、不管是否……"的
意思。虽然「～（よ）うが」和「～（よ）うと」的意思一样，但使用时要保持前后一致，
如果用「～が」就都用「～が」，用「～と」就都用「～と」。

• あの教授は学生が分かろうが分かるまいがかまわず授業を進めていく。

  那个教授不管学生懂了还是没懂，都会往下继续讲课。

• 人が認めてくれようと（認めて）くれまいと、私は自分の作品を作るだけだ。

  不管别人是否认可，我只是在创作自己的作品。

• 結婚しようが（結婚）しまいが自由だが、子供に対する責任だけはきちんと
果たすべきだ。

  结婚与否是自由的，但是应该好好对孩子负起责任。

考题解析及译文

①私は、他の人がいようと＿＿＿＿＿とかまいません。（90 年 1 級）

    1．いまい　　2．いない　　3．いたい　　4．いなかった

解析　本题考查的是句型的搭配。选项2「いない」意为"不在"。选项3「いたい」意为"想
在"。选项4「いなかった」意为"不在"。　　**答案1**

译文　不管别人在不在，我都没有关系。

②ベストを尽くしてやれば、成功しようと＿＿＿＿＿＿と関係ないのではないか。（95 年 1 級）

    1．しまい　　2．しない　　3．して　　4．しろ

解析　本题考查的是句型的搭配。选项2「しない」意为"不做"。选项3「して」意为"做"。
选项4「しろ」为「する」的命令形，意为"做"。　　**答案1**

译文　如果尽全力去做了，不管是否成功都没有关系。

③周囲の人が反対＿＿＿＿＿＿、私の気持ちは変わらない。（04 年 1 級）

    1．しないとばかりに　　2．したそばから　　3．しようとしまいと　　4．するとすれば

解析　选项1「しないとばかりに」中的「～とばかりに」表示"简直就像说……"之意，所以选项1放在句子中意为"简直就像说周围的人不反对一样"。选项2「したそばから」意为"刚一……就……"。选项4「するとすれば」意为"如果做的话"。　　**答案3**

译文　不管周围的人是否反对，我的想法都不会改变。

12 〜（よ）うにも〜ない　　即使想要……也无法……、即使想要……都……不了

接续　動詞意向形＋（よ）うにも＋同じ動詞可能形のない形＋ない

解说　前面接动词的意向形，后面接同一动词可能形的否定形。表示因为某种客观原因，即使想那么做也不能做或也做不到的意思。其中的动词不能使用非意志性动词。

・彼女の電話番号を知らないから、電話をかけようにもかけられない。
　因为不知道她的电话号码，所以即使想给她打电话也打不了。

・こんなに教育費が高いと、若い夫婦は子どもを持とうにも持てない。
　如果教育费用这么高，年轻夫妇即使想要孩子也要不起。

・母は日本語ができないので、僕の日本人のガールフレンドと話そうにも話せない。
　母亲不会说日语，所以即使想跟我的日本女友说话也说不了。

考题解析及译文

①風邪で喉が痛くて、声を＿＿＿＿。（09年7月1級）
　　1. 出そうにも出せない　　2. 出してもともとだ
　　3. 出さざるをえない　　4. 出さずにはおかない

解析　选项2「出してもともとだ」意为"就是出声也无所谓的"。选项3「出さざるをえない」意为"不得不出声"。选项4「出さずにはおかない」意为"必然会出声"。　　**答案1**

译文　因为感冒喉咙痛，所以即使想出声也出不了。

②大雪で交通が麻痺し、＿＿＿＿動けなかった。（93年1級）
　　1. 動けば　　2. 動いても　　3. 動こうにも　　4. 動くまいか

解析　选项1「動けば」意为"如果动"。选项2「動いても」意为"即使动"。选项4「動くまいか」意为"要不要动一下"。　　**答案3**

译文　由于大雪，交通瘫痪，即使想动也动不了。

③こう毎日レポートや試験に追われていては、国の両親に手紙を書こうにも＿＿＿＿。（95年1級）
　　1. 書けない　　2. 書こうとしない　　3. 書かない　　4. 書きたくない

解析　选项2「書こうとしない」意为"不想去写"。选项3「書かない」意为"不写"。选项4「書きたくない」意为"不想写"。　　**答案1**

译文　这样每天忙于报告和考试，就是想给家乡的父母写封信都写不了。

④強風で、家から＿＿＿＿＿出られなかった。（99年1級）

　　　1. 出ようにも　　2. 出ようが　　3. 出たなら　　4. 出れば

解析　选项2「出ようが」意为"不管出去还是……"。选项3「出たなら」意为"如果出去了的话"。选项4「出れば」意为"如果出去"。　　　　　**答案1**

译文　因为大风，即使想从家出去都出不去。

⑤食事の用意をするといっても、材料も買っていなければ調味料もそろっていない。これでは、作ろうにも＿＿＿＿＿。（00年1級）

　　　1. 作れない　・　2. 作らない　　3. 作りかねない　　4. 作ろうとしない

解析　选项2「作らない」意为"不做"。选项3「作りかねない」意为"很可能做"。选项4「作ろうとしない」意为"不想去做"。　　　　　**答案1**

译文　虽然说准备做饭，但是既没有买食材，调味料也不齐全。这样的话，即使想做也做不了。

⑥こんな騒がしい部屋では、赤ん坊を＿＿＿＿＿寝かせられない。（05年1級）

　　　1. 寝かせるかたわら　　2. 寝かせつつ　　3. 寝かせるがはやいか　　4. 寝かせようにも

解析　选项1「寝かせるかたわら」意为"一边让孩子睡觉，一边……"。选项2「寝かせつつ」意为"即使让孩子睡觉"。选项3「寝かせるがはやいか」意为"刚一让孩子睡觉就……"。　　　　　**答案4**

译文　在这么吵闹的房间里，即使想让孩子睡觉也无法让他入睡。

13　～覚えはない

（1）不曾……过、你没有资格……

接续　動詞受身の辞書形＋覚えはない

解说　接在动词被动态的原形后，表示"我不曾被……过"或"……没有资格……我"的意思。含有谴责对方之意。

- 最近、無言電話がよくある。人に恨まれる覚えはないんだけどなあ。

　最近经常接到骚扰电话。我不曾得罪过谁啊。

- 子供から「あんたに怠け者だと非難される覚えはない」と言われたことがある。

　曾经被孩子说过"你没有资格说我懒惰"。

- 彼はいつも「タバコは私個人だけの問題で、人に指図される覚えはない」と言っている。

　他总是说"吸烟是我个人的问题，别人没有资格对我指手画脚"。

（2）我不记得……

接续　動詞た形＋覚えはない

解说　接在动词的过去式之后，表示"我自己并不记得有过某种经历"之意。一般用于别人指责自己时的自我辩解。

• 私は確かにそんな植物を植えた覚えはない。

我确实不记得种过那种植物。

• あんたに「助けてほしい」なんて言った覚えはない。

我不记得跟你说过要你帮忙。

• 私はお前をそんな礼儀知らずな子に育てた覚えは無いよ。

我不记得把你培养成了那样一个不懂礼貌的孩子。

14 ～思いをする／～思いだ　　感觉……、感到……、觉得……

接続　動詞辞書形＋思いをする

　　　イ形容詞辞書形＋思いをする

　　　ナ形容詞な形＋思いをする

解説　用于说话人触景生情时抒发内心的感受。在叙述过去的经历时要用过去式「～思いをした/～思いだった/～思いでした」。多接在表示感情的词之后。

• 日本での一人暮らし、最初はとても心細い思いをした。

一个人在日本生活，刚开始时心中感觉非常不安。

• こんなに嫌な思いをするくらいなら、あの男と離婚したほうがましだ。

要是感觉这么讨厌的话，还不如跟那个男的离婚的好。

• その事を聞いて、私ははらわたが煮えくり返る思いだった。

听到那件事，我感觉怒不可遏。

考题解析及译文

①山川さんは、この間彼自身が入院した時の話をして、「ぼくは手術の前には水が飲めなくて、それはつらい思い_____」と言った。（02年1級）

　　　1. をさせる　　2. をされた　　3. をした　　4. をする

解析　选项1「をさせる」表示使役，意为"使……、让……"。选项2「をされた」表示被动，意为"被……"。选项4「をする」表示尚未发生的事情，意为"要做……"。　　　　**答案3**

译文　山川说了他之前住院时的事情，他说："我在做手术之前不能喝水，那种感觉真是太难受了。"

②今回のプロジェクトを任され、その責任の重さに身が引き締まる_____です。（10年12月N1級）

　　　1. 考え　　2. 見込み　　3. 思い　　4. 始末

解析　本题考查的是句型的搭配。选项1「考え」意为"想法、观点"。选项2「見込み」意为"预料、计划"。选项4「始末」意为"结果、后果"。　　　　**答案3**

译文　这次的项目由我负责，我深感责任的重大。

15 〜甲斐がある / 〜甲斐がない / 〜甲斐もなく　（有/无）效果、（有/无）回报

接续　動詞た形＋甲斐がある
　　　　名詞＋の＋甲斐がある

解说　接在表示动作的动词或表示行为的名词后，肯定形式表示该行为得到了预期的效果或得到了回报，否定形式表示其努力没有得到回报或没有效果。

- 一生懸命勉強した甲斐があって、彼は東京大学に合格した。
  拼命学习有了回报，他考上了东京大学。

- みんなの手厚い看護の甲斐もなく、彼は息を引き取った。
  大家的细心护理也没有效果，他还是停止了呼吸。

- 苦労の甲斐があって、やっと日本語で論文が書けるようになった。
  辛苦有了回报，终于能用日语写论文了。

派生　以「動詞ます形＋甲斐がある / 甲斐がない / 甲斐もなく」的形式出现，基本意思与上面一样，表示做这一动作是值得的、有效的，可以得到回报。是书面语用法。其中「生きがい」这个单词已经成为一个固定用语，常出现在会话中，意为"生存的意义、生活的价值"。

- 大学を卒業したら、やりがいのある仕事に就きたい。
  大学毕业之后，我想找一份值得干的工作。

考题解析及译文

① 必死の練習のかいもなく、＿＿＿＿＿＿＿。（01年1级）
　　1. オリンピックで優勝した　　　　2. オリンピックに出場できた
　　3. オリンピックに参加しなくてすんだ　　4. オリンピックの代表選手には選ばれなかった

解析　选项1「オリンピックで優勝した」意为"在奥运会上取胜了"。选项2「オリンピックに出場できた」意为"能够参加奥运会了"。选项3「オリンピックに参加しなくてすんだ」意为"不用参加奥运会了"。　　　　　　　　　　　**答案4**

译文　拼命练习也没有效果，没有被选为奥运会的代表选手。

② 応援の＿＿＿＿＿＿＿、私のクラスのチームは一勝もできなかった。（08年1级）
　　1. 反面　　2. おりから　　3. こととて　　4. かいもなく

解析　选项1「反面」意为"另一方面、与……相反"。选项2「おりから」意为"正值……时候"。选项3「こととて」表示原因，意为"因为"。　　　　　　　　　**答案4**

译文　加油助威也没用，我们班的队伍一场都没有获胜。

③ 3時間待った＿＿＿＿＿＿＿、雨がやみ、美しい景色を見ることができた。（09年7月2级）
　　1. かいがあって　　2. ほどでなくても　　3. ばかりに　　4. かぎりでは

解析　选项2「ほどでなくても」意为"即使没有达到……程度"。选项3「ばかりに」表示原因，意为"正因为……"。选项4「かぎりでは」意为"在……范围之内"。　　　　　　　　**答案1**

译文　没有白等3个小时，雨停了，看到了美丽的景色。

必考句型

第 2 单元

---

1 ～限（かぎ）りだ   非常……、很……、无比……、极其……

接续　イ形容詞辞書形＋限りだ
　　　　ナ形容詞な形＋限りだ
　　　　名詞＋の＋限りだ

解说　表示说话人的某种感情、心情达到最高点。前面接续表示心情的词语。如「喜（よろこ）ばしい」（高兴）、「腹立（はらだ）たしい」（生气）、「心強（こころづよ）い」（有把握的）、「羨（うらや）ましい」（羡慕）、「残念（ざんねん）」（遗憾）等等。

- 彼（かれ）は、頭（あたま）もいいし、性格（せいかく）もいいし、しかもお金持（かねも）ち。本当（ほんとう）に羨（うらや）ましい限（かぎ）りだ。
  他又聪明、性格又好，而且很有钱。真是太令人羡慕了。

- 半年（はんとし）も準備（じゅんび）をしたのに中止（ちゅうし）だなんて、残念（ざんねん）な限（かぎ）りだ。
  准备了半年却中止了，非常遗憾。

- 念願（ねんがん）の日本留学（にほんりゅうがく）が決（き）まって、嬉（うれ）しさの限（かぎ）りだ。
  盼望已久的去日本留学的事终于定下来了，真是太高兴了。

辨析

「～限（かぎ）りだ」、「～の至（いた）り」、「～の極（きわ）み」三者都可以表示程度最高，在区别三者时，首先，从接续上来看，「～限りだ」前面可以接续「イ形容詞」和「ナ形容詞」，而其他二者只能接续名词。其次，从意思上来看，「～限りだ」表示说话人针对某一事件的感情、心情达到了最高点，只用于表示感情的词语；「～の至り」意为"无上、无比"，表示达到极致，处于最高状态，常用于较为郑重的致辞等，一般用于积极方面；「～の極み」表示达到极限、顶点，既可以用于积极方面也可以用于消极方面。后两者在表示积极方面时可以互换。

- 私（わたし）の書（か）いた小説（しょうせつ）がこのような世界的（せかいてき）な賞（しょう）をいただくとは、光栄（こうえい）の至（いた）り（〇極（きわ）み）です。
  我写的小说获得这种世界性的大奖，我感到无上光荣。

- 自殺（じさつ）して親（おや）より先（さき）にあの世（よ）に行（い）くなんて、親不孝（おやふこう）の極（きわ）み（×至（いた）り）だ。
  自杀，先父母一步去黄泉，真是不孝至极。

派生

「～限りだ」接在表示日期、时间以及数量等名词后面，表示限定。

- 本（ほん）の貸（か）し出（だ）しは、1回（かい）に3冊（さつ）限（かぎ）りです。
  一次限借3本书。

考题解析及译文

①久しぶりに友人から電話がかかってきたが、元気で研究を続けているそうでうれしい_____。（98年1級）
  1. あまりだ   2. ごとくだ   3. かぎりだ   4. あげくだ

解析　选项1「あまりだ」意为"太过分、太过于……"。选项2「ごとくだ」意为"像……一样"。选项4「あげくだ」没有这样的表达，「～あげくに」意为"结果、最后"。　**答案3**

译文　很久没联系的朋友打来电话，听说在精力充沛地继续搞研究，我非常高兴。

②小学校からずっと仲のよかった彼女が遠くに引っ越すのは、寂しい_____。（05年1級）
  1. ほかない   2. に限る   3. 限りだ   4. にほかならない

解析　选项1「ほかない」意为"除此之外，别无他法"。选项2「に限る」意为"最好……"。选项4「にほかならない」意为"正是……、不外乎……、无非……"。　**答案3**

译文　从小学起就一直关系很好的她要搬家到远方，我感到非常寂寞。

③自分の作品がこんなに大勢の人に評価されるとは、本当に嬉しい_____。（08年1級）
  1. きりだ   2. かぎりだ   3. ほどだ   4. ぐらいだ

解析　选项1「きりだ」意为"只有、仅有"。选项3「ほどだ」意为"甚至能……、甚至达到……程度"。选项4「ぐらいだ」意为"大概"。　**答案2**

译文　自己的作品能够得到这么多人的评价，真是高兴至极。

2 ～が最後 / ～たら最後　　一旦……就非得……、一旦……就必定……

接続　動詞た形＋が最後
  動詞た形＋ら最後

解説　表示"某事一旦发生就必定……"的意思。后项是表示说话人意志或必然发生的状况的表达方式。后面一般为不好的结果。

• あの会社の社長は、約束の時間に遅れたが最後、二度と会ってくれないだろう。
 一旦不遵守约定的时间，下次就不可能再见到那个公司的社长了吧。

• どんな秘密も、彼女に話したが最後、会社中に広がってしまう。
 不管什么秘密，一旦跟她说了的话，就必定会传遍整个公司。

• ケーキが好きな娘に見つかったら最後、全部一人で食べられてしまう。
 一旦被我那爱吃蛋糕的女儿发现，就会全部被她一个人吃掉的。

考题解析及译文

①あの人は話好きで、目が_____最後、最低30分は放してくれない。（94年1級）
  1. あったの   2. あったが   3. あうのに   4. あったから

解析　本题考查的是接续。选项1「あったの」意为"相遇了"。选项3「あうのに」意为"虽然相遇"。选项4「あったから」意为"因为相遇了"。　　　　　　　　　　　　**答案2**

译文　他很爱聊天，只要跟他视线遇到一起，他至少得跟你聊上30分钟。

②あの子はいったん遊びに出たが＿＿＿＿＿＿＿、暗くなるまでもどって来ない。（97年1級）
　　　1. 終わり　　2. 始末　　3. しまい　　4. 最後

解析　本题考查的是句型的搭配。选项1「終わり」意为"结束"。选项2「始末」意为"结果"。选项3「しまい」意为"末尾、终了"。　　　　　　　　　　　　**答案4**

译文　那孩子一旦出去玩，不到天黑是不会回来的。

③それを＿＿＿＿＿＿＿最後、君たち二人の友情は完全に壊れてしまうよ。（02年1級）
　　　1. 言ったが　　2. 言うのに　　3. 言っても　　4. 言うものの

解析　本题考查的是接续。选项2「言うのに」意为"虽然说"。选项3「言っても」意为"即使说"。选项4「言うものの」意为"尽管说"。　　　　　　　　　　　　**答案1**

译文　你一旦说了那个，你们两人的友情就会完全破裂的。

④こんな貴重な本は、一度手放した＿＿＿＿＿＿＿、二度とこの手には戻って来ないだろう。（03年1級）
　　　1. そばから　　2. とたんに　　3. ところで　　4. がさいご

解析　选项1「そばから」意为"一边……一边……"。选项2「とたんに」意为"一……就……"。选项3「ところで」意为"且说、可是、在……时、即使……"。　　　　　　　　　　　　**答案4**

译文　这么贵重的书，一旦错过之后，就再也得不到了吧。

⑤信用というものは、いったん失った＿＿＿＿＿＿＿、取り戻すのは難しい。（08年1級）
　　　1. 末に　　2. が最後　　3. ものの　　4. とみるや

解析　选项1「末に」意为"经过……最后……"。选项3「ものの」意为"尽管……但是……"。选项4「とみるや」表示一看到前项的情况，便立即开始后项动作，意为"一看到……就……"。　　　　　　　　　　　　**答案2**

译文　信用这种东西，一旦失去了，就很难再挽回。

3　～かたがた　顺便……、兼……、同时……

接续　名詞＋かたがた

解说　接在动作性名词后面，表示一个行为兼具两个目的，即同一主语在相同的时间段之内同时进行前项与后项（没有先后顺序），且前项为主要行为，后项为次要行为。多用于正式场合或书信之中。经常接续的名词有「お礼」、「挨拶」、「お見舞い」、「報告」、「お詫び」、「お願い」等等。

- 引越しのご挨拶かたがた、私たち家族の近況をご報告します。
　在通知您我们要搬家的同时，跟您汇报一下我们家的近况。

- お世話になったお礼かたがた、お土産を持って恩師のお宅を訪ねた。

想要答谢老师对我的照顾，我带着礼物去拜访了恩师的家。

- 母は一人暮らしの私を心配で、管理人にお願いかたがた、様子を見に来た。

母亲很担心一个人生活的我，所以拜托管理员多照顾我的同时，顺便来看望了我。

考题解析及译文

① 帰国のあいさつ＿＿＿＿＿おみやげを持って先生のお宅を訪問した。（96年1級）
1. がらみに　　2. かたがた　　3. かねて　　4. がために

解析　选项1「がらみに」意为"关于……方面"。选项3「かねて」接在「を」后面，意为"兼具……"。选项4「がために」接在动词未然形后面表示目的，意为"为了……"。　　**答案2**

译文　回国后想要问候老师，顺便带着礼物拜访了老师的家。

② 先日お世話になったお礼＿＿＿＿＿、部長のお宅にお寄りしました。（00年1級）
1. までも　　2. なくして　　3. ならでは　　4. かたがた

解析　选项1「までも」后面接续否定，意为"没有必要……"。选项2「なくして」意为"如果没有……"。选项3「ならでは」意为"只有……才有的、只有……才能……"。　　**答案4**

译文　为了感谢前几天受到照顾，我顺便拜访了部长的家。

③ 近くに用事があったものですから、先日のお礼＿＿＿＿＿伺います。（08年1級）
1. につき　　2. ゆえに　　3. かたがた　　4. と言わず

解析　选项1「につき」意为"关于……、就……"。选项2「ゆえに」表示目的，意为"为了……"。选项4「と言わず」意为"不论……"。　　**答案3**

译文　因为到附近办事，所以来为前几天之事向您道谢，顺便拜访一下您。

4　～かたわら

（1）在……旁边

接续　動詞辞書形＋かたわら
　　　　名詞＋の＋かたわら

解说　接在动作性名词或动词之后，多用于情景描写。一般见于故事等书面性语言。

- お母さんが洗濯をするかたわらで、子供たちが水遊びをしている。

母亲在洗衣服，在她旁边，孩子们正在玩水。

- 本を読んでいる花子さんのかたわらで、1匹の猫が眠っていた。

花子正在读书，旁边有一只猫在睡觉。

- お父さんは僕の部屋に入って、ベッドのかたわらにある高い椅子に座った。

父亲走进我的房间，坐在了床旁边的高椅子上。

（2）一边……一边……、同时还……

接续 動詞辞書形＋かたわら
名詞＋の＋かたわら

解説 表示在从事主要活动、职业、工作等以外，在空余时间还做其他事情。前项为主要工作，后项为次要工作。前项与后项分别在不同时间内进行，且多用于习惯性行为。

- 彼は大学で日本語を勉強するかたわら、高校で美術を教えている。
  他一边在大学学习日语，一边在高中教授美术。

- 彼女はデパートに勤めるかたわら、夜は茶道や生け花の教室に通った。
  她在百货商场上班的同时，晚上还去上课学习茶道和插花。

- 最近では家事のかたわら、ネットで株取引する主婦が増えているそうだ。
  听说最近在做家务的同时，在网上进行股票交易的主妇正在增加。

派生 「かたわら」还可以作为副词使用，也表示"在做某事的同时还做另外的事"。

- 彼は会社に勤めて、かたわら小説を書いている。
  他在公司工作，同时还在写小说。

考题解析及译文

①彼は歌手としての活動の_____、小説家としても活躍している。（09年7月1級）
　　　1. かたわら　　2. うちに　　3. ところ　　4. そばで

解析 选项2「うちに」意为"趁着……的时候"。选项3「ところ」意为"在……时间/地点"。选项4「そばで」意为"在……旁边"。　　　　　　　　　**答案1**

译文 他在当歌手的同时，作为小说家也很活跃。

②子育ての_____、近所の子供たちを集めて絵を教えている。（93年1級）
　　　1. かたわら　　2. あまり　　3. うちに　　4. そばから

解析 选项2「あまり」意为"过于……、太……"。选项3「うちに」意为"趁着……的时候"。选项4「そばから」意为"刚一……就……"。　　　　　　　　　**答案1**

译文 在育儿的同时，还把附近的孩子们聚集起来教他们画画。

③A氏は不動産業を営む_____、暇を見つけては作家活動をしている。（95年1級）
　　　1. かたわら　　2. そばから　　3. ながら　　4. がてら

解析 选项2「そばから」意为"刚一……就……"。选项3「ながら」接在动词连用形后，表示"一边……一边……、虽然……但是……"。选项4「がてら」接在名词或动词连用形后面，表示"借……机会顺便……"。　　　　　　　　　**答案1**

译文 A先生在经营不动产业的同时，还抽时间从事作家活动。

④あの老人は小説を書く＿＿＿＿＿絵も描いている。（98年1级）

　　　1. がわで　　2. ままに　　3. ところを　　4. かたわら

解析　选项1「がわで」意为"在……旁边"。选项2「ままに」表示顺其自然，意为"随意、任凭……"。选项3「ところを」意为"正在……的时候"。　　　　　　　**答案4**

译文　那位老人在写小说的同时还在画画。

⑤彼は会社勤めの＿＿＿＿＿、福祉活動に積極的に取り組んでいる。（04年1级）

　　　1. かたわら　　2. あまり　　3. うちに　　4. いかんで

解析　选项2「あまり」意为"过于……、太……"。选项3「うちに」意为"趁着……的时候"。选项4「いかんで」意为"根据……、取决于……"。　　　　　　　**答案1**

译文　他在公司工作的同时，还在积极致力于社会福利活动。

5　〜がてら　　顺便……、借……之便、在……的同时……

接续　動詞ます形＋がてら
　　　名詞＋がてら

解说　接在动作性名词或动词连用形之后，表示在做前项的同时顺便把后项也做了的意思。前项与后项是在同一时间段内进行的，且前项为主要行为，后项为次要行为。一般用于口语。

- 散歩がてら、古本屋に寄って、本を数冊買ってきた。
  在散步的同时去了趟旧书店，买回来几本书。

- 新しく購入した機械をテストがてら、使ってみた。処理が速くてなかなか良い。
  在测试新买的机器的同时顺便用了一下。处理速度很快，非常不错。

- 東京にいる友達を訪ねがてら、日本を観光して回った。
  我去看望了在东京的朋友，顺便在日本游览了一番。

辨析

「〜かたがた」表示"同时……"，是正式的用法，只接续动作性名词，前后两个动作是并列的，没有先后顺序。

「〜がてら」也表示"在……的同时、借……之便"的意思，但一般用于日常会话之中。在接续上既可以接名词，也可以接「動詞ます形」。

「〜ついでに」表示"顺便、顺路"的意思，强调在做某一主要事情的同时，顺带着做其他的事情。在接续上有「名詞＋の＋ついでに」和「動詞辞書形＋ついでに」两种接续方法。

「〜かたわら」表示"一边……一边……"的意思，强调在做主要的活动、工作以外，在空余时间还做其他活动，其动作有重复性。是书面语。另外还有"在……旁边"的意思。接续时有「名詞＋の＋かたわら」和「動詞辞書形＋かたわら」两种接续方法。

	①散歩（の）～買い物をする。	②～、パンを買ってください。	③お見舞い（の）～、仕事の報告を伺う。	④散歩（の）～、話をしよう。	⑤会社勤め（の）～、ダンスを習っている。	⑥お世話になったお礼（の）～、部長のお宅を訪ねた。
かたがた	○	×	○	○	×	○
がてら	○	×	○	○	×	△
ついでに	○	○	○	×	×	△
かたわら	×	×	×	×	○	×

注：“△”表示并非错误，但有些不自然，一般不用。

考题解析及译文

①散歩＿＿＿＿＿＿ちょっとたばこを買ってきます。（93 年 1 级）

　　　1. ばかり　　2. ごとき　　3. がてら　　4. ながら

解析　选项1「ばかり」意为“光、仅仅”。选项2「ごとき」意为“好像……一样”。选项4「ながら」接在动词连用形后面，表示“一边……一边……、虽然……但是……”。　　　**答案3**

译文　去散步的时候顺便买包烟。

②駅前のスーパーまで散歩＿＿＿＿＿＿買い物に行った。（96 年 1 级）

　　　1. がてら　　2. につれて　　3. にともなって　　4. かたわら

解析　选项2「につれて」意为“随着……”。选项3「にともなって」意为“随着……”。选项4「かたわら」意为“一边……一边……、在……旁边”。　　　**答案1**

译文　在散步到站前超市的时候，顺便买了点儿东西。

③週末にはドライブ＿＿＿＿＿＿、新しい博物館まで行ってみようと思う。（06 年 1 级）

　　　1. なりに　　2. がてら　　3. がちに　　4. ながら

解析　选项1「なりに」意为“相应的、那样的”。选项3「がちに」意为“经常……、带有……倾向的”。选项4「ながら」接在动词连用形后面，表示“一边……一边……、虽然……但是……”。　　　**答案2**

译文　我想在周末去兜风的时候顺便去看看新的博物馆。

6　～が早いか　　刚一……就……

接续　動詞辞書形＋が早いか
　　　動詞た形＋が早いか

解说　表示刚一发生前项就发生了后项或在发生前项的同时发生了后项。是书面语。

- 息子は朝ご飯を食べおわるが早いか、かばんを持って駆け出していった。

  儿子刚一吃完饭就拿起包跑了出去。

- デパートが開くが早いか、お客さんがバーゲン会場に殺到した。

  百货商店刚一开门，客人们就涌入了甩卖会场。

- 彼は答えを書き終わったが早いか、問題紙を提出して教室から飛び出して
いった。

  他刚一写完答案，就交了试卷，飞奔出教室了。

辨析

关于日语N1、N2级语法中8个在时间上表示"一……就……"的句型的辨析（「～とたんに」、「～次第」、「～（か）と思うと/～（か）と思ったら」、「～か～ないかのうちに」、「～が早いか」、「～なり」、「～そばから」、「～や否や」）：

这8个句型都表示在前项动作或变化发生后，马上就发生了后项的动作或变化，经常可以互换使用。但在使用时，还是有一些细微的差别，我们可以从其接续及意义上来加以区分。

（1）从接续方面来看，如下表：

	名　詞	動　詞		
		辞書形	ます形	た形
～とたんに	×	×	×	見たとたん
～次第	終了次第	×	決まり次第	×
～（か）と思うと/～（か）と思ったら	×	×	×	言ったかと思うと
～か～ないかのうちに	×	終わるか終らないかのうちに	×	食べたか食べないかのうちに
～が早いか	×	叫ぶが早いか	×	鳴ったが早いか
～なり	×	見るなり	×	×
～そばから	×	掃くそばから	×	聞いたそばから
～や否や	×	聞こえるや否や	×	×

由表可知：

可接续「名詞」的是：～次第

可接续「動詞辞書形」的是：～かないかのうちに、～が早いか、～なり、～そばから、～や否や

可接续「動詞ます形」的是：～次第

可接续「動詞た形」的是：～とたんに、～（か）と思うと/～（か）と思ったら、～か～ないかのうちに、～が早いか、～そばから

（2）从意义上来区分，如下表：

	意　义	备　注
～とたんに	前项动作或变化发生后，马上就发生了后项的动作或变化，且后项的动作或变化是说话人当场发现的，因此多伴有惊讶、意外的含义。后项不能用表示说话人意志的动词。	
～次第	表示某事项刚一实现就立即采取下一步的行动。前项多为事情的自然经过，后项多为说话人有意识的行动。后项不能用来表示过去的事情，只能用于将来的动作，表示说话人的意志。	经常用于电视新闻报道中。
～（か）と思うと/～（か）と思ったら	表示两个事情几乎同时发生。既可以指客观上两个动作没有间隔，也可以指虽然两个动作有点间隔，但说话人感觉上没有间隔。后项多为表示说话人惊讶和意外的表达。不能用来叙述说话人自身的行为。	
～か～ないかのうちに	前后分别为同一动词的肯定形式和否定形式，表示前项动作甚至还没有彻底完成的时候就发生了后项动作。处于一种不知道是完成了，还是没有完成的微妙状态。后项不能使用表示命令、意志、推测或否定的谓语动词。	
～が早いか	形容几乎分不清前后两个动作哪个先发生，表示人的一种迫不及待的心情。表示两个动作几乎同时进行。	书面语
～なり	前项动作刚做完就发生了没有预想到的后项事情，有一种意外和惊讶的含义。前后事项是同一主语。	是一种多少有些陈旧的表达方式。
～そばから	表示不断重复相同的动作，是习惯性行为。后项多为发生了使前项白做了的事情。	是比较陈旧的表达方式。
～や否や	表示在刚做完前项，甚至还没有做完前项的短短时间内就发生了后项。多用来表示一种现象。	书面语

考题解析及译文

①子供たちは動物園に着くが＿＿＿＿＿おやつを食べだした。（96 年 1 级）

　　1. はやいか　　2. はやるか　　3. はやくて　　4. はやめて

解析　本题考查的是句型的搭配。选项2「はやるか」不符合题意。选项3「はやくて」意为"快速的"。选项4「はやめて」意为"停止……"。　　　　　　　　　　**答案1**

译文　孩子们刚一到动物园就开始吃点心。

②授業終了のベルを聞くが＿＿＿＿＿、生徒たちは教室を飛び出して行った。（06 年 1 级）

　　1. 早くて　　2. 早いか　　3. 早くも　　4. 早ければ

解析 本题考查的是句型的搭配。选项1「早くて」意为"快速的"。选项3「早くも」意为"立即、已经、马上"。选项4「早ければ」意为"如果快的话"。　　　　**答案2**

译文 刚一听到下课铃声，学生们就飞奔出了教室。

7　～から～を守る / ～を～から守る　　保卫……免遭……、保护……免受……

接续　名詞＋から＋名詞＋を守る

　　　　　名詞＋を＋名詞＋から守る

解说　表示保卫某人或物，使之免受伤害或破坏。

• 放射能汚染から子供たちを守る対策を講じなければならない。

　必须要采取对策，保护孩子们免受放射线污染的侵害。

• 俺はどうしても彼女を悪党の手から守りたい。

　我无论如何都想要从坏人们手中保护她。

• 災害から貴重な文化財を守るために、被害防止に関する調査・研究を行う。

　为了保护珍贵的文化财产免遭灾害的破坏，要进行关于防止受害的调查研究。

8　～からある / ～からの　　……之多、竟有……、……以上、值……

接续　名詞＋からある

解说　接在表示数量的名词后面，表示数量、大小、重量、长度等超过一定的量。一般用于说话人感觉数量特别多的场合。

• 彼は60キロからあるバーベルを軽々と持ち上げた。

　他轻轻松松地就举起了60公斤重的杠铃。

• 釣り好きの父は体長が1メートルからある魚を釣って、とても自慢している。

　喜欢钓鱼的父亲钓到了一条足有1米多长的鱼，非常得意。

• 数名しか採用しない会社の社員募集に、400人からの人が応募した。

　只录用几个人的公司员工招聘，竟有400多人来应聘。

辨析　「～からある/～からの」一般用于表示大小、重量、长度等，而在表示价值或强调金钱数量时，一般使用「～からする」的形式。

• 2億円からする絵画をぽんと買っていくなんて、一体どんな人なんだろう。

　很大方地一出手就买走两亿日元的画，到底是什么人啊？

考题解析及译文

① 身長２メートル＿＿＿＿大男が、突然、目の前に現れた。（99年１級）

　　1. だけある　　2. からする　　3. だけする　　4. からある

解析　选项1「だけある」意为"只有、仅仅有"。选项2「からする」意为"竟有……之多"，但一般用于表示价值或金钱。选项3「だけする」意为"只需做……"。　　**答案4**

译文　身高足有两米的一个大个子男人突然出现在我的面前。

② 100キロ＿＿＿＿荷物を3階まで運ぶには、足腰の強い人が3人は必要だ。（06年１級）

　　1. でもない　　2. しかない　　3. までなる　　4. からある

解析　选项1「でもない」意为"也并不……、也并非……"。选项2「しかない」意为"只有"。选项3「までなる」没有这样的表达，「までになる」意为"达到……程度"。　　**答案4**

译文　要把一百公斤重的行李搬到三楼，需要三个腰腿强壮的人。

9　～からいいようなものの／～からよかったものの　因为……幸好没……（但……）

接続　［動詞、イ形容詞、ナ形容詞、名詞］の普通形＋からいいようなものの

解説　表示因为某种原因，幸好没有导致那么严重的后果之意。言外之意是，虽然从结果来看避免了最坏的事态，但也不是很好。含有较重的责备、指责的语气。

・火を消したからよかったものの、一つ間違えば大変なことになるところだった。

　幸好把火灭了，稍有差错可就不得了了。

・事故に遭い、命を落とさずにすんだからいいようなものの、今後は安全運転を心掛けよう。

　遇上事故，幸好没有生命危险，今后一定要注意安全驾驶。

・運転手が教えてくれたからよかったものの、もう少しで大切な卒業論文をタクシーの中に忘れるところだった。

　幸好司机提醒了我，要不然差一点儿就把重要的毕业论文落在出租车上了。

> **辨析**　「～からいいが／～からいいけど」与「～からいいようなものの／～からよかったものの」意思相似，但是前者多表示"因为……倒也没有多大关系"之意，责备、指责的语气要比后者轻得多，且一般用于口语会话中。
>
> ・今回は車があるからいいが、あんな大きな石なんてどうやって持ち運ぶつもりだ。
>
> 这次因为有车，倒也没什么关系，但那么大一块石头，你打算怎么搬走啊？

① あなたがたまたま確認してくれたからよかったものの、もう少しで原稿の締め切りに間に合わなくなる_____。（02年1級）

　　　1. ところだろう　　2. ところだった　　3. ところではない　　4. ところではなかった

解析　选项1「ところだろう」表示推测，不符合题意。选项3「ところではない」意为"不是……的时候"。选项4「ところではなかった」意为"不是……的时候"。　　**答案2**

译文　幸好你偶然帮我确认了一下，差一点儿就赶不上稿子的截止日期了。

10　～からなる　　由……组成、由……构成

接续　名詞＋からなる

解说　表示某种事物、物质等的成分或构成要素。用在句尾时常用「～からなっている」的形式。口语和郑重的书面语均可以使用。

- 日本列島は、海に囲まれた五つの大きな島と、多くの小さな島からなっている。
  日本列岛由被大海包围的5个大岛和众多的小岛组成。

- 貿易は商品の両方向の流れ、即ち輸出と輸入からなる。
  贸易是由商品的双向流动，即由出口和进口组成的。

- 日本政府は、中国からの要請を受け、20人からなる医療チームを20日に派遣することを決めた。
  日本政府应中国的请求，决定于20日派出一个由20人组成的医疗队。

派生　也可以采用「～と～とからなる」的形式表示"由……和……组成"的意思。

- 日本は衆議院と参議院とからなる二院制を取っている。
  日本采取的是由众议院和参议院构成的两院制。

---

① 地震の被害を受けた地域に、十数名の専門家_____救援隊が派遣された。（09年12月1級）

　　　1. からなる　　2. からある　　3. に達する　　4. に由来する

解析　选项2「からある」表示数量多，意为"竟有……、有……之多"。选项3「に達する」意为"达到……"。选项4「に由来する」意为"起源于……"。　　**答案1**

译文　由十几名专家组成的救援队被派到了地震受灾地区。

11 ～きらいがある　有点儿……、有……的倾向、往往……、有……之嫌

接続　動詞辞書形＋きらいがある
　　　動詞ない形＋ない＋きらいがある
　　　イ形容詞辞書形＋きらいがある
　　　ナ形容詞な形＋きらいがある
　　　名詞＋の＋きらいがある

解説　表示有某种倾向或某种嫌疑，常与「とかく」、「ともすると」等词一起连用。一般用于不好的场合。是书面语形式。

・一人で勉強するととかく怠けるきらいがあるので、大勢でしたい。
　如果一个人学习，往往会懒惰，所以我想跟大家一块儿学。

・彼は確かに有能だが、少し生意気なきらいがあるんだ。
　他确实很有能力，但是有些狂妄自大的倾向。

・元社長は人事異動や方針決定において独裁のきらいがあった。
　原社长在人事变动和方针决策等方面有独裁之嫌。

> 辨析
>
> 句型「～おそれがある」与「～きらいがある」类似，其区别在于「～きらいがある」主要强调有某种不好的倾向，是一种客观的叙述，而「～おそれがある」则表示有发生某种不好事情的可能性，强调说话人担心有可能出现某种不好的现象，是一种主观叙述。
>
> ・工場の数が増えると、川の水が汚くなる恐れがある。
> 　如果工厂的数量增加，那么河水有变脏的危险。

考题解析及译文

①彼はいつも物事を悲観的に考える_____。　（09年12月1級）
　　1. きざしがある　　2. きらいがある　　3. つもりがある　　4. きっかけがある

解析　选项1「きざしがある」意为"有……征兆、有……迹象"。选项3「つもりがある」意为"有……打算"，不符合题意。选项4「きっかけがある」意为"有……机会、有……契机"。　　　　　　　　　　　　　　　　　答案2

译文　他考虑事情总是有点儿悲观。

②話をおもしろくするためだろうか、あの人はものごとを大げさに言う_____。　（96年1級）
　　1. きらいがある　　2. きらいではない　　3. きらいらしい　　4. きらいがない

解析　选项2「きらいではない」意为"并不讨厌"。选项3「きらいらしい」意为"好像讨厌"。选项4「きらいがない」意为"没有……倾向"。　　　　　　　　　　　　　　　答案1

译文　可能是想让谈话更加风趣吧，他总爱夸大其词。

③人はとかく自身に都合がいい意見にのみ耳を傾ける_____。　（99年1級）
　　1. きらいになる　　2. きらいがある　　3. きらいである　　4. きらいとなる

解析　选项1「きらいになる」意为"变得讨厌"。选项3「きらいである」意为"讨厌"。选项4「きらいとなる」意为"变得讨厌"。　　　**答案2**

译文　人总是倾向于听取对自己有利的意见。

④彼女は、何でもものごとを悪い方に考える_____。（03 年 1 级）
　　　1. にあたる　　　2. きらいがある　　　3. にかたくない　　　4. 上でのことだ

解析　选项1「にあたる」意为"相当于……"。选项3「にかたくない」意为"不难……、容易……"。选项4「上でのことだ」意为"在……之后的事、在……基础上的事"。　**答案2**

译文　她总爱什么事都往坏处想。

⑤人は年をとると、周りの人の忠告に耳を貸さなくなる_____。（06 年 1 级）
　　　1. きざしがある　　　2. あてがある　　　3. みこみがある　　　4. きらいがある

解析　选项1「きざしがある」意为"有……征兆、有……迹象"。选项2「あてがある」意为"有希望、有指望"。选项3「みこみがある」意为"有预料、有估计"。　**答案4**

译文　人一上了年纪，就往往听不进去周围人的忠告。

12　～きりがない　没完没了、没有限度、无限

接续　動詞ば形＋きりがない
　　　動詞た形＋ら＋きりがない
　　　動詞て形＋も＋きりがない
　　　動詞辞書形＋と＋きりがない

解说　表示如果做前面的事项，就会没完没了、没有限度。

• 彼が決心するのを待っているときりがないよ。
　你要是等着他下定决心，那就指不定要等多久了。

• 彼の欠点を一々数え上げたらきりがないほどです。
　——列举他的缺点的话，那可就没完没了了。

• 上を見ればきりがないし、下を見てもきりがないから、人を羨ましがっても仕方がない。

　人比人气死人，所以即使羡慕别人也是没有用的。

考题解析及译文

①彼はいつも仕事が雑だ。間違いを_____。（04 年 1 级）
　　　1. あげがたい　　　　　　　　2. あげればきりがない
　　　3. あげてもしれている　　　　4. あげるわけがない

解析　选项1「あげがたい」意为"难以列举"。选项3「あげてもしれている」没有这样的表达。选项4「あげるわけがない」意为"不可能列举"。　**答案2**

译文　他工作总是不认真。要说错误，真是不胜枚举。

13 ～極まる／～極まりない　极其……、非常……、……极了

接续　イ形容詞辞書形＋こと＋極まりない
　　　　ナ形容詞語幹＋極まる
　　　　ナ形容詞語幹＋（なこと）＋極まりない

解说　表示达到了极限的意思。通常用来抒发说话人的情感，多用于负面、消极的场合。注意「～極まりない」并不是「～極まる」的否定形，而是一个形容词，两者的意思相同。该句型是较郑重的书面语。

- 最近、車を運転しながら電話をかけている人が多い。危険極まることだ。
  最近，很多人一边开车一边打电话。这是非常危险的。

- 最も近い駅までバスで1時間もかかり、不便（なこと）極まりない。
  去距离最近的车站也要坐1个小时的公交车，太不方便了。

- 彼は仕事を何もしないで、打ち上げパーティーだけ来るなんて、図々しいこと極まりない奴だ。
  他什么工作都不做，只来参加竣工宴，真是个极其厚脸皮的人。

考题解析及译文

①自ら進んでプロジェクトを企画したのに、途中で辞めるなんて無責任_____。（09年12月1級）
　　　　1. かぎりない　　2. きわまりない　　3. のみではない　　4. におよばない

解析　选项1「かぎりない」意为"无限"。选项3「のみではない」意为"不只是……"。选项4「におよばない」意为"不必……、用不着……"。　　　　　　　　　　**答案2**

译文　明明是自己积极主动策划的项目，却中途退出，真是太不负责任了。

②その話は他の人には面白くても、私には退屈_____ものだった。（91年1級）
　　　　1. 極まって　　2. 極めて　　3. 極める　　4. 極まる

解析　本题考查的是句型的搭配。选项1「極まって」意为"非常……"，但是后面不能接续名词。选项2「極めて」意为"达到极点、穷尽"。选项3「極める」意为"达到极点、穷尽"。　　　　　　　　　　**答案4**

译文　虽然那件事对别人来说很有趣，但是对我来说却是无聊透顶。

③こんな風が強い日に小型のボートで沖に出るなんて、危険_____。（95年1級）
　　　　1. 極める　　2. 極めない　　3. 極まりない　　4. 極まっている

解析　选项1「極める」意为"达到极点、穷尽"。选项2「極めない」意为"没有到达顶点"。选项4「極まっている」的表达不符合题意。　　　　　　　　　　**答案3**

译文　在风这么大的天气驾着小船出海，真是太危险了。

④私は、彼の失礼_____態度に我慢ならなかった。（02年1級）
　　　　1. きわまった　　2. きわまりない　　3. きわめた　　4. きわめない

2

解析　本题考查的是句型的搭配。选项1「きわまった」意为"尽头、极限"。选项3「きわめた」意为"达到了极点，穷尽"。选项4「きわめない」意为"没有到达顶点"。　　**答案2**

译文　我无法忍受他极其失礼的态度。

⑤子供たちが学校へ通う道なのに、信号がないのは危険＿＿＿＿＿＿。（03 年 1 級）
　　1. しだいだ　　2. にたえない　　3. かぎりない　　4. きわまりない

解析　选项1「しだいだ」意为"全凭……、要看……而定"。选项2「にたえない」意为"不堪……、忍耐不了……"。选项3「かぎりない」意为"无限"。　　**答案4**

译文　明明是孩子们上学的必经之路，没有信号灯是非常危险的。

⑥食事をしているときまで、他人のタバコの煙を吸わされるのは、迷惑＿＿＿＿＿＿。（06 年 1 級）
　　1. きわまりない　　2. きわまらない　　3. きわまりがない　　4. きわめない

解析　选项2「きわまらない」是「極まる」的否定形，意为"没有到达尽头"。选项3「きわまりがない」意为"没有尽头"。选项4「きわめない」意为"没有到达顶点"。　　**答案1**

译文　连吃饭时都不得不吸他人的二手烟，真是太讨厌了。

⑦間違い電話をかけてきて謝りもしないとは、失礼＿＿＿＿＿＿。（10 年 7 月 N2 級）
　　1. でならない　　2. ではいられない　　3. 極まりない　　4. に越したことない

解析　选项1「でならない」表示情不自禁地产生某种感情或感觉，连自己都控制不了，意为"……得不得了、特别……"。选项2「ではいられない」意为"不能……"。选项4「に越したことない」意为"莫过于……、最好是……"。　　**答案3**

译文　打错了电话连个道歉都没有，真是太没礼貌了。

14　～くもなんともない　　一点儿也不……、根本不……、毫不……

接続　イ形容詞く形＋もなんともない

解説　与表示感叹的「怖い」、「面白い」和表示需求的「したい」、「ほしい」等词一起使用，表示强烈否定的心情。

- 彼の褒め言葉を聞いた時の私の気持ちは、嬉しくもなんともなかった。
  听了他表扬我的话，我一点儿也不高兴。

- 友達にすすめられて見た映画だが、面白くもなんともない。
  虽然是朋友推荐我看的电影，但是一点儿意思都没有。

- 社長なんて偉くもなんともない。課長、部長、包丁、盲腸と同じだ。
  社长什么的根本就没什么了不起。和科长、部长、厨师、盲肠都是一样的。

15 ～くらいなら／～ぐらいなら

（1）与其……不如……、与其……宁愿……、要是……还不如……

接续 動詞辞書形＋くらいなら
動詞ない形＋ない＋くらいなら

解说 一般以「～くらいなら～のほうがましだ」、「～くらいなら～のほうがいい」或「～くらいなら～する」的形式出现。表示说话人对前项的做法极其厌恶，或表示说话人虽然认为前后项都不是很理想，但相比较来说还是后项更好一些。

- あんな男に頭を下げるくらいなら、いっそ死んだほうがましだ。
  要是向那样的男人低头认输的话，我还不如死了的好。

- 飲んで気持ちが悪くなるくらいなら、初めから飲まないほうがいい。
  要是喝了酒以后难受的话，最好从一开始就不喝。

- 彼は東京を離れたくないので、「転勤するぐらいなら会社を辞める」と言っている。
  因为他不想离开东京，所以他说"要是调动工作，我还不如辞职"。

（2）如果连……都……的话

接续 動詞辞書形＋くらいなら
動詞ない形＋ない＋くらいなら

解说 表示如果连前项本应该不会出现的情况都出现了的话，那么后项会怎样就完全可以想象了，或者表示如果前项都这样的话，那么后项就更不用说了。有时带有一种轻视的语气。

- 先生が分からないくらいなら、学生の私に分かるはずがない。
  连老师都不懂的话，作为学生的我更不可能懂。

- いつも元気な山田さんが風邪を引くぐらいなら、他の人は肺炎になっちゃうだろう。
  就连平时身体很好的山田都患感冒的话，那其他人恐怕要得肺炎了吧。

- 僕なんかができるぐらいなら、君のような優秀な人間にできないはずがない。
  就连我这样的都能做到的话，像你这样优秀的人不可能做不到。

考题解析及译文

①そのパソコン、捨てる＿＿＿＿私にください。（03年1级）
　　1. のみか　　2. もので　　3. くらいなら　　4. かいもなく

解析 选项1「のみか」意为"不仅……而且……"。选项2「もので」不符合题意。选项4「かいもなく」意为"没有效果、没有回报"。　　**答案3**

译文 那台电脑，你要是扔的话还不如给我。

必考句型

第3单元

1　〜こと

（1）必须……、要……

接续　動詞辞書形＋こと
　　　　イ形容詞辞書形＋こと

解说　表示命令、警告或者说话人认为应该这样。多用于书面语。也可以以「こととする」的
　　　　形式使用。

・この証書は後で必要になるから、大切に保存すること。
　这个证书以后要用，所以要妥善保存。

・明日は駅前に午前8時集合。遅れないこと。
　明天上午8点在站前集合。不要迟到。

・試験当日は受験票を忘れないこと。
　考试当天不要忘记带准考证。

（2）真是……啊

接续　ナ形容詞な形＋こと
　　　　ナ形容詞語幹＋だ＋こと
　　　　名詞＋だ＋こと

解说　表示对前项的感叹。

・あら、素敵な洋服だこと。お姉さんに買ってもらったの？
　哎呀，好漂亮的西服啊。是你姐姐给买的吗？

・元気だこと。でも電車の中で騒いではいけないよ。
　你真是精力充沛啊。但不能在电车中吵闹哦。

・まあ、かわいい赤ちゃんだこと。
　哎呀，多么可爱的婴儿啊。

考题解析及译文

① 「まあ、なんてきれいな夕焼けだ＿＿＿＿＿。」　（08年1级）
　　　　1 こと　　2 かしら　　3 もの　　4 かな

解析　选项2「かしら」为终助词，表示询问和疑问的语气。选项3「もの」作为终助词，用于辩
　　　　解申述，含有不满的语气；作为接续助词，表示说明原因、理由。选项4「かな」表示轻微

的自问或疑问。

译文 "哇，多么漂亮的晚霞啊!"

---

2 ことここに至っては　事已至此

接续　作为接续词独立使用

解说　消极假定，表示事态已经发展到无法扭转的状况。句末表达否定的意思，多与「ない」相呼应，常用「ことここに至っては、もう～ない」的形式。也可以用「ここに至っては」，意为"到了这步"。

- ことここに至っては、手の施しようもないよ。
  事已至此，没有办法啦。

- ことここに至っても、原発政策を維持するそうだ。
  听说即便事已至此，也要坚持核能发电政策。

- ことここに至っては、素人にはどうすることもできない。
  事已至此，外行人也只能束手无策。

---

3 ～ごとき／～ごとく／～ごとし　如……、像……似的

接续　動詞普通形（＋が）＋ごとき
　　　　名詞（＋の）＋ごとき
　　　　名詞＋である＋が＋ごとき

解说　「ごとし」为终止形，用于句子末尾。「ごとき＋名詞」、「ごとく＋動詞、イ形容詞、ナ形容詞」的各种形式，相当于现代语中的「ようだ」。从语法上讲，仅用于习惯性的词组。

- おまえのごとき世間知らずに、何ができると言うのか。
  像你这样不谙世事的人能做什么?

- 初恋は淡雪のごとく、はかなく消えていった。
  初恋如同春雪一般脆弱地消融了。

- 鈴木のごとき初心者に負けるとは、くやしくてしかたがない。
  败给铃木那样的初学者，真是让人不甘心。

派生　「かのごとく」前接「名詞＋である」、「動詞、イ形容詞」的普通形，表示"好像……（似的）"、"似乎……"之意。

- 彼女はカメラを向けられると、あたかも女優であるかのごとくポーズをとった。
  她一面对照相机，就摆出宛若女演员一样的姿势。

考题解析及译文

①わたしの_____未熟者にこんな重要な役が果たせるでしょうか。（97年1级）

　　1. ごとき　　2. ごとの　　3. ごとく　　4. ごとし

解析　本题考查的是接续问题。选项2「ごとの」没有这种表达。选项3「ごとく」后接「動詞、イ形容詞、ナ形容詞」的各种形式。选项4「ごとし」为终止形。　　　　**答案1**

译文　像我这样的生手能否担得起这么重要的工作呢？

②彼は、事件には関係していない_____、知らぬふりをしていた。（00年1级）

　　1. かとは　　2. かなにか　　3. かのごとく　　4. かといって

解析　选项1「～とは」意为"所谓……"。选项2「～なにか」表示不确定举例。选项4「かといって」没有这种表达，「～からといって」意为"说是（因为）……"，后面接否定形式，意为"（不能）仅因……就……"。　　　　**答案3**

译文　他好像和事件并无关系似的，摆出一副不知晓的样子。

③暑い日に草むしりをしていたら、汗が滝_____流れてきた。（05年1级）

　　1. のごとく　　2. なりに　　3. らしく　　4. じみて

解析　选项2「なりに」前接名词，表示"与名词相应的"，意为"……那样的"。选项3「らしく」，前接名词，表示"适合、相称"之意。选项4「じみて」前接名词，表示"感觉是那样的"。　　　　**答案1**

译文　在炎热的天气里拔草，汗流如瀑。

4　～ことこのうえない　无比……、在此之上没有更……的

接续　イ形容詞辞書形＋ことこのうえない
　　　ナ形容詞な形＋ことこのうえない

解说　表示无以复加，是比较郑重的书面语表达。与「このうえなく＋イ形容詞」、「このうえなく＋ナ形容詞」意思大致相同。

・あなたが一緒に来てくれるなら、心強いことこのうえない。
　如果你一起来的话，会让我心里更有底。

・電車は1時間に1本、しかも、終電は10時で、不便なことこのうえない。
　电车一小时一趟，而且末班电车是10点，极其不方便。

・今日で校舎が壊されるなんて、さびしいことこのうえありませんね。
　今天校舍就要被拆除，让人感觉无比伤感。

5　～ことだし　因为……所以……、由于……

接续　名詞修飾形＋ことだし

解说　表示理由陈述。郑重的说法为「ことですし」。

・時間もないことだし、会議を早めに始めよう。
　因为没有时间了，所以咱们早点儿开会吧。

・夜も更けてきたことだし、今日はこの辺でお開きにしましょう。

由于夜已深了，今天就到这里结束吧。

・正月のことだし、初詣には着物を着て出かけようと思う。

因为是正月，所以我想穿和服去参拜。

考题解析及译文

①皆さんお帰りになった＿＿＿＿＿、そろそろ会場を片付けましょう。（03年1级）

　　1. ことに　　2. ことで　　3. ことだし　　4. こととて

解析　选项1「ことに」前接表示情感的词汇的「名詞修飾形」，意为"……的是"。选项2「ことで」意为"关于……"。选项4「こととて」意为"因为……、由于……"。　　**答案3**

译文　因为大家也都回去了，所以咱们赶快收拾会场吧。

6　～ことと思う / ～ことと存じます　　我想……

接続　　［動詞、イ形容詞］の普通形＋ことと思う

　　　　ナ形容詞な形＋ことと思う

　　　　名詞＋ことと思う

解説　表示推测，是书面语，多用于书信。前接各种词的普通形，表示对对象现在状况的一种推断，并带有同情等感情色彩。多与表示推测的副词一起使用。「～ことと存じます」是更郑重、更有礼貌的用法。

・これは皆さんもきっとどこかで習われたことと思います。

我觉得这个大家肯定在哪里学习过。

・当地はめっきり寒くなりました。京都も寒いことと存じますが。

当地已经明显地冷了起来。我想京都也很冷吧。

・皆様には、お変わりなくお過ごしのことと存じます。わたくしどももおかげさまで元気にしております。

我想大家一定别来无恙吧。托你们的福，我们也很好。

考题解析及译文

①先生、最近あまりお会いしていませんが、お元気でお過ごしのこと＿＿＿＿＿。（08年1级）

　　1. としか存じません　　2. を存じます　　3. と存じます　　4. しか存じません

解析　本题考查的是「と存じます」的各种接续。选项1「としか存じません」和选项4「しか存じません」意为"只认为"。选项2「を存じます」前接名词，表示主观认定，是「～を思う」的自谦说法。　　**答案3**

译文　老师，最近没怎么见到您，我想您身体一定很好吧。

7　～こととて　因为……、无论怎么说、由于……

接续　［動詞、イ形容詞、ナ形容詞］の名詞修飾形＋こととて
　　　　名詞＋の＋こととて

解説　表示原因、理由。多用于书信等书面语。

- シンポジウムでの発表は初めてのこととて、すっかり緊張してしまった。
  因为第一次在研讨会上做汇报，所以十分紧张。

- 早朝のこととて、公園にはまだだれもいなかった。
  因为是清晨，所以公园还什么人都没有。

- 車で旅行に行ったが、初心者のこととて、迷ってしまった。
  开车去旅行，但因是新手而迷路了。

> 辨析
>
> 「ことだから」与「こととて」意义相同，前者多用于口语，后者多用于书信。但前者特征是「ほかでもなく、～（人、こと、ものだから）」，即"不是因为别的，就是因为……"，常和「なにしろ～（ことだ）から」进行呼应。

考题解析及译文

①昼間はにぎやかなこの道も、早朝の＿＿＿＿あたりに人影はなかった。　（91年1級）
　　　1. ことに　　2. ことさえ　　3. ことでは　　4. こととて

解析　选项1「ことに」意为"令人……的是"。选项2「ことさえ」不符合题意，「さえ」为极端举例。选项3「ことでは」为消极的假定表达。　　　**答案4**

译文　白天很热闹的这条街道，也因为是清晨而了无人影。

②新しい家を買うため見に行ったが、夜の＿＿＿＿日当たりのことはわからなかった。
（98年1級）
　　　1. こととて　　2. ことさえ　　3. ことには　　4. ことでは

解析　选项2「ことさえ」不符合题意。「さえ」为极端举例。选项3「ことには」前接「ない」，多用「～ないことには～ない」的形式，意为"要是不……就不……"。选项4「ことでは」为消极的假定表达。　　　**答案1**

译文　为买新房去看了一下，但因为是晚上，所以没看到房间的日照如何。

③連絡もなしにお客様がいらっしゃったが、急なこととて、＿＿＿＿＿＿。　（01年1級）
　　　1. 何のおもてなしもできなかった　　　2. たくさんのごちそうをお出しした
　　　3. お客様は非常に満足してくださった　　4. 十分にお世話ができなくはなかった

解析　选项2「たくさんのごちそうをお出しした」意为"做了许多饭菜招待了客人"。选项3「お客様は非常に満足してくださった」意为"客人非常满意"。选项4「十分にお世話ができなくはなかった」意为"也并没有十分招待不周"。　　　**答案1**

译文　客人未经任何联络来访，因事情突然而没能很好地招待一番。

8 ～ことなしに 不……（而……）

接续 動詞辞書形＋ことなしに

解说 表示在不做某事的状态下做另一件事。

- 今野さんは感情を表に出すことなしに、つねに冷静に対処できる人だ。

  今野是一个不把感情流露于表面，总能冷静应对事情的人。

- 彼は朝まで1回も目覚めることなしに、ぐっすり眠った。

  他酣眠一宿，直到早晨未醒一次。

- だれにも知られることなしに、パーティーの準備をすることにした。

  我打算不让任何人知晓地去准备晚会。

辨析 与「～ことなく」意义相近。「～ことなく」意义为「～しないで～する」，即"不/没做……而做……"。「～ことなしに」的意义为「～しない状態で～する」，即"以不/没做……的状态而……"。「～ことなく」比「～ことなしに」使用范围更广。

派生 「～ことなしには」接续方式为「動詞辞書形＋ことなしには」，表示"如果不/没做……就（不能）……"。常用「～ことなしには～ない」的形式。

- 酒好きの彼は、酒を飲むことなしには1日も耐えられない。

  好酒的他，一天没喝酒都受不了。

考题解析及译文

①他人を犠牲にする_____なしに、個人の望みを達成することは困難だと考えている人もいます。（94年1級）

　　　　1. の　　2. こと　　3. もの　　4. ところ

解析 选项1「の」、选项3「もの」、选项4「ところ」后加「なしに」均不符合题意。　　**答案2**

译文 有的人认为，如果不牺牲他人，就难以实现个人的愿望。

②親友は、細かい事情を聞くこと_____、私にお金を貸してくれた。（06年1級）

　　　　1. ないで　　2. なくて　　3. なしに　　4. ないが

解析 选项1「ないで」、选项4「ないが」前接「こと」均不符合题意。选项2「なくて」前接「こと」意为"不/没做……而做……"。　　**答案3**

译文 挚友没问我具体情况，就把钱借给了我。

9 このぶんでは～ / このぶんで行くと～　照这种情况进展的话……、照这个速度进展的话……

接续　作为接续词独立使用

解说　进行假定，表示按照现今的状态继续下去的话，后项会怎样。

- この分でいくと、今週末までには仕事は出来上がる。

  照这个速度进展下去的话，这周末前能完成工作。

- この分では何もかもだめになるだろう。

  按照这种情况下去的话，就全搞砸了吧。

- このぶんで行くと、日本人の「日本語力」も世界で3位くらいかな。

  照这种情形的话，日本人的"日本语能力"也只能排在世界第三位左右了吧？

10 ～始末だ　落到……地步、竟然……、落得……的下场、导致……结果、竟到了……地步

接续　動詞辞書形＋始末だ

　　　　［この、その、あの］/［こんな、そんな、あんな］＋始末だ

解说　多指消极的、坏的结果。该句型后项不能跟积极意义的结果。

- 甘やかされて育ってきた子供たちは困難なことに出会うと、簡単に投げ出してしまうしまつだ。

  娇生惯养长大的孩子一遇到困难就会轻易地放弃。

- 酔っ払って大騒ぎしたあげく、店のドアまで壊すしまつだ。

  喝醉酒大吵大闹，结果连店门都弄坏了。

- ゴルフを始めたが、腰を痛めてしまい、病院に通う始末だ。

  开始打高尔夫，却把腰弄伤了，结果落得每天去医院的下场。

派生

「このしまつだ / そのしまつだ / あのしまつだ」可以独立使用，意为"落得这样 / 那样的结局"。

- 誰の助けも借りずに一人でやって見せると断言したのに、半分も完成させられず、このしまつだ。

  明明断言不要任何人帮助，自己一个人做给别人看，但最终却落得一半都没完成的结果。

考题解析及译文

①ああでもない、こうでもないと迷惑をかけたあげく、あの＿＿＿＿＿＿。（96年1級）

　　　　1. かぎりだ　　2. しまつだ　　3. しまいだ　　4. おわりだ

解析　选项1「かぎりだ」意为"限度、极限"。选项3「しまいだ」意为"末尾、终了"。选项4

「おわりだ」意为"结尾、结束"。　　　　　　　　　　　　　　　**答案2**

译文　这样也不行，那样也不好，给人添了无数麻烦后，最终竟然成了这个结局。

---

②ああしたほうがいい、こうしたほうがいいと大騒ぎしたあげく、この＿＿＿＿＿＿＿。 （99年1級）

　　　1. しまつだ　　2. しまいだ　　3. かぎりだ　　4. おわりだ

解析　选项2「しまいだ」意为"末尾、终了"。选项3「かぎりだ」意为"限度、极限"。选项4「おわりだ」意为"结尾、结束"。　　　　　　　　　　　　　　　　　　　**答案1**

译文　吵嚷了半天，说这么做好、那么做好，最后竟然成了这个结果。

---

③彼は本当に仕事をする気があるのかどうか、疑いたくなる。遅刻はする、約束は忘れる、ついには居眠り運転で事故を起こす＿＿＿＿＿＿＿。 （03年1級）

　　　1. までだ　　2. あげくだ　　3. おかげだ　　4. しまつだ

解析　选项1「までだ」意为"不过……罢了"。选项2「あげくだ」中的「あげく」意为"结果、最后"。选项3「おかげだ」意为"托……的福、多亏了……"。　　　　**答案4**

译文　真的怀疑他是否真的有意做事。又迟到，又忘记约定，最终竟发展到疲劳驾驶而引发事故的地步。

---

④体を鍛えようとジョギングを始めたが、走りすぎて膝を痛めてしまい、病院に通う＿＿＿＿＿＿＿。 （06年1級）

　　　1. 結果だ　　2. 始末だ　　3. 一方だ　　4. のみだ

解析　选项1「結果だ」意为"结果（不含有消极意义）"。选项3「一方だ」前接动词原形，意为"越来越……"，表示不好的趋向。选项4「のみだ」意为"仅仅"。　　　　**答案2**

译文　打算锻炼身体，开始慢跑，但因跑得过多而弄伤膝盖，落得每天去医院的下场。

11　～ず～ず　不……也不……

接续　Ａイ形容詞語幹＋からず＋Ｂイ形容詞語幹＋からず
　　　Ａ動詞ない形＋ず＋Ｂ動詞ない形＋ず

解说　「Ａイ形容詞」与「Ｂイ形容詞」、「Ａ動詞」与「Ｂ動詞」多为相反或相近词义的词汇。经常构成惯用说法，如「負けず劣らず」意为"不分优劣、平手"，「飲まず食わず」意为"不吃不喝"。

• 暑からず寒からずの好季節となりました。
　到了不冷不热的好时节。

• 本当に飲まず食わずで人体に影響を及ぼさないのかを検証されているそうです。
　据说正在验证不吃不喝是否真的对人体没有影响。

• だが負けず劣らずの美貌とセクシーさが話題になっている。
　但是，不相上下的美貌与性感成为大家的话题。

12 ～ずくめ 全是……、清一色……

接续 名詞＋ずくめ

解说 接在名词之后，表示身边全是这些东西。

- お葬式があったのか、黒ずくめの服装の人がたくさん歩いている。

  也许是因为有葬礼吧，来来往往的许多人身着一身黑色服装。

- 規則ずくめの生活がいやになって、鈴木さんは学校を3年生でやめてしまったそうだ。

  据说铃木对满是规矩的生活厌烦了，三年级的时候辍学了。

- この電球なら、電気代も安くなるし、寿命も長い。いいことずくめだ。

  这个电灯泡又省电费，使用寿命又长，都是优点。

辨析 「だらけ」、「まみれ」、「ずくめ」三者前面均接名词。「だらけ」意为"满是……"，表示不愉快、肮脏等消极的印象，是贬义。「まみれ」前接名词，只用于描述脏东西附着在物体表面的情况。「ずくめ」则表示「最初から最後まで、すべて」，可用于褒贬两个范畴。

考题解析及译文

①この1年間は良いこと＿＿＿＿だったが、来年はどうなるだろうか。（93年1级）

　　1. ずくめ　　2. ぐらい　　3. めかし　　4. ぽっち

解析 选项2「ぐらい」前接名词，表示程度。选项3「めかし」原形为「めかす」，接在名词后面，意为"装作……的样子"。选项4「ぽっち」接在名词和数量词后，意为"仅仅、一点儿"。　　**答案1**

译文 这一年里净是好事，明年会怎样呢?

②今日は朝からいいこと＿＿＿＿幸せな気分だ。（96年1级）

　　1. ずくめで　　2. よりで　　3. あふれて　　4. かぎりで

解析 选项2「よりで」意为"聚在一起"，是名词中顿形。选项3「あふれて」意为"充满、朝气蓬勃"。选项4「かぎりで」意为"界限、极限"。　　**答案1**

译文 今天从早晨开始都是好事，感觉很幸福。

③今年は、息子の結婚、孫の誕生と、めでたいこと＿＿＿＿1年だった。（05年1级）

　　1. まみれの　　2. ずくめの　　3. めいた　　4. っぽい

解析 选项1「まみれの」接在名词后，意为"沾污、沾满"。选项3「めいた」接在名词、副词后，意为"像……的样子"。选项4「っぽい」接在「名詞」或「動詞ます形」后构成形容词，表示具有某种倾向。　　**答案2**

译文 今年儿子结婚、孙子出生，真是充满好事的一年。

④この燃料は、空気も汚さないし、費用も安く抑えられる。本当にいいこと_____。(08年1級)

    1. だけではすまない   2. きわまる   3. ずくめだ   4. にとどまらない

解析 选项1「だけではすまない」意为"仅仅这样不行"。选项2「きわまる」前接「ナ形容詞語幹」/「ナ形容詞な形＋こと」/「イ形容詞辞書形＋こと」，意为"极其……、非常……"。选项4「にとどまらない」意为"不限于……、不仅……"。   **答案3**

译文 这种燃料既不污染空气，也能将费用控制得较低。实在全是优点。

---

13 ～ずじまい   没能……、未能……、最终没有……

接続 動詞ない形＋ずじまい

解説 意为「しないで終わる」，即没能做成某事而时间就过去了。多含有极其惋惜、后悔、遗憾、失望的语气。

- やりたいことは山ほどあったが、結局、何もできずじまいでこの年になった。
  想要做的事情有很多，可是什么都没做就到了这个年纪。

- かばんに入れたまま忘れていて、せっかく書いた手紙を出さずじまいだった。
  好不容易写的信放在包里忘记了，最终没能寄出。

- せっかくのゴールデンウィークだったが、風邪を引いて熱があったので、どこも行かずじまいになってしまった。
  难得的黄金周，因为感冒发烧，最终哪儿也没能去。

考题解析及译文

①有名な観光地の近くまで行ったのに、忙しくてどこへも_____だった。（01年1級）

    1. 寄るまい   2. 寄るまえ   3. 寄らずじまい   4. 寄らないまで

解析 选项1「寄るまい」意为"不会路过吧"。选项2「寄るまえ」意为"路过之前"。选项4「寄らないまで」意为"即使不路过也……"。   **答案3**

译文 明明到了有名的观光地附近，却因为忙，最终哪儿也没去成。

②いなくなったペットを懸命に探したが、結局、その行方は_____じまいだった。（06年1級）

    1. わかる   2. わからぬ   3. わからない   4. わからず

解析 本题考查的是接续，应使用「わからずじまいだった」。其他三项均不正确。   **答案4**

译文 拼命寻找丢失的宠物，但最终没有找到。

14 **〜ずに済む / 〜ないで済む**　　没有……也过得去、用不着……也成

接续　動詞ない形＋ずに済む

解说　「すむ」此处表示「足りる」、「解決する」之意。该句型表示即使不做前项也没有问题。

- 海外旅行のときはクレジットカードがあれば、大金を持ち歩かずにすむ。
  海外旅行时，如果持有信用卡就不用随身携带大量现金了。

- LED電球は長寿命なので、何度も交換せずにすむ。
  LED灯泡寿命长，所以不用多次替换也没问题。

- 姉が買って来てくれた薬で熱が下がったので、病院へ行かずにすんだ。
  服用了姐姐买来的药退了烧，所以没去医院。

> **派生**
> 「〜ずにすませる」，接续为「動詞ない形＋ずにすませる / ないですませる」。「済ませる」是「済む」的他动词，意为"解决、应付过去"。整个句型意为"不做……来应付……、不做……而做完……"。
> - 贈り物をいただいても電話でお礼を言うだけで、礼状を書かずに済ませる人が多くなった。
>   得到礼物也只是打电话表示感谢，而不写感谢信的人多了起来。

考题解析及译文

①友達が、余っていたコンサートの券を1枚くれた。それで、私は券を_____。（04年1級）

　　1. 買わずにはいられなかった　　2. 買わざるをえなかった
　　3. 買わずにすんだ　　　　　　　4. 買わずにはすまなかった

解析　选项1「買わずにはいられなかった」意为"不由得买"，「いられない」与表示自发、自然感情的动词搭配。选项2「買わざるをえなかった」意为"不得不买"。选项4「買わずにはすまなかった」意为"非买不可"。　　　　　　**答案3**

译文　朋友把多余的音乐会票给了我一张。于是，我就不用买票了。

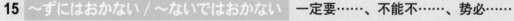

15 **〜ずにはおかない / 〜ないではおかない**　　一定要……、不能不……、势必……

接续　動詞ない形＋ずにはおかない

解说　表示说话人强烈的决心，含有「必ず〜する」的意义。表示不做某事的话，内心不能平静。

- 警察はこの事件の犯人を逮捕せずにはおかないだろう。
  警察势必要逮捕这个案件的罪犯吧。

しゅしょう こうしき はつげん なん くに しょうらい えいきょう あた
• 首相の公式な発言は何でも国の将来に影響を与えないではおかない。
首相在公开场合的发言势必会对国家的将来产生影响。

しぜん かんきょうはかい く かえ にんげん ばつ あた
• 自然は環境破壊を繰り返す人間に罰を与えずにはおかないだろう。
自然势必会对不断破坏环境的人类给予惩罚吧。

考题解析及译文

①この絵は本当に素晴らしい。見る者を感動_____だろう。 （09年12月1級）
　　1. させずじまい　　　　2. させてばかり
　　3. させずにはおかない　　4. させてはいられない

解析　选项1「させずじまい」意为"未能使……"。选项2「させてばかり」后面不与「だろう」搭配使用。选项4「させてはいられない」意为"不能使之……"。　　　**答案3**

译文　这幅画真好。势必会感动观看者吧。

②息子は一流の音楽家になるといって家を出た。大変だが、きっと目的を達成せずには_____。（96年1級）
　　1. おいてあった　　2. おくことはない　　3. おかないだろう　　4. おくべきでない

解析　选项1「おいてあった」、选项2「おくことはない」、选项4「おくべきでない」均可独立使用，但都不与「ずには」相搭配。独立使用时的意义依次为："放置好"、"没必要放置"、"不应该放置"。　　　**答案3**

译文　儿子说要成为一流的音乐家而离开了家。虽然很辛苦，但他一定会实现目的吧。

③新企画の中止が決まろうとしているが、担当した者たちは反対せずには_____。（99年1級）
　　1. ならないだろう　　2. ないだろう　　3. しないだろう　　4. おかないだろう

解析　选项1「ならないだろう」、选项2「ないだろう」、选项3「しないだろう」三者均可独立使用，但是不与「ずには」相搭配。独立使用时的意义依次为："不会变吧"、"没有吧"、"不会做吧"。　　　**答案4**

译文　新企划将会被取消，但是负责人一定会反对吧。

④この映画は評判が高く、見る者を感動させずには_____だろう。 （02年1級）
　　1. ならない　　2. いけない　　3. しない　　4. おかない

解析　选项1「ならない」、选项2「いけない」、选项3「しない」均不与「ずには」相搭配。　　　**答案4**

译文　这部电影的评价很高，一定会感动观影者吧。

必考句型

第 4 单元

4

---

1 ～ずにはすまない / ～ないではすまない　不……不行、非……不可、必须……

接续　動詞ない形＋ずにはすまない

　　　（「する」的接续是「～せずにはすまない / ～しないではすまない」。）

解说　表示从自己的义务感、周围的状况、社会性的常识等方面考虑，"必须做什么"或者"不做什么就不被允许或解决不了"之意。语气较为生硬，是书面语。其中「～ずにはすまない」比「～ないではすまない」语气更为生硬。

- 人から借りた金を、返さないでは済まないよ。
  从别人那儿借来的钱不还是不行的。

- これだけの被害者を出したとあっては、刑事責任を問われずには済まないだろう。
  要是有这么多的受害人，必须被追究刑事责任吧。

- 知らずにやったこととはいえ、悪いことをしたのは確かなのだ。謝罪せずにはすまないだろう。
  虽说是在不知道的情况下做的，但确实做了坏事。不道歉不行吧。

辨析　「～ずにはおかない / ～ないではおかない」强调的是"不能放任其维持原状"，常译为"必然会……、必然要……"，倾向于动作主体的主观想法。而「～ずにはすまない / ～ないではすまない」则强调"如果不干前项动作，事情就无法解决"，与前者相比更侧重客观形势。

- 危ない遊びなので、学校側も禁止せずにはおかないでしょう。
  因为是危险游戏，所以学校方面也必然会禁止吧？

考题解析及译文

①あの社員は客の金を使ったのだから処罰＿＿＿＿＿。（98 年 1 级）

　　1. するわけはないではないか　　2. されずにはすまないだろう

　　3. せずともよいのではないか　　4. してはいられないであろう

解析　选项1「するわけはないではないか」意为"不是没有做……的理由吗"。选项3「せずともよいのではないか」意为"不是不做……也可以吗"。选项4「してはいられないであろう」意为"不能做……吧"。

答案2

译文　那个员工用了客人的钱，所以一定会被处罚吧。

2 ～すべがない　没有办法……

接续　動詞辞書形＋すべがない

解说　表示毫无办法，意思等同于「～ようがない」。

- 決勝戦で、相手のあまりの強さになすすべもなく敗れた。

　在决赛中，对方太强大了，我们没有办法败了下来。

- 親の恩に報いるすべがない。

　父母的恩情无以为报。

- 父親の病気が日一日と重くなるのをなすすべもなく見ている。

　眼睁睁地看着父亲的病一天比一天严重。

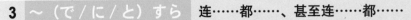

3 ～（で/に/と）すら　连……都……、甚至连……都……

接续　名詞＋（で/に/と）すら

解说　特别举出极端事例，强调"就连该例都如此，其他的就更不用说了"之意。是比较拘谨的书面语表达方式。

- この大学の学生の中には、教師に対する口の聞き方すら知らないものがいる。

　这所大学的学生当中，有人甚至连应怎样同老师说话都不知道。

- 彼は朝寝坊して、試験の時ですら遅刻しました。

　他早上睡懒觉，连考试都迟到了。

- 私は緊張しすぎて、ちらっと見ることすら出来ませんでした。

　我过于紧张，连一眼都没看到。

> **辨析**
>
> 「すら」和「さえ」意义相同，都表示举出极端例子，暗示其他也如此。二者的区别在于，「すら」含有轻视、蔑视的感情，多用于消极的事项；而「さえ」既可以用于积极事项又可以用于消极事项。
>
> - 小学生なのに、高校の数学問題さえ（×すら）できる。
>
> 　明明是小学生，却连高中的数学题都会做。
>
> - 高校生なのに、小学校の数学問題さえ（⇔すら）できない。
>
> 　虽然是高中生，却连小学的数学题都不会做。

考题解析及译文

①あの患者は重い病気のため、一人では食事＿＿＿＿＿＿。（96年1级）

　　　1. せずにはおかない　　2. せしめるほどだ　　3. だにとっている　　4. すらできない

解析　选项1「せずにはおかない」意为"不……不行"。选项2「せしめるほどだ」中「せ」是

「する」的未然形，「しめる」是使役助动词，相当于「させる」的意思。选项3「だにとっている」不符合题意。　　　　　　　　　　　　　　　　　　　　　　　　　　**答案4**

译文　那位患者因为得了重病，所以一个人连饭都吃不了。

---

②この地域の再発見に自分がかかわることになろうとは_____。（05年1級）
　　1. 想像すらしていなかった　　2. 想像することができた
　　3. 想像さえしたわけだ　　　　4. 想像しないではいられない

解析　选项2「想像することができた」意为"想象得到"。选项3「想像さえしたわけだ」意为"甚至想象了"。选项4「想像しないではいられない」意为"不能不想象"。　　**答案1**

译文　这一地区的再发现竟然会跟自己有关，我甚至想都没敢想过。

4　〜せめてもの　　総算……、还算……、最起码……、唯一的……

接続　せめてもの＋名詞

解説　是连语，后面接续名词，表示"虽然不能满足，但是可以得到一定的安慰"之意。

- 彼女にとって、絵をかくことがせめてもの楽しみだ。
  对她来说，画画算是唯一的乐趣。

- 失恋で傷ついている彼を、そっとしておくのがせめてもの思いやりだ。
  让因失恋而受伤的他安静一会儿是最起码的体谅。

- せめてものお礼の印に、これを受け取ってください。
  就这么一点点小礼物，请您收下吧。

5　〜そのもの／〜そのものだ　　……本身、非常……、简直……、就是……

接続　ナ形容詞語幹＋そのもの
　　　　名詞＋そのもの

解説　是一种强调说法。「〜そのもの」表示前面接续的词语本身，经常不译。「〜そのものだ」表示"不是别的，简直就是……"之意。

- 地震そのものによる被害もさることながら、直後の火災によって命を落とした人も少なくない。
  地震本身引起的灾害就不用说了，因之后的火灾而丧命的人也不在少数。

- 危険は病気そのものからではなく、それに伴う二次感染から引き起こされる。
  危险并非来自这种病本身，而是由与之伴随而来的二次感染所引起的。

- 池のそばの小さな小屋での私の生活は平和そのものだった。
  我在池边小屋中的生活非常平和。

6 ～そばから 刚……就……、一……就……

接続 動詞辞書形＋そばから

動詞た形＋そばから

解説 多用于表示同一场面中反复出现的动作或现象。后项多表示发生了使前项变得无意义的事情。是比较陈旧的表达方式。「～そばから」与其他表示时间的语法点的区别在于，可以表示经常发生的事情或者个人习惯等等。一般用于对说话人来说不太好的事情反复出现的场合。

• 年を取ってからの勉強は効率が悪い。聞いたそばから忘れていくのだから。

上了年纪以后再学习，效率特别低，因为听了就忘。

• 稼ぐそばから使ってしまうので、貯金するどころではない。

因为挣来钱就花光了，所以根本谈不上存钱。

• 大家族の台所はたいへんだ。洗うそばからすぐ汚れた食器がたまる。

大家庭的厨房真累人。刚洗完，马上就又堆满了脏了的餐具。

辨析 关于日语N1、N2级语法中8个在时间上表示"一……就……"的句型的辨析（「～とたんに」、「～次第」、「～（か）と思うと/～（か）と思ったら」、「～か～ないかのうちに」、「～が早いか」、「～なり」、「～そばから」、「～や否や」），请参见必考句型第2单元第6个句型「～が早いか」后面的相关辨析。

考题解析及译文

①私は語学の才能がないようで、新しい言葉を習う_____忘れてしまう。 （09年7月1級）

　　　1. あとで　　2. そばから　　3. が最後　　4. と見るや

解析 选项1「あとで」意为"……之后"。选项3「が最後」前面接续「動詞た形」，意为"（既然……）就必须……"。选项4「と見るや」意为"一看到……就……"。　　**答案2**

译文 我好像没有学习语言的才能，学完新的词汇，立刻就会忘。

②彼は読書が好きだが、読んだそば_____何を読んだか忘れてしまい、同じ本を何冊も買ってしまう。 （94年1級）

　　　1. で　　2. から　　3. に　　4. まで

解析 本题考查的是句型本身。「～そばから」表示"一……就……"之意。　　**答案2**

译文 他喜欢读书，但是刚读完就忘记读的什么了，会买好几本相同的书。

③息子は小遣いをやったそば_____使ってしまう。 （97年1級）

　　　1. にも　　2. まで　　3. から　　4. でも

解析 本题考查的是句型本身。「～そばから」表示"一……就……"之意。　　**答案3**

译文 刚给儿子零花钱，他就花完了。

④片付ける＿＿＿＿＿子供がおもちゃを散らかすので、いやになってしまう。（01年1級）

　　　　1. あとでは　　2. そばから　　3. よそには　　4. ことまで

解析　选项1「あとでは」意为"之后……"。选项3「よそには」意为"别的地方"。选项4「ことまで」意为"甚至……都……"。　　　　　　　　　**答案2**

译文　刚一收拾完，孩子就又把玩具弄得到处都是，所以我都烦了。

⑤もう遅刻しないと言った＿＿＿＿＿また遅れるなんて、彼は何を考えているのだろう。
（07年1級）

　　　　1. が最後　　2. のなら　　3. そばから　　4. ともなしに

解析　选项1「が最後」前面接续「動詞た形」，意为"（既然……）就必须……"。选项2「のなら」表示假设，意为"如果……"。选项4「ともなしに」意为"也没有……"。　**答案3**

译文　刚说了再也不迟到了就又迟到，他到底在想什么啊？

7　**〜そびれる**　错过……、失去……

接続　動詞ます形＋そびれる

解説　表示错过或失去做某事的机会。

- ひどくがっかりしたことには、彼らはその計画を実行しそびれてしまった。
令人非常失望的是，他们错过了实施那项计划的机会。

- 長電話のせいで、ゆうべは寝そびれてしまった。
由于煲电话粥，昨晚没睡成。

- 課長があまり忙しいので、つい例の件を言いそびれてしまった。
因为科长太忙了，所以我一直没有机会说那件事。

考题解析及译文

①ぜひ見ようと思っていた映画だったのに、忙しくて＿＿＿＿＿。（09年7月1級）

　　　1. 行きそびれた　　　　　　2. 行きかけた
　　　3. 行かずにはいられなかった　4. 行かないこともなかった

解析　选项2「行きかけた」意为"正要去"。选项3「行かずにはいられなかった」意为"不能不去"。选项4「行かないこともなかった」意为"也不是不去"。　　　**答案1**

译文　我一直想着一定要去看那部电影，但因为忙，没能去成。

8 ～それまで（のこと）だ／ ～これまで（のこと）だ

……就完了、……就没用了、……就无话可说了

接续 動詞ば形＋それまで（のこと）だ
動詞た形＋ら＋それまで（のこと）だ
動詞辞書形＋と／なら＋それまで（のこと）だ
ナ形容詞語幹＋であれば＋それまで（のこと）だ
名詞＋であれば＋それまで（のこと）だ
［動詞普通形、イ形容詞普通形、ナ形容詞語幹、名詞］＋なら＋それまで（のこと）だ

解说 前面常与「ば」、「たら」、「と」、「なら」一起连用，表示"如果……就完了"和"如果……就全没用了"等意思。表明事情一旦发展至此，将无法改变某种消极的局面，表现出一种死心、绝望的心情。有时也会用于假定一种消极局面，劝说需要注意的场合。「それまでだ」与「これまでだ」的区别在于，「それ」表示远指，是"那样"的意思；而「これ」表示近指，是"这样"的意思。

- いくら立派な計画を立てても、途中で諦めたらそれまでのことだ。
  不管制订了多么好的计划，中途放弃了也就完了。

- せっかくの野外コンサートも、雨天ならそれまでだ。
  好不容易盼到的露天音乐会，要是下雨就全完了。

- 多額の生命保険に入っても、死んでしまえばそれまでだ。自分はもらえない。
  即使缴纳巨额的生命保险，死了也就全没用了，自己又得不到。

考题解析及译文

①主張すべきことは相手がだれであっても主張すべきだ。それによって採用を＿＿＿＿＿ それまでのことだ。（95年1級）

　　1. 取り消されるより　　2. 取り消されるなら
　　3. 取り消さないより　　4. 取り消さないなら

解析 选项1「取り消されるより」意为"与其被取消"。选项3「取り消さないより」意为"与其不取消"。选项4「取り消さないなら」意为"如果不取消"。　　　　**答案2**

译文 应该主张的事情，无论对方是谁都要坚持。如果因为这一点被取消录用的话，那也就没什么好说的了。

②勉強よりまず健康のことを考えるべきだ。試験に合格しても、病気になってしまったら＿＿＿＿＿。（96年1級）

　　1. それまでだ　　2. それからだ　　3. それほどだ　　4. それのみだ

解析 选项2「それからだ」意为"从那以后"。选项3「それほどだ」意为"那种程度"。选项4「それのみだ」意为"只有那个"。　　　　**答案1**

译文 比起学习，应该首先考虑身体健康的问题。如果生病了，即使通过了考试也没有用了。

③コンピュータに入れておいても、うっかり消してしまえば＿＿＿＿＿。（97年1級）

　　1. そのものだ　　2. それまでだ　　3. そのままだ　　4. それだけだ

解析　选项1「そのものだ」表示强调，意为"就是那个"。选项3「そのままだ」表示状态的持续，意为"就一直保持那样"。选项4「それだけだ」意为"只有那个"。　**答案2**

译文　即使录入了电脑，一不小心删除了也就完了。

---

④この精密機械は水に弱い。水が_____。（04年1級）
1. かかって当たり前だ　　2. かかろうとも平気だ
3. かかるぐらいのことだ　4. かかればそれまでだ

解析　选项1「かかって当たり前だ」意为"沾上是理所当然的"。选项2「かかろうとも平気だ」意为"即使沾上也无所谓"。选项3「かかるぐらいのことだ」意为"也就是沾上的事"。

答案4

译文　这种精密仪器很怕水，一旦沾了水就完了。

---

⑤どんなに美しい花でも、散ってしまえば_____。（08年1級）
1. これまでだ　　2. それまでだ　　3. それからだ　　4. これからだ

解析　选项1「これまでだ」意为"也就这样了"。选项3「それからだ」意为"从那以后"。选项4「これからだ」意为"从今以后"。　**答案2**

译文　不管多么美丽的花，凋谢了也就那样了。

---

⑥銀行がもう金を貸してくれなくなった以上、この会社もこれ_____。（01年1級）
1. のみだ　　2. までだ　　3. だけだ　　4. ばかりだ

解析　选项1「のみだ」意为"只有"。选项3「だけだ」意为"只有"。选项4「ばかりだ」意为"只是"。　**答案2**

译文　既然银行不再给贷款了，这家公司也就这样了。

9　それはそれとして　此事暂且不论、另外还有、那先不说

接续　通常在句首使用。

解说　用于暂且将之前的话题放在一边，而转到其他话题上。

- 切符を買うのに2時間も並びました。それはそれとして、奥さんの具合はどうですか。

  我买票居然排了两个小时的队。先不说那个，尊夫人的情况怎么样了？

- 君の言っていることは分かる。まあそれはそれとして、僕の立場も考えてくれ。

  我明白你说的。那个先不说，你也得考虑一下我的立场啊。

- 彼女先月赤ちゃんが生まれたよ。それはそれとして、来年イタリア料理の勉強でイタリアに行く予定だ。

  她上个月生宝宝了。那个先不说，我打算明年去意大利学习意大利料理。

10 たかが～ぐらいで 就是点儿……、不就是……

接続 たかが＋[動詞、イ形容詞、ナ形容詞、名詞]の名詞修飾形＋ぐらいで

（但是，不用「名詞＋の」的形式，可以采用「名詞＋である」和「ナ形容詞語幹＋である」的形式。）

解説 以「たかがAぐらいでB」的形式，表示"就为了前项A这么点儿小事，不必或用不着做后项B"的意思。表明说话人认为前项的程度比较低，没有必要做后项的动作或事情。

- お兄ちゃんにたかがケーキを食べられたぐらいで、泣くな。

  不就是哥哥把你的蛋糕给吃了吗，哭什么！

- たかがちょっと暗いぐらいで、一人でトイレに行けないなんてね。

  有点儿黑就不敢一个人去厕所，真是的！

- たかがこんな雪ぐらいで、喜ぶとは。暑い国の方には珍しいですね。

  为这么点儿雪就如此高兴。对气候炎热地区的人来说是很稀奇的啊。

11 ～だけは 能……都……、起码得……、该……都……

接続 動詞辞書形＋だけは

解説 以「動詞辞書形＋だけは＋同じ動詞的活用形」的形式，表示前项能做的事情已经尽可能都做了，后项内容多为不期待或不要求程度更高的事情。

- 彼女にはすでに助けるだけは助けてあげた。後は彼女次第だ。

  我已经竭尽全力帮助她了。剩下的就全靠她自己了。

- アメリカへ留学に行く決意は両親に話すだけは話したが、承諾してくれるかどうかは分からない。

  我把要去美国留学的决心该跟父母说的都说了，但不知道他们会不会同意。

- その事件に関して調べるだけは調べたが、犯人は全然目鼻がつかなかった。

  关于那个案子，该调查的都已经调查了，但是犯人是谁却一点儿眉目都没有。

考题解析及译文

①指示のとおりにやる＿＿＿＿やったが、結果が出るかどうか自信がない。（06 年 1 级）

　　　　1. だけは　　2. だけに　　3. だけこそ　　4. だけさえ

解析 选项2「だけに」意为"正因为……"。选项3「だけこそ」意为"只有……才是……"。

选项4「だけさえ」意为"连……都……"。　　　　　　　　　　　　　　　**答案1**

译文 按照指示该做的都做了，但是否会有结果我却没有信心。

12 ～だけましだ　　幸好……、好在……

接续　［動詞、イ形容詞、ナ形容詞］の名詞修飾形＋だけましだ
　　　　名詞＋な＋だけましだ

解说　表示尽管情况不是太好，但是比最坏的情况要好或者没有更加严重，好在只到此为止的意思。一般用于说话人虽然不太满意，但还算凑合的场合。「まし」表示"虽然不能说好，但与其他更差的相比还算是好的"。该句型是一种口语表达方式。

- 1万円給料が上がっただけましですよ。僕なんて給料が減っていますから。

  你好在还涨了1万日元的工资，我的工资都降了呢。

- この会社は仕事が忙しすぎるが、残業がないだけましだ。

  这家公司工作非常忙，但幸好不用加班。

- このアパートはうるさいけど、駅前で便利なだけましだ。

  这个公寓虽然有些吵，但是好在位于站前很方便。

考题解析及译文

①泥棒にかなりの額の現金をとられましたが、命を取られなかった＿＿＿＿＿。（01年1级）

　　1. だけましだ　　2. ことしかない　　3. ことばかりだ　　4. のみである

解析　选项2「ことしかない」意为"只有"。选项3「ことばかりだ」意为"只是、光是"。选项4「のみである」意为"只有"。　　　　　　　　　**答案1**

译文　被小偷偷了巨额的现金，但幸好命没丢。

②今年は景気が非常に悪く、ボーナスが出なかった。しかし、給料がもらえる＿＿＿＿＿。（04年1级）

　　1. だけましだ　　2. までのことだ　　3. かいがある　　4. ほどではない

解析　选项2「までのことだ」意为"大不了……就是了"。选项3「かいがある」意为"有……的价值"。选项4「ほどではない」意为"并没有到……程度"。　　**答案1**

译文　今年太不景气了，奖金也没发。但是好在还能拿到工资。

③石油の価格が上がったために、我が社の業績は下がった。しかし、＿＿＿＿＿だけましだ。（08年1级）

　　1. 利益にならない　　2. 損失が出ない　　3. 給料がもらえない　　4. 仕事ができない

解析　选项1「利益にならない」意为"没有利益"。选项3「給料がもらえない」意为"拿不到工资"。选项4「仕事ができない」意为"不能工作"。　　　　**答案2**

译文　由于石油价格上涨，我公司的业绩下降了。但是幸好没有出现损失。

13　ただでさえ　本来就……、平时就……

接续　通常在句首使用。

解说　表示"即使在一般情况下也……"的意思。用于表述即使在一般情况下都这样，更何况是在非一般情况下，程度肯定更加严重。

- 今日はただでさえ忙しいのに、母に買い物に行かされた。
  今天本来就很忙，却又被母亲叫去买东西了。

- これはただでさえおいしいものが、さらに我が隠し味を入れたら美味しくてたまらなくなるよ。
  本来就很好吃的东西，再加上本人秘制的调味料，简直变得好吃得不得了。

- ただでさえあまり国民に信用されていなかったのに、あんなへまをやってはあの政治家はもうだめだ。
  本来就不怎么受国民信赖，如果做了那样的错事，那个政治家算是完了。

14　ただ～のみ／～のみだ　只有……

接续　[ただ＋動詞辞書形＋のみ]/[動詞辞書形＋のみだ]
　　　　[ただ＋イ形容詞＋のみ]/[イ形容詞＋のみだ]
　　　　[ただ＋名詞（＋格助詞）＋のみ]/[名詞（＋格助詞）＋のみだ]

解说　表示限定。与「～だけ」意思相同，但是是较为生硬的书面语。有「ただ」时强调的语气更强。

- 社員たちはただ部長の指示を聞くのみで、誰も行動に移さなかった。
  员工们只是听着部长的指示，谁都没有采取行动。

- 人はただ自身に都合がいい意見にのみ耳を傾けるきらいがある。
  人总是倾向于听取对自己有利的意见。

- ただ厳しいのみではいい教育とは言えない。
  只是严格的话，不能说是好的教育。

> 派生
>
> 「～あるのみだ」前面接续「前進」、「努力」、「忍耐」等名词，表示"应该做的只有这个"之意。
> - 成功するためには、ひたすら努力あるのみだ。
>   要想成功，只有不懈地努力。

考题解析及译文

①一步も後退はできない。ただ前進ある_____。 （93年1級）
　　1. のみ　　2. ほど　　3. きり　　4. さえ

解析　选项2「ほど」表示程度，意为"左右"。选项3「きり」表示"只有、仅有"的意思时，前面接名词。选项4「さえ」意为"甚至"。　　　　　　　　　　**答案1**

译文　一步都不能后退。只能前进。

4

②試験は終わった。あとはただ結果を待つ_____。 （00年1級）
　　1. きりだ　　2. のみだ　　3. ほどだ　　4. までだ

解析　选项1「きりだ」前面接名词，表示"只有、仅有"。选项3「ほどだ」表示达到某种程度。选项4「までだ」前面接续动词原形，意为"大不了……就是了"。　　　　**答案2**

译文　考试结束了。只剩下等待结果了。

③事故はあまりにも突然で、私は何もできず、ただ_____。 （04年1級）
　　1. 呆然とするまでもなかった　　　2. 呆然としがちだった
　　3. 呆然とするのみだった　　　　　4. 呆然とするきらいがあった

解析　选项1「呆然とするまでもなかった」意为"没有到目瞪口呆的程度"。选项2「呆然としがちだった」意为"往往容易目瞪口呆"。选项4「呆然とするきらいがあった」意为"有目瞪口呆的倾向"。　　　　　　　　　　　　　**答案3**

译文　事故来得太突然了，我什么都没能做，只有目瞪口呆的份儿。

15　（ただ）〜のみならず／（ただ）〜のみでなく／（ただ）〜のみか　　　**不仅……而且……**

接续　（ただ＋）［動詞、イ形容詞、ナ形容詞、名詞］の普通形＋のみならず（但是「ナ形容詞」用「ナ形容詞語幹＋である」的形式，名词或者不接「だ」，或者接「である」。）

解说　意思等同于「（ただ）〜だけでなく」。「ただ」表示强调，后面经常与「も」一起连用。前项和后项是互为对照、并列或类似的内容。是文语体。

・新聞記者は政府から不正な金を受け取るのみならず、記事の内容まで政府に漏らしていたという。
据说报社记者不仅从政府那里收取不法资金，还将报道内容泄漏给了政府。

・あの国は、ただ資源が豊富であるのみならず、優れた人材も出ている。
那个国家不仅资源丰富，而且优秀人才辈出。

・入学試験は、成績のみか、部活やボランティアなどの活動も選考のポイントになる。
入学考试不仅看成绩，社团活动和志愿者活动等也会作为选拔的采分点。

考题解析及译文

①大災害により財産＿＿＿＿肉親までも失った。（01年1級）

　　1. のみか　　2. だけに　　3. あまり　　4. さえも

解析　选项2「だけに」意为"正因为……"。选项3「あまり」意为"过于……"。选项4「さえも」意为"甚至……"。　　　　　　　　　　　　　　　　　　　　　　答案1

译文　由于大灾害，不仅失去了财产，甚至连亲人都失去了。

毎晩寝る前に「今日1日ベストを尽くしたかどうか」と自省し、朝会社に行くときは「ベストを尽くそう」と心に誓って家を出るのは、私の長年の日課です。自分の与えられた場では常にベストを尽くそう、という思いの積み重ねがいい人生に結びつくのだと思います。

——北尾吉孝

多年来，我每晚睡觉前都会扪心自问："今天是否尽力了？"每天早上出门前都默默发誓："今天一定要尽力。"因为我相信在工作岗位上，常年不懈地尽心尽力，自己的人生也会因此而完美。　——北尾吉孝

必考句型

第5单元

5

1 ～たつもりはない　没想……

接续　動詞た形＋つもりはない

解说　表示自己没有想过那样，用于否定自己之前所做的行为。

- 彼に仕事を頼んだつもりはないが、彼はすっかり自分がやる気になっていた。
  没有想过把工作交给他做，但他俨然已经跃跃欲试了。

- 油断をしたつもりはないのだが、ゴールの前で他の選手に追い抜かれてしまった。
  没有想过掉以轻心，但在到达终点前被其他选手追赶上来了。

- あの人を傷付けるようなことを言ったつもりはないんだが。
  本没想说伤害他的话。

派生

「～ないつもりだ」前面接「動詞ない形」，表示不打算做某事的意志，意为"打算不做……"。

- タバコは、もう吸わないつもりだ。
  我打算不再抽烟了。

「～つもりはない」前面接「動詞辞書形」，表示说话人否定某种意志，有时指说话人认为听话人预想自己有这种意志，但对此进行否定，意为"不想……"。

- 今すぐ行くつもりはないが、イギリスのことを勉強したい。
  我虽然不打算现在马上去，但还是想学习一下英国的相关情况。

「～つもりではない」前面接「動詞辞書形」，表示否定某种意志，多用于自己的某种行为招致误解时而进行的辩解，意为"其实我不是有意要……"。可以与「つもりはない」替换。

- わたしたちは京都を訪れるつもりではありません。
  我们并不是有意要到访京都。

2 ～たところで　即使……也（不）……

接续　动词た形＋ところで

解说　表示即使做了前面的事项，也得不到后面的结果。

- 言葉を尽くして説明したところで、料理の味は伝わらない。

  即使用再多的言语说明，也无法传达美食的味道。

- 今から走ったところで、授業に間に合わない。

  即使现在跑去，也来不及上课。

- どちらにしたところで、大局に影響があるとは思えない。

  我想无论选择哪一个，也不会对大局有影响。

派生

「～たところで」表示即使发生前面的事项，其数量或程度等也微乎其微。

- どんなに遅れたところで、少なくとも2、3分だと思います。

  即使迟到，最多也就晚两三分钟吧。

「～たところ」表示做完某事后，出现了某种结果，意为"结果……、可是……"。该句型表示既定，和「たら」意思相同。因为它表示的是实际上发生的既定事实，所以句末多与完成时态相呼应。

- 検査したところ、電源部に故障があることが分かった。

  检查完之后，发现电源部分有故障。

「～たところが」表示逆接，即在后项出现了预想之外的事实。

- 高いお金を出してダイヤの指輪を買ったところが、後で偽物と分かった。

  花了很多钱买的钻石戒指，后来却发现是假的。

考题解析及译文

① 人にけがをさせてから、いくら謝った＿＿＿＿、どうすることもできません。（91年2级）

　　　1. にかかわらず　　2. ものでも　　3. ことには　　4. ところで

解析　选项1「にかかわらず」意为"尽管……"。选项2「ものでも」意为"即使……"。选项3「ことには」意为"令人……的是"。　　**答案4**

译文　让人受伤之后，不管怎么道歉也无济于事。

② いくら話し合ったところで、この問題を解決することは＿＿＿＿。（92年2级）

　　　1. されます　　2. できます　　3. されません　　4. できません

解析　选项1「されます」意为"被……"。选项2「できます」意为"能……"。选项3「されません」意为"不被……"。　　**答案4**

译文　不管如何商量，也不能解决这个问题。

③もともと勉強する気がないのなら、大学を受けて＿＿＿＿ところで何の意味があるのか。（94年2級）

　　1．みた　　2．みる　　3．いる　　4．いた

解析　本题考查的是接续，首先可以排除选项2和选项3。选项1「みた」前接「て」，意为"试着……了"。　　**答案4**

译文　如果原本就没有学习的心情，即使考上大学又有什么意义呢？

④どんなに一生懸命働いたところで、生活は楽に＿＿＿＿と思う。（94年2級）

　　1．なるだろう　　　　2．なるかもしれない

　　3．ならないだろう　　4．ならなければならない

解析　选项1「なるだろう」意为"或许会变成……吧"。选项2「なるかもしれない」意为"可能会变成……"。选项4「ならなければならない」意为"必须会变成……"。　　**答案3**

译文　我想不管如何努力工作，生活也不会变得轻松吧。

⑤いくら後悔したところで、事故を起こしてからでは＿＿＿＿。（91年1級）

　　1．どうにもならない　　2．どうにかなるだろう

　　3．どうにかならない　　4．どうにもなるだろう

解析　本题考查选项的意思。选项2「どうにかなるだろう」意为"或许会有解决办法吧"。选项3「どうにかならない」、选项4「どうにもなるだろう」均不符合题意。　　**答案1**

译文　不管如何后悔，发生事故之后也无能为力。

⑥社長一人が必死に＿＿＿＿、この会社が大きく変わるとは思えない。（09年7月1級）

　　1．なったもので　　2．なったところで　　3．なるところで　　4．なるもので

解析　本题考查句型的意思。只有选项2表示转折关系。　　**答案2**

译文　即使社长一个人拼命地工作，我想这个公司也不会有大的改变。

⑦あの時もっと頑張っていれば、と後悔してみた＿＿＿＿で、今更しようがない。（94年1級）

　　1．の　　2．もの　　3．こと　　4．ところ

解析　本题考查句型的意思。选项1、2、3均不构成句型，意思不正确。　　**答案4**

译文　那时如果再努力一点的话就好了，现如今即使后悔也无济于事。

⑧公園のベンチにかばんを置き忘れたことに今気がついた。もう5時間もたっているから、もどって＿＿＿＿、まず見つからないだろう。（95年1級）

　　1．さがしてみたら　　　　2．さがしてみたところ

　　3．さがしてみたのに　　　4．さがしてみたところで

解析　选项1「さがしてみたら」意为"试着去找一下的话"。选项2「さがしてみたところ」意为"试着去找了，结果……"，该选项的前后意思为顺接，故不正确。选项3「さがしてみたのに」意为"试着去找了，然而……"，与后项的推测表达不符合，故不正确。　　**答案4**

译文　现在才意识到把包忘在公园的椅子上了。已经过去5个小时了，所以即使返回也找不到了吧。

⑨どちらに＿＿＿＿で、そうたいした差があるとは思えない。 （99 年 1 級）

　　1. するもの　　2. したもの　　3. するところ　　4. したところ

解析　选项1「するもの」意为"做……"。选项2「したもの」意为"做……"。选项3「すると
　　ころ」接续不正确。　　　　　　　　　　　　　　　　　　　　　　　**答案4**

译文　无论选哪个，我都觉得没有太大的差别。

⑩いくら急いだ＿＿＿＿始発のバスにはもう間に合わない。 （00 年 1 級）

　　1. もので　　2. ようで　　3. ところで　　4. かぎりで

解析　选项1「もので」意为"由于……、因为……"。选项2「ようで」意为"好像……"。选
　　项4「かぎりで」意为"在……范围内"。　　　　　　　　　　　　　**答案3**

译文　不管怎么着急都赶不上首班公交车了。

3 ～だに　连……都……

接续　動詞辞書形＋だに
　　　名詞＋だに

解说　「だに」是文语助词在现代日语中的残余。表示举出一个极端的事例。有时可以和「す
　　ら」、「さえ」替换，同时和否定形式相呼应，有时可以和「だけでも」相替换。

• 会えるとは夢にだに思わなかったプロのサッカー選手に会うことができ、サ
　インをしてもらって、ゆうべは感動して寝られなかった。
　做梦都没有想过能遇到职业足球运动员，还得到了对方的签名。昨晚激动得不能入睡。

• 殺人事件を起こした犯人の心は、考えるだに恐ろしい。
　杀人犯的心理，连想想都让人觉得恐怖。

• 宝くじが当たるとは、予想だにしなかった。
　连想都没有想过能中彩票。

考题解析及译文

①子供のころ、死については＿＿＿＿だに恐ろしかった。 （94 年 1 級）

　　1. 考え　　2. 考えた　　3. 考えて　　4. 考える

解析　本题考查的是接续。选项1、2、3的接续均不正确。　　　　　　　**答案4**

译文　小时候，关于死亡，即使想想都觉得很可怕。

②地震のことなど想像する＿＿＿＿恐ろしい。 （97 年 1 級）

　　1. だの　　2. でも　　3. だに　　4. では

解析　选项1「だの」意为"……啦"。选项2「でも」意为"但是"，但该选项不接在动词原形
　　后面。选项4「では」意为"假如"。　　　　　　　　　　　　　　　**答案3**

译文　想一想地震都觉得很可怕。

4 ～だの～だの　……啦……啦

接続　［動詞、イ形容詞］の普通形＋だの＋［動詞、イ形容詞］の普通形＋だの
　　　　　［ナ形容詞語幹、名詞］＋だの＋［ナ形容詞語幹、名詞］＋だの

解説　「だの」是并列副助词。表示并列、列举几个具有代表性的事物。常用「～だの～だの」、「～だの～など」的形式，最后一个「だの」有时会加上格助词。

- 彼の部屋にはCDだの、ビデオだのが散らかっていて、足の踏み場もない。
  他的房间里散落着CD、录像带之类的东西，都没有落脚的地方。

- ただで譲ってもらったからには古いだの汚いだのと文句は言えない。
  既然是免费获得的，就无法抱怨旧啦、脏啦什么的。

- あの人はいつも遅刻をしてきて、電車が遅れただの、目覚まし時計が壊れただの言い訳を始める。
  那个人总是迟到，老是找借口说电车晚啦或闹钟坏啦之类的。

5 ～たまえ　……吧（可灵活翻译）

接続　動詞ます形＋たまえ

解説　「たまえ」是补助动词「たまう」的命令形。常用于成年男子同辈之间或对晚辈的谈话中，表示比较客气、随和的命令或请求。

- 私は君たち社員を信じている。この企画は好きなように進めたまえ。
  我信任你们这些职员。这个计划按照你们的意愿执行吧。

- もう社会人だろう。新聞ぐらいは読みたまえ。
  你已经走向社会了。多读读报纸吧。

- 文句があるなら、堂々とここへ出てきて言いたまえ。
  如果有怨言，请堂堂正正地来这里说出来吧。

6 ～ためしがない　从来没有……

接続　動詞た形＋ためしがない

解説　表示迄今为止从来没有做过前面的事项。其中，「試し」的意思为"尝试"。

- 時間に正確な彼は、約束の時間に遅れたためしがない。
  守时的他，从来没有迟到过。

- あいつと一緒に仕事をすると失敗ばかりで、うまくいったためしがない。
  和那家伙一起工作总是失败，从没有进展顺利过。

・<ruby>占<rt>うらな</rt></ruby>いなんて、<ruby>当<rt>あ</rt></ruby>たったためしがありません。

占卜从来没有准过。

---

7 ～たりとも 即使……也（不）……

接续 名詞＋たりとも

解说 「たりとも」是文语的残余。前面接以"1"字开头的数量词。「たり」为文语的完了助动词，「とも」为文语的接续助词。「たりとも」的意思等同于「であっても」。后项通常接否定或消极的内容，比如「ない」、「だめだ」等。该句型表示即使数量少或程度低，也不能做后项的事。

・<ruby>水不足<rt>みずぶそく</rt></ruby>なので、1<ruby>滴<rt>てき</rt></ruby>たりとも、<ruby>無駄<rt>むだ</rt></ruby>にできない。

因为缺水，所以即使一滴水也不能浪费。

・お<ruby>米<rt>こめ</rt></ruby>は<ruby>農民<rt>のうみん</rt></ruby>の<ruby>汗<rt>あせ</rt></ruby>の<ruby>結晶<rt>けっしょう</rt></ruby>だ。1<ruby>粒<rt>つぶ</rt></ruby>たりとも<ruby>残<rt>のこ</rt></ruby>したりできない。

大米是农民汗水的结晶。即使一粒米也不能剩下。

・<ruby>借金<rt>しゃっきん</rt></ruby>を<ruby>返<rt>かえ</rt></ruby>すまでは、1<ruby>円<rt>えん</rt></ruby>たりとも<ruby>余分<rt>よぶん</rt></ruby>な<ruby>出費<rt>しゅっぴ</rt></ruby>は<ruby>避<rt>さ</rt></ruby>けなければならない。

在还清欠款之前，即使是一日元，也要避免额外的花销。

考题解析及译文

①試験まであと1週間しかない。もはや1日＿＿＿＿無駄にはできない。 （93年1級）

　　1. ならでは　　2. どころか　　3. たりとも　　4. までも

解析　选项1「ならでは」意为"只有……才……"。选项2「どころか」意为"别说……就连……也……"。选项4「までも」前接「動詞ない形」时，意为"即使不……也……、没有……至少也……"；后接「ない」时，意为"用不着……、不必……"。　　**答案3**

译文　距离考试只有一周了。即使一天也不能浪费。

②今日の午後3時までに原稿を提出しなければならず、今は1分＿＿＿＿おろそかにできない。 （95年1級）

　　1. よりも　　2. だけは　　3. たりとも　　4. ばかりか

解析　选项1「よりも」表示比较，意为"……比……"。选项2「だけは」意为"能够……都……、起码得……"。选项4「ばかりか」意为"不仅……而且……"。　　**答案3**

译文　今天下午3点之前必须提交原稿，现在即使一分钟都不能懈怠。

③世界経済の自由化の波は、日本の農業にも深刻な影響を与えた。米は1粒＿＿＿＿輸入させないと言っていた人々も、もうそんなことは言っていられなくなった。 （97年1級）

　　1. ばかりも　　2. だけさえ　　3. たりとも　　4. とはいえ

解析　选项1「ばかりも」、选项2「だけさえ」均不符合题意。选项4「とはいえ」意为"虽说……"。　　**答案3**

译文　世界经济自由化的浪潮对日本农业也产生了深刻的影响。曾经说1粒米都不让进口的人们已经无法这样说了。

④どんな相手でも、試合が終わるまでは一瞬＿＿＿＿油断できない。（01年1级）
　　　　1. ばかりか　　2. たりとも　　3. ならでは　　4. どころか

解析　选项1「ばかりか」意为"不仅……而且……"。选项3「ならでは」意为"只有……才……"。选项4「どころか」意为"别说……就连……也……"。　　　　　**答案2**

译文　不管任何对手，在比赛结束之前都不能有一点疏忽大意。

⑤猫の子1匹＿＿＿＿、ここを通らせないぞ。（02年1级）
　　　　1. ばかりか　　2. たりとも　　3. ときたら　　4. をよそに

解析　选项1「ばかりか」意为"不仅……而且……"。选项3「ときたら」接在名词后面，意为"提起……"。选项4「をよそに」接在名词后面，意为"不顾……、不关心……"。**答案2**

译文　就连一只小猫也不能让它通过。

⑥募金で集めたお金は1円＿＿＿＿無駄にできない。（04年1级）
　　　　1. もかまわず　　2. もそこそこに　　3. かたがた　　4. たりとも

解析　选项1「もかまわず」意为"不顾……、不管……"。选项2「もそこそこに」意为"慌慌张张地……、匆匆忙忙地……"。选项3「かたがた」作为单词，意为"各位、大家"；作为句型，意为"顺便……"。　　　　　　　　　　　　　　**答案4**

译文　募捐获得的钱，即使一日元也不能浪费。

⑦医者は手術の間、一瞬＿＿＿＿気が抜けない。（08年1级）
　　　　1. たりとも　　2. どころか　　3. のみか　　4. までも

解析　选项2「どころか」意为"别说……就连……也……"。选项3「のみか」意为"不仅……而且……"。选项4「までも」前接「動詞ない形」时，意为"即使不……也……、没有……至少也……"；后接「ない」时，意为"用不着……、不必……"。　　　**答案1**

译文　医生在做手术的时候，哪怕一瞬间也不能掉以轻心。

8　～たる（もの）　　作为……的……

接续　名詞＋たるもの
　　　名詞＋たる＋名詞

解说　「たる」是文语助动词「たり」的连体形，接在名词的后面，等同于「である」，意为断定事实。「たる」后有时可以接「もの」，有时可以接表示同格的其他名词。该句型表示以前面的身份做后面的行为，后项有时是否定的表达，有时是肯定的表达。

• プロの料理人たるもの、料理に手抜きは許されない。
　作为职业厨师，不允许做饭时疏忽。

• 首相たるもの、自らの発言に責任を持たなければならない。
　作为首相，必须要对自己的发言负责。

・行政府たる内閣は政党間の対立に超然と対処し、良識をもって法案を審議すべきである。

作为行政机关的内阁应该超然地对待政党间的对立，以正确的判断力审议法案。

考题解析及译文

①選手＿＿＿＿もの、試合においては堂々と戦え。（97 年 1 級）

　　1．する　　2．おる　　3．たる　　4．ある

解析　其他选项的接续均不正确。　　　　　　　　　　　　　　**答案3**

译文　作为运动员，就应该堂堂正正地比赛。

②警官＿＿＿＿者、そのような犯罪にかかわってはいけない。（00 年 1 級）

　　1．なる　　2．たる　　3．なりの　　4．ならではの

解析　选项1「なる」意为"成为"。选项3「なりの」意为"与……相应的……"。选项4「ならではの」表示只限于特定的情况下才会有后项的结果，意为"只有……才……"。　　**答案2**

译文　作为警察，不可以参与那样的犯罪。

③国民の生活をよりよいものにすること、それが政治家＿＿＿＿＿者の使命だと考えます。（08 年 1 級）

　　1．ある　　2．する　　3．たる　　4．よる

解析　选项1、2、4作为句型均不存在。　　　　　　　　　　　　**答案3**

译文　使国民的生活变得更好，我想这就是作为政治家的使命。

9 　**～だろうが～だろうが／～だろうと～だろうと**　　不论是……还是……

接续　名詞＋だろうが＋名詞＋だろうが
　　　　名詞＋だろうと＋名詞＋だろうと

解说　表示后项不受前项的限制，即表示前面两项无论如何，后项都保持不变。

・男だろうが、女だろうが、条件はあまり変わらないんじゃないか。

不论男女，条件都没什么变化吧。

・部下だろうが、上司だろうが、仕事に責任を持たなければならない。

不管是部下还是上司，都必须对工作负责。

・雨だろうと、風だろうと、実施計画は決して変更しない。

不管下雨还是刮风，都绝不会改变实施计划。

考题解析及译文

①国会議員＿＿＿＿＿、公務員＿＿＿＿＿、税金は納めなければならない。　（05 年 1 级）
　　1.　というか / というか　　2.　だろうが / だろうが　　3.　なり / なり　　4.　だの / だの

解析　选项1「～というか～というか」意为"是……还是……"。选项3「～なり～なり」意为
　　　　"……也好……也好"。选项4「～だの～だの」意为"……啦……啦"。　　　**答案2**

译文　不管是国会议员还是公务员，都必须纳税。

10　～だろうに

（1）本来是……可……、本以为……可是……

接続　［動詞、イ形容詞、ナ形容詞］の普通形＋だろうに

解説　表示说话人对前项的同情或批评。

- ピーナッツなんてどこでも買えるだろうに、母はわざわざ故郷から持ってきた。
  本来花生米在任何地方都能买到，妈妈却专门从老家带来了。

- 忙しくて大変だっただろうに、また新しい仕事が入ってきた。
  本来就很忙、很辛苦，却又来了新的工作。

- 犯人の殺意をうすうす感じとっただろうに、十分な注意を怠った。
  本来隐约感受到了犯人的杀机，却疏忽大意了。

（2）表示遗憾

接続　［動詞、イ形容詞、ナ形容詞］の普通形＋だろうに

解説　表示对于没有实际做前项的事而感到遗憾。

- 皆様にお話しすることができれば、もっと気が楽だっただろうに。
  如果能讲给大家听，我一定会更加放松的。

- もしあなたも電話していたら、私はもっと感動しただろうに。
  如果你也打电话的话，我一定会更感动的。

- もし酒を飲み過ぎなかったら、そんな事故を起こさなかっただろうに。
  如果没有喝太多酒，就不会发生那样的事故了。

11　～つ～つ　又……又……、忽而……忽而……

接続　動詞ます形＋つ＋動詞ます形＋つ

解説　「つ」是并列助词，来自于文语完了助动词「つ」，用于书面语中。「～つ～つ」意思相
　　　　当于「～たり～たり」，表示两种或两种以上的动作、状态反复出现。

- 夫婦は、お互いに持ちつ持たれつ、協力し合って生きていくものだ。

夫妻俩就应该彼此依靠，相互配合地生活在一起。

- 入り口の前で行きつ戻りつしていたが、とうとう決意して入っていった。

  在入口前走来走去，最终下定决心进去了。

- マラソンは二人の選手の抜きつ抜かれつの大接戦だった。

  马拉松成了两位运动员之间你追我赶的激战。

考题解析及译文

①事実を言おうか言うまいかと、廊下を＿＿＿＿考えた。（98 年 1 级）

　　1. 行くも戻るも　　2. 行きつ戻りつ　　3. 行くやら戻るやら　　4. 行くなり戻るなり

解析　选项1「行くも戻るも」意为"去还是回"。选项3「行くやら戻るやら」意为"去或者回"。选项4「行くなり戻るなり」意为"去也好回也好"。　　　**答案2**

译文　是说出事实还是不说呢，在走廊上走来走去地思考着。

12 ～っぱなし　放任……、一直……

接续　動詞ます形＋っぱなし

解说　「っぱなし」来自「放し」一词。而「放し」的原意是"放开"。该句型有两个意思：一是表示保持原来的样子，本来该做的事情却没有做，与「～たまま」不同，多含有负面的评价；二是表示一直保持着同样的状态而不变。

- しまった。窓を開けっぱなしで出てきてしまった。

  糟了。没有关窗户就出来了。

- 鈴木さんにはお世話になりっぱなしで、お礼の言葉もありません。

  一直承蒙铃木的关照，却连句感谢的话都没有。

- 帰宅ラッシュに重なってしまったので、電車で 1 時間ずっと立ちっぱなしだった。

  因为遇到下班高峰，所以在电车上一直站了 1 个小时。

考题解析及译文

①妹：「お兄ちゃん、部屋の電気、＿＿＿＿。」
　兄：「あ、ごめん、ごめん。」（09 年 7 月 1 级）

　　1. つけるっぱなしだよ　　2. つけたっぱなしだよ
　　3. つけてっぱなしだよ　　4. つけっぱなしだよ

解析　选项1、2、3的接续均不正确。　　　**答案4**

译文　妹妹："哥哥，屋里的灯一直开着呢。"

　　　哥哥："啊，对不起、对不起。"

②風呂の水を_____出かけてしまった。（96年1級）

    1. だしにして   2. だしっぱなしにして   3. だしつつ   4. だしおいて

解析 选项1「だしにして」意为"使开着"。选项3「だしつつ」意为"虽然开着"。选项4「だしおいて」意为"事先开着"。   **答案2**

译文 一直放着洗澡水就出去了。

③水を_____にして、歯を磨くのはもったいないですよ。（05年1級）

    1. 出しがてら   2. 出しっぱなし   3. 出すほど   4. 出すのみ

解析 选项1「～がてら」意为"顺便……"。选项3「～ほど」表示程度。选项4「～のみ」意为"仅仅……"。   **答案2**

译文 一直开着水龙头刷牙是很浪费的。

13　～であれ／～であろうと　　不管……都……

接续 疑問詞＋であれ

ナ形容詞語幹＋であれ

たとえ＋名詞＋であれ

どんな＋名詞＋であれ

名詞＋は＋どうであれ

解説 表示即便是前面的事项，后项依旧成立。

- 給料がいくらであれ、この仕事が好きだから続けていきたい。
  不管工资多少，因为喜欢这个工作，所以我想一直干下去。

- 理由が何であれ、あなたのしたことは間違っていると思う。
  不管是什么理由，我认为你做的事都是错误的。

- 転勤先がどこであれ、私は家族と一緒に行こうと思っている。
  不管调往哪里工作，我都想和家人一起去。

考题解析及译文

①そんなひどいいたずらは、たとえ子供_____許せるものではない。（95年1級）

    1. だに   2. であれ   3. だと   4. にして

解析 选项1「だに」意为"连……也……"。选项3「だと」意为"如果"。选项4「にして」，意为"到了……才……"。   **答案2**

译文 那么过分的恶作剧，即使是孩子也不能原谅。

②たとえ子供_____、自分のしたことは自分で責任をとらなければならない。（99年1級）

    1. ならば   2. であれ   3. ならでは   4. であると

解析 选项1「ならば」意为"如果……的话"。选项3「ならでは」接在名词后面，意为"只

有……才……"。选项4「であると」意为"如果……"。　　　　　　　　　　　　　**答案2**

译文　即使是孩子，也要对自己的所作所为负责。

③うそをつくことは、どんな理由＿＿＿＿＿許されない。（08 年 1 级）

　　　　1. だに　　2. であれ　　3. ならば　　4. にてらし

解析　选项1「だに」意为"连……也……"。选项3「ならば」意为"如果……的话"。选项4「にてらし」意为"按照……"。　　　　　　　　　　　　　　　　　　　　　　　**答案2**

译文　不管什么理由，都不能容忍撒谎。

④どんな悪人＿＿＿＿＿、心のどこかに良心は残っているはずだ。（93 年 1 级）

　　　　1. かと思うと　　2. にすると　　3. となると　　4. であろうと

解析　选项1「かと思うと」意为"原以为……却……、刚一……就……"。选项2「にすると」表示假定。选项3「となると」意为"如果……"。　　　　　　　　　　　　　　　　**答案4**

译文　不管什么样的坏人，内心中应该也保留着一丝良心。

14　～であれ～であれ／～であろうと～であろうと　　无论……还是……

接续　ナ形容詞語幹＋であれ＋ナ形容詞語幹＋であれ
　　　名詞＋であれ＋名詞＋であれ

解说　「であれ」是「である」的命令形。用两个「であれ」，有时也会用三个「であれ」，表示并列类推其他，无论是哪一种都不超出后面的结论。「であろうと」是「である」的未然形加接续助词「と」构成的。该句型的意思等同于「～でも～でも」。

* パートタイムであれフルタイムであれ、自分の仕事には責任を持ちたいものだ。

　无论是小时工还是全职，我都想对自己的工作负责。

* 猫を育てるのであれ、熱帯魚を飼うのであれ、生き物の世話は楽しい。

　无论是养猫还是养热带鱼，照顾这些动物都很开心。

* 生まれてくる子供が男であれ女であれ、どちらでもうれしいに決まっている。

　无论生男孩还是女孩，都一定会很开心。

15　～ていただけるとありがたい（／うれしい）／～てもらえるとありがたい（／うれしい）／～ていただければありがたい（／うれしい）／～てもらえばありがたい（／うれしい）

您要能……那就太感谢（／高兴）了

接续　動詞て形＋いただけるとありがたい（／うれしい）

解说　表示如果对方能那样做的话，那么说话人会相当感激、高兴等。

• 今度の日曜日、引越しを手伝ってもらえるとありがたいんだけどな。
  这个周日，您要是能帮我搬家，那真是感激不尽啊。

• 今度のパーティーに、小野さんに来てもらえるとうれしいのですが。
  这次的聚会，如果小野能来那就太高兴了。

• アンケートに答えていただけるとありがたいのです。
  如果您能回答一下调查问卷，那就太感谢了。

他の人は何を言おうと、あなたの人生の責任をとってくれることはない。人は、あなたが思うほど、他人のことに関心がない。あなたが人を嫌うことがあるように、人もあなたを嫌うこともある。だから、人に嫌われたからといって、自信を失う必要はない。
　　　　　　　　　　　　　　——諸富祥彦

无论他人怎么说三道四，都不会对你的人生负责。别人并非如你所想那样对他人之事上心。正如你会讨厌别人一样，别人也会讨厌你。所以，没有必要因为被人讨厌而丧失信心。
　　　　　　　　　　　　　　——诸富祥彦

必考句型

第 6 单元

1 〜てからというもの　自从……以后

接续　動詞て形＋からというもの

解说　表示以前项为契机，后项发生了较大的改变。

- デジタルカメラを買ってからというもの、いつも持ち歩くようになった。
  自从买了数码相机之后，就一直拿着到处走。

- 海外留学してからというもの、彼は1日も休まず、まじめに授業に出るようになった。
  自从去海外留学之后，他一天都没有休息，总是认真地去上课了。

- 不景気になってからというもの、大学生の就職活動は、大変厳しいものになっている。
  自从经济不景气之后，大学生的就业形势变得异常严峻。

考题解析及译文

①Eメールを使うように＿＿＿＿＿＿、ほとんど手紙を書かなくなった。（09年7月1级）
    1. なろうとも　　　　2. なるともなれば
    3. なったことだから　4. なってからというもの

解析　选项1「〜（よ）うとも」表示不管前项如何，后项依旧成立，意为"不管……"。选项2「〜ともなれば」表示一旦到了某个时期或发生了某种状况，后项就会相应地改变，意为"一旦……就会……"。选项3「〜ことだから」表示因果关系。　　　　**答案4**

译文　自从使用了电子邮件之后，变得几乎不怎么写信了。

②カメラを手に＿＿＿＿＿＿からというもの、彼は毎週撮影にでかけている。（93年1级）
    1. 入れる　　2. 入れた　　3. 入れて　　4. 入れます

解析　本题考查的是接续，正确的只有选项3。　　　　**答案3**

译文　自从买了相机之后，他每周都出去摄影。

③隣のご主人は、奥さんが亡くなってから＿＿＿＿＿＿、ほとんど外出しなくなった。（98年1级）
    1. とあらば　　2. ともなると　　3. というほど　　4. というもの

解析　选项1「とあらば」意思等同于「とあれば」。选项2「ともなると」意为"一……就……"。选项3「というほど」意为"……程度"。　　　　**答案4**

译文　隔壁家的男主人，自从夫人去世之后就几乎不外出了。

④将棋の面白さを知ってからと_____、彼は暇さえあれば将棋の本ばかり読んでいる。（99年1级）
　　　　1. いうまで　　2. いうのに　　3. いうこと　　4. いうもの

解析　选项1、2、3的接续均不正确。　　　　　　　　　　　　　　　　　　　　　　　答案4
译文　自从他感受到将棋的乐趣后，一有空就会读有关将棋的书。

⑤この道具を一度_____、あまりの便利さに手放せなくなってしまった。（05年1级）
　　　　1. 使わないにしろ　　　　　　2. 使っただけあって
　　　　3. 使ってからというもの　　　4. 使ってからでなければ

解析　选项1「～にしろ」意为"即使……也……"。选项2「～だけあって」意为"不愧是……、无怪乎……"。选项4「～てからでなければ」，该句型等同于「～てからでないと」，意为"如果不……的话，就……"。　　　　　　　　　　　　　　答案3
译文　自从使用过一次这个工具之后，就因为太方便而放不下了。

⑥遭難しても、チョコレートが1枚あれば数日間生きられるという話を_____、登山には必ずチョコレートを持って行くようにしている。（07年1级）
　　　　1. 聞いたところで　　　　　2. 聞いたかと思うと
　　　　3. 聞いてからというもの　　4. 聞くか聞かないかのうちに

解析　选项1「～たところで」意为"即使……也……"。选项2「～かと思うと」意为"刚一……就……、原以为……却……"。选项4「～か～（同じ動詞ない形）ないかのうちに」意为"刚刚……"。　　　　　　　　　　　　　　　　　　　　　　　　　答案3
译文　自从听说遇险时靠一块巧克力就可维持好几天生命后，我去登山一定会带上巧克力。

2 　**～てしかるべきだ**　　当然要……、应该要……

接续　動詞て形＋しかるべきだ

解说　「しかる」是文语动词「しかり」的连体形。「しかり」的意思同「そうだ」、「そのとおりだ」。「べき」是文语助动词「べし」的连体形。「しかるべきだ」意为"适当的、相当的、应该"。该句型表示前项事项是理所当然的或者合情合理的。

・民主主義の世の中なんだから、個人の意見は尊重されてしかるべきだ。
　因为是民主主义社会，所以个人意见应该被尊重。

・古い資料に基づいたこの計画は、見直されてしかるべきだ。
　依据旧资料而制订的此计划应该被重新评估。

・突然の社長交替について、株主に何らかの説明があってしかるべきだ。
　社长突然换人，就此，应该向股东做些说明。

考题解析及译文

①状況が変わったのだから、会社の経営計画も見直されて_____。（09 年 12 月 1 級）
　　　1. やまない　　2. たまらない　　3. のことだ　　4. しかるべきだ

解析　选项1「～てやまない」意为"……不已"。选项2「～てたまらない」意为"……得不得了"。选项3「～てのことだ」意为"是因为……才（可能）……"。　　　**答案4**

译文　因为状况改变了，所以也应该重新审视公司的经营计划。

②所得が低い人には、税金の負担を軽くするなどの措置がとられて_____。（07 年 1 級）
　　　1. もともとだ　　2. しかるべきだ　　3. 極まりない　　4. やまない

解析　选项1「～てもともとだ」意为"不赔不赚、同原来一样"。选项3「極まりない」意为"极其……"。选项4「～てやまない」意为"……不已"。　　　**答案2**

译文　应该对低收入者采取减轻纳税负担等措施。

3　**～てしまいそうだ**　　恐怕会……、好像要……了

接続　動詞て形＋しまいそうだ

解説　表示恐怕会做出前面的事项。「～てしまう」表示动作、行为的完了、完成。「～そうだ」表示根据眼前看到的具体样子、情况、状态、趋势等进行推断，意为"好像要……"。「～てしまいそうだ」表示好像前面的动作要完成的样子。

- 一度にいくつも問題が起きて、頭が爆発してしまいそうだ。
  一下子发生若干问题，头好像快要爆炸了。

- 毎日毎日暑くて暑くて、もう気が狂ってしまいそうだ。
  每天都很热，快要疯了。

- 喉が乾いてたまらないので、一気にジュースを飲んでしまいそうだ。
  因为喉咙干得不得了，所以好像一口气就要把果汁喝光似的。

4　**～でなくてなんだろう／～でなくてなんであろう**

……不是……是什么呢、就是……

接続　名詞＋でなくてなんだろう

解説　表示强调前面事项就是事实。

- たった 5 歳で 4 か国語を話せるなんて、これが天才でなくてなんだろう。
  仅仅 5 岁就能讲 4 国语言，这就是天才啊。

- 一分一秒でもそばにいたいと思う。これが愛でなくてなんであろう。
  我想分分秒秒都在你身边。这不是爱是什么呢?

- 子供が悪いことをしたら叱る。これが親としての姿でなくてなんだろう。

  孩子做错了事就要批评。这就是父母该做的事。

考题解析及译文

① こんなにみごとな絵が、芸術＿＿＿＿＿。（98年1级）

　　1. とはいえないだろう　　2. であってなんだろう

　　3. でなくてなんだろう　　4. といったらないだろう

解析　选项1「とはいえないだろう」意为"不能说是……吧"。选项2「であってなんだろう」不符合题意。选项4「といったらないだろう」意为"难以形容吧"。　**答案3**

译文　这么漂亮的画，不是艺术是什么呢?

② 戦争で多くの人が殺されているなんて、これが悲劇＿＿＿＿＿。（03年1级）

　　1. でやまない　　　　　　2. でなくてなんだろう

　　3. だといったところだ　　4. だといったらありはしない

解析　选项1「でやまない」的正确表达为「～てやまない」，意为"……不已"。选项3「だといったところだ」意为"也就是……"。选项4「だといったらありはしない」意为"……之极、极其……"。　**答案2**

译文　因为战争许多人牺牲了，这不是悲剧是什么呢?

③ たった3歳でこんなに難しい曲を見事に演奏してしまうとは、これが天才＿＿＿＿＿。（07年1级）

　　1. でなくてなんだろう　　2. ですらないだろう

　　3. ならそれまでだろう　　4. にあるまじきことだろう

解析　选项2「ですらないだろう」意为"甚至不会……吧"。选项3「ならそれまでだろう」意为"如果……也就完了吧"。选项4「にあるまじきことだろう」意为"是……不该有的事吧"。　**答案1**

译文　仅仅3岁就能出色地演奏这么难的曲子，这不是天才又是什么呢?

5　～てのことだ　是因为……才……

接续　動詞て形＋のことだ

解说　表示就是因为前项，才有可能完成某事。

- 彼は事業に成功できたのは、友達の支持があってのことだ。

  就是因为有朋友的支持，他才能事业成功。

- あなたを厳しく叱ったのは、あなたの将来を考えてのことだ。

  之所以严厉斥责你，是为你的将来考虑。

- 今度の成功はみんなの努力があってのことだと思いますよ。

  我认为这次的成功全是因为大家的努力。

6 ～ではあるまいか　难道不是……吗、是不是……呀

接续　動詞辞書形＋の＋ではあるまいか
　　　　イ形容詞辞書形＋の＋ではあるまいか
　　　　［ナ形容詞語幹、名詞］（＋なの）＋ではあるまいか

解説　可以表示一种推测，有时也用于表示说话人的一种主张。比「～ではないだろうか」的表达更加郑重。

- いまこそ人生を変えるチャンスではあるまいかと思っている。
  我想现在就是改变人生的好机会吧。

- この方法なら誰でも利用できるのではあるまいか。
  这个方法的话，难道不是任何人都可以利用吗？

- 小さな地震が続いている。大きな地震が起こるのではあるまいか。
  持续有小型地震发生。是不是要发生大地震啊？

考题解析及译文

①私がビジネスでこれまでに訪れたことのある国は、すでに 50 を超えているのでは _____。（98 年 1 級）
　　　　1. あるまい　　2. ないだろう　　3. ないものか　　4. あるまいか

解析　选项1「あるまい」意为"不是吧"。选项2「ないだろう」意为"没有吧"。选项3「ないものか」意为"决不……"。　　　　　　　　　　　　　**答案4**

译文　我出差去过的国家是不是已经超过50个了啊？

7 ～ではあるまいし／～じゃあるまいし　又不是……

接续　名詞＋ではあるまいし

解説　表示因为不是前项，所以当然可以发生后项。助动词「まい」的意思有两个，一个等同于「ないだろう」，另一个意思等同于「ないつもりだ」。在本句型中的意思是第一个，即表示否定的推量，意为"不会……吧"。「ではあるまいし」是书面语的表达方式，而「じゃあるまいし」是口语的表达方式。

- 壊れ物ではあるまいし、そんなに大切に扱わなくてもいいよ。
  又不是易碎物品，不必那样小心翼翼。

- 赤ちゃんではあるまいし、自分のことは自分でしてよ。
  又不是婴儿，自己的事要自己做。

- 天才ではあるまいし、こんな難しい問題が分かるもんか。
  我又不是天才，这么难的问题怎么能会呢？

考题解析及译文

①子供では＿＿＿＿＿＿、もう少し冷静に話し合うべきだ。（09年7月1級）
　　1. あるものを　　2. あるまいし　　3. ありながらも　　4. ありがちで

解析　选项1「～ものを」表示转折。选项3「～ながらも」表示逆接，意为"虽然……但是……"。选项4「～がちで」表示常有某种倾向。　　　　**答案2**

译文　又不是孩子，谈话应该再冷静点。

②十代の娘じゃ＿＿＿＿＿＿、そんなはでなリボンはつけられませんよ。（96年1級）
　　1. ありながら　　2. ありそうに　　3. あるまいし　　4. あるほどに

解析　选项1「～ながら」表示逆接，意为"虽然……但是……"。选项2「ありそうに」意为"看起来像是有……"。选项4「あるほどに」没有这种表达。　　　　**答案3**

译文　又不是10多岁的小女孩，不能系那么花哨的丝带。

③お客さんにきちんと挨拶するくらい、＿＿＿＿＿＿、言われなくてもやりなさい。（01年1級）
　　1. 子供じゃあるまいし　　2. 大人じゃあるまいし
　　3. 会社じゃあるまいし　　4. 世間じゃあるまいし

解析　选项2「大人じゃあるまいし」意为"又不是大人"。选项3「会社じゃあるまいし」意为"又不是公司"。选项4「世間じゃあるまいし」意为"又不是社会"。　　　　**答案1**

译文　你又不是孩子了，好好地向客人打招呼，即使不告诉你，也请这么做。

④航空、レジャー関連企業が若者に人気があるという。海外旅行が珍しい時代ではあるまいし、＿＿＿＿＿＿。（05年1級）
　　1. どうして若者はそういった企業に行きたがるのだろうか
　　2. 若者は、海外へあこがれる気持ちが強いのだろう
　　3. 航空、レジャー関連企業は珍しい仕事なのだろう
　　4. どうして若者は海外旅行へ行くのだろうか

解析　选项2「若者は、海外へあこがれる気持ちが強いのだろう」意为"年轻人很向往海外吧"。选项3「航空、レジャー関連企業は珍しい仕事なのだろう」意为"航空、休闲相关企业是新奇的工作吧"。选项4「どうして若者は海外旅行へ行くのだろうか」意为"为什么年轻人要去海外旅行呢"。　　　　**答案1**

译文　据说航空、休闲等相关企业受年轻人喜欢。又不是海外旅行很新鲜的年代了，为什么年轻人都想进这样的企业呢？

8 ～て（は）かなわない／～ちゃかなわない　……得难以承受

接続	動詞て形＋（は）かなわない
	イ形容詞て形＋（は）かなわない
	ナ形容詞て形＋（は）かなわない
解説	表示无法应付或承受前面的事项。「かなわない」是动词「敵う」的否定表达形式。「敵う」的意思为"可以做到、经得起、受得住"。「～ちゃかなわない」是「～て（は）かなわない」的口语表达形式。

• 今日もまた残業だよ、こう忙しくてはかなわないなあ。

　今天又加班，忙得受不了了。

• 赤ちゃんがお腹にいる女性にとって、目の前でタバコを吸われてはかなわないだろう。

　对于怀孕的女人们来说，被动吸烟是难以忍受的。

• 仕事に誇りを持ってはいるが、こんなに残業が多くてはかなわない。

　对于工作有自豪感，但加班多得难以承受。

派生

「～てたまらない」意思与「～てはかなわない」相同，可以互换。表示照此状况下去则难以忍受，意为"……可受不了"。

• 楽しみにしていた留学が延期になってしまった。残念でたまらない。

　期待已久的留学延期了。遗憾得不得了。

考题解析及译文

①今年引き下げられた税率が、来年から上がるそうだ。短期間でこう何度も_____。（09年7月1級）

　　1. 変えられるにこしたことはない　　2. 変えられてはかなわない
　　3. 変えるにも変えられない　　4. 変えるどころではない

解析　选项1「～にこしたことはない」意为"没有比……更好的了"。选项3「変えるにも変えられない」意为"即使要改变也改变不了"，不符合题意。选项4「～どころではない」意为"不是……的时候"。　　　　　答案2

译文　听说今年下调了的税率明年又要上涨了。短时间内这么反复改变，真受不了。

②夏は体の調子を崩しやすく、私にとっては冬の方が過ごしやすい。そうは言っても、毎日こう寒くては_____。（00年1級）

　　1. かなわない　　2. かまわない　　3. かなうだろう　　4. かまうだろう

解析　选项2「かまわない」意为"没关系"。选项3「かなうだろう」意为"会实现吧"。选项4「かまうだろう」意为"会介意吧"。　　　　　答案1

译文　夏天容易生病，对于我来说，冬天比较容易度过。虽然这么说，但每天这么冷也受不了。

③面白いと言われたからといって、同じ冗談を何度も＿＿＿＿＿。（07 年 1 級）

　　1. 聞かせてもらいたい　　　　2. 聞かせてしまおう

　　3. 聞かされたらいいじゃないか　　4. 聞かされちゃかなわない

解析　选项1「聞かせてもらいたい」意为"希望你让我听听"。选项2「聞かせてしまおう」意为"让你听听吧"。选项3「聞かされたらいいじゃないか」意为"被迫听的话不是也不错吗"。

　　　　　　　　　　　　　　　　　　　　　　　　　　　　　　　　答案4

译文　虽说是有趣，但同样的玩笑听好几次实在受不了。

9　～てばかりはいられない／～てばかりもいられない　　不能总……

接续　動詞て形＋ばかりはいられない

解说　表示不能总做前面的事或总保持前面的状态。「～てばかりはいられない」是由「～てばかりいる」变来的。「～てばかりいる」意为"总是……"。「いられない」是「いる」可能形的否定表达，意为"不能……"。

・試験が近いため、日曜だからといって遊んでばかりはいられない。
　因为要考试了，所以虽说是周日，也不能总是玩儿。

・試験に合格したからといって、喜んでばかりはいられない。
　虽说考试及格了，但也不能总是高兴。

・父に死なれて、いつまでも悲しんでばかりはいられない。
　父亲去世了，但也不能总是伤心。

派生
「～てばかりいる」意为"总是……"。表示总是处于同样的状态或总做同样的事情。

・彼女は寝てばかりいる。
　她总是在睡觉。

考题解析及译文

①まだ卒業論文が完成していないので、就職が決まったからといって、＿＿＿＿＿。（95 年 1 級）

　　1. 喜ぶわけではありません　　　2. 喜んでいるにすぎません

　　3. 喜ばないはずがありません　　4. 喜んでばかりはいられません

解析　选项1「喜ぶわけではありません」意为"并非开心"。选项2「喜んでいるにすぎません」意为"只不过开心"。选项3「喜ばないはずがありません」意为"不会不开心"。

　　　　　　　　　　　　　　　　　　　　　　　　　　　　　　　　答案4

译文　因为还没有完成毕业论文，所以虽说已经找好工作了，但也不能总是高兴。

10 ～ではすまされない

如果……的话，是不能解决问题的；如果……的话，是不行的

接续　動詞普通形＋ではすまされない
名詞＋ではすまされない

解说　表示某项事情是不能迁就的，或者表示如果以前面事项结束的话是不行的、是不能解决问题的。「～済まされない」是由动词「済ます」变来的。「済ます」的意思是"完成、应付、解决"。「済まされる」不是使役被动形，而是动词「済ます」的可能形。「済まされない」意思是"不能解决、不能应付"。

• 管理層(かんりそう)の人(ひと)として、マネジメントに関(かん)する基本(きほん)の知識(ちしき)を知(し)らないではすまされない。
作为管理层，缺乏管理的基础知识是不行的。

• このストーリーはただの笑(わら)い話(ばなし)ではすまされないと思(おも)うところがある。
这个故事有些地方发人深省，并不只让人一笑而过。

• このままでは済(す)まされない。
这样可不能算完。

「～てすむ / ～ですむ」意为"……就解决了"。

• ヨーロッパ旅行(りょこう)はもっと費用(ひよう)がかかると思(おも)っていたが、8万円(まんえん)ですんだ。
我原本以为去欧洲旅行要花费更多，没想到8万日元就够了。

「～ないですむ」也可以用「～ずにすむ」，意为"不用……就解决了"。

• 先輩(せんぱい)から日本語(にほんご)の参考書(さんこうしょ)をもらったので、買(か)わないですんだ。
学长送了我1本日语参考书，所以不用买了。

考题解析及译文

①課長である以上、そんな大事なことを知らなかった＿＿＿だろう。（97年1級）
　　1. でもすまされない　　2. でもとまらない
　　3. ではすまされない　　4. ではとまらない

解析　选项1、2、4的表达均不符合题意。　　　　　　　　　　　　答案3
译文　既然是科长，那么重要的事都不知道的话可不行。

11 ～てはばからない　直言不讳地……、毫不客气地……

接续　動詞て形＋はばからない

解说　「憚る」是动词，意为"顾忌、忌惮、怕"。「はばからない」意为"毫无顾忌、直言不讳"。该句型表示毫不客气地、毫无顾忌地做某事。

- クラスで一番できるのは自分だと言ってはばからない。
  毫不客气地说自己在班上学习最好。

- 彼は、自分が世界一のバレーボール選手だと言ってはばからない。
  他毫不客气地说自己是世界第一的排球运动员。

- 田中課長は、次に部長になるのは自分だと公言してはばからない。
  田中科长大言不惭地说接下来当部长的是自己。

考题解析及译文

①その新人候補は、今回の選挙に必ず当選してみせると断言して＿＿＿＿＿＿。（00年1级）
　　1. かいがない　　2. きりがない　　3. しくはない　　4. はばからない

解析　选项1「かいがない」意为"没有意义"。选项2「きりがない」意为"没有尽头、没完没了"。选项3「しくはない」意为"莫如……、最好是……"，例如「逃げるにしくはなし」（走为上策）。
　　　　　　　　　　　　　　　　　　　　　　　　　　　　　　　　　　答案4

译文　那个新候选人毫无顾忌地断言，一定会在这次选举中获胜。

12 ～て（は）やりきれない　……的话，让人受不了；……的话，接受不了

接续　動詞て形＋（は）やりきれない
　　　　　イ形容詞て形＋（は）やりきれない
　　　　　ナ形容詞て形＋（は）やりきれない

解说　表示某事让人无法忍受、无法接受。「やりきれない」由动词「やる」和「きれる」的否定形式构成。其中，「～きれる」表示完全能够做得到。「やりきれない」的意思是"做不完、忍受不了、应付不了"。可以单独使用。

- 正午になると暑くてやりきれない。
  到了中午就热得受不了。

- 毎晩12時まで勉強しているので、朝は眠くてやりきれない。
  因为每天晚上学习到12点，所以早上困得受不了。

- いつも彼女の愚痴ばかり聞かされてやりきれない。
  总是不得不听她的抱怨，真受不了。

「やりきれない」表示无法把事情做到最后，意为"做不完"。

・今日中にはやりきれない。
今天做不完。

---

13 ～てまえ 考虑到……；由于当着……的面，只好……

接续　動詞普通形＋てまえ
　　　名詞＋の＋てまえ

解说　「手前」的意思是"自己的面前、这边、面子"。该句型表示考虑到说话人的立场以及为了维护其声誉而有了后项。

・正直に言って、ジェットコースターに乗るのは怖かったが、彼女のてまえ、そんなことは口に出せなかった。
说实话，乘坐过山车时很害怕。但是当着女友的面，不能说出来。

・夫がトヨタに勤めている手前、ホンダの車を買うわけにはいかない。
考虑到丈夫在丰田上班，我也不能买本田的车。

・子供に交通ルールを守れ、と言ったてまえ、僕が信号無視をするわけにはいかないよ。
考虑到我对孩子说过要遵守交通规则，所以我自己也不能无视信号灯。

考题解析及译文

①皆の前でこれが正しいと言ってしまった＿＿＿＿＿、今さら自分が間違っていたと言いにくい。（03年1級）
　　　1. てまえ　　2. ものの　　3. ところ　　4. ままに

解析　选项2「ものの」意为"虽然……但是……"。选项3「～たところ」为顺接，表示偶然的契机。选项4「ままに」意为"随……、按……"。　　　　　　　　　　答案1

译文　由于在大家面前说过这是对的，所以如今很难说出自己错了。

---

14 ～てみせる 一定要……、……给人看看

接续　動詞て形＋みせる

解说　「見せる」的意思为"让……看、呈现、假装"。该句型表示说话人强烈的意志或决心，即表示不得不或一定要做某事给别人看。

- 来年こそは、試験に合格してみせると、彼は心に誓った。

  他在内心发誓，明年一定要考试及格。

- あえて悲しそうな顔をしてみせた。

  硬要做出一副悲伤的样子给人看。

- 私は必ず夢を実現してみせる。

  我一定要实现梦想给人看看。

派生

「～てみる」表示试探性的行为或动作，意为"试着……"。

- いい本ですから、ぜひ読んでみてください。

  这本书不错，所以请您一定试着读一下。

考题解析及译文

①私の店はまだ有名ではないが、いずれは皆に「この店の料理は最高だ」と＿＿＿＿＿。(08年1級)

　　1. 言ったとおりだ　　2. 言うはずもない

　　3. 言わせてみせる　　4. 言いようもない

解析　选项1「言ったとおりだ」意为"正如……所言"。选项2「言うはずもない」意为"不会说的"。选项4「言いようもない」意为"没法说"。　　**答案3**

译文　我的餐馆还不怎么有名，但总有一天我会让大家说"这家店的饭菜最好吃"。

15 ～ても～きれない　即使……也（不）……

接续　動詞て形＋も＋動詞ます形＋きれない

　　　動詞意向形＋としても＋動詞ます形＋きれない

　　　動詞意向形＋と思っても＋動詞ます形＋きれない

解说　表示即使做前项也不会实现后项。

- 私は彼のことを信じようと思っても、信じきれないのです。

  我即使想相信他的话，也无法相信。

- 彼は喜びを隠そうとしても隠し切れないようだった。

  他即使想掩饰喜悦，好像也无法掩饰。

- この報酬額は、毎日8000万円ですが、使っても使い切れないという凄まじい金額となります。

  这个报酬是每天8000万日元，真是怎么用也用不完的惊人金额。

• 二人で食べても食べ切れない物を持ってきた。

帯来了两个人吃都吃不完的食物。

派生

「～きれる」接在「動詞ます形」后，构成复合动词。表示能够全部做完或做到最后。

「～きれない」表示不能完全完成。

• この狭い部屋にそんな多くの人が入りきれないでしょう。

这么狭小的房间容纳不下那么多人吧。

私は「美人」と「美形」は違うと考えています。外面の美しいのが「美形」で、内面の美しいのが「美人」です。「美形」は年とともに衰えますが、「美人」は年とともに美しくなるものです。

——北畑英樹

我认为"美人"和"美貌"不是一个概念。外表美是"美貌"，而内在的美才是"美人"。"美貌"会随着年龄的增长而衰退，但"美人"却越发光彩照人。

——北畑英树

必考句型

第7单元

---

1 〜ても〜すぎることはない　**不管多……也不过分**

接续　動詞て形＋も＋動詞ます形＋すぎることはない

　　　動詞て形＋も＋イ形容詞語幹＋すぎることはない

解说　表示无论怎么样做前面事项也不过分。「過ぎる」意为"经过、过、过度"。还可以作为接尾词，表示超过某种程度或限度。

• お布団を干すなら、お天気にいくら注意しても注意しすぎることはない。
　如果要晒被子的话，无论多注意天气也不过分。

• 定期検査の重要性をいくら強調しても強調しすぎということはない。
　无论多强调定期检查的重要性也不过分。

• 日焼け止めに、時期が早くても早すぎることはない。
　防晒要越早越好。

---

2 〜てもさしつかえない／〜でもさしつかえない　**即使……也无妨**

接续　動詞て形＋もさしつかえない

　　　イ形容詞て形＋もさしつかえない

　　　ナ形容詞て形＋もさしつかえない

　　　名詞＋でもさしつかえない

解说　「差し支える」意为"障碍、有影响"。「差し支えない」表示可以做前面事项，与「〜てもいい」、「〜てもかまわない」的意思基本相同，但语气比较郑重，用于非常正式的场合。

• 「小鳥くらいなら飼ってもさしつかえないでしょう」と管理人は言った。
　管理员说："如果是小鸟的话，即使饲养也无妨吧。"

• 印鑑をお持ちでなければ、サインでもさしつかえありません。
　如果您没有带印章，签名也无妨。

• もし今週ご都合が悪いようでしたら、来週でも差し支えありません。
　如果您这周不方便的话，下周也无妨。

考题解析及译文

①手術後の経過が順調だったら、来週は散歩に出ても_____。（99年1級）
　　1. むりである　　2. むりもない　　3. さしつかえる　　4. さしつかえない

解析　选项1「むりである」意为"办不到、勉强"。选项2「むりもない」意为"理所当然、合情合理"。选项3「さしつかえる」意为"障碍、有影响"。　　　　　　　答案4

译文　如果术后恢复顺利的话，下周即使去散步也无妨。

3　～でもしたら　　如果……的话

接续　動詞ます形＋でもしたら

解说　表示提醒对方，如果发生前面事项的话会很难处理或很为难。

- この不正事件が新聞に掲載されでもしたら、大騒ぎになることだろう。
  如果这种非法事件被刊登在报纸上的话，会引发大骚动吧。

- このことが彼女に知られでもしたら大変だ。
  这件事情如果被她知道的话那就惨了。

- かぎをかけ忘れでもしたら大変だよ。
  如果忘记锁门的话可不得了。

4　～てもともとだ／～でもともとだ　　和原来一样、不赔不赚

接续　動詞て形＋もともとだ
　　　イ形容詞て形＋もともとだ
　　　ナ形容詞て形＋もともとだ

解说　「元々」的意思为"不赔不赚、同先前一样"。前项通常是消极内容，表示即使发生了前项也和平时一样。多用于做某事失败，或做一些成功可能性比较小的事情的场合。

- 初めからあまり可能性はなかったから、失敗してもともとだ。
  因为从最初就几乎没有可能性，所以即使失败也没什么。

- 勉強不足だとは思うが、試験を受けてみよう。落ちてもともとだ。
  我觉得准备得不充分，但想试着考考看。即使落榜也无所谓。

- 失敗して元々だという気持ちを抱いて取り組んでいきましょう。
  抱着即使失败也没什么的心态来应对这件事吧。

考题解析及译文

①採用の条件には合わないけど、＿＿＿＿＿＿もともとだから、この会社に履歴書を出してみよう。（06年1級）

　　　1. だめが　　2. だめな　　3. だめに　　4. だめで

解析　选项1、2、3的接续均不正确。　　　　　　　　　　　　　　　**答案4**

译文　虽然不符合应聘条件，但不成功也没什么，所以给这个公司投份简历试试吧。

5　〜でもなんでもない　　并不是什么、并没有什么、根本就不……

接続　ナ形容詞語幹＋でもなんでもない
　　　名詞＋でもなんでもない

解説　「でも」是副助词，两个「でも」构成对等文节，表示全面否定。「なんでもない」意为"算不了什么、没关系、什么也不是"。

• あんな人、恋人でもなんでもないわ。彼の話、もうしないで。
　那个人根本就不是我的恋人。不要再提他了。

• 鈴木？あいつの話、やめてくれ。あんなやつ、友達でもなんでもないよ。
　铃木？不要提那家伙了。那样的人根本不是什么朋友。

• これぐらいピアノを弾ける人は大勢いる。彼女は、特別でもなんでもないよ。
　有很多人弹钢琴都能到这种水平。她并不是特别优秀。

6　〜てもはじまらない　　即使……也没用、就是……也白费

接続　動詞て形＋もはじまらない

解説　「はじまらない」是「始まる」的否定表达形式，意思相当于「むだだ」（白费、无用功）、「何にもならない」（无济于事）。该句型表示做前项也没用，无法挽回。

• 試合に負けた後で、後悔しても始まらない。
　比赛失败之后，即使后悔也白费。

• 仕事が失敗した後で、いまさら意見を言ってもはじまらない。
　工作失败了，事到如今即使提出意见也没用。

• 言おうか言うまいか、一人で悩んでいても始まらない。
　是说还是不说呢，一个人苦恼也没用。

7　〜てやまない　　非常……、……不得了、……不已

接続　動詞て形＋やまない

解说　「やまない」是动词「止む」的否定形式，表示"不停止"的意思。该句型前面通常接表示感情、意愿、意志的动词，表示那种感情一直持续着。通常在会话中不使用该句型。

- 夫婦になったお二人の幸せをお祈りしてやみません。
  我衷心地祈愿成为夫妻的两个人幸福。

- ご成功を念願してやみません。
  衷心祝愿你成功。

- 世界の永久平和を祈念してやみません。
  衷心地祈求世界永久和平。

考题解析及译文

①卒業生の健康と幸せを願って＿＿＿＿＿＿。（96年1級）
　　1. やまない　　2. そういない　　3. とまらない　　4. すまない

解析　选项2「そういない」意为"一定的、确实的"。选项3「とまらない」意为"不止、不停"。选项4「すまない」意为"未结束、对不住"。　　**答案1**

译文　衷心祝愿毕业生健康、幸福。

②田中君は就職も決まり、もうすぐ卒業だ。今後の活躍を心より願って＿＿＿＿＿＿。（00年1級）
　　1. おえない　　2. すまない　　3. やまない　　4. ちがわない

解析　选项1「おえない」意为"承担不起"。选项2「すまない」意为"未结束、对不住"。选项4「ちがわない」是「違う」的否定形，意为"相同、对"。　　**答案3**

译文　田中工作已经定下来了，马上就要毕业了。衷心祝愿他今后能大展身手。

③結婚する二人の＿＿＿＿＿＿やまない。（01年1級）
　　1. 両親の反対を思って　　　　2. 今後の幸せを願って
　　3. これからの苦労を考えて　　4. 幸福になれると言って

解析　选项1「両親の反対を思って」意为"想到父母的反对"。选项3「これからの苦労を考えて」意为"考虑到今后的辛苦"。选项4「幸福になれると言って」意为"说会幸福的"。

　　答案2

译文　衷心祝福要结婚的两个人今后幸福。

④多くの困難にも負けず、努力を続けている彼女は素晴らしい。私は彼女の成功を＿＿＿＿＿＿。（04年1級）
　　1. 願うわけにはいかない　　2. 願ってやまない
　　3. 願うにはあたらない　　　4. 願わないばかりだ

解析　选项1「願うわけにはいかない」意为"不会祈祷"。选项3「願うにはあたらない」意为"用不着祈祷"。选项4「願わないばかりだ」的说法不正确。　　**答案2**

译文　面对诸多困难，她都继续努力着，真了不起。我衷心祝愿她成功。

8 ～とあいまって／～もあいまって／～と～とがあいまって

与……相结合、加上……

接续 名詞＋は＋名詞＋とあいまって
名詞＋は＋名詞＋もあいまって
名詞＋と＋名詞＋とがあいまって

解说 动词「相まつ」的意思是"两个以上的事情同时发生并相互起作用"。该句型表示与其他因素相互作用。

- 料理人の技術と素材のよさとがあいまって、非常によい味を出している。
  厨师的技术加上优质的食材，使得饭菜的味道非常鲜美。

- あの俳優は年齢が知性と相まって、素晴らしい魅力を出している。
  那个演员的年龄加上才智，展现了出色的魅力。

- 社長のリーダーシップは社員の努力も相まって、その会社は急成長した。
  社长的领导才能加上员工的努力，使得那个公司飞速成长。

考题解析及译文

①この家具は、複雑的なデザインが華やかな色彩＿＿＿＿、素晴らしい製品となっている。（09年7月1级）
　　　1. とあいまって　　2. ともなると　　3. にして　　4. にそくして

解析　选项2「ともなると」意为"一旦……就会……"。选项3「にして」有4个意思：A. "只有……才……"；B. "到了……才……"；C. "同时……"；D. 强调时间、场所、状态等。选项4「にそくして」意为"根据……"。　　　　　　　**答案1**

译文　这个家具有着复杂的设计和华丽的色彩，是很棒的产品。

②今年の米は温暖な気候と適度な雨量とが＿＿＿＿豊作となった。（96年1级）
　　　1. あさむいて　　2. あいまって　　3. あてがって　　4. あたいして

解析　选项1「あさむいて」不存在这种表达。选项3「あてがって」意为"贴紧、适当地分配、给"。选项4「あたいして」意为"值得……"。　　　　　　　**答案2**

译文　今年气候温暖，加上雨水适量，所以大米丰收了。

③故郷を歌ったこの歌は、子供の頃の思い出と＿＿＿＿、私の心に深く響く。（01年1级）
　　　1. あれば　　2. いったら　　3. するなら　　4. あいまって

解析　选项1「～とあれば」意为"如果……就……"。选项2「～といったら」意为"提起……"。选项3「～とするなら」意为"假如……"。　　　　　　　**答案4**

译文　歌唱家乡的这首歌与我孩提时代的回忆相交融，深深地打动了我。

④厳しい経済状況＿＿＿＿、就職は非常に困難だった。（04年1级）
　　　1. ときたら　　2. とおもいきや　　3. にもかかわらず　　4. もあいまって

解析　选项1「ときたら」意为"提到……的话"。选项2「とおもいきや」意为"本以为……，不料……"。选项3「にもかかわらず」意为"虽然……但是……"。　　　　　　　**答案4**

译文　经济形势也很严峻，就业非常困难。

⑤急速な少子化は、高齢者の増加＿＿＿＿＿＿、日本の人口構造を大きく変えてきている。（07年1級）
　　　1. と言えば　　2. とあいまって　　3. をかわきりに　　4. をきっかけに

解析　选项1「と言えば」意为"说起……、要说……的话"。选项3「をかわきりに」意为"以……为开端"。选项4「をきっかけに」意为"以……为契机"。　　　　　答案2

译文　急速发展的少子化，再加上老年人的增加，日本的人口结构正在极大地发生着改变。

9　～とあって　　因为……

接续　［動詞、イ形容詞、ナ形容詞、名詞］の普通形＋とあって

解说　「と」表示思维活动的内容。「あって」是由「ある」变化而来的，「て」表示原因、理由。「とあって」的意思相当于「という理由で」、「であった関係で」、「という状況なので」。前项表示原因，后项则是由前项导致的结果或采取的行动。后项不使用意志、推量的表达方式。

- 台風が近付いているとあって、どの家も対策に追われている。
　因为台风临近，所以所有人家都在采取防护对策。

- 彼は海外旅行が初めてとあって、昨晩は興奮で寝られなかったそうだ。
　听说他第一次出国旅行，所以昨晚兴奋得不能入眠。

- 珍しい皆既日食が見られるとあって、島には世界中から人々が集まった。
　因为可以看见难得的日全食，所以岛内聚集了来自世界各地的人们。

考题解析及译文

①連休と＿＿＿＿＿＿、遊園地は相当な複雑だったようだ。（09年7月1級）
　　　1. いっては　　2. すると　　3. して　　4. あって

解析　选项1「～といっては」意为"要说……"。选项2「～とすると」意为"假如……"。选项3「～として」意为"作为……"。　　　　　答案4

译文　因为赶上连休，所以游乐园好像人相当多。

②待ちに待った夏休みがやっと始まった＿＿＿＿＿＿、子供たちは皆嬉しそうだ。（91年1級）
　　　1. として　　2. にあたって　　3. とあって　　4. にして

解析　选项1「として」意为"作为……"。选项2「にあたって」意为"在……之时"。选项4「にして」意为"只有……才……、到了……才……、同时……"。　　　　　答案3

译文　因为期待已久的暑假终于开始了，所以孩子们看起来都很高兴。

③人前で演技をするのは始めての経験＿＿＿＿＿＿、彼はひどく緊張していた。（95年1級）
　　　1. とあって　　2. にあって　　3. として　　4. にして

解析　选项2「にあって」意为"处于……"。选项3「として」意为"作为……"。选项4「にして」意为"只有……才……、到了……才……、同时……"。　　　**答案1**

译文　因为第一次在人前表演，所以他非常紧张。

④掃除が終わったらおやつがもらえる＿＿＿＿＿＿子供は一生懸命手伝っている。（97年1級）

　　　1. とあって　　2. として　　3. とあっても　　4. とすると

解析　选项2「として」意为"作为……"。选项3「とあっても」意为"即使有……"。选项4「とすると」意为"假如……"。　　　**答案1**

译文　因为打扫结束会得到零食，所以孩子们拼命地帮忙。

⑤無料で映画が見られる＿＿＿＿＿＿、入り口の前には1時間も前から行列ができた。（01年1級）

　　　1. とあって　　2. とあっても　　3. とすると　　4. とされても

解析　选项2「とあっても」意为"即使有……"。选项3「とすると」意为"假如……"。选项4「とされても」意为"即使被……"。　　　**答案1**

译文　因为可以免费观看电影，所以一个小时前在入口处就排起了队。

⑥人気俳優が来ると＿＿＿＿＿＿、このイベントのチケットはあっという間に売り切れた。（06年1級）

　　　1. あって　　2. あれば　　3. 思いきや　　4. 思えば

解析　选项2「～とあれば」意为"如果……就……"。选项3「～と思いきや」意为"本以为……，不料……"。选项4「～と思えば」意为"如果认为……"。　　　**答案1**

译文　因为有人气演员要来，所以这个活动的票瞬间售罄。

10　～とあれば／～とあっては　　如果……

接続　［動詞、イ形容詞、ナ形容詞、名詞］の普通形＋とあれば

解説　「とあれば」表示如果是前面状况的话就会发生后面的事项，意思等同于「であれば」、「なら」、「ならば」。「とあっては」的意思相当于「という状況では」，表示如果在前面的那种特别状况下，就会发生后项的事或采取后项的行动。

- 愛するあの人のためとあれば、家族だって捨てられます。
  如果是为了所爱的人，我甚至可以舍弃家人。

- 私の身分証明書が必要とあれば、すぐにでも持参しますので、おっしゃってください。
  如果需要我的身份证，我可以马上带来，所以请您告诉我。

- 先生のお呼びとあれば、何があっても駆けつけないわけにはいかない。
  如果是老师叫我，不管有什么事都必须马上赶过去。

考题解析及译文

①彼は、お金のため＿＿＿＿、どんな仕事でも引き受ける。（02年1級）

　　1. は問わず　　2. をもとに　　3. とあれば　　4. にとっては

解析　选项1「は問わず」意为"不管……"。选项2「をもとに」意为"以……为基础"。选项4「にとっては」意为"对……来说"。　　　　　　　　　　　　**答案3**

译文　他为了钱什么工作都干。

11　〜といい〜といい　不论……还是……

接续　名詞＋といい＋名詞＋といい

解说　表示并列提出某个事物的两个方面，后面是对其评价。

- この家は広さといい、間取りといい、私の理想のマンションだ。
  这个房子不论是面积还是房间布局，都是我理想中的公寓。

- このホテルは部屋といい、スタッフの対応といい、どれも満足のいくレベルだ。
  这个酒店不论是房间，还是工作人员的接待，都是让人满意的水准。

- 気配りといい、話し方といい、彼はこのホテルのスタッフでもっとも優秀だ。
  无论是对客人的细心照顾还是说话方式，他都是该宾馆员工中最优秀的。

辨析

「〜といい〜といい」主要列举某事物的两个方面如何，而至于该事物的其他方面如何则没有提及，不得而知。「〜といわず〜といわず」则主要列举同类中具有代表性的两件事物或某个事物的两个方面，暗示其他都是如此。

- 吹雪の中を戻ってきた夫は、頭といわず肩といわず、雪達磨のようだった。
  冒着暴风雪回家的丈夫，不论头还是肩膀都是雪，就像雪人一样。

该例句中的「〜といわず〜といわず」如果替换成「〜といい〜といい」则不是很自然，故应该用「〜といわず〜といわず」。

- あの人、どう思う？目といい、口元といい、本当にハンサムだと思わない？
  那个人怎么样？不论是眼睛还是嘴形，没有觉得很帅吗？

该例句中的「〜といい〜といい」不能替换成「〜といわず〜といわず」。

考题解析及译文

①この家は、広さ＿＿＿＿＿＿価格＿＿＿＿＿＿新婚夫婦にぴったりだ。（09年12月1級）

　　1. とも／とも　　2. だし／だし　　3. であり／であり　　4. といい／といい

解析　选项1、2、3均不符合题意。　　　　　　　　　　　　　　　　　　　　**答案4**

译文　这个房子，不论大小还是价格，都很适合新婚夫妇。

②あのレストランの料理は量＿＿＿＿＿＿味＿＿＿＿＿＿文句のつけようがない。（96年1級）

　　1. とに／とに　　2. をよそに／をよそに　　3. をかね／をかね　　4. といい／といい

解析　选项1、2、3均不符合题意。　　　　　　　　　　　　　　　　　　　　**答案4**

译文　那个饭店的饭菜，不论量还是味道都无可挑剔。

③あの店の服は、品質＿＿＿＿＿＿デザイン＿＿＿＿＿＿申し分ない。（01年1級）

　　1. といい／といい　　　2. をとり／をとり

　　3. として／として　　　4. をよそに／をよそに

解析　选项2、3、4均不符合题意。　　　　　　　　　　　　　　　　　　　　**答案1**

译文　那个商店的衣服，品质、设计都没得说。

④昨日泊まったホテルは、眺め＿＿＿＿＿＿サービス＿＿＿＿＿＿、本当に満足のいくものだった。（07年1級）

　　1. だの／だの　　2. とも／とも　　3. なり／なり　　4. といい／といい

解析　选项1「～だの～だの」意为"……啦……啦"。选项2「～とも～とも」意为"……也好……也好"。选项3「～なり～なり」意为"或是……或是……"。　　　　　　　　　**答案4**

译文　昨天住的宾馆，远眺的风景也好、服务也好，着实令人满意。

---

12 〜というか〜というか　　是……还是……

接続　動詞辞書形＋というか＋動詞辞書形＋というか

　　　イ形容詞辞書形＋というか＋イ形容詞辞書形＋というか

　　　ナ形容詞語幹＋というか＋ナ形容詞語幹＋というか

　　　名詞＋というか＋名詞＋というか

解説　表示对人或事的总体印象或判断等。这种印象或判断是说话人随时想到的。

- うちのお父さんは、まじめというか、頭がかたいというか、もう少し人生を楽しめばいいのにと思うんだけどね。

　我爸爸，是说他严肃呢，还是死板呢，如果他能再好好享受一下人生就好了。

- 子犬は可愛いというか愛らしいというか、抱きしめたくなる。

　小狗，是说它可爱呢，还是乖巧呢，想要抱抱它。

• あいつ、また無断欠勤か。非常識というか、無責任というか、あきれてものが言えないな。

那家伙又无故缺勤。是说他无常识呢，还是没有责任感呢？惊愕得说不出话来。

派生

「というか」可以单独使用，也表示对某事物的大体印象，后项是对该事物的总结判断。意为"说是……呢"。

• そんなことをするなんて、本当に鉄面皮というか、困っているやつだ。

竟然做出那种事，可以说是厚脸皮吧，真是个让人没办法的家伙。

考题解析及译文

① 一人であんな危険な場所へ行くとは、無茶＿＿＿＿＿、無知＿＿＿＿＿、とにかく私には理解できない。（06年1級）

1. といい / といい　　　2. といわず / といわず
3. というか / というか　4. といって / といって

解析　选项1「～といい～といい」意为"不论……还是……"。选项2「～といわず～といわず」接在名词后面，意为"不论……还是……"。选项4「～といって～といって」作为句型不存在。　　　　　　　　　　　　　　　　　　**答案3**

译文　一个人去那么危险的地方，是说他胡来还是无知呢，总之我难以理解。

13　**～といったところだ / ～というところだ**　也就是……那个程度

接续　動詞普通形＋といったところだ
　　　名詞＋といったところだ

解说　表示处在前项所提的状态、状况，或指所说的程度。

• この辺の一人暮らし用アパートなら、家賃はせいぜい8万円といったところだ。

这边一个人住的公寓，房租最多也就是8万日元左右。

• 「よく故郷に電話するの？」「月に1、2回といったところかな。」

"经常给老家打电话吗？""一个月也就打一两次吧。"

• 運動しているといっても、軽くジョギングするといったところです。

虽说是在运动，但也就是慢跑而已。

派生

「～ということだ」接在用言普通形或名词的后面，表示对某些词的解释或下某种结论。

- 社長は急な出張で今日は出社しません。つまり、会議は延期ということです。
  社长因为突然出差，今天不来上班。也就是说，会议要延期。

「～ということだ」前面接简体句，表示传闻。

- 鈴木さんは、近く会社を辞めて留学するということだ。
  听说铃木最近要辞掉工作去留学。

「～というものだ」表示说话人对某事物的评论或说明。

- 困った時こそ手を差し伸べるのが、真の友情というものです。
  在别人有困难时伸出援手，这才是真正的友谊。

考题解析及译文

①自分で料理を作るといっても、せいぜいサラダとかゆで卵＿＿＿＿。（09年12月1級）
　　1. というほどです　　2. というまでです
　　3. といったことです　　4. といったところです

解析　选项1、2作为句型均不存在。选项3「といったことです」意为"……等事"。　　**答案4**

译文　虽说是自己做饭，但充其量也就是拌沙拉和煮鸡蛋而已。

②他の人にとって厳しいトレーニングでも、あの運動は山田さんにとってはちょうどいい散歩＿＿＿＿。（96年1級）
　　1. といえばこそだ　　2. といったかもしれない
　　3. といったところだ　　4. というにはあたらない

解析　选项1「といえばこそだ」作为句型不存在。选项2「といったかもしれない」意为"或许说过……"。选项4「というにはあたらない」意为"不值得说……"。　　**答案3**

译文　虽然对于别人来说是严酷的训练，但那种运动对于山田来说只不过是刚刚好的散步而已。

③今年の米のできは、まあまあと＿＿＿＿。（01年1級）
　　1. いったことだ　　2. いったところだ　　3. いわないものだ　　4. いわないまでだ

解析　选项1「いったことだ」意为"也就是说说过……、据说说过……"。选项3「いわない
ものだ」意为"没有说……"。选项4「いわないまでだ」意为"甚至没有说……"。

答案2

译文　今年大米的收成也就是一般而已。

④株の取引も、大金持ちの彼女にとっては単なる遊びと＿＿＿＿。（02年1級）
　　1. いえばこそだ　　2. いってこそだ　　3. いったところだ　　4. いわんところだ

解析　选项1、2、4作为句型均不存在。　　**答案3**

译文　对于大富豪的她来说，股票交易只是个游戏而已。

⑤日本滞在経験のある彼だが、日本語でできるのは挨拶や自己紹介_____。（06 年 1 級）

    1. といってはいられない   2. というほどだ

    3. といったところだ   4. というものでもない

解析   选项1「といってはいられない」意为"不能说……"。选项2「というほどだ」表示程度。选项4「というものでもない」意为"也并不是……"。   **答案3**

译文   曾经在日本待过的他，会说的日语就只是寒暄和自我介绍而已。

14 ～というふうに   ……这样的

接续   動詞辞書形＋というふうに

       名詞＋というふうに

解说   表示对某种做法、方法、状态等进行举例说明。

- 桜、チューリップというふうに、春にたくさんの花が咲きます。

   春天很多鲜花盛开，例如樱花、郁金香等等。

- 午前はピアノを弾き、午後は日本語を勉強するというふうに、彼は習い事で忙しい。

   上午弹钢琴、下午学日语，他每天都像这样忙着学习。

- 「どちらでもある」というふうに考えるべきではなく、「どちらでもない」というふうに考えるべきなのだ。

   不该认为"任何地方都有"，而应该想"任何地方都没有"。

考题解析及译文

①大学の図書館を、だれでも利用できるという_____すれば、いいと思う。（92 年 1 級）

    1. なりに   2. おかげに   3. ふうに   4. かぎりに

解析   选项1「なりに」意为"与……相应的"。选项2「おかげに」意为"多亏……"。选项4「かぎりに」意为"仅限于……"。   **答案3**

译文   我觉得，如果可以使任何人都能利用大学图书馆的话就好了。

15 ～というもの   整整……

接续   名詞＋というもの

解说   接在表示时间的数词之后，强调说明在整个时间段之内，一直进行某种动作或一直保持某种状态。

- 昨晩から 24 時間というもの、何も食べていない。

   从昨晚开始，整整 24 小时没有吃任何东西。

- 彼はここ３ヶ月というもの、旅行先からメールも手紙も送ってこない。

  他这整整三个月，从旅行目的地既没有发来邮件，也没有寄来信。

- 留学から帰ってから１か月というもの、仕事もしないで家でぶらぶらしている。

  留学归来整整一个月，不去上班，光在家闲着。

派生

「～というものは」表示对前项进行解释，意为"所谓……"。

- 時間というものは誰に対しても平等だ。

  时间对谁来说都是平等的。

7

考题解析及译文

①田中さんは、この１週間と＿＿＿＿、仕事どころではないようだ。　（02年１级）
　　　1. いうもの　　2. いっては　　3. いえず　　4. いうのに

解析　选项2「～といっては」意为"如果说……"。选项3「～といえず」意为"不能说……"。选项4「～というのに」意为"虽说……"。　　　　　　**答案1**

译文　田中这一周好像根本没心情工作。

②彼女はここ１か月＿＿＿＿授業を休んでいる。　（03年１级）
　　　1. としては　　2. というもの　　3. ともなると　　4. としてみると

解析　选项1「としては」意为"作为……来说"。选项3「ともなると」意为"要是……"。选项4「としてみると」作为句型不存在。　　　　　　　　　　　**答案2**

译文　她最近一个月都没上课。

「強さ」とは、主張を通すことでもなく、競争することでもなく、傷つかぬように身を守ることでもなく、馬鹿にされ、罵られ、辱められ、笑われても、笑顔で底から立ち上がってくることです。

——小林正観

所谓"坚强"，既不是固执己见，也不是争强好胜，更不是明哲保身，而是哪怕遭到愚弄、诋毁、辱骂和嘲笑，也会微笑着重新振作起来。　——小林正观

必考句型

第8单元

---

1 ～といえども

（1）虽说……但……

接续　［動詞、イ形容詞、ナ形容詞、名詞］の普通形＋といえども

解说　表示前面为一个既定的事实，即列举一个极端的、特别的事例，但结论是与一般情况没有差别的。该句型表达的意思为「～だが、それでも～」。

- N1級合格者といえども、日本語の勉強が必要ないというわけではない。
  虽说过了新日语能力考试 N1 级，但并非没有学习日语的必要了。
- 日本人といえども、敬語を上手に話すのは難しい。
  虽说是日本人，但很好地使用敬语依旧很难。

（2）即使……也……

接续　１＋量詞＋といえども

解说　表示列举最小的数目，对此进行全面否定。该句型的意思是「～も～ない」。

- わたしは１日といえども仕事を休みたくない。
  即使一天，我也不想旷工。
- １円といえども、道に捨てる人はたぶんいないと思います。
  我想，即使是一日元，大概也没有人会丢到路上。

（3）不管怎么样，也……

接续　疑問詞＋名詞＋といえども
　　　たとえ／いかなる＋名詞＋といえども

解说　表示假定一个极端的事例，即使是该事例也不能做后项内容。该句型的意思是「それでも～」。通常和「どんな」、「どれほど」、「たとえ」、「いかなる」等一起使用。

- たとえ宗教といえども、人の心の自由を奪うことはできないはずだ。
  即使是宗教，也应该不能剥夺人们内心的自由。
- いかなる困難といえども、われわれの決心を揺るがすことはできない。
  不管任何困难也动摇不了我们的决心。

⏺ 考题解析及译文

①太陽と＿＿＿＿永遠に輝いているわけではない。いつかは消え去るときがくる。（94年1級）

　　　1．いえども　　2．いったらば　　3．いえばこそ　　4．いったからには

解析　选项2「いったらば」意为"如果说……"。选项3「いえばこそ」意为"正因为说……"。选项4「いったからには」意为"既然说了……"。　　　　　　　　　　**答案1**

译文　虽说是太阳，也未必永远发光发亮。总有一天会消失的。

②親は子供が漫画を読むのを快く思わない。しかし、漫画と＿＿＿＿立派な文化の産物である。（98年1級）

　　　1．いわずに　　2．いうなり　　3．いえても　　4．いえども

解析　选项1「いわずに」意为"不说……"。选项2「いうなり」意为"一说就……"。选项3「いえても」意为"虽然能说……"。　　　　　　　　　　**答案4**

译文　父母不认为孩子读漫画是一件可以让他们开心的事。但即使是漫画，也是一种优秀的文化产物。

③国際政治の専門家＿＿＿＿、日々変化する世界情勢を分析するのは難しい。（04年1級）

　　　1．とあって　　2．にしては　　3．にかけては　　4．といえども

解析　选项1「とあって」意为"因为……"。选项2「にしては」意为"作为……来说"。选项3「にかけては」接在名词后面，意为"关于……方面"。　　　　　　　　　　**答案4**

译文　虽说是国际政治专家，也很难分析每天都在变化的世界形势。

④仕事がたまっていて、連休と＿＿＿＿毎日出社しなければならない。（08年1級）

　　　1．いえども　　2．いえれば　　3．いうならまだしも　　4．いったからには

解析　选项2「～といえれば」意为"如果能说……"。选项3「～というならまだしも」中的「～ならまだしも」意为"如果那样的话还好，可是……"。选项4「～といったからには」中的「～からには」意为"既然……就……"。　　　　　　　　　　**答案1**

译文　工作积压着，虽说是连休，也必须每天都上班。

2 　**～といったらない／～ったらない／～といったらありはしない／～といったらありゃしない**　　　……之极、……不得了

接续　［動詞、イ形容詞、ナ形容詞］の普通形＋といったらない
　　　名詞＋といったらない

解说　表示极端的程度。「～といったらない」、「～ったらない」接在名词后面，可以用于表示褒义或贬义。褒义表示好得无法用语言表达，贬义表示"太糟了、不得了"等。接在形容词后也可以表示褒义或贬义，意思为"无比、无上"。「～といったらありはしない」只用于表示贬义。「～といったらありゃしない」是比「といったらありはしない」更通俗的说法，常常省略为「～ったらありゃしない」。

• 携帯電話の説明書の厚さといったらない。電話機のより厚いのだから。

手机的说明书厚得不得了，因为它比电话机的还要厚。

• 最近地震が多くて、恐ろしいったらありゃしない。

最近地震多，可怕得不得了。

• 特別な奨学金をいただきまして、彼女の喜びようといったらなかった。

得到特别奖学金，她高兴得不得了。

考题解析及译文

① ここ1週間の忙しさといったらなかったよ。_____。　（09年12月1級）
　　1. いつもより残業が少なかったんだ
　　2. のんびり仕事をすることができたんだ
　　3. することがなくて、ぼうっとしていたんだ
　　4. 食事をする時間もろくにとれなかったんだ

解析　选项1「いつもより残業が少なかったんだ」意为"比平时加班时间要少"。选项2「のんびり仕事をすることができたんだ」意为"能轻松地工作"。选项3「することがなくて、ぼうっとしていたんだ」意为"无事可做，一直发呆"。　　**答案4**

译文　最近这一周忙得不得了。甚至都没有时间好好吃饭。

② また、いやな仕事が回ってきた。腹立たしいといったらありゃ_____。　（92年1級）
　　1. すまない　　2. ならない　　3. こない　　4. しない

解析　选项1「すまない」意为"未结束、对不住"。选项2「ならない」意为"未成为"。选项3「こない」意为"不来"。　　**答案4**

译文　又要做讨厌的工作了。气得不得了。

③ 毎日遅刻せずに会社に来るとはいえ、その仕事ぶりは_____。　（96年1級）
　　1. ひどいはずがない　　2. ひどいわけではない
　　3. ひどくはなかった　　4. ひどいといったらない

解析　选项1「ひどいはずがない」意为"不会糟糕"。选项2「ひどいわけではない」意为"并不糟糕"。选项3「ひどくはなかった」意为"不糟糕"。　　**答案4**

译文　虽然每天上班都不迟到，但那种工作态度实在糟糕得不得了。

④ 試験の日に朝寝坊をした弟のあわてようと_____なかった。　（97年1級）
　　1. いっても　　2. いうけど　　3. いうのに　　4. いったら

解析　选项1「いっても」意为"虽说……"。选项2「いうけど」意为"虽说……但……"。选项3「いうのに」意为"虽说……然而……"。　　**答案4**

译文　考试当天睡过头的弟弟着急得不得了。

⑤結婚が決まったときの彼の喜びようと＿＿＿＿＿＿＿。（01 年 1 級）

    1. いうならこまった   2. いってもよかった

    3. いったらなかった   4. いうしだいだった

解析   选项1「いうならこまった」意为"说的话很为难"。选项2「いってもよかった」意为

      "可以说……"。选项4「いうしだいだった」意为"取决于说……"。   **答案3**

译文   决定结婚的时候，他别提多开心了。

⑥皆の前で派手に転んで、恥ずかしい＿＿＿＿＿＿＿なかった。（06 年 1 級）

    1. っきゃ   2. っては   3. ったら   4. ってのに

解析   选项1、2、4作为固定句型均不存在。   **答案3**

译文   在大家面前狠狠地摔了一跤，难堪得不得了。

⑦こんな複雑な書類を何十枚も書かなきゃいけないなんて、面倒くさい＿＿＿＿＿＿＿。（07 年 1 級）

    1. わけがない   2. ったらない   3. じゃすまない   4. ってことはない

解析   选项1「わけがない」意为"不可能……"。选项3「じゃすまない」意为"过意不去、不

      算完"。选项4「ってことはない」意为"不必……、不会……"。   **答案2**

译文   这么复杂的文件必须写几十页，真是麻烦至极。

---

3 ～といっても言い過ぎではない／～といっても過言ではない   说是……也不过分

接続   ［動詞、イ形容詞、ナ形容詞］の普通形＋といっても言い過ぎではない

      名詞＋といっても言い過ぎではない

解説   「言い過ぎ」、「過言」都是名词，意为"说得过火、说过头"。该句型表示即使如此

      说，也并非言过其实。

・彼女は、この 20 年で最高の才能を持った歌手だといっても過言ではない。

  说她是最近 20 年最有才华的歌手也不过分。

・僕が大学に合格できたのは、すべて小野先生のおかげだといっても言い過ぎではない。

  我能够考上大学，全是托小野老师的福，即使这么说也不过分。

・この選挙が国の未来を決めると言っても過言ではない。

  这次选举将决定国家的未来，即使这么说也不过分。

4 **～といわず～といわず** **无论是……还是……**

接续　名詞＋といわず＋名詞＋といわず

解说　表示列举同类中具有代表性的两件事物或某个事物的两个方面，暗示其他都是如此。意思等同于「～も～もみんな～」。该句型在强调「～も～も、どこも/いつも/どれも、みんな」时使用。该句型的意思与「～といい～といい」相近，参见第7单元中有关两句型的辨析。

- この町は冬になると、道路といわず 湖 といわず、何でも凍ってしまう。

  这个城市一到冬天，无论是道路还是湖水，到处都结冰。

- 足といわず顔といわず、息子は全身泥だらけで帰ってきた。

  不管是脚还是脸，儿子全身都是泥地回家了。

- 5歳の息子は、 机 といわず壁といわず、どこにでもクレヨンでかいてしまうので、 困っているのよ。

  5岁的儿子用蜡笔往桌子、墙壁上到处乱画，真让人没有办法。

考题解析及译文

①部屋の中の物は、机＿＿＿＿＿＿＿いす＿＿＿＿＿＿＿、めちゃくちゃに壊されていた。(03年1级)

　　1. によらず / によらず　　2. というか / というか

　　3. といわず / といわず　　4. においても / においても

解析　选项2「～というか～というか」意为"是……还是……"。选项1、4作为句型均不存在。

答案3

译文　房间里的东西，不管是桌子还是椅子，都被弄坏了。

5 **～と思いきや** **原以为……**

接续　［動詞、イ形容詞、ナ形容詞、名詞］の普通形＋と思いきや

解说　「思いきや」是由动词「思う」的「ます形」，同时加上了表示过去的文语助动词「き」，以及表示反语的助词「や」组成的。该句型的意思是「～かと思ったら、そうではなく」。即表示本来如此预想，但却出乎意料地出现相反的结果。

- ちゃんとお金を払ったと思いきや、実は 私 の思い違いだった。

  原以为付款了，结果其实是我记错了。

- 分かってくれたと思いきや、彼は全然理解していなかった。

  本来以为他明白我的意思了，但他实际上根本没有理解。

- 雪は止んだと思いきや、 再 び降り始め、一夜にして野山を真っ白にした。

  本以为雪停了，结果又开始下，一夜之间将整个山野都变白了。

✿考题解析及译文✿

①今日は暑くなるかと_____、むしろ寒いくらいだった。（09年7月1级）

　　1. 思うからには　　2. 思ったことに　　3. 思いつつ　　4. 思いきや

解析　选项1「～からには」意为"既然……就……"。选项2「～ことに」意为"令人……的是"。选项3「～つつ」意为"一边……一边……、虽然……但是……"。　　**答案4**

译文　本来以为今天天气会变热，结果却很冷。

②「考えてみます」と言われたので、了承されたと_____、実はそれは「お断りします」という意味だった。（94年1级）

　　　1. 思いゆえ　　2. 思っても　　3. 思ったり　　4. 思いきや

解析　选项1「思いゆえ」意为"因为如此想"。选项2「思っても」意为"即使想……"。选项3「思ったり」意为"想……"。　　**答案4**

译文　因为对方说"会考虑一下"，所以我以为是答应了，可是其实那是"我拒绝"的意思。

③もうとても追いつけないだろうと_____、驚くほどの速さで彼は一気に先頭に走り出た。（99年1级）

　　1. おもいきや　　2. おもうべく　　3. おもいがけず　　4. おもうだに

解析　选项2「おもうべく」意为"应该想"。选项3「おもいがけず」意为"意想不到"。选项4「おもうだに」意为"一想就……"。　　**答案1**

译文　我本以为他追不上了，没有想到他以惊人的速度一口气跑到了前面。

④海辺の町で育ったと聞いていたので、さぞかし泳ぎがうまいだろうと思いきや、_____。（00年1级）

　　1. ほどほどに泳ぐことができる　　2. 水に浮くこともできないらしい
　　3. とても速く泳げるということだ　　4. 泳ぐのは浮かぶのよりむずかしい

解析　选项1「ほどほどに泳ぐことができる」意为"能游得过得去"。选项3「とても速く泳げるということだ」意为"据说能游得很快"。选项4「泳ぐのは浮かぶのよりむずかしい」意为"游泳比浮在水上更难"。　　**答案2**

译文　因为听说他是在海滨城市长大的，所以我本以为他一定很擅长游泳吧。但据说他连浮在水面上都做不到。

⑤友人の一人娘が結婚することになった。さぞ喜んでいるだろう_____、娘がいなくなるさびしさに、ため息ばかりついているそうだ。（03年1级）

　　1. と思いきや　　2. といえども　　3. とばかりに　　4. というもので

解析　选项2「といえども」意为"即使……也……"。选项3「とばかりに」意为"认为……、以为……是（机会）；简直就要说……、显示出……的样子"。选项4「というもので」表示对某事物的评论或说明，意为"……才是、也就是……"。　　**答案1**

译文　朋友的独生女结婚了。我以为他一定很高兴吧，但却听说他因为女儿不在身边，感到寂寞而总是叹气。

6 ～ときたら／～とくると／～ときては　一提起……来

接续　名詞＋ときたら

解说　表示强调将那个事物作为话题提出来，后项就此进行评价。其中，「～ときたら」的谓语多含有不满、责备或自嘲的语气。

- あの店ときたら、サービスは悪いし、値段も高い。
  提起那家店，不仅服务差，价格也贵。

- 弟ときたら、彼女のことばかり気にしている。
  提起弟弟，他在乎的仅仅是女友。

- うちの母ときたら、おっちょこちょいで、塩と砂糖を間違えて入れるんだから。
  说起我妈妈，她总是毛手毛脚，因为她有时会把盐和糖搞错。

考题解析及译文

①電車でお年寄りに席を譲ろうとしない高校生を見て、父は「近頃の若者＿＿＿＿＿、困ったものだ」と嘆いていた。（09年12月1級）
　　　1. とやら　　2. ときたら　　3. とおもいきや　　4. ということは

解析　选项1「とやら」意为"说是……"。选项3「とおもいきや」意为"本来以为……"。选项4「ということは」意为"所谓的……是……、也就是说……"。　　　　**答案2**

译文　在电车中看到不给老人让座的高中生后，爸爸感叹道："最近的年轻人真是让人困扰。"

②うちの会社の部長＿＿＿＿＿＿、口で言うばかりで全然実行しようとしない。（91年1級）
　　　1. としたら　　2. ときたら　　3. ときて　　4. として

解析　选项1「としたら」意为"假如……"。选项3「ときて」意为"来……"。选项4「として」意为"作为……"。　　　　**答案2**

译文　我们公司的部长，总是嘴上说，却根本不行动。

③最近、父＿＿＿＿＿＿、私の結婚のことばっかり気にしているのよ。（93年1級）
　　　1. ときたら　　2. にきては　　3. とすれば　　4. にすると

解析　选项2「にきては」作为句型不存在。选项3「とすれば」意为"假如……"。选项4「にすると」意为"假如……"。　　　　**答案1**

译文　最近，爸爸只关心我结婚的事情。

④姉と＿＿＿＿＿＿、最近おしゃれのことばかり気にしている。（97年1級）
　　　1. すれば　　2. したら　　3. あれば　　4. きたら

解析　选项1「すれば」意为"假如……"。选项2「したら」意为"假如……"。选项3「あれば」意为"如果有"。　　　　**答案4**

译文　说起姐姐，她最近只关心如何打扮。

⑤最近の若い親と＿＿＿＿＿、子供が電車の中で騒いでいても、ちっとも注意しようとしない。（05年1級）

    1. あれば　　　2. いえども　　　3. ばかりに　　　4. きたら

解析　选项1「～とあれば」意为"如果……"。选项2「～といえども」意为"即使……也……"。选项3「～とばかりに」意为"认为……、以为……是（机会）；简直就是要说……、显示出……的样子"。　　　　　　　　　　　　**答案4**

译文　提起最近的年轻父母，即使孩子在电车里吵闹也根本不去提醒。

⑥まったく、うちの犬＿＿＿＿＿！泥棒が入ってきても、寝ていたんですよ。（07年1級）

    1. となると　　　2. とみるや　　　3. ときたら　　　4. とあれば

解析　选项1「となると」意为"提到……、要是……的话"。选项2「とみるや」意为"刚看到……就立刻……"。选项4「とあれば」意为"如果……"。　　　　　　　　**答案3**

译文　提起我家的狗，可真是！小偷进来了还在睡觉。

7　～ところを

（1）在……之时

接续　［動詞、イ形容詞、ナ形容詞］の普通形＋ところを

解说　表示时间，在关键的时候发生了后面的事项。用于勉强对方或给对方添麻烦的时候，是顾及对方的一种表达方式。后面通常接表示委托、致歉、感谢等内容。

- 本日はお疲れのところをわざわざお越しいただき、誠に恐縮です。
  今天，您在很劳累之时，特意大驾光临，非常过意不去。

- お休み中のところを失礼致します。切符を拝見いたします。（電車の中で）
  在您休息的时候打扰了。请出示一下车票。（在电车中）

- ご多忙のところを集まりくださり、ありがとうございました。
  各位百忙之中聚集到此，非常感谢。

（2）正……之时

接续　動詞辞書形／た形＋ところを

解说　表示后项对于前面事项的直接作用，一般后续动词是「見る」、「見かける」、「見つける」、「発見する」等表示视觉或发现意义的动词，或「呼び止める」、「捕まえる」、「捕まる」、「襲う」、「助ける」等表示停止、攻击、救助之类的词语。有时还表示本来就要出现的事态却没有出现，而出现了与前项矛盾、相反的事态。

- もう少しで優勝するところをミスして負けました。
  本来差一点就是冠军了，可是由于失误，输了。

- 先生は生徒が遊んでいるところを教室の窓から見ていた。
  老师从教室的窗户看着正在玩耍的学生。

・街を歩いているところを警官に呼び止められた。

在街上行走时被警察叫住了。

考题解析及译文

① お忙しい＿＿＿＿わざわざおいでいただき、恐縮でございます。（99年2級）

　　　1. ことを　　2. ものを　　3. ところを　　4. あいだを

解析　选项1、2、4均不符合题意。　　　　　　　　　　　　　　　答案3

译文　您在百忙之中特意大驾光临，真是过意不去。

② 本日はお忙しい＿＿＿＿おじゃまいたしまして。（92年1級）

　　　1. ところを　　2. ことを　　3. ほうを　　4. わけを

解析　选项2、3、4均不符合题意。　　　　　　　　　　　　　　　答案1

译文　今天在您百忙之中打扰了。

③ 犯人は買い物をしていた＿＿＿＿警官に逮捕された。（96年1級）

　　　1. ところに　　2. ところを　　3. あいだ　　4. そばから

解析　选项1「ところに」意为"在……的时候"。选项3「あいだ」意为"……之间"。选项4「そばから」意为"刚一……就……"。　　　　　　　　　　　　　　　答案2

译文　犯人在购物的时候被警察逮捕了。

④ お忙しい＿＿＿＿恐れ入りますが、どうかよろしくお願い申し上げます。（05年1級）

　　　1. ところを　　2. ものを　　3. ときを　　4. ことを

解析　选项2「ものを」表示以不满、悔恨、遗憾的心情来说明前项事态没有向预期的方向发展，意为"……就好了、本来……却偏偏……"。选项3、4作为句型均不存在。　　　　　答案1

译文　在您百忙之中打扰了，请您多多关照。

8　～としたところで／～としたって／～としても／～にしたところで／～にしたって／～にしても　　即使……也……

接续　［動詞、イ形容詞、ナ形容詞、名詞］の普通形＋としたところで

解说　表示逆接，承认前项，但后项是与预想相反、相矛盾的内容。「～としたところで／～としたって」意思等同于「～としても」。「～にしたところで／～にしたって」意思等同于「～にしても」。其中，「したって」是「しても」的口语表达方式。

・頭が悪いのを親のせいにしたって成績がよくなるわけじゃない。

即使把头脑笨归咎于父母，成绩也不会因此而变好。

・日曜はゆっくりしたいから、出かけるとしたって午後になると思う。

周日想悠闲地度过，所以我想即使出去也是下午了。

- 日本に留学<ruby>するかそれとも中国</ruby>にするか、どちらにしたところで、漢字の勉強は避けられない。

  不论是去日本留学还是去中国，都不能避开学习汉字。

9　～とて

（1）即使是……

接续　名詞＋とて

解说　表示即使是前项也与其他相同。此表达方式有些陈旧，口语中常用「だって」的形式。

- 赤ちゃんが助からなかった。私とて悔しい気持ちは皆と同じだ。

  婴儿未能获救。即便是我，也和大家一样感到很遗憾。

- 最近は個人のプライバシーを尊重するため、表現の自由を規制しようという動きがある。それはインターネットの世界とて例外ではない。

  最近，为了尊重个人隐私而有限制言论自由的倾向。即使是互联网的世界也不例外。

- 最近は父親とて、育児に無関心ではいられない。

  最近，即使作为父亲，也不能对育儿漠不关心。

（2）即使……

接续　動詞た形＋とて
　　　　名詞＋だ＋とて

解说　表示即使作为前项也未必能有后项的结果。「だとて」是「でも」、「としても」、「としたって」、「たところで」等的文言说法，这种说法一般在口语中不常使用。常伴有「いくら」、「どんなに」、「たとえ」等副词。

- いまさら勉強したとて、学者になれるわけではない。

  即使现在学习也不能成为学者。

- たとえ親友の頼みだとて、お金は貸せない。

  即使是亲友的拜托，也不能借钱。

- たとえ子供だとて、その問題が解けると思う。

  我认为即使是孩子，也能解决那个问题。

派生

「～からとて」表示从前项的理由不能得出后项的结论，后项通常是否定的表达。

- 安いからとて、要らないものまで買うのはよくない。

  就因为便宜而乱买不需要的东西是不好的。

考题解析及译文

①常に冷静な彼_____やはり人間だから、感情的にどなってしまうこともあるのだろう。（09年12月1級）

    1. のみ   2. ほど   3. とて   4. ゆえ

解析 选项1「のみ」意为"仅仅"。选项2「ほど」表示程度。选项4「ゆえ」意为"因为"。

                         答案3

译文 即使是平常十分冷静的他毕竟也还是人，所以有时也会因感情冲动而大声叫喊吧。

②最近の電化製品は機能が多すぎる。開発者たち_____すべての機能が必要とは思わないのではないか。（07年1級）

    1. やら   2. とて   3. たれば   4. ならでは

解析 选项1「やら」表示列举。选项3「たれば」意为"如果够的话"。选项4「ならでは」接在名词后面，后面有时和否定连用，意为"不是……就不会……、只有……才……"。 **答案2**

译文 最近的电气化产品功能太多。就连开发者们也认为并非所有的功能都是必要的吧。

---

10 **〜となると／〜となれば／〜となったら／〜となっては**   要是……的话

接续 ［動詞、イ形容詞、ナ形容詞］の普通形＋となると
      名詞＋となると

解说 表示提示前项作为话题，后面的谓语表示与所提示的事项密切相关。既可以表示现实状况，也可以表示假定的状况。该句型还可以变成「〜ともなると」的形式。

• 仮に、三人でやっている今の仕事を一人でするとなると、今のように5時には帰れないなあ。

  如果现在要把三个人做的工作一个人来做的话，就无法像现在这样5点下班了。

• お互いの両親と食事会をしたとなると、もうそろそろあの二人も結婚かな。

  要是已经和双方父母都一起吃过饭了的话，那两个人马上就要结婚了吧。

• このカバンは前から欲しかったのだが、いざ買うとなると、財布との相談になる。

  虽然这个包之前就想买，但是如果真的要买的话，就要看看钱包里的钱是否够了。

考题解析及译文

①店には多くの魅力的な品が並んでいたが、いざ買う_____なかなか決心がつかなかった。（07年1級）

    1. より   2. あまり   3. につれ   4. となると

解析 选项1「より」意为"自、较之、由于"。选项2「あまり」意为"剩余、过度、（不）很"。选项3「につれ」意为"随着……"。   **答案4**

译文 商店里有很多吸引人的商品，但是一旦要买的话却很难下决心。

11 ～との～　……的……

接续　［動詞、イ形容詞、ナ形容詞］の普通形＋との＋名詞

解说　这是比较正式的文体表达。常与表示"书信、委托、警告、命令、回答"等语言活动的词语连用，或与表示"意见、思考、希望"等思考活动的词语连用。当表示说话人自己的想法时，通常不用「との」而用「という」。

- 先生から、来週の私たちの結婚式には出席できないとのお返事をいただいた。

  收到老师的回信，说下周无法出席我们的婚礼。

- 安全でおいしい物を食べて欲しいとの思いから、彼は無農薬野菜に拘って作っている。

  希望大家能吃到安全、美味的食物，他致力于生产无农药蔬菜。

- 通販会社に苦情のメールを送ったが、商品の交換には応じられないとの回答が来た。

  向函售公司发出投诉的邮件，却得到回答说商品无法替换。

考题解析及译文

①取引先の担当者からスケジュールの調整をしたい＿＿＿＿連絡を受けた。（07年1級）

　　1. との　　2. ものの　　3. ように　　4. ばかりに

解析　选项2「ものの」意为"虽然……但是……"。选项3「ように」意为"为了……、正如……那样"。选项4「ばかりに」意为"就因为……"。　　　　　　**答案1**

译文　客户的负责人提出想要调整日程表。

12 ～とは

（1）所谓的……就是……

接续　名詞＋とは

解说　表示对前项事物进行解释或说明，是书面表达，在口语中常用「～というのは」。

- MDとは、ミニディスクのことです。

  所谓的"MD"就是使用光盘的小型录放机。

- パラリンピックというのは、障害者のオリンピックのことです。

  残奥会就是残疾人的奥运会。

- 歳暮というのは、1年の終わりに、お世話になった人に贈る贈り物のことです。

  所谓的年终礼品，就是在一年的年末送给关照过自己的人的礼物。

（2）竟然……、难道……

接续 ［動詞、イ形容詞、ナ形容詞、名詞］の普通形＋とは

解説 表示对前面事项感到意外、吃惊、感叹等。口语中较随便的说法是「～なんて」。

- あの勉強の一番嫌いだった太郎が大学院まで行ったとは。驚きましたね。
  那个最讨厌学习的太郎竟然去读了研究生。真是令人惊讶啊。

- 人の不幸を見て笑うとは、あの人はなんと冷たい人か。
  竟然嘲笑他人的不幸，那个人真是冷血啊。

- こんなに早く問題が片付くとは、ありがたいことだ。
  问题竟然这么快就解决了，真是感激不尽啊。

考题解析及译文

① 20歳にもなりながら、そんな簡単なこともできない_____、実に情けないことだ。（93年1级）

　　1. とは　　2. にすら　　3. わけに　　4. ものの

解析 选项2、3均不符合题意。选项4「ものの」意为"虽然……但是……"。　　　　**答案1**

译文 都已经20岁了，却连那么简单的事都不会做，真是可悲。

② 部下からそんなことを言われる_____、さぞ不愉快だっただろう。（99年1级）

　　1. では　　2. には　　3. とは　　4. かは

解析 选项1「では」表示假定条件，意为"若是……"。选项2「には」表示动作、行为的目的，意为"想要……"。选项4「かは」表示疑问。　　　　**答案3**

译文 竟然被部下那样说，一定很不开心吧。

③ 著名な画家の行方不明になっていた作品が発見_____、非常に喜ばしいことだ。（04年1级）

　　1. されたとは　　2. されては　　3. されるのには　　4. されるかどうか

解析 选项2「されては」意为"如果被……"。选项3「されるのには」意为"想要被……"。选项4「されるかどうか」意为"是否被……"。　　　　**答案1**

译文 著名画家去向不明的作品被发现了，真是一件值得高兴的事。

④ 普段はおとなしい彼があんなに怒る_____、よほどひどいことを言われたのだろう。（08年1级）

　　1. とは　　2. ときたら　　3. といっては　　4. とばかりに

解析 选项2「ときたら」接在名词后面，意为"提起……"。选项3「といっては」意为"如果说……"。选项4「とばかりに」意为"认为……、以为……是（机会）；简直就要说……、显示出……的样子"。　　　　**答案1**

译文 平常老实的他竟然那样生气，一定有人对他说了十分过分的话吧。

13　～とは言い条　　虽说……

接续　動詞普通形＋とは言い条
　　　名詞＋とは言い条

解说　「言い条」的本意是"主张、意见"。该句型的意思等同于「～とはいうものの」、「～とはいっても」。表示前后两项为逆接的关系，即虽说前项如此，但后项与之相反、矛盾。

- 調べものとは言い条、半分は写しものである。
  虽说是调查，但一半都是抄的。

- 同じナイル流域に住んでいるとは言い条、言語と宗教が全く違う。
  虽说同样居住在尼罗河流域，但是语言和宗教截然不同。

- 先生とは言い条、実は一緒におやつを食べたり鬼ごっこをして遊んだりしてくれるんだ。
  虽说是老师，其实也在一起吃点心、一起玩捉迷藏游戏。

14　～とはいえ　　虽说……可是……

接续　［動詞、イ形容詞、ナ形容詞、名詞］の普通形＋とはいえ

解说　「と」是格助词，表示后项「言う」所指的内容。「いえ」是「言う」的命令形。该句型表示前项承认事实如此，但后项却是相反的结果。该句型的意思等同于「～と（は）いっても」、「～と（は）いうものの」、「～と（は）いいながら」。

- いくら会社のためとはいえ、法律に違反するようなことをしてしまったら終わりだ。
  虽说是为了公司，但如果做了违法的事那也就完了。

- 息子の学費のためとはいえ、残業はつらいなあ。
  虽说是为了儿子的学费，但加班还是很痛苦啊。

- 成人したとはいえ、彼女はまだまだ子供っぽい。
  虽说长大成人了，但她还是很孩子气。

考题解析及译文

①土地の値段が下がった＿＿＿＿、都心の住宅は簡単に買えるものではない。（09年12月1級）

　　　1. からには　　2. とはいえ　　3. ようでは　　4. こともあって

解析　选项1「からには」意为"既然……就……"。选项3「ようでは」意为"如果……的话"。选项4「こともあって」意为"有时也会……"。　　　　　　　　　　**答案2**

译文　虽说土地的价格下降了，但市中心的住宅仍不是可以轻易买到的。

②昔に比べて体力が衰えた＿＿＿＿、まだまだ若い者には負けない。（92年1級）

　　　1. だけあって　　2. とはいえ　　3. にひきかえ　　4. とすれば

解析　选项1「だけあって」意为"不愧为……"。选项3「にひきかえ」意为"与……相反"。选项4「とすれば」意为"假如……"。　　　　　　　　　　　　　　　**答案2**

译文　虽说和以前相比体力衰退了，但还是不会输给年轻人的。

---

③任務＿＿＿＿＿＿＿あの南極で長い冬を越すのは大変なことだろう。（96 年 1 級）
　　　　1. といえば　　2. とばかりに　　3. とはいえ　　4. ともなく

解析　选项1「といえば」意为"说到……"。选项2「とばかりに」意为"认为……、以为……是（机会）；简直就要说……、显示出……的样子"。选项4「ともなく」意为"不知……、无意地……"。　　　　　　　　　　　　　　**答案3**

译文　虽说是任务，但在南极度过漫长的冬天还是很辛苦的吧。

---

④Ａ社とＢ社は合併することになったらしい。Ｃ社に対抗するため＿＿＿＿＿＿＿、思い切った決断をしたものである。（00 年 1 級）
　　　　1. といえば　　2. というなら　　3. とはいえ　　4. とはいって

解析　选项1「といえば」意为"说到……"。选项2「というなら」意为"如果说……"。选项4「とはいって」意为"说是……"。　　　　　　　　　　　　　　　　　**答案3**

译文　据说A公司和B公司合并了。虽说是为了对抗C公司，但也是下了狠心的决定。

---

⑤仕事が山のようにあって、日曜日＿＿＿＿＿＿＿、出社しなければならない。（01 年 1 級）
　　　　1. にそって　　2. ともなく　　3. とはいえ　　4. にそくして

解析　选项1「にそって」接在名词后面，意为"沿着……、顺着……"。选项2「ともなく」有两个意思：A.意为"无意地……、不知不觉地……"；B.接在疑问词（＋助词）后面，表示不能确定，意为"不知……、说不清……"。选项4「にそくして」接在名词的后面，意为"依照……、切合……"。　　　　　　　　　　　　　　　**答案3**

译文　工作堆得像山一样，虽说是周日也必须上班。

---

⑥80 歳の祖母は、この間階段で転んで足を痛め、歩くのが不自由になってしまった。＿＿＿＿＿＿＿、全く歩けないということではないので、家事をするには問題ないとのことだ。（03 年 1 級）
　　　　1. とはいえ　　2. それゆえに　　3. だとしたら　　4. それにしては

解析　选项2「それゆえに」意为"因此"。选项3「だとしたら」意为"假如……"。选项4「それにしては」意为"虽说如此"。　　　　　　　　　　　　　　　　　　**答案1**

译文　80岁的祖母前些天在楼梯上摔伤了脚，走路有些不方便。虽说如此，却也不是完全不能走路了，所以做家务还是没有问题的。

---

⑦これからは、人はみな自分の健康は自分で管理しなければならない。子供とはいえ、＿＿＿＿＿＿＿。（06 年 1 級）
　　　　1. 親の責任だ　　2. 健康ではない　　3. 例外ではない　　4. そうするのは無理だ

解析　选项1「親の責任だ」意为"父母的责任"。选项2「健康ではない」意为"不健康"。选项4「そうするのは無理だ」意为"那样做太勉强"。　　　　　　　　　　　　**答案3**

译文　今后，自己的健康必须要自己管理。虽说是孩子，也不例外。

15 ～とばかりに　简直就要说……、显示出……的样子

接续　［動詞、イ形容詞、ナ形容詞、名詞］の普通形＋とばかりに

　　　　名詞＋とばかりに

解说　表示某种状态虽没有说出来，但在神态或行为上表现出来了，仿佛真的就是那样。

- 落ちるとばかりに、柿の実に石を投げたが、当たらなかった。

  柿子眼看就要掉下来了，用石头去扔，却没有打中。

- 彼は来いとばかりに大きく手を振った。

  他用力挥手，好像在说"你过来"。

- 彼女は、「あなたのせいだ」とばかりに、彼を睨んだ。

  她瞪着他，就像在说"都是你的错"。

考题解析及译文

①父が帰ると、待っていたと_____娘はおみやげをねだった。（97年1級）

　　　1. ばかりに　　2. ばかりか　　3. ばかりも　　4. ばかりで

解析　选项2「ばかりか」意为"不仅……而且……"。选项3「ばかりも」作为句型不存在。选项4「ばかりで」意为"只……"。　　　　　　　　　　　　　　　　**答案1**

译文　爸爸一回来，女儿就期盼已久似的冲上去要礼物。

②山本さんは、意見を求められると、_____とばかりに自分の説を展開し始めた。（00年1級）

　　　1. 待ちます　　2. 待ちました　　3. 待っています　　4. 待っていました

解析　选项1、2、3均不符合题意。　　　　　　　　　　　　　　　　　　　**答案4**

译文　征求山本的意见时，他似乎一直在等待这一刻，立刻开始展开说明自己的观点。

③天まで届け_____、声をかぎりに歌った。（06年1級）

　　　1. っぱなしで　　2. というところが　　3. とばかりに　　4. ながらも

解析　选项1「っぱなしで」意为"放置不管、置之不理"。选项2「というところが」意为"所谓……的地方"。选项4「ながらも」意为"虽然……但是……"。　　　**答案3**

译文　简直就要把声音传至天际似的，放开喉咙大声歌唱。

自分でこんな人間だと思ってしまえば、それだけの人間にしかなれないのです。　　——ヘレン・ケラー

一旦认为自己一无所能，就只能成为一无所能者。

——海伦·凯勒

必考句型

第 9 单元

1 ～と見られている／～と考えられている　一般认为……

接续　［動詞、イ形容詞、ナ形容詞、名詞］の普通形＋と見られている

解说　表示大多数人对前面事项的评价、看法等。

- 日本語を学習する外国人の数はさらに増えると見られている。
  一般认为，学习日语的外国人会继续增加。

- 今回逮捕された犯人は、2年前の事件にも関与していると見られている。
  人们认为这次被逮捕的犯人和两年前的案件也有关联。

- それを整理すると大体以下のような状況だったと考えられている。
  一般认为，整理后大体是以下的情况。

考题解析及译文

①この交通事故の原因は、運転者が前をよく見ていなかったためだと＿＿＿＿＿＿。
（03年1級）

　　1. 見させる　　2. 見えている　　3. 見られている　　4. 見させられる

解析　选项1「見させる」意为"让……看"。选项2「見えている」意为"能看到"。选项4「見させられる」意为"不得不看"。　　　　　　　　**答案3**

译文　人们认为，这次交通事故的原因是司机没有好好观察前方。

2 ～とまでは～ない　还没有……

接续　［動詞、イ形容詞、ナ形容詞、名詞］の普通形＋とまでは＋動詞ない形＋ない

解说　「まで」表示程度，意为"甚至"，后面接否定表达形式。该句型表示还没有达到前项的程度或还没有到前项的地步。

- 東京大学には絶対受からないとまでは言わないが、もう一度考え直してみたらどうだろうかといいたい。
  虽然不是说绝对考不上东京大学，但我想说，你再重新考虑一下如何？

- 退院したらマラソンとまでは行かないが、歩くことぐらいは問題がない。
  出院后虽不能跑马拉松，但走路还是没有问题的。

• 夫婦喧嘩ぐらいのことはあっても、離婚とまではならないでしょう。

虽然有时夫妻会吵架，但还不至于要离婚吧。

考题解析及译文

①君自身の問題だから、「やめてしまえ」_____、いまいちど考え直してみたらどうだろうか。（99年1級）

　　　1. とまでは言わなくて　　2. とも言うまいし
　　　3. とまでは言わないが　　4. とも言わねばならず

解析　选项1「とまでは言わなくて」意为"甚至不说……"。选项2「とも言うまいし」意为"也不说……"。选项4「とも言わねばならず」意为"也不得不说……"。　　　　**答案3**

译文　因为是你自己的问题，所以我虽然不会对你说"放弃吧"，但你再重新考虑一下如何呢?

3　〜とも　无论……也……、即使……也……

接续　イ形容詞て形＋とも
　　　　ナ形容詞語幹＋かろう＋とも

解説　助词「とも」意为"即使、尽管"。该句型表示无论前项条件如何，都要实行，意思等同于「〜ても」。

• 学生は少なくとも1日2時間は勉強しろ。

学生一天最少要学习两个小时。

• どんなに苦しくとも自殺が一番罪深い。

不管多么苦，自杀也是罪孽深重的。

• 今日がどんなに辛くとも、誰にも明日はやってくる。

无论今天多么辛苦，对于任何人来说，明天都会到来。

考题解析及译文

①母はどんなに_____、決してぐちを言わなかった。（02年1級）

　　　1. 辛くて　　2. 辛いのに　　3. 辛そうで　　4. 辛くとも

解析　选项1「辛くて」意为"辛苦"。选项2「辛いのに」意为"虽然辛苦，但……"。选项3「辛そうで」意为"看起来辛苦"。　　　　**答案4**

译文　母亲不管多么辛苦也绝不抱怨。

4 　～ともすると／～ともすれば　　往往……、每每……

接续　助詞＋ともすると

解说　「ともすると」作为副词，意为"往往、动辄"。在句子中，表示容易发生后项的事，且后项通常是不喜欢的事态。常与「がち」、「かねない」一起使用。

- 近代の芸術がともすると、自閉的になるようですね。
  近代艺术好像往往会变得自我封闭。

- 優れた人間はともするとすべてを自分でやりたがる。
  优秀的人往往想要所有的事都自己来做。

- 人はともすると、自分の都合のいいように物事を考えがちだ。
  人往往会往对自己有利的方向想。

5 　～ともなく／～ともなしに

（1）漫不经心地……、无意中……

接续　動詞辞書形＋ともなく

解说　表示并不是有意识、有目的的行为。意思为「特に～しようというつもりでなく」。「ともなく」和「ともなしに」的意思完全相同。

- 夜一人で好きな雑誌を見るともなく眺めている時間が好きだ。
  晚上一个人漫不经心地看喜爱的杂志，我很喜欢这样的时候。

- ラジオを聞くともなく聞いていたら、突然地震のニュースが耳に入ってきた。
  不经意地听收音机，突然听到了地震的新闻。

- 窓の外を見るともなく見ていたら、珍しい鳥が飛んできた。
  无意中看了眼窗外，正好有一只珍奇的鸟飞来。

（2）不知……、说不清……

接续　疑問詞＋ともなく

解说　「ともなく」接在表示询问场所、时间、人等疑问词加助词之后（也有时不加助词），表示不能明确断定是何人、来自何方或去向何处。该句型只能使用「ともなく」，而无「ともなしに」的表达形式。

- どこからともなく、焦げた匂いが漂ってきた。
  不知从哪里飘来了烧焦的味道。

- 「行ってきます」と、だれにともなくそう言って父は出かけた。
  父亲不知对谁说了一句"我出去了"，就出门了。

- ツバメの群れはどこへともなく飛んで行った。
  一群燕子不知飞向哪里了。

考题解析及译文

①喫茶店で、となりの席の話を聞く＿＿＿＿＿＿＿聞いていたら、私の会社のことだったので驚いた。（94年1級）

　　　1. ばかりか　　2. のみならず　　3. ともなしに　　4. どころではなく

解析　选项1「ばかりか」意为"不仅……而且……"。选项2「のみならず」意为"不仅……而且……"。选项4「どころではなく」意为"不是……的时候"。　　　　　　**答案3**

译文　在咖啡店里无意中听了邻座人的对话，没想到竟然在说我公司的事，所以很惊讶。

②ラジオから流れてくる日本の民謡を＿＿＿＿＿＿聞いていると、なんだか懐かしい気分になった。どうしてだろうと思ってよく聞いてみると、私の故郷の音楽とリズムが一緒だった。（97年1級）

　　　1. 聞かないまでも　　　　2. 聞くともなしに
　　　3. 聞くこともせずに　　　4. 聞かないながらも

解析　选项1「聞かないまでも」意为"没有听至少也……"。选项3「聞くこともせずに」意为"不听"。选项4「聞かないながらも」意为"虽然不听"。　　　　　**答案2**

译文　无意中听到收音机里播放的日本民谣，总觉得很怀念。想着究竟是为什么呢，仔细听了之后发现和我故乡的音乐是一样的旋律。

③母は、ぼんやり、テレビを見るとも＿＿＿＿＿＿見ていた。（04年1級）

　　　1. なしに　　2. なくて　　3. ないで　　4. ないと

解析　选项2、3、4的接续均不正确。　　　　　　　　　　　　　　**答案1**

译文　母亲呆呆地看着电视。

④電車の窓から外を見る＿＿＿＿＿＿見ていたら、高校時代の同級生の姿が目に入った。（08年1級）

　　　1. かたわら　　2. ともなく　　3. につれて　　4. のみならず

解析　选项1「かたわら」意为"……的同时……"。选项3「につれて」意为"随着……"。选项4「のみならず」意为"不仅……而且……"。　　　　　**答案2**

译文　无意中望了望电车的窗外，看到了高中同学的身影。

6　～ともなると／～ともなれば　要是……

接続　動詞辞書形＋ともなると
　　　名詞＋ともなると

解説　表示前项到了某种状况之后，后项会与之相应发生改变。该句型的意思为「～という程度の立場になると」。

・最終学年ともなれば、のんびりしてばかりはいられない。
　要是到了最后一个学年的话，可不能一直悠闲下去了。

• こんな北国でも春ともなれば、たくさんの花が咲く。

即便是北方，要是到了春天，也有很多鲜花盛开。

• 子供も中学生ともなれば、親や教師を批判的に見るようになる。

孩子要是成了中学生，也会变得批判地看待父母和老师了。

考题解析及译文

① 世界的な俳優＿＿＿＿、さすがに演技力が違うようだ。（91 年 1 級）

    1. ともなると   2. ともあれ   3. ともすると   4. ともなれ

解析 选项2「ともあれ」意为"无论如何、暂且不论"。选项3「ともすると」意为"往往……、动不动……"。选项4「ともなれ」作为句型不存在。   答案1

译文 一旦成为世界级的演员，好像演技的确就不一样了。

② さすがに一流の歌手＿＿＿＿違う。1 回の出演料が数百万円だという。（95 年 1 級）

    1. ともすると   2. ともなると   3. とはいえ   4. といっても

解析 选项1「ともすると」意为"往往……、动不动……"。选项3「とはいえ」意为"虽说……"。选项4「といっても」意为"虽说……"。   答案2

译文 一流的歌手果真不同。据说一回的演出费就有数百万日元。

③ プロの選手＿＿＿＿さすがに実力が違うようだ。（98 年 1 級）

    1. ともすると   2. ともなると   3. となれども   4. とあれども

解析 选项1「ともすると」意为"往往……、动不动……"。选项3、4作为句型均不存在。答案2

译文 职业选手果真实力超群。

④ 私の家のまわりは、歴史のある神社やお寺が多く、海にも近いため、有名な観光地になっている。休日ともなると、＿＿＿＿。（03 年 1 級）

    1. ぜひ多くの人に遊びに来てほしい   2. 1 日中人通りも少なく静かになる

    3. 訪れる観光客の数を規制するべきだ   4. 朝から観光客の車で道路が渋滞する

解析 选项1「ぜひ多くの人に遊びに来てほしい」意为"想让更多的人来玩"。选项2「1日中人通りも少なく静かになる」意为"一整天行人都很少，变得很安静"。选项3「訪れる観光客の数を規制するべきだ」意为"应该规定游客的人数"。   答案4

译文 我家附近有很多历史悠久的神社和寺院，而且离海边很近，所以成了有名的旅游胜地。一到休息日，从早上开始就因游客的汽车而交通拥堵。

⑤ 大寺院の本格的な修理＿＿＿＿、かかる経費も相当なものだろう。（06 年 1 級）

    1. をかえりみず   2. ともすると   3. をものともせず   4. ともなると

解析 选项1「をかえりみず」意为"不顾……"。选项2「ともすると」等同于「ともすれば」，意为"往往……、动不动……"。选项3「をものともせず」接在名词后面，意为"无视……、不顾……"。   答案4

译文 要对大寺院进行正式的修理，估计所需费用相当高吧。

7　～とやら

（1）叫什么……

接续　名詞＋とやら

解说　「とやら」的意思等于「とかいう」。通常接在没有记住的名称之后，表示不太确定或不太肯定的事情。

- 留守中に佐藤さんとやらいう人から電話があった。

不在家的时候有个叫佐藤的人来电话了。

- 例の小野さんとやらいう人はよく学校へ来るのか。

那个叫小野的人经常来学校吗?

（2）说是……、听说……

接续　動詞普通形＋とやら

解说　表示不明确的传说，或表示虽然不确切，但是确实那样听到了。

- 彼の父親が来月上京するとやら。

听说他的父亲下个月来东京。

- その事件以来、その人は姿を現していないとやら。

那个事件之后，听说那个人就没有出现过。

- 父が10歳の時、迷子になったとやらの話がある。

听说父亲10岁的时候曾经走丢过。

8　～ないでもない　　也不是不……

接续　動詞ない形＋ないでもない

解说　表示有时也会那样做，或者指条件合适的话或许会发生某事。通常用于消极地肯定某事。该句型的意思等同于「～ないものでもない」。

- この歌手に顔が似ているねと言われて、自分でもそんな気がしないでもなかった。

被人说长得像这个歌手，自己也并非没有这样觉得过。

- 妻は肉を食べないでもないんですが、あまり好きじゃないんです。

妻子也并非不吃肉，只是不怎么喜欢。

- 4人でこれだけ集中してやれば、月末までに完成しないでもない。

四个人如果全力以赴去做的话，到月底也并非不能完成。

派生

「名詞＋がないでもない」，其中，名词通常表示意志或心情。该句型表示并非完全没有那样的心情。有时也可以用「名詞＋もないでもない」的形式。

• 海外旅行をしたい気もないでもないが、なかなか時間がとれない。
  也并非不想出国旅行，只是总没有时间。

考题解析及译文

①彼女の今までの苦労を知っているので、留学が決まった時あれほど喜んだ気持ちが＿＿＿＿＿＿＿。（96年1級）

    1. わからなかった   2. わからないでもない

    3. わかるものではない   4. わかったものではない

解析 选项1「わからなかった」意为"不懂"。选项3「わかるものではない」意为"不懂"。

    选项4「わかったものではない」意为"不懂"。   **答案2**

译文 因为我了解她至今为止的艰辛，所以能理解她留学成功时那样喜悦的心情。

②会社を辞めたいというあなたの気持ちは、分からない＿＿＿＿＿＿＿が、無断で仕事を休むのはよくないと思う。（02年1級）

    1. とばかりだ   2. にかたくない   3. にいたる   4. でもない

解析 选项1「とばかりだ」作为句型不存在。选项2「にかたくない」意为"不难……、很容易就能……"。选项3「にいたる」意为"达到……"。   **答案4**

译文 我不是不理解你想要辞职的心情，但是我觉得擅自旷工不太好。

---

9   **～ないとも限らない**   说不定……

接続   動詞ない形＋ないとも限らない

        イ形容詞く形＋ないとも限らない

        ナ形容詞語幹＋では＋ないとも限らない

        名詞＋では＋ないとも限らない

解説   「限らない」的意思是"不一定"。该句型表示不排除有某种可能性，意思等同于「～おそれがある」、「～かねない」、「～するかもしれない」。

• 小学生たちが通学途中で事故にあわないとも限らないので、集団登校を実施している。

  小学生们上学途中说不定会遭遇事故，所以现在都是集体上学。

• 旅行先ではいつもパスポートを持っている。必要なときがないとも限らないからだ。

  在旅行目的地一直拿着护照。因为说不定什么时候会用到。

• ミスがないとも限_{かぎ}らないので、念_{ねん}のためもう一度確認_{いちどかくにん}しよう。

说不定会有错误，所以为了慎重起见，再次确认一下吧。

考题解析及译文

①車を買うなら保険に入ったほうがいいよ。事故を＿＿＿＿＿から。（09年12月1級）

　　1. 起こすのも無理はない　　　2. 起こすどころではない

　　3. 起こさないともかぎらない　　4. 起こさないのももっともだ

解析　选项1「～も無理はない」意为"……也不勉强、有道理、合情合理"。选项2「～どころではない」意为"哪有、哪能、不是……的时候"。选项4「～ももっともだ」意为"……也是理所当然的"。　　　　　　　　　　　　答案3

译文　买车的话最好上保险。因为未必不会发生事故。

②習慣や考え方は人によって異なるので、自分にとっての常識は他人にとっての非常識で＿＿＿＿＿＿。（99年1級）

　　1. ないとかぎられる　　　2. ないともかぎらない

　　3. あるともかぎらない　　4. あるとかぎられる

解析　选项1「ないとかぎられる」意为"被限定没有"。选项3「あるともかぎらない」意为"也不一定有"。选项4「あるとかぎられる」意为"被限定有"。　　　　　　　　　　　　答案2

译文　习惯和想法因人而异，所以对自己来说是常识，但对别人来说或许就是违背常识的。

③しっかりかぎをかけないと、泥棒に＿＿＿＿＿＿から注意してください。（02年1級）

　　1. 入れることはない　　　2. 入るとはかぎらない

　　3. 入れないとはかぎらない　　4. 入らせなくもない

解析　选项1「入れることはない」意为"不会放进"。选项2「入るとはかぎらない」意为"未必进来"。选项4「入らせたくもなく」意为"也不是不想让进"。　　　　　　　　　　　　答案3

译文　不好好锁门的话说不定会进小偷，所以请多多注意。

10　～ないまでも　　没有……至少也……

接续　動詞ない形＋ないまでも

解说　表示从较高的程度退一步考虑后项现实的问题，即指虽然没有到某个程度，但至少要这样。后项多接表示希望、意志、命令、要求等表达，如「べきだ」、「てください」、「なさい」、「てほしい」等。

• 今日_{きょう}の演奏_{えんそう}は最高_{さいこう}の出来_{でき}とは言_いえないまでも、お金_{かね}を払_{はら}う価値_{かち}があったと思_{おも}う。

今天的演奏虽然不能说是最完美的，但我觉得至少值得花钱买票去看。

• 20代_{だいはだ}の肌とはいかないまでも、40歳_{さい}のころの肌質_{はだしつ}を取_とり戻_{もど}したい。

虽然不能变成20多岁的肌肤，但至少想恢复到40岁左右的肤质。

まいにち じゅぎょう しゅっせき　　　　すく きょうかしょ いえ よ
• 毎日は授業に出席できないまでも、少なくとも教科書を家で読みなさい。
虽然不能每天去听课，但至少请在家读一读教科书。

考题解析及译文

① 昨日の演奏は、最高の出来とは_____、かなり良かったと思う。（09年7月1級）

　　　1. いいながら　　2. いうにおよばず　　3. いえないほど　　4. いえないまでも

解析　选项1「いいながら」意为"一边说"。选项2「いうに及ばず」意为"不值一提"。选项3「いえないほど」意为"甚至不能说"。　　　　　　　　　　　　　　**答案4**

译文　我觉得昨天的演奏虽说不是最精彩的，但是也很棒。

② 天才とは_____までも、彼女は才能豊かな人物だ。（92年1級）

　　　1. 言う　　2. 言って　　3. 言わない　　4. 言わずに

解析　选项1「言う」意为"说"。选项2「言って」意为"说"。选项4「言わずに」意为"不说"。

　　　　　　　　　　　　　　　　　　　　　　　　　　　　　　　　答案3

译文　虽然不能说是天才，但她仍是非常有才能的人物。

③ 徹夜は_____、せめて夜12時くらいまでは勉強したほうがいいんじゃないですか。
（94年1級）

　　　　1. するほどで　　2. するまでも　　3. しないほどで　　4. しないまでも

解析　选项1、2、3均不符合题意。　　　　　　　　　　　　　　　　　**答案4**

译文　虽说不至于熬夜，但至少应学习到晚上12点左右才好吧。

④ 見舞いに来ない_____、電話ぐらいはするものだ。（97年1級）

　　　1. からに　　2. までに　　3. からも　　4. までも

解析　选项1「からに」作为句型不存在。选项2「までに」意为"……之前"。选项3「からも」
作为句型不存在。　　　　　　　　　　　　　　　　　　　　　　　　**答案4**

译文　即使不来慰问，至少也该打个电话。

⑤ 新しいダムの建設には住民の反対も大きい。国は計画を中止するとは_____、も
う一度見直さざるを得ないだろう。（02年1級）

　　　1. 言わないまでも　　　2. 言うまでもなく
　　　3. 言うに及ばず　　　　4. 言わないことではなく

解析　选项2「言うまでもなく」意为"不用说、自不必说"。选项3「言うに及ばず」意为"用
不着说"。选项4「言わないことではなく」意为"不是不说"。　　　　　　　**答案1**

译文　对于新水库的建设，居民都很反对。国家虽然未说中止计划，但也不得不重新考虑吧。

⑥ プロのコックとは_____、彼の料理の腕はなかなかのものだ。（06年1級）

　　　1. 言わないまでも　　2. 言うまでも　　3. 言わないほども　　4. 言うほども

解析　选项2「言うまでも」通常与否定连用，意为"不用说、自不必说"。选项3「言わないほ
ども」和选项4「言うほども」作为句型均不存在。　　　　　　　　　　　　**答案1**

译文　虽说不是专业厨师，但是他做饭的技艺非常高超。

11 ～ないものだろうか / ～ないものか　难道不会……吗

接续　動詞ない形＋ないものだろうか

解说　表示说话人强烈希望实现某事的心情。

- こんな山奥で車が故障してしまった。だれか通らないものか。

  在这种深山里，车出现故障了。会不会有人路过呢？

- なんとかコストを下げられないものかと思い、いろいろ工夫してみたが、やはりだめだった。

  我心想，难道不能降低成本了吗？于是对此下了一番工夫，但还是没有成功。

- どうにかして1週間ぐらい休みが取れないものだろうか。

  难道不能请到一周左右的假吗？

12 ～ないものでもない　或许会……、也并非不……

接续　動詞ない形＋ないものでもない

解说　表示说话人消极地肯定或许会发生某事。该句型的意思等同于「～ないでもない」。

- 彼は自信がないと言っているが、実績を考えれば受賞できないものでもないと思う。

  他说自己没有信心，但我想如果考虑到实际业绩的话，他或许会得奖。

- これは難しい企画ですが、皆が協力すれば始められないものでもないと思います。

  这个计划很困难，但我想如果大家一起努力的话或许能够达成。

- 理由次第では、手を貸さないものでもない。

  根据你讲的理由，我也并非不会帮忙。

考题解析及译文

① 「私が悪かった」と素直に謝れば、許して_____。（09年12月1级）

　　1. やるまでもない　　　2. やるものでもない

　　3. やらないまでもない　4. やらないものでもない

解析　选项1「やるまでもない」意为"没必要做……"。选项2「やるものでもない」意为"不要做"。选项3「やらないまでもない」意为"没必要不做……"。　　　　**答案4**

译文　如果老实地道歉说"我错了"，我或许会饶恕你的。

② 君がどうしても行ってくれと言うなら_____が、行ってもいい結果は出ないと思う。（91年1级）

　　1. 行くものではない　　2. 行くことではない

　　3. 行かないものでもない　4. 行きはしない

解析　选项1「行くものではない」意为"不去"。选项2「行くことではない」意为"不去"。选项4「行きはしない」意为"不去"。　　　　　　　　　　　**答案3**

译文　如果你无论如何都说让我去的话，我也不是不能去，但我想即使去了也不会有好结果。

③長期は無理だが、短期間ならその依頼に協力でき_____。（98年1級）
　　1. るまでもない　　　2. るものでもない
　　3. ないまでもない　　4. ないものでもない

解析　选项1「～までもない」意为"没必要……"。选项2「～ものでもない」意为"也并不那么……"。选项3「～ないまでもない」意为"没必要不……"。　　　　**答案4**

译文　長期有些勉强，但如果是短期的话也并非不能帮忙。

④そんなに頼むのなら、その仕事を代わって_____。（04年1級）
　　1. やらないものだ　　　2. やらないものでもない
　　3. やったものだ　　　　4. やったものでもない

解析　选项1「やらないものだ」意为"就该不做"。选项3「やったものだ」意为"总是做来着（感慨地回忆过去）"。选项4「やったものでもない」意为"也并没有做"。　**答案2**

译文　你这样请求的话，我也不是不能代替你做那份工作。

⑤大変な困難を伴う仕事だが、夜を徹して行えば、できない_____。（06年1級）
　　1. ものでもない　　2. ではいられない　　3. わけにはいかない　　4. までもない

解析　选项2「～てはいられない/～ではいられない」表示动作主体在心情上无法再保持原来的状态，意为"不能……"。选项3「わけにはいかない」表示想那样做，但是碍于客观原因，不能够做某事，意为"不能……"。选项4「までもない」意为"没必要……"。

答案1

译文　这个工作很有难度，但如果熬夜做，也并非不能完成。

13　～ながら（の／に／にして）　保持……的状态

接续　動詞ます形＋ながら
　　　名詞＋ながら

解说　表示做某动作时的状态或情景，或表示某种状态、情形一直没有改变。该句型多用于比较固定的惯用表达，比如「涙ながら」（流着泪）、「生まれながら」（天生）、「昔ながら」（一直以来）、「いつもながら」（如平常一样）等。

• 彼女（かのじょ）は生まれながらの美声（びせい）を生かして、歌手（かしゅ）になった。
　她发挥天生的好嗓子，成了歌手。

• その女（おんな）の人（ひと）は涙（なみだ）ながらに思（おも）い出（で）を語（かた）った。
　那个女人流着泪诉说着回忆。

• このワインは、昔（むかし）ながらの伝統的（でんとうてき）な作（つく）り方（かた）でできている。
　这个红酒使用自古以来就有的传统方式制作而成。

考题解析及译文

①国は早く対策を立ててほしいと、被害者たちは涙＿＿＿＿訴えた。　（99年1級）
　　　1. ばかりに　　2. のままに　　3. かぎりに　　4. ながらに

解析　选项1「ばかりに」意为"就因为……"。选项2「～まま（に）」表示按前项内容行事，
　　　意为"按……"。选项3「かぎりに」意为"仅限于……、以……为界"。　　　　**答案4**

译文　受害者们流着泪诉说，希望国家早点制定对策。

②彼は自らの辛い体験を涙＿＿＿＿語った。　（08年1級）
　　　1. がちで　　2. ながらに　　3. におよんで　　4. はもとより

解析　选项1「～がちだ」意为"动辄……、常常……"。选项3「～に及んだ」意为"达
　　　到……"。选项4「はもとより」接在名词后面，意为"不用说……就连……也……"。

　　　　　　　　　　　　　　　　　　　　　　　　　　　　　　　　　　　答案2

译文　他流着泪叙述着自己的痛苦经历。

9

14　～ながら（も）　　**虽然……但是……**

接续　動詞連用形＋ながら（も）

　　　イ形容詞辞書形＋ながら（も）

　　　ナ形容詞語幹（＋であり）＋ながら（も）

　　　名詞（＋であり）＋ながら（も）

解説　表示前后两项互相矛盾。该句型的意思等同于「けれども」、「のに」、「が」等。

• 田中さんは学生の身でありながら、食品会社を経営している。
　田中虽然是学生，却经营着食品公司。

• その人は耳が少し不自由ながら、体は非常に元気です。
　那个人耳朵有些背，但是身体很健康。

• 事件の真相を知っていながら、彼はなぜか語りたがらない。
　虽然知道事件的真相，但不知为何他却不想说。

派生

「～ながら」可以表示同一主题的两种动作同时进行，或后项是在前项的状态下进行的。

• 天気がいいから、散歩しながら話し合いましょう。
　因为天气好，所以我们一边散步一边聊吧。

「ながら」接在人称名词后，表示所处的立场或角度。

• 自分ながら自分を怒っている。
　自己生自己的气。

「ながら」接在数量词后，表示全部、无一遗漏。

• 兄弟4人ながら科学者になった。
　兄弟四人都成了科学家。

考题解析及译文

① 早く大きくなって両親の手助けがしたい。幼い＿＿＿＿少年はそう思った。（91年1級）

    1. ものを   2. わけで   3. ながらも   4. ことに

解析 选项1「ものを」意为"可是……"。选项2「わけで」作为句型不存在。选项4「ことに」
意为"……（表示某种情感）的是"。   **答案3**

译文 虽然年幼，少年却想着快些长大帮助父母。

② あの名人も初めからこんなに仕事が出来たわけではない。若い頃は、先輩のやること
を見て、できない＿＿＿＿そのまねをしていたのだった。（96年1級）

    1. ながらも   2. つつも   3. たりとも   4. からでも

解析 选项2「つつも」意为"尽管……"。选项3「たりとも」后常接否定表达，意为"即
使……也不……"。选项4「からでも」作为句型不存在。   **答案1**

译文 那个专家也不是从一开始就这么精明强干。他年轻时也是看着前辈们做事，虽然做不成却
仍模仿着做。

③ 休養に徹すると言い＿＿＿＿頭から仕事のことが離れない。（97年1級）

    1. ながらに   2. かたがた   3. ながらも   4. ついでに

解析 选项1「ながらに」意为"虽然……"，是稍微陈旧的说法，在口语中一般不用。选项2
「かたがた」意为"顺便……"。选项4「ついでに」意为"顺便……"。   **答案3**

译文 虽然嘴上说着要彻底休养，但脑子里却总想着工作。

④ 彼は、貧しい＿＿＿＿温かい家庭で育った。（00年1級）

    1. ことで   2. うえに   3. わけで   4. ながらも

解析 选项1「ことで」意为"因为"。选项2「うえに」意为"既……又……"。例：「この
八百屋の野菜は新鮮なうえに値段も安い。」（这家蔬菜店的蔬菜很新鲜，而且价格又便
宜。）选项3「わけで」意为"因为"。   **答案4**

译文 他在一个虽然穷困但很温馨的家庭里长大。

⑤ 様々な苦難に＿＿＿＿、あきらめないで最後までやりぬいた。（04年1級）

    1. あいながらも   2. あわんがため   3. あうともなれば   4. あったがはやいか

解析 选项2「あわんがため」意为"为了遇到……"。选项3「あうともなれば」意为"如果见
面……"。选项4「あったがはやいか」意为"刚刚遇到就……"。   **答案1**

译文 尽管遇到各种苦难，但并未放弃，而是坚持到了最后。

15　～なくして（は）　　如果没有……

接续　名詞＋なくして（は）

解说　表示如果没有前面事项，那么后项很难实现或干什么事都很困难。

- 人との交わりなくして、人は生きていくことができない。

  如果不和他人交往，人是无法活下去的。

- 思いやりの心なくしては、結婚生活は難しい。

  如果缺乏相互体谅，那么婚姻生活很难维持。

- 彼女の苦労話は、涙なくしては聞けない。

  听过她的苦难遭遇，很难令人不流泪。

考题解析及译文

① 「努力＿＿＿＿＿＿成功はない」と言う言葉は、祖父の口癖だ。（09年7月1级）

　　1. にとどまらず　　2. に限らず　　3. なくして　　4. をもって

解析　选项1「にとどまらず」表示不仅仅局限于某个范围，意为"不仅……而且……"。选项2「に限らず」表示不仅限于前项，其他情况也可以，意为"不仅限于……"。选项4「をもって」意为"用……、以……"。　　　**答案3**

译文　祖父的口头禅是"没有努力就不会成功"。

② 市民の皆さんの協力＿＿＿＿＿＿、ゴミ問題の解決がありえません。（92年1级）

　　1. どおりに　　2. なくして　　3. ならでは　　4. に限らず

解析　选项1「どおりに」意为"按照……"。选项3「ならでは」意为"只有……才有的……、只有……才能……"。选项4「に限らず」意为"不仅限于……"。　　　**答案2**

译文　如果没有市民的协作，就无法解决垃圾问题。

③ 苦難に満ちたあの人の人生は、涙なくしては＿＿＿＿＿＿。（94年1级）

　　1. 語る　　2. 語らない　　3. 語れる　　4. 語れない

解析　选项1「語る」意为"说"。选项2「語らない」意为"不说"。选项3「語れる」意为"能说"。　　　**答案4**

译文　讲起那个人充满苦难的人生，总是不由得落泪。

④ 友達の励まし＿＿＿＿＿＿作品の完成はなかったであろう。（97年1级）

　　1. なくとも　　2. なくしては　　3. ないまでも　　4. ないでは

解析　选项1「なくとも」意为"即使不……"。选项3「ないまでも」意为"没有……至少也……"。选项4「ないでは」作为句型不存在。　　　**答案2**

译文　如果没有朋友的鼓励，就无法完成这个作品了吧。

⑤ 国の経済は、鉄道やトラックなどによる貨物の輸送に依存している。国全体に広がる交通網＿＿＿＿＿＿、1日たりとも成り立たない。（03年1级）

　　1. 以上に　　2. にそって　　3. をよそに　　4. なくしては

解析　选项1「以上に」意为"超过……"。选项2「にそって」意为"沿着……、按照……"。选项3「をよそに」接在名词的后面，意为"不顾……、不关心……"。　　　**答案4**

译文　国家的经济依靠于以铁路和卡车等方式所进行的货物运输。如果没有贯穿全国的交通网，

那么货物运输连一天都很难维持。

⑥教授の助言_____、この研究の成功はなかった。（07年1級）
　　　1. なくして　　2. ならでは　　3. にあって　　4. によらず

解析　选项2「ならでは」表示只限于在特定的情况下才会有后项的结果，意为"只有……才……"。选项3「にあって」接在名词后面，表示处于某一场合、地点、立场等，意为"处于……、在……"。选项4「によらず」接在名词后面，意为"不论……、不管……"。　　　　　　　　　　　　　　　　　　　　　　　　　　　　**答案1**

译文　如果没有教授的建议，这个研究是不会成功的。

喜びもよし、悲しみまたよし。人の世は雲の流れの如く、刻々に移り変わる。そう思い定めれば人の心の乱れは幾分かはおさまる。喜べども有頂天にならず、悲しめどもいたずらに絶望するなかれ。
　　　　　　　　　　　　　　　　　　　　——松下幸之助

高兴也好，悲伤也罢。人生如流云，瞬息万变。如此想来，心中的躁动就能安定几分。高兴也无须欣喜若狂，悲伤也不至悲观绝望。
　　　　　　　　　　　　　　　　　　　　——松下幸之助

必考句型

第10单元

---

1 〜なくはない／〜なくもない　　不是没有……

接续	動詞ない形＋なくはない
	イ形容詞く形＋なくはない
	ナ形容詞で形＋なくはない
	名詞＋が／も＋なくはない
解说	表示前面事项并非完全没有。也可以说成「ないこともない」、「ないでもない」。与「言う」、「考える」、「思う」、「認める」、「感じる」、「気がする」等有关思考、知觉的动词一起使用时，表示有那样的心情。

- Ｎ１の模擬試験をやったら、先月より30点上がったのだから、実力が付いたと言えなくはない。

  做了一下N1模拟试题，比上个月提高了30分，所以可以说实力提高了。

- このスープはおいしくなくはないが、味が薄い気がする。

  这个汤并非不好喝，只是感觉味道淡淡的。

- 晩御飯をごちそうしてくれるのなら、考えなくもないけどね。

  如果请我吃晚饭的话，也不是不会考虑一下的。

考题解析及译文

①山本さんは、ある日突然会社を辞めて周りを驚かせたが、あの人の性格を考えると、理解_____。（00年1級）

　　　　1. しないものだ　　2. しなくはない　　3. できなくはない　　4. できそうもない

解析　选项1「しないものだ」意为"就该不……"。选项2「しなくはない」意为"并非不……"。选项4「できそうもない」意为"好像不能……"。　　**答案3**

译文　山本有一天突然辞职了，令周围的人非常吃惊，但从他的性格来看也并非不能理解。

---

②子供：「自分のパソコンが欲しいよ。ねえ、駄目？」
**　母親：「ゲームじゃなくて勉強に使うんなら、_____けど。」（07年1級）**

　　　　1. 考えようにも考えられない　　　2. 考えなくもない
　　　　3. 考えるどころじゃない　　　　　4. 考えっこない

解析　选项1「〜（动词意向形）（よ）うにも〜（同じ动词可能形）ない」表示由于某种客观原因，愿望无法实现，意为"想要……也无法……"。选项3「〜どころじゃない」意为"根本不是……的时候，哪谈得上……"。选项4「〜っこない」意为"不可能……"。　　**答案2**

10

译文　孩子："我想要自己的电脑。不行吗？"

　　　　母亲："如果是用于学习而不是打游戏的话，也不是不能考虑一下。"

2　～なしに　没有……

接续　名詞＋なしに

解说　表示没有做前面的事就直接做了后项的事。

• 彼は全く計画なしに、1年間の旅行に出発した。
他没有做任何计划就开始了为期一年的旅行。

• あの人は断りなしに部屋に入ってきた。礼儀を知らないやつだ。
那个人没有打招呼就进房间了。真是不懂礼貌的家伙。

• 医者は同意なしに、患者の個人情報を他人に教えることはできない。
医生未经过患者的允许，不能把其个人信息告诉他人。

考题解析及译文

①彼は、事前の連絡＿＿＿＿＿会社を休んだ。（93年1級）
　　1. にしろ　　2. ですら　　3. ばかりに　　4. なしに

解析　选项1「にしろ」意为"无论……都……"。选项2「ですら」意为"甚至……"。选项3
　　　「ばかりに」意为"就因为……"。　　　　　　　　　　　　　　　　　答案4

译文　他没有事先联系就旷工了。

②誰にも知られること＿＿＿＿＿準備を進めなければならない。（99年1級）
　　1. なくて　　2. なしに　　3. ないで　　4. ないと

解析　选项1「なくて」意为"不……"。选项3「ないで」意为"不……"。选项4「ないと」意
　　　为"如果不……"。　　　　　　　　　　　　　　　　　　　　　　　答案2

译文　必须在无人知晓的情况下进行准备。

3　～なしには　如果没有……就（不）……

接续　名詞＋なしには

解说　「なし」是文语形容词，「に」是格助词，「は」是副助词。「なしには」与后面的否定
　　　词语相呼应，相当于「なくては」、「なければ」。前项是假定条件，后项多是可能形的
　　　否定形式。

• 先生方のご指導なしには、論文を書き上げられなかっただろう。
如果没有老师们的指导，大概就无法完成论文了吧。

- 彼女は音楽なしには生きていけないと言うぐらい、今は音楽にのめりこんでいる。

  现在她正沉迷于音乐之中，可以说如果没有音乐就无法活下去。

- いろいろな人の助けなしには、日本で生活できないだろう。

  如果没有很多人的帮助，大概就无法在日本生活了吧。

考题解析及译文

①私はお茶が好きで、毎日朝起きてまずお茶を飲む。これはずいぶん昔から習慣になっている。お茶＿＿＿＿＿1日が始まらない。（96年1級）

　　1. なければ　　2. なしには　　3. ないので　　4. ないのに

解析　选项1「なければ」意为"如果没有……"。选项3「ないので」意为"因为没有……"。选项4「ないのに」意为"虽然没有……"。　　　　　　　　　　**答案2**

译文　我喜欢茶，每天早上起来先要喝茶。这是很久之前就养成的习惯。如果不喝茶，就感觉一天都没有精神。

②今までたばこを吸うこと＿＿＿＿＿1日もいられなかった。しかし、医者にきつく止められたので、これからは禁煙しなければならない。（98年1級）

　　1. なしには　　2. ないでは　　3. なければ　　4. なくても

解析　选项2「ないでは」意为"如果没有……的话"。选项3「なければ」意为"如果没有……"。选项4「なくても」意为"即使没有……"。　　　　　　　　　**答案1**

译文　迄今为止，如果不吸烟，一天都受不了。但是因为被医生严厉地制止了，所以今后必须戒烟了。

③農業での品種改良の技術は日々進歩している。しかし、どんなに優れた技術であっても自然への影響を考えることなしには＿＿＿＿＿。（00年1級）

　　1. 進みかねない　　2. 進められない　　3. 進もうとしない　　4. 進まざるをえない

解析　选项1「進みかねない」意为"可能会前进"。选项3「進もうとしない」意为"不会前进、不想前进"。选项4「進まざるをえない」意为"不得不前进"。　　**答案2**

译文　农业的品种改良技术在日益进步。但是，不管技术多么优秀，如果不考虑对自然的影响，就不能顺利推进下去。

④先生方のご指導や友人の助け＿＿＿＿＿、論文を書き上げられなかっただろう。（04年1級）

　　1. にもまして　　2. のおかげで　　3. のいたりで　　4. なしには

解析　选项1「にもまして」接在名词后面，意为"比……更……"。选项2「のおかげで」意为"多亏……"。选项3「のいたりで」意为"非常……、极其……"。　　**答案4**

译文　如果没有老师们的指导和朋友的帮助，我大概就无法完成论文了吧。

10

4　なにひとつ〜ない　一点……也不 / 没有……

接続　なにひとつ＋動詞ない形＋ない

解説　表示对前面的事项进行全面否定。意思相当于「少しも〜ない」。如果前项是人物，则意为「だれひとり〜ない」。

- 彼の言動には、不審な点は、何一つなかった。
  他的言行中没有一点可疑的成分。

- これで完璧だ。なにひとつ不安な点は存在しない。
  这样就完美了。不存在任何值得担心的地方。

- 証拠は何一つつかめなかった。
  没有抓住任何一个证据。

5　〜ならいざしらず / 〜はいざしらず　姑且不论……

接続　名詞＋ならいざしらず

解説　「いざしらず」的意思为"暂且不说、不太清楚"。该句型表示对于前项不太清楚或姑且不论，后半部分叙述的事情要比前项严重或更有特殊性。最后多伴有表示惊讶或情况严重等语句。

- 休みの日ならいざしらず、今日もどうしてこんなに客が多いのか。
  休息日暂且不论，今天为何有这么多客人呢?

- 初めてのことならいざしらず、もう4度目なのだから、もう少し余裕を持つべきだ。
  如果是第一次就算了，但已经是第四次了，所以多少应该熟练些了。

- 小学生ならいざしらず、大学生が洗濯もできないなんて信じられない。
  小学生的话就算了，大学生连衣服都不会洗，简直让人难以相信。

考题解析及译文

①新入社員＿＿＿＿＿＿、入社8年にもなる君がこんなミスをするとは信じられない。（03年1級）

　　　　1. とすれば　　2. ともなれば　　3. なるがゆえに　　4. ならいざしらず

解析　选项1「とすれば」意为"假如……"。选项2「ともなれば」意为"如果……就……"。选项3「なるがゆえに」意为"因为成为……"。　　　　　　　　　　　　**答案4**

译文　新职员的话还情有可原，可是你都进入公司工作八年了还出这样的错误，真是让人难以置信。

②小学生＿＿＿＿＿＿、大学生がこんな簡単な計算ができないなんて信じられない。（08年1級）

　　　　1. ともなれば　　2. にさきがけて　　3. でもしかたなく　　4. ならいざしらず

解析　选项1「ともなれば」意为"如果……"。选项2「にさきがけて」意为"领先……"。选项3「でもしかたなく」意为"即使……也没办法"。　　　　　　　　　　**答案4**

译文　小学生姑且不论，连大学生都不能进行这样简单的计算，真是难以置信。

6　〜ならでは／〜ならではの　　只有……才有的、只有……才能……

接续　名詞＋ならでは

解说　「ならでは」来源于文语指定助动词「なり」的未然形加上接续助词「で」，再加上副助词「は」构成。表示正因为前项才有后项，如果没有前项就不会有后项。多用「名詞＋ならではの＋名詞」的形式，也可以用「〜ならでは〜ない」的形式。

- これは子供ならではの自然な発想だ。
  这是只有孩子才有的自然的想法。

- この成功は彼ならでは不可能なことだ。
  这件事只有他才能做成功。

- 白血球は顕微鏡ならでは見えない。
  白细胞只有用显微镜才能看到。

考题解析及译文

①店の装飾やサービスに一流の店_____の品が感じられる。（91年1級）
　　1. であれ　　2. ならでは　　3. らしき　　4. ごとき

解析　选项1「であれ」意为"无论……还是……"。选项3「らしき」意为"如同……"。选项4「ごとき」意为"好像……"。　　　　　　　　　　**答案2**

译文　这家店的装饰以及服务都达到了一流店才有的品质。

②あそこでは一流ホテル_____豪華な雰囲気が味わえる。（95年1級）
　　1. まじきの　　2. ならではの　　3. かぎりの　　4. ごときの

解析　选项1「まじきの」意为"不应该……的"。选项3「かぎりの」意为"只限于……的"。选项4「ごときの」意为"好像……的"。　　　　　　　　　　**答案2**

译文　那里能够感受到一流饭店才有的豪华氛围。

③この間の会議で田中さんは独創的な企画を出した。ベテラン技師_____素晴らしいアイディアである。（98年1級）
　　1. ならではの　　2. とすれども　　3. にかけての　　4. となれども

解析　选项2「とすれども」作为句型不存在。选项3「にかけての」意为"到……"。选项4「となれども」作为句型不存在。　　　　　　　　　　**答案1**

译文　前段时间的会议上，田中提出了一个独创的计划。那是经验丰富的工程师才会有的出色想法。

④日本全国、その地方_____名産がある。（03年1級）
　　1. なみに　　2. ながらの　　3. なりとも　　4. ならではの

解析　选项1「なみに」意为"每……"。选项2「ながらの」意为"……一样的"。选项3「なりとも」意为"……之类、……什么的"。　　　　　　　　　**答案4**

译文　日本全国各地都有当地的特产。

⑤友人の家でごちそうになった料理は、家庭料理_____素朴な味わいだった。（08年1級）

　　　1. めく　　2. ごとき　　3. ばかりか　　4. ならではの

解析　选项1「めく」接在名词后面，意为"像……样子、有……气息"。选项2「ごとき」接在名词后面，意为"像……那样"。选项3「ばかりか」意为"不仅……而且……"。　**答案4**

译文　在朋友家，我品尝到了家常饭特有的淳朴味道。

7　～ならまだしも　　若是……还说得过去，可是……

接续　［動詞、イ形容詞、ナ形容詞］の名詞修飾形＋ならまだしも

　　　名詞＋ならまだしも

解说　「まだしも」的意思为"还好、还行"。该句型的意思是「～ならまだいいが、しかし～」，表示如果是前项的话，尽管不满意但还算可以，即表示虽然不是很积极地肯定，但也还说得过去。

• 僕に相談するならまだしも、彼女はなぜあいつに相談したのだろう。
　倘若跟我商量那倒罢了，她为什么要找那家伙商量呢?

• 自分の失敗を認めるならまだしも、他人のせいにするようでは、嫌われてしまう。
　若是承认自己失败的话还说得过去，但如果归咎于别人的话，会被讨厌的。

• 1年に1回ぐらいならまだしも、何度も間違い電話があると不安になる。
　一年有一次的话还说得过去，如果接到很多次打错的电话，则会变得很不安。

考题解析及译文

①1年に1回ぐらい_____、こんなにしょっちゅう停電するようでは、普段の生活にもさしつかえる。（05年1級）

　　　1. ならまだしも　　2. ともなると　　3. にあって　　4. ほどでなくても

解析　选项2「ともなると」表示根据前项情况的变化，理所当然会出现某种情况，意为"如果……就……"。选项3「にあって」接在名词后面，意为"在……之中、处于……"。选项4「ほどでなくても」意为"即使并未……（达到某程度）"。　**答案1**

译文　一年内就一次的话还可以，如果这样经常停电的话，对日常生活都会产生影响。

8　～なり　一……就……

接续　動詞辞書形＋なり

解说　表示前项动作刚出现，就马上出现后项的动作或状态。后项的动作一般是突发性的、意料之外的。后项不能接表示命令、否定、推量、意志等动词，也不用于描述自己的行为，并且前后两项的动作主语必须是相同的。

- マラソンの選手はゴールに着くなりばったり倒れてしまった。
  马拉松运动员刚一冲线，就突然倒下了。

- 少年はシートに座るなりうとうとしはじめた。
  少年刚一入座就迷迷糊糊地开始打瞌睡了。

- その女の子は部屋に入るなり大声で泣き出した。
  那个女孩刚进房间就大声哭起来。

考题解析及译文

10

① 「あっ、だれかおぼれてる」と言う_____、彼は川に飛び込んだ。（99年1級）
　　1. なり　　2. まま　　3. ほど　　4. ゆえ

解析　选项2「まま」意为"原封不动、如实"。选项3「ほど」意为"左右、程度、情形、限度"。选项4「ゆえ」意为"理由"。　　　　**答案1**

译文　他刚说完"啊，有人溺水了"，就跳进了河里。

② 私の料理を一口_____なり、父は変な顔をして席を立ってしまった。（02年1級）
　　1. 食べたら　　2. 食べて　　3. 食べる　　4. 食べよう

解析　选项1「食べたら」意为"吃完了的话、如果吃了"。选项2「食べて」意为"吃"。选项4「食べよう」意为"吃吧"。　　　　**答案3**

译文　爸爸刚吃了一口我做的饭，就马上表情怪异地离开了。

9　～なり～なり　或是……或是……

接续　動詞普通形＋なり＋動詞普通形＋なり
　　　　名詞＋なり＋名詞＋なり

解说　意思是「～でも～でも、好きな方を選んで」。表示列举出两个或两个以上的事物，从中选择一个。后项大多是表示建议、命令等的句子。一般不用于过去的事物。

- 行くなり行かないなり、とにかく早く返事をしたほうがいい。
  不管是去还是不去，最好早点回复。

- その箱、要らないなら片付けるなり捨てるなりしてよ。邪魔だから。
  那个箱子，如果不要的话，要么收起来，要么扔掉。因为比较碍事。

・分からないことがあったら、インターネットで調べるなり人に聞くなりしなさい。

如果有不明白的事，请上网查一下或问问别人。

考题解析及译文

① 休日には映画を見る＿＿＿＿＿、音楽会に行くなりして、気分転換を図ったほうがいい。（93年1級）

  1. や 2. べく 3. し 4. なり

解析 选项1「や」意为"和"。选项2「べく」意为"应该"。选项3「し」表示理由或陈述事物。   **答案4**

译文 休息日去看看电影或去听音乐会，最好转变一下心情。

② 分からない単語があったら、辞書を引く＿＿＿＿＿誰かに聞く＿＿＿＿＿して、調べておきなさい。（99年1級）

  1. なり / なり 2. こと / こと 3. と / と 4. し / し

解析 选项2「～こと～こと」作为句型不存在。选项3「～と～と」意为"……和……"。选项4「～し～し」表示并列的原因、理由，后项是结论、结果，意为"既……又……"。

                        答案1

译文 如果有不懂的单词，请事先查查辞典或者问问别人。

10　～なりなんなり　……之类的、……什么的

接续 動詞辞書形＋なりなんなり

    名詞＋なりなんなり

解说 表示只要与此类似的事或物都可以。当表示场所的时候用「なりどこなり」的形式。

・散歩するなりなんなりして、少し運動したほうがいい。

散步也好什么也好，最好稍微运动一下。

・分からない言葉があれば、辞書を引くなりなんなりして調べるといい。

如果有不懂的词，查一下辞典什么的比较好。

・バラなりなんなり、彼女の好きな花を買ったほうがいいと思う。

玫瑰也好什么也好，最好买一些她喜欢的花。

11　～なりに / ～なりの　符合……的

接续 イ形容詞辞書形＋なりに

    名詞＋なりに

解说 表示根据前面个人的能力做与之相符的行为，多指正面评价。

- 面接は自分なりにできたと思っていたが、結果は不合格だった。

  虽然自己觉得面试得还不错，但却没合格。

- 彼女なりに努力して作った料理だから、まずくても全部食べなくては悪い。

  这是她努力做的饭菜，所以即使不好吃也要全部吃掉。

- 子供なりに親の苦労を理解しているものだ。

  孩子也能理解父母的辛劳。

考题解析及译文

①現行の制度における問題点を、私＿＿＿＿＿整理してみました。（09年12月1级）

　　1. に対して　　2. にとって　　3. ならでは　　4. なりに

解析　选项1「に対して」有3个意思：A.意为"向……、对于……"；B.意为"比例是……"；C.意为"与……相比较"。选项2「にとって」意为"对……来说"。选项3「ならでは」意为"只有……才有……、只有……才能……"。　　　　答案4

译文　我试着整理了现行制度存在的问题。

②人にはそれぞれ、その人＿＿＿＿＿生き方や生きがいがあっていいと思う。（91年1级）

　　1. なりの　　2. ための　　3. からの　　4. ところの

解析　选项2「ための」意为"为了……"。选项3「からの」意为"来自……"。选项4「ところの」意为"……地方的"。　　　　答案1

译文　我认为每个人都最好有自己的生活方式和生存意义。

③この問題については、あなた＿＿＿＿＿お考えがおありでしょうが、ここのところは私の言うとおりにしてください。（94年1级）

　　1. 向きの　　2. なみの　　3. 次第の　　4. なりの

解析　选项1「向きの」意为"面向……的"。选项2「なみの」意为"一般的……"。选项3「次第の」意为"取决于……的、视……而定的……"。　　　　答案4

译文　关于这个问题，你有自己的想法吧，但是现在请按照我说的去做。

④新製品の宣伝について、わたし＿＿＿＿＿考えた案を説明した。（98年1级）

　　1. までに　　2. なりに　　3. しだいに　　4. どおりに

解析　选项1「までに」意为"在……之前"。选项3「しだいに」意为"渐渐地……"。选项4「どおりに」意为"按照……"。　　　　答案2

译文　关于新产品的宣传，我说明了一下自己的想法。

⑤私が事業で成功できたのは、自分＿＿＿＿＿工夫を重ねたからだと思います。（04年1级）

　　1. とはいえ　　2. にかかわり　　3. なりに　　4. なくして

解析　选项1「とはいえ」意为"虽说……但是……"。选项2「にかかわり」意为"关系到……"。选项4「なくして」意为"如果没有……"。　　　　答案3

译文　我觉得事业的成功源于自己不懈的努力。

⑥的確かどうかわかりませんが、この問題について私＿＿＿＿＿＿考えを述べたいと思います。（06年1級）

  1. しだいの 2. なりの 3. ずくめの 4. ぎみの

解析 选项1「しだいの」意为"取决于……的、视……而定的"。选项3「ずくめの」中的「～ずくめ」接在名词后面，表示全部都是某种事物、颜色等，意为"尽是……、全都是……"。选项4「ぎみの」中的「～ぎみ」表示略带有某种倾向，意为"有点儿……、稍有……"。   **答案2**

译文 不知道是否准确，但关于这个问题我想谈下自己的想法。

12 ～なるもの 所谓的……

接续 名詞＋なるもの

解说 「なる」是文语指定助动词「なり」的连体形，接在名词后，与「という」的意思相同，而「もの」指事物。该句型表示提及前面的事项，意为"叫作……、被称为……"。

- エロ小説なるものは精神上のアヘンである。
  所谓的色情小说就是精神上的鸦片。

- 日本のすきやきなるものを一度食べてみたい。
  想吃一次所谓的日本火锅。

- 最近ダイエットフードなるものがはやっている。
  最近，所谓的减肥食品很流行。

13 なんという～ 简直太……

接续 なんという＋名詞

解说 表示对感到吃惊、惊讶或认为很棒的事情而发出感叹。

- 若いのになんという落ち着いた人なのだろう。
  虽然年纪尚轻，但却是如此沉稳的一个人啊。

- なんという嫌な男でしょう。
  多么令人讨厌的男人啊。

- 子供を殺すなんて、なんという残虐なやつだろう。
  竟然杀害孩子，真是个残忍的家伙啊。

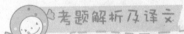

①初めてそこを訪れたとき、＿＿＿＿＿＿美しい街だろうと思った。（93年1級）

  1. いかほど 2. なんという 3. いかに 4. なにほど

解析　选项1「いかほど」意为"多少、多么"。选项3「いかに」意为"如何"。选项4「なにほど」意为"若干、无所谓"。　　　　　　　　　　　　　　**答案2**

译文　初次拜访那里的时候，觉得那是个多么美的城镇啊。

14 〜に値する　　值得……

接续　動詞辞書形＋に値する
　　　　　名詞＋に値する

解说　表示值得做前项，或表示物有所值。

- 真に「自分は称賛に値する優れた人間である」と思わなければなりません。
  必须认为自己是值得称赞的优秀的人。

- それは信頼に値する音楽家たちの作品だ。
  那是值得信赖的音乐家们的作品。

- たとえ広げるに値する情報があったとしても、人を単なる道具として使ってはいけない。
  即使有值得扩散的消息，也不能仅仅把人当作工具而加以利用。

10

15 〜に（は）あたらない　　用不着……、不必……

接续　動詞辞書形＋に（は）あたらない
　　　　　名詞＋に（は）あたらない

解说　该句型的意思是「ふさわしくない」、「適当ではない」，表示没有必要做前项的事情或那样做是不恰当的。多接在「感心する」、「驚く」、「非難する」、「賞賛する」等动词后。

- この程度のことは誰でもできる。賞賛するにはあたらない。
  这种程度的事任何人都能做。不必称赞。

- 結婚相手が歌手だからといって、驚くにはあたらない。彼も歌手だ。
  结婚对象是歌手也不必大惊小怪。他自己也是歌手。

- 日本語能力試験で160点とったからって、驚くにはあたらない。彼にはそれだけの実力もあり、努力もしたのだから。
  日语能力考试得了160分也不必大惊小怪。因为他有那个实力，而且还很用功。

考题解析及译文

①あの作家は天才なのだから、わずか3日で傑作を書いたからといって、驚く＿＿＿＿＿。（96年1級）

    1. にはあたらない   2. べきことだ   3. にきまっている   4. にちがいない

解析 选项2「べきことだ」意为"应该……"。选项3「にきまっている」意为"一定……"。选项4「にちがいない」意为"一定……"。   **答案1**

译文 那个作家是天才，所以虽说只花了三天就能写出杰作，也不必惊讶。

②優秀な田中君のことだから、論文を1週間で仕上げたと聞いても驚く＿＿＿＿＿。（99年1級）

    1. にあてられない   2. にはあたる   3. にはあたらない   4. にあたるだろう

解析 选项1「にあてられない」意为"未被打、未被晒、未中（毒）"等。选项2「にはあたる」意为"碰上、命中"。选项4「にあたるだろう」意为"会碰上吧、会命中吧"。   **答案3**

译文 因为田中很优秀，所以即使听到他一周就写完了论文，也用不着吃惊。

③母校のチームが去年の優勝校を破ったからといって、それほど驚くには＿＿＿＿＿。（02年1級）

    1. あたらない   2. もとづかない   3. そういない   4. たえない

解析 选项2「にもとづかない」意为"不根据……"。选项3「にそういない」意为"一定……"。选项4「にたえない」表示对某种不好的状态产生不快感，难以忍受，意为"不堪……"。   **答案1**

译文 虽说母校队战胜了去年的冠军队，但也没有什么值得惊讶的。

④彼なりにできるだけの努力をしたのだから、いい結果を出せなかったとしても、非難＿＿＿＿＿。（07年1級）

    1. するにはあたらない   2. するよりほかない

    3. しないではおかない   4. しないはずがない

解析 选项2「～よりほかない」意为"除了……之外没有……"。选项3「～ないではおかない」意为"不能不……、非……不可"。选项4「～ないはずがない」意为"（按道理来说）不会不……"。   **答案1**

译文 他尽可能地努力了，所以即使没有得到好的结果，也不必谴责他。

青春とは心の若さである。信念と希望に溢れ、勇気に満ちて、日に新たな活動を続ける限り、青春は永遠にその人のものである。——松下幸之助

青春即心态年轻。只要充满信念和希望，勇气十足，每天做着不一样的事情，就会青春永驻。

——松下幸之助

必考句型

第 11 单元

1　～にあって / ～にあっては / ～にあっても　　处于……的情况下

接续　名詞＋にあって

解説　「に」表示抽象事物和一般事物的存在场所。「ある」是表示存在的动词。该句型指处于前面的状况之中，出现了后面的事情。

- 学術界にあっては、その先生にかかわるうわさがいろいろとあった。

  在学术界有各种关于那个老师的传闻。

- 忙しすぎて寝る時間さえない状況にあっても、彼は子供のために毎朝弁当を作っている。

  太过忙碌，连睡觉的时间都没有，即使是在这种状况下，他还每天早上为孩子做便当。

- どんな困難な状況にあっても、決して諦めてはいけない。

  不管是在何种困难的状况下，也决不能放弃。

> 派生
>
> 「にある」多用来说明原因、目的、问题、责任、理由等在于什么。
>
> - 事業に失敗した原因はどんな点にあるのでしょう。
>
>   事业失败的原因在哪儿呢？

考题解析及译文

①水も食糧もない状況に＿＿＿＿＿、人々は互いに助け合うことの大切さを学んだ。（99年1級）

　　　1. あって　　2. とって　　3. かけて　　4. つれて

解析　选项2「～にとって」接在名词后面，意为"对……来说"。选项3「～にかけて」接在名词后面，表示后述内容的关联话题范围，意为"关于……、在……方面"。选项4「～につれて」意为"随着……"。　　　　　　　　**答案1**

译文　在没有水和粮食的情况下，人们学到了互帮互助的重要性。

②当時は会社の経営が困難を極めた時代だった。そのため、父は責任者という立場＿＿＿＿＿寝る時間も惜しんで働かなければならなかった。（02年1級）

　　　1. だけしか　　2. にとって　　3. にあって　　4. ばかりか

解析　选项1「だけしか」意为"仅仅……"。选项2「にとって」意为"对……来说"。选项4「ばかりか」意为"不仅……而且……"。　　　　　　　　**答案3**

译文　当时是公司经营最为艰难的时候。为此，父亲站在责任者的立场必须不分昼夜地工作。

③どのような困難な状況に_____、あきらめてはいけない。（08年1級）
　　　　1. つけて　　2. とって　　3. あっても　　4. かけても

解析　选项1「～につけて」意为"每当……就……"。选项2「～にとって」接在名词后面，意为"对……来说"。选项4「～にかけて（も/は）」接在名词后面，意为"关于……、在……方面"。　　　　　　　　　　　　　　　　　　　　　　　　**答案3**

译文　不管遇到任何困难，都不能放弃。

2　～に至る / ～に至るまで / ～に至って（は）/ ～に至っても　　甚至……、到……才……

接续　動詞辞書形＋に至る
　　　名詞＋に至る

解说　「至る」的意思为"达到、成为"。该句型表示事态的变化最后达到某种状态。「～に至っては」还有"至于……、谈到……"之意，而「～に至っても」也有"即使到了……（程度）"的意思。

- 妻は決定的な証拠を見せられるに至って、彼はついに浮気していることを認めた。
  直到妻子拿出决定性的证据，他才终于承认自己出轨。

- 今回の期末テストは、どの科目もまったくだめで、読解にいたっては、100点中25点しかとれなかった。
  这次期末考试，任何一科都考得不好，阅读理解满分100分只考了25分。

- 映画制作の仕上げの段階に至って初めて重大なミスがあると気がついた。
  直到电影制作的最后阶段，才意识到有重大的失误。

考题解析及译文

①ここまで業績が悪化するに_____、工場の閉鎖もやむを得ないと判断した。（09年7月1級）
　　　　1. てらしては　　2. かこつけては　　3. 向けては　　4. 至っては

解析　选项1「～に照らしては」意为"按照……"。选项2「～にかこつけては」意为"以……为借口"。选项3「～に向けては」有3个意思：A.意为"向着……"；B.意为"对……"；C.意为"朝着……努力"。　　　　　　　　　　　　　**答案4**

译文　业绩差到如此地步，工厂不得不关闭。

②実際に事故が起こる_____、ようやく自動車会社は事故原因の調査を始めた。（91年1級）
　　　　1. にひきかえ　　2. について　　3. にいたって　　4. に際して

解析　选项1「にひきかえ」意为"与……相反"。选项2「について」意为"关于……"。选项4「に際して」意为"在……的时候"。　　　　　　　　　　　　　　　答案3

译文　直至实际发生事故，汽车公司才终于开始调查事故原因。

③結婚をひかえ、家具はもちろん、皿やスプーンに_____新しいのを買い揃えた。(97年1級)

　　　1. いたりで　　2. いたっては　　3. いたっても　　4. いたるまで

解析　选项1「いたりで」意为"……至极"。选项2「いたっては」意为"甚至……、至于……"。选项4「いたるまで」意为"直到达到"。　　　　　　　　　　　　　　答案3

译文　即将结婚，家具就不用说了，连盘子和调羹都买了新的。

④証拠となる書類が発見される_____、彼はやっと自分の罪を認めた。（06年1級）

　　　1. につけ　　2. にいたって　　3. ついでに　　4. からには

解析　选项1「につけ」意为"一……就……、每当……就……"。选项3「ついでに」意为"顺便……"。选项4「からには」意为"既然……就……"。　　　　　　　　　　答案2

译文　直到作为证据的文件被发现，他才终于承认自己的罪过。

3　～に言わせれば　　让……来说

接续　名詞＋に言わせれば

解说　「言わせれば」是「言わせる」的假定形，意为"如果让……说"。该句型表示依照某人的意见，会有后项的内容。

・わたしに言わせれば、こんなのは子供の問題です。
　让我来说的话，这就是孩子的问题。

・うちの子に言わせれば、18歳はもう大人だから何でも自分で決めたいそうである。
　让我孩子来说的话，18岁已经是大人了，所以任何事情都想自己决定。

・成功の秘訣というのは、ぼくに言わせれば、70パーセントが運だ。
　我认为，成功的秘诀70%是运气。

4　～におかれましては　　关于……的情况

接续　名詞＋におかれましては

解说　「～においては」的礼貌、尊敬的表达方式是「～におきましては」，而更加礼貌、尊敬的表达方式则为「～におかれましては」。该句型是非常郑重的书面表达，意思等同于「～においては」、「～におきましては」、「～には/～にも」。通常接在表示地位、身份较高的人的名词后面，用于表达对对方的问候等。

・先生におかれましては、ますますご清祥のことと存じます。
　我得知老师愈加康泰。

• 貴社におかれましては、ますますご繁栄のことと喜びもうしあげます。

得知贵公司发展越来越好，非常高兴。

• 先生におかれましては、ご壮健の由、心からお喜び申し上げます。

得知老师身体健康，我从心里感到高兴。

考题解析及译文

① 先生に_____、ますますお元気でご活躍のことと存じます。（00年1級）

　　1. おかれましては　　2. なさいましては　　3. なられましては　　4. つかれましては

解析　选项2「なさいましては」的原形是「なさる」，而「なさる」是「する」、「なす」的敬语表达，意为"做"。选项3「なられましては」是「なる」的敬语表达。选项4「つかれましては」意为"劳累"。　　　　**答案1**

译文　我得知老师更加健康和活跃。

5　**〜に（は）及ばない／〜に及ばず**　　不必……、不用……；赶不上……、不如……

接续　動詞辞書形＋に（は）及ばない

　　　名詞＋に（は）及ばない

解说　「及ばない」、「及ばず」是「及ぶ」的否定表达，表示能力、地位、实际成绩等未达到某种水平，意为"赶不上"。有时以「〜するには及ばない」的形式使用时，意为"不需要……、用不着……"。

• 手術の結果がよいというのだから、心配するにも及ばない。

据说手术的结果很好，所以不必担心了。

• 走ることでは彼に及ばないが、泳ぐことでは彼には負けない。

跑步我赶不上他，但是游泳的话不输给他。

• 大雪で、バスは言うに及ばず、雪に強いはずの地下鉄さえも止まってしまった。

因为大雪，不用说是公交车了，就连本应不太受雪天影响的地铁也停了。

派生　「及ばずながら」是副词，意为"尽管能力有限"，是通常在帮助别人时使用的谦逊用语。

• 及ばずながら全力を尽くします。

虽然能力有限，但会全力以赴。

考题解析及译文

①連休中、海や山は言うに＿＿＿＿＿、公園や博物館まで親子連れであふれていた。（03年1級）

　　　1. および　　　2. およんで　　　3. およばず　　　4. およばなくて

解析　选项1「および」意为"以及"。选项2「およんで」意为"达到"。选项4「およばなくて」意为"未达到"。　　　　　　　　　　　　　　　　　　　**答案3**

译文　连休时，大海和山上就不必说了，连公园、博物馆都挤满了携家带口游览的人。

6　～にかかっている　关系到……、全看……

接続　名詞＋にかかっている

解説　「係る」意为"有关、关系到"。该句型表示与前项息息相关。

• この試合に勝てるかどうかは、彼の右足にかかっていると言っても過言ではない。
这场比赛能否获胜就看他的右腿了，即使这样说也不为过。

• この新製品が売れるかどうかは、テレビの宣伝にかかっている。
这种新产品能否畅销，全看电视的宣传了。

• このチームが優勝できるかどうかは、この試合にかかっている。
这个队能否获胜，全看这场比赛了。

考题解析及译文

①今年卒業できるかどうかは、これからの頑張りに＿＿＿＿＿。（09年12月1級）

　　　1. あたっている　　　2. およんでいる　　　3. かかっている　　　4. かなっている

解析　选项1「～にあたっている」意为"相当于……、命中……"。选项2「～におよんでいる」意为"达到……"。选项4「～にかなっている」意为"适合于……"。　　**答案3**

译文　今年能否毕业，要看今后的努力了。

②君たちが成功するかどうかは、与えられたチャンスをどう使うかに＿＿＿＿＿。（05年1級）

　　　1. たえない　　　2. かかっている　　　3. かなっている　　　4. あたらない

解析　选项1「～にたえない」意为"不堪……"。选项3「～にかなっている」意为"适合于……"。选项4「～にあたらない」意为"用不着……、不必……"。　　**答案2**

译文　你们是否能成功，取决于如何利用被赋予的机会。

7 ～にかかわる　关系到……

接续　名詞＋にかかわる

解说　「かかわる」意为"关系到、涉及到、拘泥"。该句型表示与前项相关联。

- 警察はついに事件の真相にかかわる証拠を手に入れた。
  警察终于拿到了与事件真相相关的证据。

- 医者の仕事は人命にかかわることだから、少しのミスも許されない。
  因为医生的工作关系到人命，所以不允许丝毫的失误。

- 秘密にしろと言われたが、ここにいる全員にかかわることなので、話すことにする。
  虽然被说过要保守秘密，但因为关系到在座各位，所以决定说给大家听。

考题解析及译文

①救急活動は、人命に_____ことだから、一刻を争う。（92年1级）

　　1. いたる　　2. かかわる　　3. あたる　　4. かわる

解析　选项1「いたる」意为"到达"。选项3「あたる」意为"碰撞、达到、命中、相当于"。选项4「かわる」意为"改变"。　　**答案2**

译文　因为急救关系到人命，所以要争分夺秒。

②動物保護に_____重要な環境問題について真剣に議論した。（96年1级）

　　1. まもる　　2. おうじて　　3. よって　　4. かかわる

解析　选项1「まもる」意为"保护"。选项2「おうじて」意为"响应、回答、满足"。选项3「よって」意为"依据"。　　**答案4**

译文　认真讨论了关系到动物保护的重要环境问题。

③会社の評判_____から、製品の品質管理は厳しくしなければならない。（00年1级）

　　1. をかぎる　　2. にいたる　　3. をめぐる　　4. にかかわる

解析　选项1「をかぎる」意为"限定……"。选项2「にいたる」意为"到达……"。选项3「をめぐる」意为"围绕……"。　　**答案4**

译文　因为关乎公司的社会名声，所以必须要严格管理产品的质量。

④首相が誰になるかは、日本の将来_____ことだ。（05年1级）

　　1. に基づく　　2. にかかわる　　3. にかたくない　　4. に相違ない

解析　选项1「に基づく」接在名词后面，意为"根据……、基于……"。选项3「にかたくない」意为"不难……、很容易就能……"。选项4「に相違ない」意为"一定……"。　　**答案2**

译文　谁来当首相，这关系到日本的未来。

⑤野菜の輸入規則の緩和は農業政策の根本に_____。（06年1级）

　　1. たえない　　2. かかわる　　3. かぎる　　4. かなわない

解析　选项1「～にたえない」意为"不堪……"。选项3「～にかぎる」意为"只限于……、最好……"。选项4「～にかなわない」接在名词后面，意为"赶不上……、不如……"。

答案2

译文　蔬菜进口规定的放宽关系到农业政策的根本。

8　～にかぎったことではない　不仅仅……

接续　名詞＋にかぎったことではない

解说　「限る」意为"限定、仅限于"。该句型表示不仅仅限于前项，还有其他情况。

- この店が忙しいのは年末に限ったことではないが、それにしても、今週の忙しさは異常だった。

  虽然这家店繁忙的时候不仅仅是在年末，但即使如此，这周生意仍好得很异常。

- ゲームが好きなのは、子供にかぎったことではない。

  喜欢游戏的不仅仅是孩子们。

- 一人で子供を育てているのは彼女に限ったことではない。

  不仅仅只有她是一个人养育孩子的。

派生

「に限って」表示对事物或范围的限定，意为"只有、只是"。

- みんなとはよく会うが、彼に限って姿を見たことがない。

  和大家经常见面，只是没有见过他的影子。

「に限らず」表示不限于某一事物或范围。以「疑問詞＋にかぎらず」的形式表示同类的事物无一例外。

- 若い人に限らず、かなりの年の人でもおしゃれをしている。

  不仅仅是年轻人，很多上了年纪的人也爱打扮。

- 何事に限らず、公明正大でなければならない。

  无论做任何事，都必须光明正大。

9　～にかこつけて　假托……

接续　名詞＋にかこつけて

解说　「かこつける」意为"借口、凭借、假托"。该句型表示以前项为借口。

- どうせ会社が支払ってくれるんだから、接待にかこつけて、この際高い酒も頼んでしまおう。

  反正公司会买单的，假托接待，这次点贵的酒吧。

・彼は病気にかこつけて早退しているが、そんな必要があるのだろうか。

他以生病为借口早退了，有这必要吗？

・出張にかこつけて、北京にいる恋人に会いに行った。

以出差为借口，去见在北京的恋人。

考题解析及译文

①父の病気に_____、会への出席を断った。（01年1級）

　　　1. かけて　　2. かんして　　3. かぎって　　4. かこつけて

解析　选项1「～にかけて（は）」接在名词后面，意为"关于……、在……方面"。选项2「～にかんして」接在名词后面，意为"关于……"。选项3「～にかぎって」接在名词后面，意为"只有……、只是……"。　　　　　　　　**答案4**

译文　以父亲的病为由，拒绝了出席会议。

10　～にかたくない　　很容易就能……、不难……

接续　動詞辞書形＋にかたくない
　　　名詞＋にかたくない

解说　「難い」意为"不容易、困难"。该句型常常接在表示想象、理解、推测等词的后面。为书面表达。

・今の社長がすべてを手にすることは想像にかたくない。

不难想象现在的社长把所有的都据为己有。

・やがて息子が親の跡を継ぐことは、想像にかたくない。

不难想象儿子最终将继承父母的家业。

・彼が今、うれしさの極みにあることは、想像にかたくない。

不难想象他现在开心至极。

考题解析及译文

①彼が秘密を外部にもらしたことは想像に_____。（96年1級）

　　　1. こえない　　2. こえる　　3. かたい　　4. かたくない

解析　选项1「こえない」意为"不超越"。选项2「こえる」意为"超越"。选项3「かたい」意为"坚固的、难的"。　　　　　　　　**答案4**

译文　不难想象是他把秘密泄露出去的。

②審査員が彼の作品を見て、そのすばらしさに驚いたことは、想像_____。（01年1級）

　　　1. にかたくない　　　　2. にもおよばない
　　　3. せずにはすまない　　4. しないではおかない

解析　选项2「にもおよばない」意为"用不着……、赶不上……"。选项3「せずにはすまない」意为"不能不……"。选项4「しないではおかない」意为"不能不……"。　**答案1**

译文　不难想象审查员看到他的作品后，会因其优秀程度而震惊。

11 ～に越したことはない　　没有比……再好的了

接续　動詞辞書形＋に越したことはない
　　　イ形容詞辞書形＋に越したことはない
　　　ナ形容詞語幹＋である＋に越したことはない
　　　名詞＋である＋に越したことはない

解説　「越す」意为"超过、胜过"。该句型表示这是最好的，没有比前项更好的了。

11

- 高い点数が取れるにこしたことはないけど、大切なのは、試験に合格することだ。
  虽然最好能得到高分，但是重要的是考试及格。

- 同じ種類の仕事をするなら、給料がいいにこしたことはない。
  如果是做同类的工作的话，当然选工资高的。

- 仕事は早くできるにこしたことはないが、もっと大切なのは、間違わないことだ。
  虽然迅速完成工作是最好不过的，但更加重要的是不要出错。

考题解析及译文

①申請書の提出締め切りは明日の午後4時だが、早めに出せればそれに_____。（99年1級）
　　1. こしたことはない　　　2. こすことはない
　　3. こしたことではない　　4. こすことではない

解析　选项2、3、4均不符合题意。　**答案1**
译文　提交申请书的截止时间是明天下午4点，但是如果能提前交就最好不过了。

②どんなに安全な地域でも、ドアの鍵を二つつけるなど_____。（04年1級）
　　1. 用心するにこしたことはない　　2. 用心するにたりない
　　3. 用心したくてならない　　　　　4. 用心しがいがない

解析　选项2「用心するにたりない」意为"不值得小心"。选项3「用心したくてならない」意为"特别想要小心"。选项4「用心しがいがない」中的「～かいがない」意为"没有效果、没有回报"。　**答案1**
译文　无论多么安全的地方，还是多加小心为好，如把门锁两道等。

12 ～にして

（1）到了……オ……

接续　名詞＋にして

解説　表示到了某个阶段才发生了某件事。通常使用的形式是「～にしてようやく」、「～にして初めて」、「～にしてやっと」。

- この歳にして初めて、両親の苦労が理解できた。

  到了这个年纪，才开始理解父母的辛苦。

- 4回目にしてやっと自動車運転免許試験に合格できた。

  到了第四次才终于通过了汽车驾照考试。

- 浪人中の彼は、3回目にしてようやく大学の芸術学部に合格できた。

  作为考试落榜生的他，考了三次才考上了大学的艺术系。

（2）同时、虽然……但是……

接续　名詞＋にして

解説　既可以表示单纯的并列，也可以表示逆接。

- 彼は有能な研究者にして大企業の経営者だ。二足のわらじをはいている。

  他是有能力的研究者，同时也是大企业的经营者。一人身兼两职。

- 鈴木さんの主張は単純にして幼稚だ。誰も信用しないだろう。

  铃木的主张很单纯、幼稚。没有人会相信的吧。

- 小野さんの絵は優美にして大胆で、見る者全員を幸せにする絵だ。

  小野的画很优美、大胆，是让所有观看者都倍感幸福的画。

（3）表示时间或状态

接续　名詞／副詞＋にして

解説　表示时间或状态等。接在特定的名词或副词后，用于叙述某种事情的状况。比如可以以「一瞬にして」、「生まれながらにして」、「幸いにして」、「不幸にして」、「たちまちにして」等形式使用。

- 不合格の知らせを受け、望みは一瞬にして消えてしまった。

  接到不合格的通知，希望瞬间破灭。

- 生まれながらにして、体の弱い子供だった。

  一生下来就是体质弱的孩子。

- 超高層ビルが一瞬にして崩れ落ちるのをこの目で見た。

  亲眼看到了摩天大楼瞬间倒塌的景象。

派生

「～にしては」是 N2 级句型，表示现实情况与预料不相符或者出入较大。意为"虽说……但是……"。

・日本で育ったにしては、日本語が上手に話せない。
虽说在日本长大，但是日语却说得不流利。

考题解析及译文

① ノーベル賞を受賞したＴ氏は、少年時代、劣等生だったという。あの人_____そうなのだから、わが子が劣等生だからといって深刻に悩む必要もない。（94 年 1 級）
　　1. だけが　　2. にとって　　3. にして　　4. ともなると

解析　选项1「だけが」意为"仅仅……"。选项2「にとって」意为"对于……来说"。选项4「ともなると」意为"如果……、要是……"。　　**答案3**

译文　据说得到诺贝尔奖的T，少年时代是个差生。那个人都是如此，所以即使我们的孩子是差生也没必要特别苦恼。

② 彼は 40 歳に_____ようやく自分の生きるべき道を見つけた。（98 年 1 級）
　　1. より　　2. あり　　3. して　　4. とり

解析　选项1「より」意为"依据、聚集、搓、由于、更加、比"。选项2「あり」意为"有"。选项4「とり」意为"取得"。　　**答案3**

译文　他到了40岁才终于找到了自己应前进的路。

③ この試験は非常に難しく、私も４回目_____ようやく合格できた。（05 年 1 級）
　　1. にして　　2. におうじて　　3. にしたがい　　4. にくわえ

解析　选项2「におうじて」接在名词后面，意为"按照……、根据……"。选项3「にしたがい」意为"随着……、按照……"。选项4「にくわえ」意为"而且……、加上……"。　　**答案1**

译文　这个考试非常难，我也考了四次才最终及格。

④ 観客は彼女の優美_____大胆な演技に感動した。（07 年 1 級）
　　1. なりの　　2. にして　　3. ゆえの　　4. をおいて

解析　选项1「なりの」意为"与……相应的"。选项3「ゆえの」意为"因……的"。选项4「をおいて」接在名词后面，通常与否定连用，意为"除了……之外没有……"。　　**答案2**

译文　观众被她优雅而大胆的演技感动。

13 ～に即して（は）／～に即しても／～に即した　根据……、按照……

接续　名詞＋に即して（は）

解説　「即する」意为"结合、根据、适应"。该句型表示依据某种规则、规定处理某事。常接在表示事实、体验、规范等名词的后面，表示以此为基准处理后项。当后项是名词的时候，通常使用「～に即した＋名詞」的形式。

- 消費者のニーズに即した商品を、開発し売り出す必要がある。
  有必要开发、销售适应消费者需求的产品。

- 私の経験に即して言えば、外国語の上達にはその国で生活するのが一番です。
  如果依据我的经验来说的话，要想学好外语，最好在该国生活。

- 今度の件は会社の規定に即して処理する。
  这次的事件要根据公司的规定进行处理。

考题解析及译文

①このような規則は、実態＿＿＿＿＿柔軟に適用すべきだ。（09年12月1級）
　　　1. とともに　　2. ばかりか　　3. に即して　　4. のみならず

解析　选项1「とともに」有2个意思：A.表示和他人一起做某事，意为"和……一起"；B.意为"随着……"。选项2「ばかりか」意为"不仅……而且……"。选项4「のみならず」意为"不仅……而且……"。　　　　**答案3**

译文　这样的规则应该根据实际状况而适当应用。

②町の再開発を一挙に進めるのには無理がある。実状＿＿＿＿＿計画を練らなければならない。（98年1級）
　　　1. に至って　　2. に即して　　3. とあいまって　　4. とともに

解析　选项1「に至って」意为"达到……、到了……（阶段）才……"。选项3「とあいまって」意为"与……相结合"。选项4「とともに」意为"随着……、和……一起"。　**答案2**

译文　一下子进行城市的再次开发有些勉强。必须依据现状制定计划。

③外国語教育について、政府の方針に＿＿＿＿＿計画を立てた。（05年1級）
　　　1. ついだ　　2. 至った　　3. 即した　　4. 比した

解析　选项1「～についだ」意为"仅次于……、接着……"。选项2「～に至った」意为"达到……"。选项4「～に比した」意为"与……相比"。　　　　**答案3**

译文　关于外语教育，依据政府方针制定了计划。

④新聞には、事実＿＿＿＿＿、正確な情報を提供してほしい。（08年1級）
　　　1. なりに　　2. とあって　　3. に即して　　4. をよそに

解析　选项1「なりに」意为"与……相应的"。选项2「とあって」意为"因为……"。选项4「をよそに」接在名词后面，意为"不顾……"。　　　　**答案3**

译文　希望报纸依据事实，提供正确的信息。

14　～にたえる

（1）耐得住……、能承受……

接续　名詞＋にたえる

解说　「耐える」意为"经受、承受"。该句型表示能经受住前项事物。

- この家は強震にたえるように建築されている。
  这所房子是按照能承受强震的标准而建造的。

- その子は苦しい訓練にたえる。
  那孩子能承受艰苦的训练。

（2）值得……

接续　動詞辞書形＋にたえる
　　　名詞＋にたえる

解说　「堪える/耐える」意为"值得、有做的价值"。该句型表示有做前项事情的价值。通常前面只能接「鑑賞」、「批判」、「見る」、「読む」、「一読」等数量有限的词。

- この展覧会の出品作品には、観賞にたえるものは少ない。
  这个展览会展示的作品中，值得观赏的作品较少。

- この本は、一読にたえるようなものではない。
  这本书不值得一读。

- 彼こそこの重要な任務にたえる人物だ。
  只有他才是值得托付这个重要任务的人。

15　～にたえない

（1）不堪……、忍受不了……

接续　動詞辞書形＋にたえない

解说　「堪えない」是「堪える」的否定表达。该句型表示情况严重，不能听下去或看下去。前面通常只接「見る」、「聞く」、「読む」等数量有限的词。

- その女優をとりまく噂は、聞くにたえないものが多いようです。
  关于那个女演员的绯闻，好像很多是不堪入耳的。

- その女の人は、今は見るにたえないほどにしわくちゃです。
  那个女人现在满脸皱纹，惨不忍睹。

- 電車の中で女子高校生が話していたが、その言葉遣いは聞くにたえないものだった。
  电车中女高中生在聊天，其用词不堪入耳。

（2）不胜……、相当……

接续　名詞＋にたえない

解说　通常接在「感激」、「感謝」、「悲しみ」、「怒り」等数量有限的词语后面，表示加强其意思。一般作为较为生硬的客套话使用。

- 交通事故で少女が足を失ったことは悲しみにたえない。

　少女因交通事故而失去了腿，令人伤心至极。

- スタッフの方の心配り、細かな配慮、女性ならではの気づかいで、どれだけ支えられてきたでしょう。今でも感謝にたえない気持ちです。

　工作人员悉心的照料，以及女性独有的关怀，给予了我很大的支持。即使现在，依旧不胜感激。

- 被害者の状況を聞いて怒りにたえない。

　听了受害者的情况，我异常愤怒。

考题解析及译文

①今回の出版に関してご配慮をたまわり感謝に_____。（96年1級）

　　　1. たえません　　2. やむをえません　　3. こたえません　　4. そえません

解析　选项2「やむをえません」意为"不得已"。选项3「こたえません」意为"不响应、不回答、不忍受"。选项4「そえません」意为"不增添"。　　　　**答案1**

译文　关于这次的出版一事，承蒙关照，不胜感激。

②あの役者のきざな格好は、まったく見るに_____。（99年1級）

　　　1. たまらない　　2. たえない　　3. おえない　　4. かたくない

解析　选项1「たまらない」意为"忍受不了、……不得了"。选项3「おえない」意为"没有结束"。选项4「～にかたくない」意为"不难……、很容易就能……"。　　　　**答案2**

译文　那个演员矫揉造作的样子，简直不堪入目。

③美しかった森林が、開発のためすべて切り倒され、見るに_____。（04年1級）

　　　1. たえない　　2. たえる　　3. たえていない　　4. たえた

解析　本题考查的是句型本身。选项2、3、4均不符合题意。　　　　**答案1**

译文　美丽的森林因为开发而被全部砍伐，惨不忍睹。

④奥様がお亡くなりになったと伺って、悲しみ_____。（07年1級）

　　　1. というほどのものではありません　　2. といってさしつかえありません
　　　3. にいたりません　　　　　　　　　　4. にたえません

解析　选项1「というほどのものではありません」意为"并非是……程度"。选项2「～てさしつかえない」意为"……也可以、……也无妨"。选项3「にいたりません」意为"未达到……"。　　　　**答案4**

译文　听说您夫人去世了，真是非常伤心。

必考句型

第 12 单元

1 〜に足_たる／〜に足_たりる／〜に足_たらない／〜に足_たりない　　　值得……/ 不值得……

接续　動詞辞書形＋に足る

解说　表示（没）有某种价值或资格。「足_たる」是「足_たりる」的文语动词，用于书面语。

- 彼は会議の開催に当たって、信用するに足る完璧な資料を用意した。
  他在开会之日准备了值得信赖的完整资料。

- その人は今度の大会では、体の不調から満足に足る成績が取れなかった。
  那个人在这次大会上因为身体状态不佳，未能取得令人满意的成绩。

- 彼のように自慢ばかりする選手は恐れるに足りない。
  像他那样自傲的选手不足为惧。

考题解析及译文

①合格と認められるに＿＿＿＿＿＿成績を示さなかった者には再試験を課す。（09 年 12月 1 級）

　　1. 限る　　2. 限らない　　3. 足る　　4. 足らない

解析　选项1「〜に限る」意为"最好……"。选项2「〜に限らない」意为"不限于……"。选项4「〜に足らない」意为"不值得……"。　　　　　　　　　　　　　　　　　**答案3**

译文　未获及格成绩的人要进行补考。

②相手を十分納得させるに＿＿＿＿＿＿データを示す必要がある。（98 年 1 級）

　　1. たる　　2. だけ　　3. なる　　4. あう

解析　选项2「だけ」意为"仅仅"。选项3「なる」意为"成为"。选项4「あう」意为"相遇"。

　　　　　　　　　　　　　　　　　　　　　　　　　　　　　　　　　　　　　答案1

译文　有必要出示一下让对方充分认可的数据。

③この程度の実力ならば、彼は＿＿＿＿＿＿たりない。（02 年 1 級）

　　1. 恐れるにも　　2. 恐れるに　　3. 恐れ　　4. 恐れて

解析　选项1、3、4的接续均不正确。　　　　　　　　　　　　　　　　　**答案2**

译文　如果是这种实力的话，他不足为惧。

④この作品の芸術的価値は高く、十分今回の展覧会に出品する_____。（05年1級）

　　1. にとどまる　　2. にすぎない　　3. にたる　　4. にこたえる

解析　选项1「にとどまる」意为"仅限于……"。选项2「にすぎない」意为"只不过……"。
选项4「にこたえる」意为"响应……、回答……、忍受……"。　　　　　　**答案3**

译文　这个作品的艺术价值很高，完全能够参展本次展览会。

⑤先日提出された調査報告は信頼_____ものではなかった。（07年1級）

　　1. に向く　　2. に足る　　3. を通す　　4. を込めた

解析　选项1「に向く」意为"倾向于……、适合……"。选项3「を通す」意为"穿过……、透
过……、连续……、坚持……"。选项4「を込めた」接在名词后面，意为"倾注……"。
例：「お世話になった感謝の気持ちを込めた手紙を書きました。」（写了一封因受到照
顾而满怀感激的信。）　　　　　　　　　　　　　　　　　　　　　　　**答案2**

译文　前几天提交的调查报告不足为信。

2　～に照らして　　依照……

接续　名詞＋に照らして

解说　「照らす」意为"对照、参照"。该句型表示参照前项的标准而做后面的事项。

- 当校では、学生たちの論文を次のポイントにてらして、評価しています。
  本校依照下面的要点来评价学生们的论文。

- 法規にてらして正しいかどうかを判断する。
  依据法规判断是否正确。

- 彼の行いは、法律にてらして、罰せられるべきものだ。
  他的行为应该依据法律给予处罚。

3　～にと思って　　为了……、作为……

接续　名詞＋にと思って

解说　前面通常接表示人或目的的名词。该句型表示为了前项的人或事物，而做出后项的事。
有时也会用「～にと思い」。

- 娘の大学進学の資金にと思って貯金していたが、結局娘は進学しなかった。
  为了女儿考大学而攒钱，结果女儿却没有上大学。

- 今後の参考にと思って、海外旅行での体験を記録しておくことにした。
  作为今后的参考，我决定把海外旅行的体验记录下来。

- 旅行の記念にと思って、写真をたくさん撮った。

  作为旅行纪念，拍了很多照片。

4 ～にとどまらず　不仅……、不限于……

接续　名詞＋にとどまらず

解说　「留まる」的意思为"停留、限于、止于"。该句型表示不仅仅有前项，而且还有后项出现或有后项的状况。

- その歌手は、オペラファンにとどまらず、幅広い層に人気がある。

  那个歌手不仅仅在歌剧迷中，在其他很多阶层中也很受欢迎。

- 美しくなりたいということは、若い女性にとどまらず、私たちみんなの願望でしょう。

  想变美不仅仅是年轻女性，也是我们大家的愿望吧。

- 「継続は力なり」という言葉は外国語学習にとどまらず、いろいろな勉強についても言えることだ。

  "坚持就会胜利"，这句话不仅仅适合于外语学习，也对各种学习都适用。

考题解析及译文

①火山の噴火の影響は、ふもとに_____、周辺地域全体に及んだ。（01年1級）
　　1. むかって　　2. いたって　　3. とどまらず　　4. かかわらず

解析　选项1「～にむかって」接在名词后面，意为"面向……"。选项2「～にいたって」意为"到了……（阶段）才……"。选项4「～にかかわらず」意为"无论……都……"。

答案3

译文　火山喷发的影响不仅仅是对山脚下，甚至波及全体周边区域。

5 ～に～ない　想……却不能……

接续　動詞辞書形＋に＋同じ動詞可能形のない形＋ない

解说　表示想做某事却没有做成。意思相当于「そうしたくてもできない」。

- 失敗はしたが、何と言っても子供だから、怒るに怒れなかった。

  虽然失败了，但不管怎么说还是孩子，所以想生气也无法生气。

- 父の10年間の闘病生活を見て、本当に泣くに泣けぬ思いをしてきた。

  看到父亲10年间和病魔斗争的生活，心里难过得想哭却哭不出来。

- 雨が降っているので、行くにも行けない。

  因为下雨了，所以想去也去不成。

考题解析及译文

①彼女が会社を辞めたのには、_____言えない事情があったに違いない。（09年12月1级）

    1. 言うともなく   2. 言えばこそ   3. 言うなら   4. 言うに

解析 选项1「～ともなく」意为"漫不经心地……、不知……"。选项2「～ばこそ」意为"正因为……"。选项3「言うなら」意为"如果说的话"。   **答案4**

译文 她辞掉工作一定是有难以言说的缘由。

---

6 ～にのっとって   依照……

接续 名詞＋にのっとって

解说 「のっとる」意为"遵照、遵循、依据"。该句型表示遵循或依照前项做某事。

- 選手たちは、スポーツマン精神にのっとって、正々堂々と戦うことを誓った。
  选手们遵循运动员精神，发誓要堂堂正正地比赛。

- この試験には出題規準があり、それにのっとって問題が作られている。
  这个考试有出题基准，依据此基准出试题。

- 二人は、その地方の古式にのっとって結婚式を挙げた。
  两个人依照那个地方的古典方式举行了结婚典礼。

---

7 ～には変わりはない   在……上没有什么变化

接续 名詞＋には変わりはない

解说 「変わり」意为"变化、异常"。该句型表示在某点上没有什么异常。

- 気持ちを伝えることには変わりはない。
  在传达心情上无任何不同。

- 高齢出産が困難なことに変わりはない。
  没有改变的是，高龄生产很困难。

- 成功だろうが失敗だろうが、挑発的行動であることには変わりはない。
  不管成功还是失败，都是挑衅行为。

8　～には無理がある　　……里有不合理的地方

接续　名詞＋には無理がある

解说　「無理」意为"无理、不合适、勉强"。该句型表示有不可能实现的地方，或者表示有不合乎道理的地方。

- 遠距離恋愛には無理があると思っている人が少なくない。
　不少人认为远距离恋爱有些不合实际。

- 運動で痩せるのには無理があると言われている。
　据说靠运动变瘦有些不合实际。

- この業界で裁量労働を導入するのには無理がある。
　在这个领域引入弹性工作制有些勉强。

> **派生**
>
> 「～のもむりはない」表示在某种条件下，出现某种过分的事也是理所当然的。该句型意为"怪不得……、……也难怪"。
> - 遊んでばかりで勉強なんて全然しないのだから、成績が悪いのも無理はない。
> 　一直玩儿也不学习，怪不得成绩很差。

12

9　～にひきかえ　　与……相反

接续　名詞＋にひきかえ

解说　「引き替える」意为"交换、相反"。该句型表示与前项相反或不同。常用「それにひきかえ」的形式，有时也只用「ひきかえに」的形式。

- 弟は優秀で奨学金をもらった。それにひきかえ、僕は留年した。
　弟弟很优秀，得到了奖学金。相反，我却留级了。

- 前の事務長にひきかえ、新しい事務長は実に仕事が速い。
　与前任事务长相反，新事务长工作速度真的很快。

- 昨年の冬は雪が少なかったのにひきかえ、今年はよく雪が降る。
　去年冬天降雪比较少。相反，今年经常下雪。

> **派生**
>
> 「～とひきかえに」表示同时直接交换物品。
> - 代金とひきかえに品物を渡す。
> 　收款的同时交货。

考题解析及译文

① 若いころは１日中テニスをしてもなんともなかった。それ＿＿＿＿＿、最近は１時間やっただけで足が動かなくなってしまう。 （09年７月１級）
　　　1. をふまえて　　2. をよそに　　3. にかかわり　　4. にひきかえ

解析　选项1「をふまえて」意为"依据……"。选项2「をよそに」意为"不顾……"。选项3「にかかわり」意为"关系到……"。
　　　　　　　　　　　　　　　　　　　　　　　　　　　　　　　　　　　答案4

译文　年轻时打一整天网球都没什么。与此不同的是，最近即使打一个小时也累得迈不开腿。

② 弟が社交的なタイプなの＿＿＿＿＿、兄は人前に出るのを嫌うタイプだ。 （93年１級）
　　　1. にひきかえ　　2. はもとより　　3. とはいえ　　4. とともに

解析　选项2「はもとより」意为"不用说……就连……也……"。选项3「とはいえ」意为"虽说……"。选项4「とともに」意为"随着……、和……一起"。
　　　　　　　　　　　　　　　　　　　　　　　　　　　　　　　　　　　答案1

译文　弟弟是社交型的，与此相反，哥哥却讨厌出现在人们面前。

③ 映画を見終わって、主人公の生き方に＿＿＿＿＿、自分の生き方がいかにいいかげんだったか、強く反省した。 （95年１級）
　　　1. かけて　　2. よって　　3. あって　　4. ひきかえ

解析　选项1「かけて」意为"花费、缺乏、赌"等。选项2「よって」意为"依靠、靠近、聚集、由于、根据"等。选项3「あって」意为"遇见"。
　　　　　　　　　　　　　　　　　　　　　　　　　　　　　　　　　　　答案4

译文　看完电影，发觉自己的生活方式和主人公的生活方式相反，是多么马马虎虎啊！对此，我进行了深刻的反省。

④ 同じ兄弟でありながら、彼らほど性格が違うのも珍しい。いつも冷静でしっかり者の兄＿＿＿＿＿、弟の方はなんと落ち着きのないことか。 （97年１級）
　　　1. とかわって　　2. にひきかえ　　3. にもまして　　4. といえども

解析　选项1「とかわって」意为"与……交替"。选项3「にもまして」意为"比……更加……"。选项4「といえども」意为"虽说……"。
　　　　　　　　　　　　　　　　　　　　　　　　　　　　　　　　　　　答案2

译文　虽然同样是兄弟，但像他们那样性格如此不同的也很少见。哥哥总是冷静又可靠，相反，弟弟是多么的不沉稳啊。

⑤ 彼の給料は１か月40万円だ。それ＿＿＿＿＿私の給料はなんと安いことか。 （02年１級）
　　　1. について　　2. にそくして　　3. にしたがい　　4. にひきかえ

解析　选项1「について」意为"关于……"。选项2「にそくして」接在名词后面，意为"按照……"。选项3「にしたがい」意为"随着……"。
　　　　　　　　　　　　　　　　　　　　　　　　　　　　　　　　　　　答案4

译文　他的工资是一个月40万日元，与此相反，我的工资是多么的少啊。

⑥ 周囲の人々の興奮＿＿＿＿＿、賞をもらった本人はいたって冷静だった。 （03年１級）
　　　1. ときたら　　2. かたがた　　3. にひきかえ　　4. のかぎりに

解析　选项1「ときたら」接在名词的后面，意为"提起……"。选项2「かたがた」作为句型时，意为"顺便……"；作为名词时，意为"各位"。选项4「のかぎりに」意为"尽……"。
　　　　　　　　　　　　　　　　　　　　　　　　　　　　　　　　　　　答案3

译文　周围的人们都很兴奋，但与之相反，得奖的本人却异常冷静。

⑦退職前の慌しい生活＿＿＿＿＿＿＿、今の生活はのんびりしている。まるで夢のようだ。(07
年1級)

　　　　1. ぬきには　　　2. といったら　　　3. にひきかえ　　　4. はもとより

解析　选项1「ぬきには」接在名词后面，意为"去掉……、省去……"。选项2「といったら」
　　　意为"提起……"。选项4「はもとより」接在名词后面，意为"不用说……就连……
　　　也……"。　　　　　　　　　　　　　　　　　　　　　　　　　　　　　　　答案3
译文　和退休前匆忙的生活相反，现在的生活很悠闲。简直就像做梦一样。

10　〜にもほどがある　　……也要有个限度 / 分寸

接续　動詞辞書形＋にもほどがある
　　　イ形容詞辞書形＋にもほどがある
　　　ナ形容詞語幹＋にもほどがある
　　　名詞＋にもほどがある

解说　「ほどがある」表示一般的还可以允许，但超过一定的限度就不好了，即前项也得有个
　　　限度。

• へらへら笑いながら謝罪にくるなんて、人を馬鹿にするにもほどがある。
　一边傻笑一边来道歉，瞧不起人也要有个限度。

• 今日までの仕事だと知っていながら、終らせないまま帰るなんて無責任にも
ほどがある。
　虽然知道是截止到今天的工作，但没有完成就回去，不负责任也要有个限度。

• この書類、計算も漢字も間違いだらけじゃないか。いいかげんにもほどがある。
　这个文件中的计算和汉字都是错误。马马虎虎也要有个限度。

11　〜にもまして　　比……更……

接续　名詞＋にもまして

解说　「増す」意为"增加、增多、数量变多"。该句型表示通过和前项比较，来强调后项的程
　　　度更多。

• リーダーには、ほかの誰にもまして彼女こそふさわしい人物だ。
　作为领导，她比任何人都适合。

• 英語が以前にもまして重要になり、英語教育に力を入れる学校が増えている。
　英语变得比以前更加重要，加强英语教育的学校在增加。

• 昨日の母からの電話で、何にもまして嬉しかったのは、父が元気になったこ
とだ。
　昨天接到妈妈的电话，比任何事都令人开心的是，爸爸身体变好了。

考题解析及译文

①今回のイベントは、前回_____好評だった。（09年7月1級）
　　　1. ならまだしも　　2. ともなく　　3. にもまして　　4. ばかりか

解析　选项1「ならまだしも」意为"如果是……还算可以"。选项2「ともなく」意为"漫不经心地……、不知……"。选项4「ばかりか」意为"不仅……而且……"。　　　**答案3**

译文　这次的活动获得了超过上次的好评。

②今年は、昨年にも_____台風が多い。豊作はあまり期待できないようだ。（92年1級）
　　　1. ひきかえ　　2. まして　　3. いたって　　4. あたって

解析　选项1「～にひきかえ」意为"与……相反"。选项3「～にいたって」意为"到了……（阶段）才……"。选项4「～にあたって」意为"在……的时候"。　　　**答案2**

译文　今年比去年台风还多。丰收似乎没有指望了。

③半導体に対する需要は、ここ数年、以前_____もまして高まっている。（94年1級）
　　　1. まで　　2. から　　3. で　　4. に

解析　选项1「まで」意为"到"。选项2「から」意为"从"。选项3「で」意为"在"。　**答案4**

译文　最近数年，对半导体的需求变得比以前更大了。

④あの家の息子は父親から会社を任されて、前_____仕事に励むようになった。（98年1級）
　　　1. にもまして　　2. までもなく　　3. ともなしに　　4. のみならず

解析　选项2「までもなく」意为"没必要……"。选项3「ともなしに」意为"无意识地……"。选项4「のみならず」意为"不仅……而且……"。　　　**答案1**

译文　那家的儿子被父亲托付了公司，变得比以前更加努力工作了。

⑤大学生の就職は、今年は去年_____さらに厳しい状況になることが予想される。（05年1級）
　　　1. にからんで　　2. にかかわらず　　3. にのっとって　　4. にもまして

解析　选项1「にからんで」意为"缠在……上、无理取闹、密切相关"。选项2「にかかわらず」意为"无论……都……"。选项3「にのっとって」意为"根据……、依照……"。
　　　　　　　　　　　　　　　　　　　　　　　　　　　　　　答案4

译文　预计今年大学生的就业情况会比去年更加严峻。

12　~によらず　不论……、不按……

接续　名詞＋によらず

解说　「よらず」是「よる」的否定表达，意为"与……无关、与……不对应"。

・いかなる理由によらず、開封した商品は返品することはできない。
　不论任何理由，开封了的商品都不能退货。

- 私の会社では性別によらず、仕事の成果によって給与が決められる。

  我的公司不按性别，而是依据工作的成果决定其工资。

- 最近は古いしきたりによらず、卒業式を行う学校が増えている。

  最近，不按照传统方式举行毕业典礼的学校增加了。

考题解析及译文

①わが社は学歴に_____本人の実力で採用を決めている。（01年1級）

1. よらず　　2. つかず　　3. ついて　　4. よって

解析　选项2「～につかず」意为"不跟从……、不服从……"。选项3「～について」意为"关于……"。选项4「～によって」意为"因为……、被……、根据……"。　　**答案1**

译文　我们公司不根据学历，而是靠本人实力来决定是否录用。

13　～によるところが大きい　　与……有很大关系

接续　名詞＋によるところが大きい

解说　表示后项的出现主要是由于前项的原因，或者与前项有很大关系。

- 原因は食糧の配分の不公平によるところが大きいです。

  原因和粮食分配的不公平有很大关系。

- 就職の時に学歴が問われるかどうかは、自分が就きたい職種によるところが大きい。

  就职时是否会被询问学历，这和自己想从事的职业种类有很大关系。

- 部屋の中の明るさは窓の大きさと数によるところが大きいと思います。

  我认为房间中的明亮程度和窗户的大小、数量有很大关系。

14　～の至り　　无比……

接续　名詞＋の至り

解说　「至り」表示事物发展到的最高状态，意为"至、极、……所致"。该句型表示达到极致、处于最高的状态。常用于比较郑重的致辞等。

- 特別な奨学金をいただきまして、光栄の至りでございます。

  得到了特别奖学金，我感到无上光荣。

- 今日は憧れの学長と拍手ができて、感激の至りだった。

  今天能和崇拜的学长拍手，我感到无比感激。

12

• その会社の社長にお会いできて、光栄の至りに存じます。

能见到那个公司的社长，我感到无比荣幸。

15 ～の極み 极其……

接続	名詞＋の極み
解説	「極み」的意思是"极、顶点、事物的极限"。接在表示幸福、感激、痛恨等一部分名词后，表示达到极限、顶点的意思。

• 昨日まで幸福の極みにあった山田さん一家も、一人息子を交通事故で亡くし、一瞬にして不幸のどん底に落ちてしまった。

直到昨天之前一直极其幸福的山田一家，独生子因交通事故去世了，瞬间就跌落到了不幸的谷底。

• 人間の代わりをするロボットがどんどん開発されている。全く科学技術の極みだ。

代替人类的机器人不断被开发。这简直是科技的顶点了。

• 時間を気にしないで暮らせるなんて、ぜいたくのきわみだね。

能够不在意时间地生活，真是极其奢侈啊。

辨析

「の至り」前面接「光栄」这一特定的名词。表示这种强烈的情感达到最高的状态。多用于讲客套话的时候，通常用在好的方面。

「の極み」形容事物达到了极高的程度，强调其程度已经超越一般，到达了顶点。大多用来表达说话人激动时的心情，前面可以接正面或负面含义的名词。

考题解析及译文

①世界的に有名な俳優と握手できたなんて、感激の_____。 （03年1级）

　　　1. せいだ　　　2. ことだ　　　3. きわみだ　　　4. ところだ

解析　选项1「せいだ」意为"是由于……的缘故"。选项2「ことだ」意为"就应该……"，或表示各种感情。选项4「ところだ」有3个意思：A.意为"刚要……"；B.意为"正在……"；C.意为"刚刚……"。 **答案3**

译文　能够和世界著名演员握手，我感激至极。

必考句型

第 13 单元

---

1 〜の名において　以……的名义

接续　名詞＋の名において

解说　「名」表示名义，「において」等同于「にて」、「で」。该句型表示在前项的名义下，或以前项名义做后项的事。

- 私たちの息子の名において進めることはやめてください。

  请不要以我们儿子的名义行事。

- 神の名において誓ったのである。

  以神的名义发誓。

- 私は全社員の名において、皆様に歓迎の意を表します。

  我以全体职员的名义，向各位表示欢迎。

---

2 〜のなんの

（1）说……什么的

接续　［動詞、イ形容詞、ナ形容詞］の辞書形＋のなんの

解说　表示唠唠叨叨地发牢骚，或者说些各种各样不好的事情。

- 彼は頭が痛いのなんのと嘘をついて、学校をサボっている。

  他撒谎说头疼什么的而旷课。

- その女の人は部屋が狭いのなんのと文句を言っている。

  那个女人抱怨房间狭小什么的。

- あいつは、貸したお金を返すと言っているのに、今日は持っていないのなんのと言って、返してくれない。

  那个家伙说要还钱，却说今天没带钱什么的，不还给我。

（2）……极了、相当……

接续　［動詞、イ形容詞、ナ形容詞］の辞書形＋のなんの

解说　表示程度极其激烈或者状态严重。

- 風邪で病院に行ったら、太い注射を打たれた。もう、痛いのなんのって。

  感冒去医院，结果被用很粗的针进行了注射。非常疼啊。

• 不動産屋にいい部屋があるって言われて、見に行ったら、もう狭いのなんの。あれじゃ、まさしくうさぎ小屋だわ。

不动产的人说有个不错的房子，去看了，结果非常狭小。那简直是兔子窝啊。

• 旅行 中、天気はよかったんですが暑いのなんの、日 中は外に出られず、ほとんど冷房の効いたホテルで過ごしました。

旅行中的天气很好，但是热极了。中午没法外出，几乎都在开着空调的宾馆中度过了。

考题解析及译文

①彼は足が痛い＿＿＿＿と理由をつけては、サッカーの練習をさぼっている。　（01 年 1 級）

　　　1. のなんだ　　2. のなんか　　3. のなんで　　4. のなんの

解析　选项1、2、3作为句型均不存在。　　　　　　　　　　　　　　　　答案4

译文　他以脚非常疼为由而不去练习足球。

3　～のは～ぐらいのものだ　就只有……才……

接续　［動詞、イ形容詞、ナ形容詞］の辞書形＋のは＋名詞＋ぐらいのものだ

解说　表示前项只有在后项的场合中才能够成立。

• こんな天気のいい日に家の中で読書をしているのは、運動嫌いな彼ぐらいのものだろう。

这么好的天气在家里读书，也就只有讨厌运动的他才会做出来。

• この村で家族が 9 人もいるのは、佐藤さんの家ぐらいのものだ。

这个村子一家有九口人的，也就只有佐藤家了。

• いまどき、携帯電話のない生活をしているのは、彼ぐらいのものだ。

现在，生活中没有手机的，也就只有他了。

4　～はおろか　别说……就连……

接续　名詞＋はおろか

解说　「おろか」是副词，意为"不用说"。「～はおろか」相当于「～はいうまでもなく」、「～はもちろん」。后项往往用「も」、「さえ」、「まで」、「すら」等副助词与之相呼应。

• 車はおろか、人も通らない道で迷ってしまい困ってしまった。

别说车了，就连人都过不去，在这样的道路上迷路了，很为难。

• お金を使いすぎて、おみやげはおろか、帰りの切符を買うお金も残っていない。

花了太多的钱，别说土特产了，就连回程的票都没钱买了。

- 入学試験というのに受験票はおろか、鉛筆も持って来ない学生がいる。

  明明是入学考试，有的学生别说准考证了，就连铅笔都没有带来。

辨析

「～はもちろん」和「～はもとより」都表示「～は当然として、他のことも加わる」之意，但在用法上的区别是「～はもとより」基本用于书面语。

「～はおろか」和「～はもちろん」一样都表示「～は当然として、さらに～」之意，但是「～はおろか」后项不能使用表示命令、意志或希望等表达方式。

- 復習はもちろん（×はおろか）、予習もしなければなりませんよ。

  复习就不用说了，预习也必须要做。

另外，「～はもちろん」既可以表示正面添加，也可以表示负面添加，而句型「～はおろか」常常强调消极的事态，只用于负面添加。

- その子は中学生なのに、掛け算はおろか、足し算もできない。

  那个孩子明明是中学生，但是别说乘法了，就连加法都不会。

- ×その子はまだ5歳なのに、足し算はおろか、掛け算もできる。

考题解析及译文

①腰を痛めてしまい、歩くこと＿＿＿＿立つことも難しい。　（09年7月1級）

　　　1. ばかりに　　2. をおいて　　3. はおろか　　4. につけ

解析　选项1「ばかりに」意为"就是因为……才……"。选项2「をおいて」意为"除……之外"。选项4「につけ」意为"每当……就……、不论……都……"。　　　　　　　**答案3**

译文　弄伤腰部了，别说走路了，甚至连站起来都很困难。

---

②子供たちは、机は＿＿＿＿、ピアノにまで上がって遊んでいた。　（91年1級）

　　　1. あげく　　2. きわみ　　3. かぎり　　4. おろか

解析　选项1「あげく」意为"结果"。选项2「きわみ」意为"极限"。选项3「かぎり」意为"极限、限度"。　　　　　　　　　　　　　**答案4**

译文　孩子们别说桌子了，就连钢琴也爬上去玩了。

---

③今の親は他人の子供は＿＿＿＿、自分の子供さえも叱らなくなったと言われている。（95年1級）

　　　1. きわみ　　2. おろか　　3. かぎらず　　4. いたり

解析　选项1「きわみ」意为"极限"。选项3「かぎらず」意为"未必……、不限于……"。选项4「いたり」意为"……至极、无比……"。　　　　　　　　**答案2**

译文　据说现在的家长，别说是别人的孩子了，就连自己的孩子也不会去训斥了。

---

④父も母も、これまではただ仕事ひとすじで、人生を楽しむゆとりなどなかった。海外旅行は＿＿＿＿国内さえもほとんど見て回ったことがない。　（97年1級）

　　　1. おろか　　2. わずか　　3. 限らず　　4. 問わず

解析　选项2「わずか」意为"仅仅"。选项3「限らず」意为"未必……、不限于……"。选项4「～を問わず」意为"不管……、不论……、不拘……"。　　　　　　　　　　**答案1**

译文　父母迄今一直在工作，没有时间享受人生。别说海外旅行了，就连国内也几乎没有去玩过。

⑤もうすぐ海外旅行に行くというのに切符の手配＿＿＿＿＿＿、パスポートも用意していない。（00 年 1 級）
　　　1. をとわず　　2. はおろか　　3. にひきかえ　　4. といえども

解析　选项1「をとわず」接在名词的后面，意为"不管……、不论……、不拘……"。选项3「にひきかえ」接在名词的后面，意为"与……相反、与……不同"。选项4「といえども」意为"即使……也……、虽说……可是……"。　　　　　　　　　　**答案2**

译文　明明马上要去海外旅行了，别说机票了，就连护照都没有准备好。

⑥腰に痛みがあると、運動＿＿＿＿＿＿、日常生活でもいろいろ不便なことが多い。（05 年 1 級）
　　　1. をよそに　　2. はどうあれ　　3. をふまえて　　4. はおろか

解析　选项1「をよそに」接在名词后面，意为"不顾……、无视……"。选项2「はどうあれ」中的「どうあれ」是古语表达，等同于「どうであっても」，意为"不管怎样"。选项3「をふまえて」接在名词后面，意为"根据……"。　　　　　　　　　　**答案4**

译文　如果腰痛，别说运动了，连日常生活都有诸多不便。

5　～ばかりになっている　马上就要……、只等……

接续　動詞辞書形＋ばかりになっている

解説　表示马上就要出现某种状态或者前项事情马上就要发生。

・仕事が終わって、もうすぐ家へ帰るばかりになっている。
　工作结束，马上就要回家了。

・晩御飯ができて、もう食べるばかりになっている。
　做好晚饭，马上就要吃了。

・皆が揃って、すぐ出発するばかりになっている。
　大家都齐了，马上就要出发了。

考题解析及译文

①駅前の新しい喫茶店は、明日の開店をひかえてすっかり準備を整い、あとは客を＿＿＿＿＿＿。（99 年 1 級）
　　　1. 待たないばかりになっている　　2. 待たないほどになっている
　　　3. 待つばかりになっている　　　　4. 待つほどになっている

解析　选项1、2、4均不符合题意。　　　　　　　　　　**答案3**

译文　站前的新咖啡馆已经做好明天开业的准备，就等着客人来了。

6 ～ばこそ　正因为……才……

接续　動詞ば形＋こそ

　　　　イ形容詞ば形＋こそ

　　　　ナ形容詞語幹＋であれば＋こそ

　　　　名詞＋であれば＋こそ

解説　「ば」为文语接续助词，表示原因。「こそ」意为"只有"，表示特别强调。该句型表示既定条件，强调提示后项的理由。通常用于书面语。

- 私が勤めを続けられるのも、近所に世話をしてくれる人がいればこそだ。

  我之所以能持续工作下去，也就是因为身边有照顾我的人。

- 才能や運ではなく、本人の努力があればこそ成功も可能になるのだ。

  不是靠才华和运气，而是因为有本人的努力，才可能成功。

- 将来の夢があればこそ、今の苦しい仕事にも耐えられるのである。

  正是因为有未来的梦想，所以才能够忍受现在痛苦的工作。

考题解析及译文

①こうして君に大学進学を勧めているのは、君の将来を考えれば_____なんだよ。（93年1級）

　　　1. から　　2. こそ　　3. すら　　4. だけ

解析　选项1「から」意为"因为"。选项3「すら」意为"甚至"。选项4「だけ」意为"仅仅"。

答案2

译文　正是因为考虑到你的未来，才这样劝你上大学。

②人はいつも勇気をもてという。しかし臆病ではいけないのだろうか。臆病で_____、用心深くなり、危険を避けることができるのだ。（96年1級）

　　　1. ありえず　　2. あるがまま　　3. あればこそ　　4. あってさえ

解析　选项1「ありえず」意为"不会有"。选项2「あるがまま」意为"如实"。选项4「あってさえ」意为"只要有"。

答案3

译文　人们都说人要一直拥有勇气。但是不是就不能胆小呢？正是因为胆小，才会变得特别警惕，也才能够避开危险。

③うるさいと感じるかもしれないが、親があれこれ言うのはあなたのことを心配して_____。（97年1級）

　　　1. いたらこそだ　　2. いればこそだ　　3. いるならこそだ　　4. いたならこそだ

解析　选项1、3、4作为句型均不存在。

答案2

译文　或许感觉很啰唆，但父母说这说那正是因为担心你。

④この事業が成功したのも、貴社のご協力が_____こそです。（00年1級）

　　　1. なければ　　2. あったら　　3. なかったら　　4. あれば

解析　选项1「なければ」意为"如果没有的话"。选项2「あったら」意为"如果有的话"。选

项3「なかったら」意为"如果没有的话"。　　　　　　　　　　　　**答案4**

译文　该事业之所以能够成功，正是因为有了贵公司的协助。

⑤子供のためを_____、留学の費用は子供自身に用意させたのです。（01 年 1 級）

　　　　1. 思いがてら　　2. 思えばこそ　　3. 思ったまで　　4. 思うがまま

解析　选项1「思いがてら」意为"想的同时"。选项3「思ったまで」意为"甚至想到了"。选
　　　项4「思うがまま」意为"任凭想着"。　　　　　　　　　　　　**答案2**

译文　正是为了孩子着想，才让孩子自己准备留学费用。

⑥彼女の動きがあれば_____、計画が順調に進んでいるのだ。（08 年 1 級）

　　　　1. こそ　　2. しか　　3. すら　　4. だけ

解析　选项2「しか」和否定表达连用，意为"只有"。选项3「すら」意为"甚至"。选项4「だ
　　　け」意为"只有、仅仅"。　　　　　　　　　　　　　　　　　**答案1**

译文　正因为有她的帮忙，计划才顺利进行。

7　～はさておき／～はさておいて　　暂且不管……

接続　名詞＋はさておき

解説　「さておく」是动词，意为"暂且不管、姑且不说"。该句型表示前项暂且不管，而先来
　　　说后项。与「～は別として」相近。

- 冗談はさておき、君には才能がある。本当の歌手になれるかもしれないよ。
  玩笑暂且不说，你有才华。或许能成为真正的歌手。

- 結果はさておき、今日の日本チームは、なかなかいい試合をしました。
  结果暂且不提，今天的日本队比赛打得很出色。

- あの人の話は、内容はさておき、話し方がうまい。
  那个人说的话，内容暂且不提，说话方式很棒。

考题解析及译文

①実現できるかどうか_____、まずは新商品のアイディアを皆で出してみよう。（09
年 12 月 1 級）

　　　　1. はさておき　　　　2. はまだしものこと
　　　　3. ならともかく　　　4. ならいざしらず

解析　选项2「はまだしものこと」意为"……还说得过去"。选项3「ならともかく」意为"如
　　　果……的话姑且不论"。选项4「ならいざしらず」意为"如果……的话还情有可原"。

　　　　　　　　　　　　　　　　　　　　　　　　　　　　　　答案1

译文　能否实现暂且不说，首先大家一起试着想想新产品的构思吧。

8　～はずではなかった　　本来不该……

接続　動詞辞書形＋はずではなかった

解説　表示实际与说话人的预测不同，通常含有失望或后悔的心情。通常用「こんなはずではなかった」、「はずではなかったのに」的形式。

- あのチームは、1回戦で負けるはずではなかったのに、いったい何があったのだろう。
  那个队本来不应该在第一回合比赛中失败，到底是怎么了呢?

- サッカーが好きだった彼は、サラリーマンになるはずではなかった。
  喜欢足球的他本来不该成为工薪族的。

- あんな無口な人は教師になるはずではなかった。
  那么少言寡语的人本来不该成为老师的。

9　～は別として　　……另当别论

接続　名詞＋は別として

解説　表示前项是例外，可以另当别论。

13

- 賛成、反対が同数の場合は別として、たいていは多数決で決着がつくものだ。
  赞成、反对数相同的情况另当别论，大多数时候是按多数人的表决意见决定的。

- 行事がある日は別として、通常は12時に授業が終る。
  有传统活动的时候另当别论，通常是12点结束课程。

- 行くか行かないかは別として、あなたの考え方をはっきり言いなさい。
  去不去另当别论，请清楚地说出你的想法。

10　～はもってのほかだ　　……毫无道理、……很荒谬

接続　名詞＋はもってのほかだ

解説　「もってのほか」意为"毫无道理、没想到"。该句型表示前项没有道理，或者不合道理。

- 労働者にコーヒーを飲みながら、のんびりさせるなどということは、もってのほかだと思われた。
  一般认为，让工人一边喝咖啡一边悠闲度日是毫无道理的。

- 違法な戦争のため、多くの市民を殺すのはもってのほかだ。
  因为违法的战争而杀害很多市民，这是毫无道理的。

- 花を食べるなんてもってのほかだ。
  吃花是很荒谬的。

考题解析及译文

①医者にジョギングはもってのほかだと言われた。しばらくの間、＿＿＿＿＿＿。（09年12月1級）

　　1. ジョギングしたほうがいいそうだ
　　2. ジョギングしてはいけないそうだ
　　3. ジョギングしなければならないそうだ
　　4. ジョギング以外はやめたほうがいいそうだ

解析　选项1「ジョギングしたほうがいいそうだ」意为"听说最好慢跑"。选项3「ジョギングしなければならないそうだ」意为"听说必须慢跑"。选项4「ジョギング以外はやめたほうがいいそうだ」意为"听说除了慢跑其他的最好都不要做"。　　　　　　　　　　　　**答案2**

译文　医生说慢跑是不合道理的。听说一段时间内都不可以慢跑了。

②遅刻ならともかく、無断欠勤＿＿＿＿＿＿。　（06年1級）

　　1. などもってのほかだ　　2. は何よりだ　　3. もやっとだ　　4. のほうがましだ

解析　选项2「は何よりだ」意为"……再好不过"。选项3「もやっとだ」意为"好不容易……、终于……、勉勉强强……"。选项4「のほうがましだ」意为"……要好些"。

　　　　　　　　　　　　　　　　　　　　　　　　　　　　　　　　　　　　　答案1

译文　迟到就不说了，无故缺勤是毫无道理的。

11　一口に～と言っても　　虽然都叫……但……

接续　一口に＋名詞＋と言っても

解说　「一口に」意为"一概而论"。该句型构成逆态确定条件，用来引出下面逆接的句子。表示虽然都说成前项，但是却有后项。

・一口にラーメンと言っても、中国と日本では全然違うものなんだね。
　虽然都叫拉面，但是中国的和日本的截然不同。

・一口に「花」と言っても、生け花以外にも身の回りには様々なかたちの花が飾られている。
　虽然都叫花，但除了插花之外，身边还装饰着各种形状的花。

・一口に会社と言っても、いくつか種類があるので、まずはそれを決めなければなりませんね。
　虽说都叫公司，但是因为有很多种类，所以首先必须决定是哪一种。

12　（ひとり）〜だけでなく /（ひとり / ただ）〜のみならず /（ひとり）〜のみか /（ひとり）〜のみでなく　不仅……而且……

接続　［動詞、イ形容詞、ナ形容詞、名詞］の普通形＋だけでなく

（但是形容动词中的「だ」为「である」。名词可不接「だ」，而接「である」。）

解説　表示添加，前后项是互为对照、相互并立的内容。意思等同于「〜ばかりでなく」、「ただ〜だけでなく」、「ただ〜のみならず/のみでなく/のみか」。

- 南北問題は、ひとり発展途上国のみならず、地球全体の問題として考えなければならない。

  南北问题不仅仅是发展中国家的事，而应该作为整个地球的问题进行考虑。

- 会社の危機は、ひとり経営者のみならず、全社員に責任があると言ってよい。

  公司的危机不仅仅是经营者的责任，可以说全体职员都有责任。

- この問題は本人のみならず、社会にも責任があると思う。

  我认为这个问题的责任不仅在本人，社会也有责任。

13　〜べからざる / 〜べからず　不可……

接続　動詞辞書形＋べからざる

解説　「べからず」是文语助词「べし」的否定形式，表示禁止做某事。多用于告示牌、招牌等处。「べからざる」是「べからず」的连体形，作为定语使用，意为"不应该、不可"。「するべからず/するべからざる」常常用「すべからず/すべからざる」的形式。

- 「ここでタバコを吸うべからず」と書いてあるのに、吸っている人がいる。

  明明写着"这里禁止吸烟"，却还是有人吸烟。

- 彼は社会人として許すべからざる行為をし、会社をクビになった。

  他做了作为社会人所不被原谅的事，而被公司解雇了。

- ここは関係者以外入るべからず。

  非相关人员禁止入内。

考题解析及译文

① 「危険！工事中につき、＿＿＿＿＿。」（09年7月1级）

　　1. 立ち入りたまえ　　2. 立ち入るべからず

　　3. 立ち入ること　　　4. 立ち入らざる

解析　选项1「〜たまえ」接在动词连用形后面，表示轻微的命令之意。选项3「立ち入ること」意为"进入"。选项4「立ち入らざる」意为"不进入"。　　　　　　　　　　**答案2**

译文　"危险！工程进行中，禁止入内。"

②寺の入り口に「ここより中には_____」と書かれていたので、見学は諦めるしかなかった。（07年1級）

　　　1. 入るべし　　2. 入るべからず　　3. 入りかねる　　4. 入りかねない

解析　选项1「～べし」意为"应该……、必须……"。选项3「～かねる」意为"难以……、不能……"。选项4「～かねない」意为"很有可能……"。　　　　**答案2**

译文　寺院的入口处写着"从这里开始，禁止入内"，所以只好放弃参观。

③彼は学生として許す_____行為を行ったとして退学させられた。（96年1級）

　　　1. べく　　2. べき　　3. べからざる　　4. べからず

解析　选项1「べく」是助动词「べし」的连用形，意为"应该"。选项2「べき」是助动词「べし」的连体形，意为"应该"。选项4「べからず」由助动词「べし」的「ない形」后续助动词「ず」构成，用于句末，表示禁止。　　　　**答案3**

译文　作为学生，他做了不该有的行为而被勒令退学。

14 **〜べく**　　为了……、要……

接续　動詞辞書形＋べく

解说　表示为了某种目的做某事。「べく」是文语助词「べし」的连用形。「するべく」常使用「すべく」的形式。

• なんとかしてこの研究を続けるべく、研究費助成の申請をすることにした。
　为了尽量继续这项研究，决定申请研究经费赞助。

• 今年中に完成すべく、ベストを尽くす。
　为了今年之内完成而要竭尽全力。

• 日本語の実力を備えるべく、毎日日本の新聞を読むことにした。
　为了具备日语实力，决定每天读日本报纸。

考题解析及译文

①兄は締め切りに間に合わせる_____、昼も夜も論文に取り組んでいる。（98年1級）

　　　1. から　　2. べく　　3. ので　　4. ゆえ

解析　选项1「から」意为"因为"。选项3「ので」意为"因为"。选项4「ゆえ」意为"因为"。　**答案2**

译文　哥哥为了能赶上截止日期，不分昼夜地写论文。

②ウイルスの感染経路を明らかに_____調査が行われた。（04年1級）

　　　1. すまじと　　2. すべく　　3. するはおろか　　4. すべからず

解析　选项1「すまじと」意为"如果不……的话"。选项3「するはおろか」意为"别说……就连……也……"。选项4「すべからず」意为"不该做……"。　　　　**答案2**

译文　为弄清病毒的传染途径而展开了调查。

15 〜べくもない　无从……、无法……

接续　動詞辞書形＋べくもない

解说　表示所希望做的事项完全没有可能实现。通常接在「望む」、「知る」等表示说话人的希望之类的动词后，意思等同于「できるはずがない」、「できるわけがない」。

- 今の収入では、住宅の購入など望むべくもない。

  凭现在的收入，无法期望购买住房。

- 何も言わずに出かけたので、今どこにいるのか知るべくもない。

  什么也没有说就出去了，所以无法知道现在在哪里。

- 会社のリーダーたちが考えている経営戦略など、われわれ社員には知るべくもない。

  公司领导们思考的经营策略，我们职员无从得知。

考题解析及译文

①土地が高い都会では、家などそう簡単に手に入る＿＿＿＿＿＿。（03年1级）

　　　1. べきだ　　2. べくもない　　3. べきではない　　4. べからざるものだ

解析　选项1「べきだ」意为"应该……"。选项3「べきではない」意为"不该……"。选项4「べからざるものだ」意为"不应该……"。　　　　　　　　　　　　　　　　　　**答案2**

译文　在地价很贵的都市里，买套房子没那么简单。

13

成功する人は常に、行動している人である。いつか何かではなく、今これをやっている。将来どのようになるか分からないが、今はとにかく突っ走っているという人だ。この人達はどんどん成長する。——小石雄一

成功者永远是不停行动的人。他们不会等待，时刻做着该做的事；他们不问将来，只顾眼下奋力向前。这样的人才会不断成长。

　　　　　　　　　　　　　　　　　——小·石雄一

必考句型

第 14 单元

---

1 **〜ほどでもない／〜ほどでもなく** 　不像……那样、没有……的程度

接续 ［動詞、イ形容詞、ナ形容詞、名詞］の辞書形＋ほどでもない

解说 「ほど」表示程度。该句型表示并非达到前项的程度。

- あなたが考えるほどでもない。
  并非像你所想的那样。

- 息子の病気は入院するほどでもないから、心配しないでください。
  儿子的病没有到要住院的程度，所以请不要担心。

- 今度の部長は厳しいですが、前の部長ほどではありません。
  这个部长比较严厉，但还没到前任部长那种程度。

考题解析及译文

① 世間で言われている＿＿＿＿、意外にやさしい入学試験でしたよ。（98 年 1 级）
　　1. までもなく　　2. はずもなく　　3. わけでもなく　　4. ほどでもなく

解析 选项1「までもなく」意为"没必要……"。选项2「はずもなく」意为"不会……"。选
项3「わけでもなく」意为"并非……"。　　　　　　　　　　　　　　　　　　**答案4**

译文 并不像人们所说的那样，入学考试意外得简单。

---

2 **〜ほどの〜ではない／〜ほどのことで
はない／〜ほどのものではない** 　并非……程度、没有达到……地步、
不至于……

接续 　動詞辞書形＋ほどの＋名詞＋ではない
　　　　動詞辞書形＋ほどのことではない／ほどのものではない

解说 「ほど」表示程度。该句型表示未达到所提的程度。

- 医者に行くほどの怪我ではない。
  伤得不严重，不至于去看医生。

- 子供の喧嘩ですから、親が出て行くほどのことではない。
  因为是孩子吵架，所以用不着大人出面。

- こんなことは取り立てて言うほどのことでもない。
  这种事情不值得特别一提。

考题解析及译文

① このような結果は十分予想できたことであり、驚くほどの_____。 （04年1级）

　　1. わけではない　　　2. ようではない
　　3. ところではない　　4. ことではない

解析　选项1、2、3均不符合题意。　　　　　　　　　　　　　　　　**答案4**

译文　这样的结果是我充分预料到的，并不能令我吃惊。

3　**まさか〜とは思わなかった**　　没想到会……

接续　まさか＋［動詞、イ形容詞、ナ形容詞、名詞］の普通形＋とは思わなかった

解説　表示发生了意想不到的事，对此有些吃惊。「まさか」有时还会与「とは知らなかった」、「想像していなかった」、「予想していなかった」等表达相呼应使用。

・まさか彼女に孫がいるとは思わなかったが、たしかに写真を見るとよく似ていた。
　没有想到她竟然有孙子，但看照片的话确实长得很像。

・まさか高校生が大会で優勝するとは思わなかった。
　没有想到高中生竟然能在大会上获胜。

・まさかその人がそんなばかなことを言うとは思わなかった。
　没有想到那个人竟然说出那样愚蠢的话。

14

4　**〜まじき**　　不该……的

接续　動詞辞書形＋まじき

解説　「まじき」是古语助动词「まじ」的连体形。「まじ」的意思和「ないだろう」、「ないにちがいない」等相近。该句型表示作为前项不该有某种行为。通常以「あるまじき」的形式使用。

・自分の娘を殺すなんて、母親にあるまじき行為だ。
　杀死自己的女儿不该是母亲应有的行为。

・駅でタバコを吸うなんて、高校生にあるまじき行為だ。
　在车站吸烟不该是高中生应有的行为。

・子供に暴力をふるい、死なせるなど親にあるまじき行為である。
　对孩子施加暴力而致死，这不该是父母应有的行为。

考题解析及译文

①列に割り込むなど紳士にある_____行為だ。（96年1級）
　　1. まい　　2. まじき　　3. らしい　　4. べき

解析　选项1「まい」意为"不想、不会"。选项3「らしい」意为"好像"。选项4「べき」意为
　　　"应该"。　　　　　　　　　　　　　　　　　　　　　　　　　　　　答案2

译文　插队这种事不是绅士所该有的行为。

②患者のプライバシーをほかの人に漏らすなんて、医者としてある_____ことだ。（99
年1級）
　　1. べからず　　2. はずの　　3. かぎりの　　4. まじき

解析　选项1「べからず」意为"不应该……、不可……"。选项2「はずの」意为"应该……
　　　的"。选项3「かぎりの」意为"尽……"。　　　　　　　　　　　　　　答案4

译文　把患者的个人隐私泄露给他人，这是医生不该做的事。

③彼のやったことは、人としてある_____残酷な行為だ。（03年1級）
　　1. べき　　2. まじき　　3. ごとき　　4. らしき

解析　选项1「べき」意为"应该"。选项3「ごとき」意为"如同"。选项4「らしき」意为
　　　"好像"。　　　　　　　　　　　　　　　　　　　　　　　　　　　答案2

译文　他的所作所为是作为一个人所不该有的残酷的行为。

④彼の言動は社会人として_____もので、とうてい許すことはできない。（07年1級）
　　1. あろう　　2. あるべき　　3. あるまじき　　4. あるような

解析　选项1「あろう」意为"有吧"。选项2「あるべき」意为"应该有"。选项4「あるよう
　　　な」意为"好像有"。　　　　　　　　　　　　　　　　　　　　　　答案3

译文　他的言行不该是踏入社会的人所应有的，无论如何也不能原谅。

5　～までして／～てまで　　甚至于到……地步

接续　動詞て形＋まで
　　　名詞＋までして

解说　表示竟然做出前面这种极端的事情。有时在责备为了达到目的而不择手段时使用，有时
　　　也指为了达到某种目的而付出了不一般的努力。

• 貯金もないし、借金してまで車を買いたくない。
　　我没有存款，不想借钱买车。

• 体を壊すようなことまでして、ダイエットする女性は少なくない。
　　有不少女性为了减肥甚至把身体搞坏。

• この映画はわざわざ映画館に行ってまで見る価値はない。
　　这个电影不值得专门跑到电影院观看。

考题解析及译文

①環境破壊を_____工業化を推し進めていくのには疑問がある。（95年1級）
　　　　1. するにせよ　　2. しただけで　　3. すればこそ　　4. してまで

解析　选项1「するにせよ」意为"不管做……"。选项2「しただけで」意为"仅仅做了……"。选项3「すればこそ」意为"正因为做了……"。　　**答案4**

译文　甚至不惜破坏环境来推进工业化，我对此怀有疑问。

②環境に配慮したエンジンを開発するため、各企業は必死に研究を続けている。担当者は休日出勤_____開発に力を注いでいるらしい。（00年1級）
　　　　1. までして　　2. ほどにして　　3. までなって　　4. ほどになって

解析　选项2、3、4均不符合题意。　　**答案1**

译文　为了开发不破坏环境的发动机，各企业都拼命地继续进行研究。据说负责人周末都不休息，全身心地致力于开发。

③あの絵は、昔父が借金_____手に入れたものです。（02年1級）
　　　　1. までして　　2. からして　　3. してさえ　　4. してこそ

解析　选项2「からして」接在名词后面，意为"从……来看"。选项3「してさえ」意为"只要……就……"。选项4「～てこそ」接在「動詞て形」后面，意为"只有……才……"。　　**答案1**

译文　这幅画是以前父亲借钱才弄到手的。

④好きなことを我慢_____長生きしたいとは思わない。（03年1級）
　　　　1. してまで　　2. せずとも　　3. させないで　　4. されるくらい

解析　选项2「せずとも」意为"即使不……也……"。选项3「させないで」意为"不让……"。选项4「されるくらい」意为"甚至被……"。　　**答案1**

译文　我不想为了长寿而放弃做自己喜欢的事。

⑤最近の祭りは以前ほど活気がなくなってきた。仕事を_____行く必要はないだろう。（05年1級）
　　　　1. 休むことなく　　2. 休まないで　　3. 休まないまでも　　4. 休んでまで

解析　选项1「～ことなく」意为"不……"。选项2「休まないで」意为"不休息"。选项3「～ないまでも」意为"没有……至少也……、就是……也该……"。　　**答案4**

译文　最近的祭典变得没有以前那么有活力了，没必要请假去吧。

⑥借金_____遊びに行ったと聞いて、あきれてしまった。（08年1級）
　　　　1. してまで　　2. せずとも　　3. にからんで　　4. とあいまって

解析　选项2「せずとも」中的「ずとも」接在动词未然形后面，如果前面接「サ変動詞」时，变成「せずとも」，意为"即使不……也……"。选项3「にからんで」意为"缠在……上、无理取闹、密切相关"。选项4「とあいまって」接在名词后面，意为"与……相结合"。　　**答案1**

译文　听说甚至借钱去玩，真是愕然。

14

6 ～までだ／～までのことだ

（1）……就是了、只好……

接续 動詞辞書形＋までだ
動詞ない形＋ない＋までだ

解说 表示现在的办法即使不成也没关系，再采取别的办法就是了，或者表示只好这样做了。

- もし彼がうんと言わなかったら、ほかの人に頼むまでのことだ。
  如果他没有答应的话，就只好拜托其他人了。

- 地下鉄が動かないのならしかたがない。歩いて帰るまでだ。
  地铁不开就没有办法了。只好步行回去。

（2）只是……、只不过……

接续 動詞た形／辞書形＋までだ
イ形容詞の普通形＋までだ

解说 表示解释那只是一点小事，或表示做那事只是那点理由，没有其他的意思。

- 聞かれたから、本当のことを言ったまでだ。怒るのはおかしい。
  因为被问到了，所以只是说了真实的事情而已。发脾气有些怪异。

- 事故にあって助かったのは、たまたま運がよかったまでだ。
  遭遇事故而获救，只不过是碰巧运气好罢了。

考题解析及译文

①飛行機がだめなら、列車で行く＿＿＿＿＿＿＿のことだ。（99年1級）
　　1. べき　　2. まで　　3. はず　　4. のみ

解析 选项1「べき」意为"应当"。选项3「はず」意为"应该、会"。选项4「のみ」意为"只是、仅仅"。　　**答案2**

译文 如果不能乘飞机的话，那就只好坐火车去。

②就職が決まらなくても困らない。アルバイトをして生活する＿＿＿＿＿＿＿。（05年1級）
　　1. までだ　　2. かわりだ　　3. とおりだ　　4. ほどだ

解析 选项2「かわりだ」意为"代替……、取代……"。选项3「とおりだ」意为"正如……、按照……"。选项4「ほどだ」意为"甚至能……、甚至达到……程度"。　　**答案1**

译文 即使工作没有定下来也不为难。边打工边生活就是了。

③私は率直な感想を＿＿＿＿＿＿＿です。特定の人を批判する意図はありません。（07年1級）
　　1. 述べるのももっとも　　2. 述べるかのごとき
　　3. 述べたが最後　　　　　4. 述べたまで

解析 选项1「述べるのももっとも」意为"阐述也是理所当然的"。选项2「述べるかのごとき」意为"就好像阐述"。选项3「述べたが最後」意为"阐述完就必须……"。　　**答案4**

译文 我只是坦率地阐述了我的感想。没有意图批评特定的人。

7　～までもない／～までもなく　　用不着……、没必要……

接续　動詞辞書形＋までもない

解説　表示没必要做某事。

- 読めば分かる。わざわざ私が説明するまでもない。

  如果读的话就能明白。我没必要专门解释了。

- そんなことは、僕も知っている。君に言われるまでもない。

  那种事我也知道。没必要被你提醒。

- 離婚のことなら、いまさら話し合うまでもない。もう私の心は決まっているのだから。

  离婚的事情现在没有必要商量了，因为我心意已决。

辨析

「～ことはない」主要用于给对方忠告或建议时，伴有「仮にそうしても、無意味であり、無駄になる」这样的语感。「～なくてもいい」一般都可以替换为「～ことはない」。

- 僕がついていますから、心配することはありません。

  我会跟着，所以不必担心。

「～までもない」表示「まだそうすることが必要な状況（程度）には達していない」或「お互いに了解していることであり、そこまでしなくてもいい」之意。

- 軽い風邪ですから、医者に行くまでもありません。

  因为是轻微的感冒，所以没有必要去看医生。

14

考题解析及译文

①人に言われる＿＿＿＿＿、この事件の責任は私にあります。（92年1级）

　　1. ほどもなく　　2. わけもなく　　3. はずもなく　　4. までもなく

解析　选项1「ほどもなく」意为"没有那种程度"。选项2「わけもなく」意为"不得要领、无缘无故"。选项3「はずもなく」意为"不可能……、不会……"。　　**答案4**

译文　不用被别人说，这件事责任在我。

②そんなことは常識だ。君に言われる＿＿＿＿＿。（95年1级）

　　1. はずもない　　2. 必要がある　　3. までもない　　4. 可能性がある

解析　选项1「はずもない」意为"不会……"。选项2「必要がある」意为"有必要"。选项4「可能性がある」意为"有可能"。　　**答案3**

译文　那种事是常识，没必要被你提醒。

③そんな簡単なこと、わざわざあなたに説明してもらう＿＿＿＿＿。（97年1级）

　　1. までもない　　2. ものではない　　3. わけでもない　　4. ところではない

解析　选项2「ものではない」意为"不该……、不要……"。选项3「わけでもない」意为"并非……"。选项4「ところではない」意为"不是……时候/地方"。　　**答案1**

译文　那么简单的事，没有必要特地让你给我解释。

④孫が無事生まれたとの知らせに、彼が喜んだのは＿＿＿＿。　（01 年 1 級）

　　1. いうくらいだ　　　　2. いうまでもない

　　3. いうきらいがある　　4. いうにあたらない

解析　选项1「いうくらいだ」意为"甚至说"。选项3「いうきらいがある」意为"有说的倾向"。选项4「いうにあたらない」意为"用不着说"。　　　　　　　　　　答案2

译文　得知孙子顺利出生，不用说，他当然非常高兴。

⑤わざわざ＿＿＿＿＿、私は自分の責任を認めている。　（03 年 1 級）

　　1. 言われるには　　　2. 言うにあたらず

　　3. 言うからしても　　4. 言われるまでもなく

解析　选项1「〜には」意为"为了……、在……、向……"。选项2「言うにあたらず」意为"不必说"。选项3「〜からしても」通常接在名词后面，意为"即使从……来看、就连……都……"。　　　　　　答案4

译文　不用被特意提醒，我也承认那是自己的责任。

⑥そんな遠い店まで買いに行く＿＿＿＿＿よ。電話で注文すればすぐ届くんだから。　（08 年 1 級）

　　1. 始末だ　　2. よりほかない　　3. のも同然だ　　4. までもない

解析　选项1「始末だ」意为"最后竟然……"。选项2「よりほかない」意为"只有……"。选项3「のも同然だ」意为"和……一样"。　　　　　　　　　答案4

译文　不必去那么远的商店买，打电话订购的话马上就会送到。

8　〜まま／〜ままに　　任凭……、任人摆布、惟命是从

接续　動詞辞書形＋まま

解说　表示按照前面所接词语的内容行事。

- ウェイターに勧められるままに、高いワインを注文してしまった。
  按照服务员的推荐点了贵的红酒。

- 被害者は犯人に言われるままに、お金を振り込んだそうだ。
  据说受害者按照犯人所说的那样汇了钱。

- 彼は部長に命令されるままに、夜1時まで残業していた。
  他按照部长的命令，加班到晚上1点钟。

派生　「〜ままになっている」表示仍然保持着原来的状态。

- 故郷の山も川も昔のままになっている。
  故乡的山河依旧如故。

考题解析及译文

①店員に＿＿＿＿＿高価なバッグを買ってしまい、後悔している。　（09 年 12 月 1 級）
　　1. 勧められるままに　　　2. 勧められかねて
　　3. 勧められるべく　　　4. 勧められんばかりに

解析　选项2「～かねる」意为"难以……"。选项3「～べく」意为"应该……"。选项4「～ん
　　　ばかりに」意为"几乎要……"。　　　　　　　　　　　　　　　　　　　　　　答案1

译文　被店员推荐后就买了高价包，很后悔。

9　～ままになる / ～ままにする　搁置不管

接続　動詞の名詞修飾形＋ままになる
　　　名詞＋の＋ままになる

解说　表示搁置不管，保持着同一状态或保持原状。「～ままにする」是指说话人由于某种原
　　　因而特意不去改变该状态。「～ままになる」是指保持原状、搁置不管的意思。

• このようなばらばらの知識をばらばらのままにしておくのは良くない。
　让这些零碎的知识保持着原样不太好。

• 僕は上司に命じられるままにしたのみだ。
　我只是按照上司的命令去做的。

• あの地震以来、ドアは壊れたままになっている。
　那次地震以来，门就一直坏着。

考题解析及译文

①高校を卒業して以来、森さんはずっと＿＿＿＿＿。　（09 年 7 月 1 級）
　　1. 会えないままになっている　　2. 会えないよりしかたがない
　　3. 会うばかりにしてある　　　　4. 会うまでもない

解析　选项2「～しかたがない」意为"只好……"。选项3「～ばかりにしてある」作为句型不
　　　存在。选项4「～までもない」意为"没必要……"。　　　　　　　　　　　　　答案1

译文　高中毕业以来，我就没能和森见过面。

10　～まみれ　全是……

接続　名詞＋まみれ

解说　表示沾满了很多不好的东西。

• 交通事故の現場には、血まみれの被害者が倒れていた。
　全身都是血的受害者倒在交通事故的现场。

· 選手たちは、全国大会出場を目指して、汗まみれになって練習している。

选手们以参加全国大会为目标，汗流浃背地练习着。

· 押入れを整理していたら、埃まみれの古いアルバムが見付かった。

整理橱柜，发现了全是灰尘的旧影集。

「**まみれ**」由动词「まみれる」变化而来，指沾满脏东西的状态，或某物由于沾了别的东西而变脏的状态。

「**みどろ**」指沾满脏乎乎液体的状态。

「**だらけ**」指满是某物的状态，但不一定限于沾在表面。如「穴だらけ」、「しわだらけ」这样，也用于指存在很多某种东西的样子。又如「いやな事だらけ」，也指不知为何都是那么一种状态。

	血（　）の顔	ほこり（　）になる	全身傷（　）	つまらない事（　）の世の中
まみれ	〇	〇	×	×
みどろ	〇	×	×	×
だらけ	〇	〇	〇	〇

考题解析及译文

①小さい頃、よく泥＿＿＿＿＿＿になって弟とけんかをしたものだ。（94年1級）

　　　　1. ずくめ　　2. まみれ　　3. ばかり　　4. みずく

解析　选项1「ずくめ」意为"全部、清一色"。选项3「ばかり」意为"净、只、仅"。选项4「みずく」作为句型不存在。　　　　　　　　　　　　　**答案2**

译文　小时候，经常和弟弟吵架，弄得全身都是泥。

②泥＿＿＿＿＿＿になって働いても、もらえる金はわずかだ。（97年1級）

　　　　1. まみれ　　2. ぎみ　　3. くさく　　4. ながら

解析　选项2「ぎみ」意为"有点儿……"。选项3「くさく」意为"有……的讨厌气味、有……的样子"。选项4「ながら」意为"一边……一边……、虽然……但是……"。　**答案1**

译文　即使全身都是泥地工作，能拿到的钱也很少。

11　まんざら～ではない / まんざら～でもない　并非……

接续　まんざら＋ナ形容詞語幹＋ではない

　　　　まんざら＋名詞＋ではない

解说　「まんざら」为副词，意为"并不、并非"。该句型表示并不完全如此。

- 彼女は彼とよく喧嘩するが、まんざら嫌いではなさそうだ。

  她经常和他吵架，但是好像并非就很讨厌他。

- 口ではいやだと言っているが、その顔はまんざらいやでもなさそうだ。

  虽然嘴上说讨厌，但是好像脸上显示的并非是厌烦。

- あの人の言うことはまんざらうそではないらしい。

  那个人说的事好像并非是谎话。

12 ～めく　像……的样子、有……的气息

接続　名詞＋めく

解説　表示具有前项事物的要素。

- 3月後半になって、ずいぶん春めいてきた。

  到3月下旬之后，变得非常有春天的气息了。

- あの社長の言い方はいつも皮肉めいて聞こえる。

  那个社长的说话方式听起来总是像挖苦人。

- 梅雨も明けて、日差しも強まり、季節はいよいよ夏めいてきた。

  梅雨期结束了，日照也变强了，季节越来越有夏天的气息了。

14

考题解析及译文

①雪がとけて、野の花もさきはじめ、日差しも春＿＿＿＿きた。（98年1級）

1. らしく　　2. ぎみに　　3. っぽく　　4. めいて

解析　选项1「らしく」意为"好像"。选项2「ぎみに」意为"有点儿……"。选项3「っぽく」
意为"有……的倾向"。　　　　　　　　　　　　　　　　　　　　　　　答案4

译文　雪融化了，野花也开始开花了，阳光也渐渐有了春天的气息。

13 ～もあろうに　竟然……、可偏偏……

接続　名詞＋もあろうに

解説　「あろう」是「ある」的意志形，接续助词「に」接在「あろう」的后面表示逆接。

- こともあろうに、上司と喧嘩するなんて無茶だよ。

  竟然和上司吵架，真是胡闹。

- 場所もあろうに、こんなところで言わなくてもいいじゃないか。

  有的是地方，不要偏偏在这样的地方说了吧。

- こともあろうに彼が自殺するとは。

  他竟然会自杀。

---

14 ～もさることながら　不用说……、……更是如此

接续　名詞＋もさることながら

解说　「さる」是古语，意思为"那样的、相当的"。「さること」意思为"那样的事、不用说的事、当然如此"。该句型表示前项是这样，而后项更是这样。

- 妹は、ピアノもさることながら、バイオリンもなかなか上手だ。

  妹妹不用说弹钢琴了，就连小提琴也拉得很棒。

- その輝くような笑顔もさることながら、話す時の声が彼女の一番の魅力である。

  那发光似的笑脸就不用说了，说话时的声音更是她最大的魅力。

- この大学は、外観もさることながら、教える先生方も古風な趣がある。

  这个大学，不用说外观了，就连教课的老师们也具有古典的韵味。

考题解析及译文

① このパソコンは、価格や性能_____、デザインが良いので人気がある。（09 年 12 月 1 级）

　　1. はおろか　　2. もかまわず　　3. ならまだしも　　4. もさることながら

解析　选项1「はおろか」意为"别说……就连……也……"。选项2「もかまわず」意为"不顾……"。选项3「ならまだしも」意为"如果是……还算可以"。　　**答案4**

译文　这个电脑，价格和性能自不必说，设计更是好，所以非常受欢迎。

② 経済問題の解決には、政府や企業の対応もさること_____、消費者の態度も重要な要素となる。（94 年 1 级）

　　1. ながら　　2. であり　　3. でなく　　4. とともに

解析　选项2「であり」意为"是"。选项3「でなく」意为"不是"。选项4「とともに」意为"随着……、和……一起"。　　**答案1**

译文　为了解决经济问题，政府和企业的应对自不必说，消费者的态度也成为重要的因素。

③ 雪で 1 週間山小屋に閉じ込められた。空腹や寒さ_____、話せる相手のいないことが最もつらいことだった。（98 年 1 级）

　　1. にしたがって　　2. にいたっては　　3. としたところで　　4. もさることながら

解析　选项1「にしたがって」意为"随着……"。选项2「にいたっては」意为"至于……、谈到……"。选项3「としたところで」意为"即使……也……"。　　**答案4**

译文　因为下雪，被困在山上小屋一周的时间。饥饿和寒冷自不必说，就连讲话的人都没有，这才是最痛苦的事。

④両親は、息子に病院の跡を継いで医者になってほしいと思っているようだ。だが、親の希望も＿＿＿＿＿＿＿、やはり本人の気持ちが第一だろう。（02年1級）

　　　1. さることながら　　　2. あるまじく

　　　3. いれざるをえず　　　4. わからんがため

解析　选项2「あるまじく」意为"不该有的"。选项3「〜ざるをえず」意为"不得不……"。选项4「わからんがため」意为"为了弄清"。　　　　　　　　　**答案1**

译文　父母好像希望儿子继承医院，成为一名医生。但是父母的希望就不说了，还是本人的想法最重要吧。

⑤ゴミを減らすためには、市や町の取り組み＿＿＿＿＿＿＿、個人の心がけもやはり大切だ。（07年1級）

　　　1. もなにも　　　2. をなかばに　　　3. を抜きにして　　　4. もさることながら

解析　选项1「もなにも」意为"所有的都……"。选项2「をなかばに」意为"以……为一半"。选项3「を抜きにして」接在名词后面，意为"去掉……、省掉……"。　　　**答案4**

译文　为了减少垃圾，市政府和街道委员会的认真应对自不必说，个人的努力也很重要。

15　〜もしない／〜はしない／〜やしない　不……

接续　動詞ます形＋もしない

解说　「も/は/や」都是助词，后面和「しない」连用，表示加强否定的语气。

- 1日や2日徹夜したところで、死にはしない。甘えるな。

  熬夜一两天，也不会死掉。不要撒娇。

- 努力しなければできはしない。

  不努力的话做不成。

- いつになっても忘れやしないんだ。

  无论到了任何时候，都不会忘记的。

考题解析及译文

①一言も＿＿＿＿＿＿＿帰ってしまった。（04年1級）

　　　1. しゃべりもしないで　　　2. しゃべらなかったとて

　　　3. しゃべらなければ　　　　4. しゃべらざるとも

解析　选项2「しゃべらなかったとて」中的「とて」，意为"即使……"。选项3「しゃべらなければ」意为"如果不说"。选项4「しゃべらざるとも」中的「とも」意为"无论……也……"。　　　　　　　　　　**答案1**

译文　一句话也没有说就回去了。

必考句型

第 15 单元

---

1 ～ものと思われる   人们认为……

接续　［動詞、イ形容詞、ナ形容詞］の普通形＋ものと思われる

解说　「と思われる」意思为"被认为"，是作为被推测的表达方式来使用的。带有「もの」的表达方式一般用于比较正式、严肃的文章或会话中。

- 今後はアジアの経済が世界の中心になっていくものと思われる。
  人们认为今后亚洲将成为世界经济的中心。

- どうやら彼の一言が離婚の原因になったものと思われる。
  人们认为，他的一句话成了离婚的原因。

- まだ明らかにされていないが、来週半ばまでには動きがあるものと思われる。
  虽然尚未明确，但是一般认为在下周中旬之前会有变动。

考题解析及译文

①今回の調査で事故の原因が明らかに_____。（09 年 7 月 1 级）
　　1. なってやまない　　　2. なってみせる
　　3. なるものと思われる　　4. なるわけにはいかない

解析　选项1「～てやまない」表示某种感情一直持续着，或表示迫切的愿望，意为"……不已"。选项2「～てみせる」意为"做给……看"。选项4「～わけにはいかない」意为"不能……"。　　　　　　　　　　　　　　　　　　　　　**答案3**

译文　人们认为通过这次的调查，事故的原因会变得明朗。

---

2 ～ものを   却……

接续　［動詞、イ形容詞、ナ形容詞］の名詞修飾形＋ものを

解说　表示对所发生的不如意的事情表达不满的情绪。和「のに」的意思大体相同。

- 私に言ってくれれば協力したものを。
  如果跟我说的话就好了，我可以帮忙的。

- あの日、あのバスに乗らなかったら、事故に遭わずにすんだものを。
  那天如果不坐那辆公交车的话，就不会遭遇事故了。

- もっとよく考^{かんが}えてから買^かえば安^{やす}いものが見付^{みつ}かったものを。

  如果深思熟虑之后再购买的话，就能找到便宜货了。

辨析

「～ものの」表示先承认前项的事实，但在后项叙述与其实际相矛盾的情况。

- 登山靴^{とざんぐつ}を買^かったものの、忙^{いそが}しくてまだ山^{やま}に登^{のぼ}っていない。

  虽然买了登山靴，但太忙了，还没有去登山。

「～ものを」在前项列举实际上没有进行的事项，然后强烈地表达出对对方的不满、责备、遗憾、憎恨等情感。

- 医者^{いしゃ}に行^いけばよいものを、行^いかないからひどくなってしまった。

  去看医生的话就好了，可是却没有去，所以病情严重了。

考题解析及译文

①誰かに相談すれば簡単に解決できた_____、どうして一人で悩んでいたのだろう。（92年1级）

1. ように　　2. ほどを　　3. ものを　　4. ばかりに

解析　选项1「ように」意为"如……样"。选项2「ほどを」作为句型不存在。选项4「ばかりに」意为"就因为……"。　　　　　　　**答案3**

译文　找个人商量一下就能简单地解决，为何一个人在苦恼呢？

②もう少し早く病院に行けば助かった_____、放っておいたので、手遅れになってしまった。（95年1级）

1. もので　　2. ものか　　3. ものを　　4. ものに

解析　本题考查的是句型本身。选项1、2、4均不符合题意。　　　　　　**答案3**

译文　早一点去医院的话就能得救，因为置之不理，所以延误了治疗。

③こんな悪天候の中を歩いていらしたんですか。電話をくだされば車でお迎えにまいりました_____。（99年1级）

1. ものを　　2. はずを　　3. もので　　4. はずで

解析　本题考查的是句型本身。选项2、3、4均不符合题意。　　　　　　**答案1**

译文　您是在这样的坏天气里走来的吗？如果打个电话的话，就开车去接您了。

④検査を受けていればすぐに治った_____、痛みを我慢して検査に行かなかったことが悔やまれる。（06年1级）

1. ものに　　2. ものを　　3. ものやら　　4. ものか

解析　本题考查的是句型本身。选项1、3、4均不符合题意。　　　　　　**答案2**

译文　要是接受检查的话马上就能治好，可后悔的是忍受疼痛没有去检查。

3 ～ももっともだ／～も当然だ ……也是必然的、……也是理所当然

接续 動詞て形＋ももっともだ
名詞＋ももっともだ

解说 表示后项的发生是必然的。

- あなたが自分の家族のことを心配するのも当然だ。
  你担心自己的家人，这是理所当然的。

- こんなこと言ったら、殴られても当然だな。
  说了这样的话，被打也是理所当然的。

- サッカーの優勝争いがまったく話題にならないのも当然だ。
  足球的冠军争夺赛完全没有成为大家谈论的话题，这也是理所当然的。

派生 「～も同然だ」表示虽然不全是，但几乎与事实相同的状态，意为"和……一样"。很多场合中表示深信不疑的态度。

- あの人はアルバイト社員だが、仕事の内容からみると正社員も同然だ。
  那个人是打工者，但从工作内容来看，和正式职员一样。

- 必要とされない人間は死んだも同然だ。
  不被需要的人和死了一样的。

- この子は本当は姪ですが、小さいころから一緒に暮らしているので娘も同然だ。
  这个孩子其实是侄女，但因为从小就一起生活，所以和女儿是一样的。

考题解析及译文

①3週間も水をやらなかったのだから、花が枯れて_____。（04年2級）

　　1. しまいっこない　　2. しまうのも当然だ
　　3. しまいようもない　　4. しまうのは無理だ

解析 选项1「～っこない」意为"不可能……"。选项3「～ようもない」意为"没办法……"。
选项4「～は無理だ」意为"……很勉强、……难以办到"。　　**答案2**

译文 因为三周都没有浇水，所以花枯萎了也是理所当然的。

②親友に裏切られたんだから、彼が_____。（09年7月1級）

　　1. 落ち込んでもしれている　　2. 落ち込むにはあたらない
　　3. 落ち込むのももっともだ　　4. 落ち込めばきりがない

解析 选项1「落ち込んでもしれている」意为"即使失落也没什么"。选项2「～にはあたらない」意为"用不着……"。选项4「～きりがない」意为"没完没了"。　　**答案3**

译文 因为被挚友背叛了，所以他很失落也是理所当然的。

4　〜や / 〜や否や　　—……就……

接続　動詞辞書形＋や

解説　表示跟着一个动作之后马上进行后面的动作。意思与「〜が早いか」、「〜なり」、「〜たとたんに」相近。

• 緊急指令が告げられるやいなや、消防隊員は現場へ駆けつけた。
　一接到紧急指令，消防队员就立刻冲到了现场。

• 友達が入院したというメールが届くや否や、彼はその病院へ向かった。
　一接到朋友住院的邮件，他就立即奔向了医院。

• 横綱が姿を現すや、観客たちから拍手が起こった。
　横纲一现身，观众们就鼓起掌来。

辨析

「〜が早いか」表示「〜すると、すぐ〜」之意，其特征是后项表示人为动作的发生。在表示自然现象或偶发事件的发生时，使用「〜が早いか」则很不自然。

• その言葉を聞くが早いか、彼は男に殴りかかった。
　一听到那句话，他就打了那个男的。

• 家に帰るか帰らないかのうちに（？帰るが早いか）、雨が降り出した。
　我刚要回家就下雨了。

「〜や否や」无论是自然现象还是人为的动作都可以使用。但属于书面语，现如今在会话中很少使用。
「〜なり」和「〜や否や」、「〜が早いか」一样表示「〜すると、すぐ〜」之意。含有面对意料之外的事情时惊讶的心情。但在用法上既可以用于自然现象又可以用于人为的动作，这一点和「〜や否や」是相同的。但是，只能用于同一主语句。

• 私が窓を開けるや否や（×なり）、虫が飛び込んできた。（前后主语不同）
　我刚一开窗户，虫子就飞了进来。

• 彼女は私の顔を見るや否や（⇔なり）、泣き出した。（前后主语相同）
　她一看到我的脸，就哭了出来。

「そばから」同样表示「〜すると、すぐ〜」之意，但其特殊性在于含有「〜しても〜しても、すぐまた〜」之意。其特点是常用于同一场面反复的、习惯性的现象，表示一次性事件时则不宜使用。

• 子供たちは、母親が洗濯するそばから、服を汚してしまう。
　母亲刚洗完衣服，孩子们就会弄脏。

• 泥棒は警官を見るが早いか（×そばから）逃げ出した。
　小偷一看见巡警就逃走了。

15

考题解析及译文

①試験開始のベルが鳴る_____、学生たちは一斉に書き始めた。（91年1級）
　　　1. やいなや　　2. とたんに　　3. ばかりに　　4. が最後

解析　选项2「とたんに」意为"突然"。选项3「ばかりに」意为"就因为……"。选项4「が最后」意为"既然……就必须……"。　　　　　　　　　　　　　　答案1

译文　考试开始的铃声一响，学生们就一齐开始写起来。

②彼は空港に着く_____、恋人の入院先にかけつけた。（95年1級）
　　　1. や否や　　2. が最後　　3. 末に　　4. 次第で

解析　选项2「が最後」意为"既然……就必须……"。选项3「末に」意为"最后……"。选项4「次第で」意为"全凭……"。　　　　　　　　　　　　　　答案1

译文　他一下飞机，就跑去恋人住院的地方。

③娘は家へ帰る_____おなかがへったと言って、冷蔵庫をのぞきこんだ。（98年1級）
　　　1. やいなや　　2. ときたら　　3. にいたって　　4. とばかりに

解析　选项2「ときたら」意为"提到……"。选项3「にいたって」意为"到了……才……"。选项4「とばかりに」意为"以为……是（机会）、认为……；几乎就要说……、显出……（的神色）"。　　　　　　　　　　　　　　答案1

译文　女儿一回家就说肚子饿了，去看冰箱里有没有吃的。

④いたずらをしていた生徒たちは、教師が来たと_____いっせいに逃げ出した。（03年1級）
　　　1. みるや　　2. みたら　　3. してみると　　4. するならば

解析　选项2「みたら」意为"要是看了……"。选项3「してみると」意为"试一试……、……一下"。选项4「するならば」意为"如果做……"。　　　　　　　　　　　　　　答案1

译文　正在调皮的学生们一看到老师来了，就一齐逃了出去。

⑤電車が駅に止まり、ドアが開く_____、彼は飛び出していった。（05年1級）
　　　1. ことなしに　　2. やいなや　　3. ともなしに　　4. におよんで

解析　选项1「ことなしに」表示后项动作无前项动作伴随就开始了，意为"不……（而……）"。选项3「ともなしに」表示无意识、下意识地做出某种动作，意为"无意中……、不知不觉地……"。选项4「におよんで」意为"达到……"。　　　　　　　　　　　　　　答案2

译文　电车到站停下来，门刚一打开，他就飞奔出去了。

5　～矢先に / ～矢先の　正要……

接续　動詞た形＋矢先に
解説　表示要做某事时发生了后项。

・帰ろうとしていたやさきに、部長に仕事を頼まれた。

正要回家的时候，部长给我布置了工作。

- 久しぶりの家族旅行でした。これから出かけようとしたやさきに、息子がおなかが痛いと言い出した。

  过了好久才有的家族旅行。正要出发的时候，儿子说肚子疼。

- 仕事を始めようとしたやさきに、お客から電話がかかってきた。

  正要开始工作，客人打来了电话。

6　〜やら　……什么的

接続	［動詞、イ形容詞、ナ形容詞］の普通形（＋の）＋やら 名詞＋やら
解説	表示不确定。意思等同于「か」。

- 何と書いてあるやら、読めない。

  写着什么，看不出来。

- 弟は仕事に出かけたらいつ帰ってくるのやら、分からない。

  弟弟出去工作，不知道何时回来。

- 友達へのプレゼントには何がいいのやら、見当がつかない。

  给朋友什么样的礼物好呢，没有头绪。

> **派生**
> 接在疑问词的后面，表示不能清楚地指出那些是什么。通常以「誰が誰やら」、「何が何やら」、「どれがどれやら」、「どこがどこやら」的形式使用。
> - 同窓会で久しぶりに会ったら、誰が誰やら分からなかった。
>   同学会上见到了久违的同学，分不清楚谁是谁了。

考题解析及译文

①あの子は学校から帰るとすぐ友達と出かけたが、さて、どこへ_____。（00年1級）

　　1. 行くまいか　　2. 行くべきか　　3. 行ったやら　　4. 行ったものを

解析　选项1「行くまいか」意为"不去吗"。选项2「行くべきか」意为"应该去吗"。选项4「行ったものを」意为"虽然去了，可是……"。　　　　　　**答案3**

译文　那个孩子从学校回来后就马上和朋友出去了，是去哪里了呢?

7 〜ゆえ（に）／〜ゆえの 因为……

接続　動詞辞書形＋ゆえ（に）

　　　　イ形容詞辞書形＋ゆえ（に）

　　　　ナ形容詞語幹（＋な）＋ゆえ（に）

　　　　名詞（＋の）＋ゆえ（に）

解説　「ゆえ」意为"理由、缘故"。该句型表示原因、理由。只用于书面语。有时也用「〜が
ゆえ（に）」的形式。

• 日本は資源が乏しいがゆえに、貿易に力を入れてきた。

因为日本资源匮乏，所以一直以来下力气发展贸易。

• 今も貧しさゆえの犯罪が後を絶たない。

即使是现在，因贫穷而犯罪的现象也无法断绝。

• 彼は、有名であるがゆえに、普通に道を歩くこともできない。

他因为很有名，所以连很平常地在街上行走也做不到。

考题解析及译文

①日本は、島国＿＿＿＿海運業がさかんになったと言われている。（92 年 1 级）

　　　1. ゆえに　　2. の一方　　3. のかわりに　　4. ごとくに

解析　选项2「の一方」意为"一方面……"。选项3「のかわりに」意为"代替……、相
反……"。选项4「ごとくに」意为"如同……"。　　　　　　　　　　　　**答案1**

译文　人们都说日本因为是岛国，所以海运业变得很兴盛。

②あの大統領は庶民性をそなえているが＿＿＿＿、人気を集めているという。（95 年
1 级）

　　　1. ゆえに　　2. くせに　　3. だけに　　4. のみに

解析　选项2「くせに」意为"可是、却"。选项3「だけに」意为"正因为……"。选项4「のみ
に」意为"仅仅"。　　　　　　　　　　　　　　　　　　　　　　　**答案1**

译文　据说因为那个大总统带有平民气质，所以很受欢迎。

③急なこと＿＿＿＿たいした準備もできず、申し訳ないことをしてしまった。（98 年
1 级）

　　　1. なりに　　2. ゆえに　　3. からに　　4. ほどに

解析　选项1「なりに」意为"与……相适、那般、那样"。选项3「からに」作为句型不存在。
选项4「ほどに」表示程度。　　　　　　　　　　　　　　　　　　**答案2**

译文　因为比较着急，所以没有好好准备，很抱歉。

④貧しい＿＿＿＿十分な教育を受けられない人々がいる。（01 年 1 级）

　　　1. ものから　　2. がゆえに　　3. とすると　　4. わけもなく

解析　选项1「ものから」作为句型不存在。选项3「とすると」意为"假如……"。选项4「わけ
もなく」意为"不得要领、无缘无故、不可能……"。　　　　　　　　　**答案2**

译文　有很多人因为贫困而不能很好地接受教育。

⑤部下を評価する立場になると、優しすぎる＿＿＿＿＿＿思い悩む人も少なくない。（04年1級）

　　　　1. ほどには　　2. 上には　　3. とばかりに　　4. がゆえに

解析　选项1「〜ほどに」意为"随着……、越……越……"。选项2「上には」意为"加上……、而且……"。选项3「とばかりに」意为"以为……是（机会）、认为……；几乎就要说……、显出……（的神色）"。　　　　　　　　　　答案4

译文　要对部下进行评价的时候，有不少人因为自己过于温和而苦恼。

⑥彼女は若いときに両親を亡くし、20代で父親の工場を継いで、倒産の危機も何回か経験した。＿＿＿＿＿＿、工場経営の厳しさを知り尽くしている。（06年1級）

　　　　1. それをよそに　　2. それにひきかえ　　3. それにもまして　　4. それゆえに

解析　选项1「それをよそに」意为"不顾那个"。选项2「〜にひきかえ」接在名词后面，意为"与……相反"。选项3「〜にもまして」接在名词后面，意为"比……更……"。　　答案4

译文　在她年轻的时候父母就去世了。她20多岁就继承了父亲的工厂，几次面临了破产的危机。因此，她深知经营工厂的艰难。

8　〜ようがない／〜ようもない／〜ようがある／〜ようもある　无法……／有办法……

接续　動詞ます形＋ようがない
　　　漢語＋の＋しようがない

解说　「〜ようがない／〜ようもない」表示即使想做某事也无法做到。「よう」表示方法、样子、方式等。「〜ようがある／〜ようもある」表示有做某事的方法。

・私は何も知らないので、説明のしようがない。
　我也什么都不知道，所以无法解释。

・名前も住所も分からないのでは、調べようがない。
　姓名和住址都不知道的话，无法调查。

・読みたい本があったので図書館に行ったが、臨時休館日だったため、借りようがない。
　因为有想读的书，所以去了图书馆。但因为是临时休馆日，所以无法借阅。

考题解析及译文

①彼がその知らせを受け取ったときの顔といったら、＿＿＿＿＿＿ものだった。（98年2級）

　　　　1. たとえようがない　　2. たとえるわけがない
　　　　3. たとえそうもない　　4. たとえるほかはない

解析　选项2「たとえるわけがない」意为"不会比喻"。选项3「たとえそうもない」意为"不可能比喻"。选项4「たとえるほかはない」意为"只好比喻"。　　答案1

译文　提起他得到那份通知时的表情，无法比喻。

---

②なぜ彼女を好きになってしまったのかは、説明の＿＿＿＿＿＿。（01年2級）
　　1. わけがない　　2. もとがない　　3. しだいがない　　4. しようがない

解析　选项1「わけがない」表示按照道理来讲没有这种可能性，意为"不会……"。选项2、3作为句型均不存在。　　　　　　　　　　　　　　　　　　　　　　**答案4**

译文　我也无法解释清楚为何喜欢上了她。

---

③ゴミがこれほど散らかっていたら、一人で全部＿＿＿＿＿＿ようもない。（02年2級）
　　1. 集め　　2. 集まり　　3. 集める　　4. 集まる

解析　选项2、3、4的接续均不正确。　　　　　　　　　　　　　　　　**答案1**

译文　垃圾如此乱七八糟地到处散落的话，一个人是无法全部收拾的。

---

④あんなに巨大な建物を大昔の人が造ったとは、不思議としか＿＿＿＿＿＿。（06年2級）
　　1. 言いようがない　　　　2. 言うほどではない
　　3. 言ってたまらない　　　4. 言うにちがいない

解析　选项2「言うほどではない」意为"并非达到……程度、并不是说就……"。选项3「～てたまらない」意为"……得不得了"。选项4「～にちがいない」意为"一定……"。
　　　　　　　　　　　　　　　　　　　　　　　　　　　　　　　答案1

译文　那么巨大的建筑物竟然是古代人建造的，只能说真是不可思议。

---

⑤故障した機械を直してくれと頼まれたが、部品がなくては修理＿＿＿＿＿＿。（07年2級）
　　1. してならない　　2. しようがない　　3. するにかたくない　　4. するに相違ない

解析　选项1「～てならない」意为"……得不得了、非常……"。选项3「～にかたくない」意为"不难……、很容易就……"。选项4「～に相違ない」意为"一定（是）……"。
　　　　　　　　　　　　　　　　　　　　　　　　　　　　　　　答案2

译文　被拜托修理故障机器，但没有零件，没法修。

---

⑥健康を無視して働き続けるなんて、むちゃとしか＿＿＿＿＿＿。（91年1級）
　　1. 言いようがない　　　2. 言うはずはない
　　3. 言うまでもない　　　4. 言うにほかならない

解析　选项2「言うはずはない」意为"不可能说……"。选项3「言うまでもない」意为"没必要说……"。选项4「言うにほかならない」意为"不外乎说……"。　　　　**答案1**

译文　无视健康持续工作，只能说是胡来。

---

⑦住所も電話番号も分からないので、連絡の取り＿＿＿＿＿＿。（98年1級）
　　1. ようがない　　2. そうもない　　3. ようでない　　4. そうでない

解析　选项2「そうもない」意为"不可能……"。选项3「ようでない」意为"好像并非如此"。选项4「そうでない」意为"并非如此"。　　　　　　　　　　　**答案1**

译文　因为不知道住址和电话号码，所以没法联络。

⑧本のタイトルさえ分かれば、＿＿＿＿もあるのだが。（04 年 1 級）

　　1. 探そう　　2. 探しよう　　3. 探しそう　　4. 探すよう

解析　选项1、3、4的接续均不正确。　　　　　　　　　　　　　　　　　　　　　　答案2

译文　如果能知道书的名字，也有办法去找。

9　～ようで（いて）　　看上去好像……，但实际上……

接续　［動詞、イ形容詞、ナ形容詞］の辞書形＋ようで（いて）

解说　表示看上去好像如此，但实际上却并非如此。

• 彼は常に冷静なようでいて、時として非常に激しい一面もある。
他总是看上去很冷静，但有时也有非常激动的一面。

• 社長は誰に対しても厳しいようでいて、意外にも子供には甘い顔を見せる。
社长看起来好像对任何人都很严厉，但意外的是对孩子和颜悦色。

• 大学の教授は何でも知っているようでいて、意外に非常識なんだ。
大学教授看上去好像什么都知道，却意外地毫无常识。

10　～ようでは／～ようによっては　　取决于……

接续　動詞ます形＋ようでは

解说　表示后项取决于前面的想法或做法。

• 彼は経済的に恵まれていなかったが、考えようによっては幸せだったかもしれない。
虽然他经济状况不富裕，但看你如何去想了，或许他很幸福。

• 新聞記事の書きようによっては、白を黒にすることも可能である。
根据新闻报道的写法，有可能将白的变成黑的。

• 法律の解釈のしようによっては、有罪かどうかが決まるのはおかしい。
依据对于法律的解释来决定是否有罪，这很奇怪。

15

派生

「ようでは」表示假定条件，指在前面的条件下产生后面的结果。

• こんな質問をするようでは、まだ勉強が足りない。
如果提出这样的问题，那你在学习上下的工夫还不够。

考题解析及译文

①この古新聞も、使い＿＿＿によっては、何かの役に立つのではないかと思いますが。（93年1級）

    1. ざま   2. ふう   3. むけ   4. よう

解析 选项1「ざま」意为"丑相"。选项2「ふう」意为"方式"。选项3「むけ」意为"面向"。

答案4

译文 我想，这个旧报纸根据使用方法的不同，或许会有什么用途吧。

②＿＿＿によっては、その仕事はもっと簡単に済ませることができる。（01年1級）

    1. やりかけ   2. やりそう   3. やりよう   4. やりがち

解析 选项1「やりかけ」意为"开始做、正在做"。选项2「やりそう」意为"好像要做"。选项4「やりがち」意为"动辄就做"。

答案3

译文 那项工作取决于干的方法，如果做法正确，可以更加轻松完成。

11　よく（も）〜ものだ　　竟然……

接续 よく（も）＋動詞普通形＋ものだ

      よく（も）＋イ形容詞辞書形＋ものだ

      よく（も）＋ナ形容詞語幹＋な＋ものだ

解说 表示对前面事项的钦佩、欣赏或批评、嘲讽。

• よくもあんな自慢話ができたものだ。
竟然能说出那样自大的话来。

• 毎日その新聞は虚偽の報道をして、よくも恥ずかしくないものだ。
那个报纸每天都做些虚假的报道，竟然不害臊。

• よくもあんなふうに何時間もおしゃべりしていられたものだ。
竟然能那样讲几个小时。

派生

「よく〜たものだ」表示过去常常发生某事或做某事。

• 若いころはよくテニスをやったものだ。
记得年轻时，我经常打网球。

12 ～より（も）むしろ～　　与其……莫不如……、与其……宁可……

接续　動詞辞書形/動詞ている形＋より（も）むしろ～

名詞＋より（も）むしろ～

解说　表示从两者之中选择的话，后者更好。或者表示与一般常识或期待相反。

- 出かけていくよりむしろ彼に電話をかけたほうがいい。

  与其出门，不如给他打电话。

- この点について教師よりもむしろ学生のほうがよく知っている。

  关于这点，与教师相比，还是学生更清楚。

- 人に頼むよりむしろ自分でやったほうがいい。

  与其拜托他人，不如自己做。

派生

「というよりもむしろ」表示与其说是前者，不如说是后者。

- 教えるというよりもむしろ私が教えられているのです。

  与其说我教他，莫如说是他教我。

「むしろ」意为"倒不如说、反倒"，表示将两个事物加以比较，从某方面来说，其中一方的程度更多。

- じゃましようと思っているわけではない。むしろ君たちに協力しようと思っているのだ。

  并不是想打扰你们。反倒是想协助你们。

15

13 ～れないものは～れない　　不能……的还是不能……

接续　動詞可能形＋れないものは＋動詞可能形＋れない

解说　表示不能办到的事情还是办不到。

- いくら頼んでも、協力できないものはできないと言われ、ショックだった。

  不管如何央求，被告知不能配合的事还是无法配合，很受打击。

- 君の意見も分かるが、譲れないものは譲れない。

  虽然明白你的意见，但是不能让步的还是无法让步。

- いくら友人の意見でも、賛成できないものはできない。

  即使是朋友的意见，无法赞成的还是无法赞成。

14 ～をおいて（ほかに）～ない　除了……之外没有……

接续　名詞＋をおいて（ほかに）～ない

解说　表示除了前项没有其他。

- 彼をおいてこの問題を解決できる人はいない。

  除了他没有人能够解决这个问题。

- 結婚するなら、あの人をおいて他にはいない。

  如果结婚的话，除了和他之外没有别人了。

- あなたをおいてこの役にふさわしい人はいない。

  除了你之外，没有人更适合这个工作了。

考题解析及译文

①候補者の中で国民の意思を代表する人はあの人を＿＿＿＿＿ない。（96年2级）

　　　1. ひかえて　　2. おいて　　3. つうじて　　4. こえて

解析　选项1「ひかえて」意为"等候、取消、节制、面临"。选项3「つうじて」意为"通过"。选项4「こえて」意为"超越"。　　　　　　　　　　　　　　　答案2

译文　候选者中代表国民意愿的，除了那个人之外没有别人。

②彼をおいて、この仕事を任せられる人間は＿＿＿＿＿＿。（92年1级）

　　　1. いるかもしれない　　　　2. いないだろう

　　　3. いなければならない　　　4. いるだろう

解析　选项1「いるかもしれない」意为"可能有"。选项3「いなければならない」意为"必须有"。选项4「いるだろう」意为"有吧"。　　　　　　　　　　　　　　答案2

译文　除了他，没有能够托付做这项工作的人了。

③この困難な任務を果たせるのは、彼＿＿＿＿＿おいてほかにはいない。（94年1级）

　　　1. を　　2. は　　3. に　　4. で

解析　本题考查的是句型本身。选项2「は」为助词，表示提示主语等。选项3「に」为助词，表示时间点、场所、方向等。选项4「で」为助词，表示动作发生的地点、手段、材料等。

答案1

译文　能够完成这个困难的任务的，除了他没有别人。

④皆から信頼されている彼をおいてほかに適当な人が＿＿＿＿＿＿。（97年1级）

　　　1. いるだろう　　2. いるだろうか　　3. いないだろうか　　4. いはしないだろうか

解析　选项1「いるだろう」意为"有吧"。选项3「いないだろうか」意为"或许没有吧"。选项4「いはしないだろうか」意为"没有吧"。　　　　　　　　　　　　　答案2

译文　除了被大家信赖的他之外，还有其他合适的人选吗？

⑤次の首相にふさわしい人物は、彼をおいて、ほか＿＿＿＿＿＿。（00年1级）

　　　1. にはいない　　2. にすぎない　　3. に考えられる　　4. にはいるだろう

解析 选项2「にすぎない」意为"只不过是……"。选项3「に考えられる」意为"被认为是……"。选项4「にはいるだろう」意为"有吧"。 **答案1**

译文 下届首相的合适人选，除了他没有别人。

⑥新しく住宅開発を進めるなら、この地域＿＿＿＿＿＿ほかにはない。（02年1级）
    1. はおろか   2. ときたら   3. にそくして   4. をおいて

解析 选项1「はおろか」接在名词后面，意为"不要说……就连……也……"。选项2「ときたら」接在名词后面，意为"提起……"。选项3「にそくして」意为"根据……、按照……"。 **答案4**

译文 如果要进行新住宅开发的话，除了在这个地方没有其他地方了。

15 ～を押して 不顾……

接续 名詞＋を押して

解说 「押す」有"不顾、冒着"之意。该句型表示虽然有困难，但是仍然要坚持下去。

- その選手は、右足のけがをおして、試合に出場した。
  那个选手不顾右腿的伤，参加了比赛。

- わたしの姉は、家族みんなの反対をおして結婚した。
  我的姐姐不顾全家人的反对结婚了。

- その学生は、39度の高熱をおして、試験に出ていた。
  那个学生不顾39度的高烧，参加了考试。

15

考题解析及译文

①私の妹は両親の反対＿＿＿＿＿＿結婚した。（03年1级）
    1. をおして   2. をおいて   3. につけても   4. にてらして

解析 选项2「をおいて」后通常和否定形式连用，意为"除了……之外没有……"。选项3「につけても」意为"无论……都……"。选项4「にてらして」意为"对照……、参照……"。 **答案1**

译文 我妹妹不顾父母的反对结婚了。

どんな世界も学べば学ぶほど奥が深いことを知るのではないでしょうか。毎日を最後の1日のように思って生きよ。
　　　　　　　　　　　　　　　　──セネカ

任何领域，都是越学越能发现它的深奥吧。把每一天当成最后一天那样珍惜。
　　　　　　　　　　　　　　　　──塞内卡

必考句型

第 16 单元

1 ～を顧（かえり）みず／～も顧（かえり）みず　不顾……

接续　名詞＋を顧みず

解说　「顧（かえり）みる」意思为"顾虑、挂念"。该句型表示不顾前项而做后项。

- 高速道路（こうそくどうろ）で轢（ひ）かれた仲間（なかま）を、危険（きけん）を顧（かえり）みず救（すく）おうとする。
  不顾危险，要去营救在高速路上被撞的伙伴。

- 危険（きけん）を顧（かえり）みず、全力（ぜんりょく）を尽（つ）くして活動（かつどう）を続（つづ）ける自衛隊員（じえいたいいん）を誇（ほこ）りに思（おも）う。
  对于不顾危险，竭尽全力继续工作的自卫队员感到自豪。

- 他人（たにん）の迷惑（めいわく）を顧（かえり）みず、自分勝手（じぶんかって）で無遠慮（ぶえんりょ）である。
  他不在乎给别人添麻烦，任性又不客气。

考题解析及译文

①カメラマンは自らの命も＿＿＿＿＿＿戦場に向かった。（04 年 1 级）
　　1. かぎりに　　2. すえに　　3. かえりみず　　4. さることながら

解析　选项1「かぎりに」意为"仅限于……、最大限度……"。选项2「すえに」意为"最后、尽头"。选项4「さることながら」意为"不用说……、……更是如此"。　　**答案3**

译文　摄影师不顾自己的生命安全，奔赴战场。

2 ～を限（かぎ）りに　仅限于……、最大限度……

接续　名詞＋を限りに

解说　表示以前项为界限或到此为止。有时也表示最大限度地做某事。

- 当店（とうてん）は、5 月（がつ）31 日（にち）をかぎりに閉店（へいてん）いたします。長（なが）い間（あいだ）、皆様（みなさま）にはお世話（せわ）になりました。
  本店 5 月 31 日闭店。感谢各位顾客长期以来的关照。

- その選手（せんしゅ）は今日（きょう）の試合（しあい）をかぎりに現役（げんえき）を引退（いんたい）し、コーチとしてやっていくそうだ。
  据说那个选手今天的比赛结束就退役了，以后当教练。

- 公園で迷子になった女の子は、声をかぎりに母親を呼び続けた。
  在公园迷路的女孩子不断大声地喊妈妈。

派生

「声を限りに」作为惯用表达，表示大声呼喊。

- 遠くなっていく船に向かって、彼女は声を限りに友達の名前を呼んだ。
  朝着远去的船只，她大声喊着朋友的名字。

考题解析及译文

①鈴木アナウンサーは今日のサッカーの試合の中継放送を＿＿＿＿＿＿引退した。（97年1級）

　　　　1. かぎりに　　2. かぎって　　3. しまって　　4. ばかりに

解析　选项2「かぎって」意为"限于……"。选项3「しまって」意为"结束"。选项4「ばかりに」意为"就因为……"。　　　　　　　　　　　　**答案1**

译文　铃木广播员播完今天足球比赛的直播后就退休了。

3　**〜を皮切りに（して）／〜を皮切りとして**　　**以……为开端**

接続　名詞＋を皮切りに（して）

解説　「皮切り」意为"最初、首次、开始"。该句型表示以前项为契机开始了后项的事。

- 開会式後の第一線を皮切りに、約2週間にわたる高校野球大会が始まった。
  以开幕式后的第一时间为开端，开始了约两周的高中棒球比赛。

- 会議では、彼の発言をかわきりに、次々に新しい意見が出てきた。
  在会议上，以他的发言为开端，不断有新的意见被提出来。

- 展覧会は東京をかわきりに、全国の大都市で開催された。
  展览会以东京为开端，在全国的大城市举办开来。

辨析

「をかわきりに」表示同类事物发生或发展的开始。

「をきっかけに」表示新的行为的开始。

- あの人の発言をかわきりに、大勢の人が次々に意見を言った。（同类的行为）
  以那个人的发言为开端，很多人陆续地提出了意见。

- 私は、4年前に胃を手術したのをきっかけに、健康に注意するようになった。（新的行为）
  4年前我做了胃的手术，以此为契机，我开始注意身体健康了。

16

考题解析及译文

①国防費を_____種々の予算が見直され始めた。（96 年 1 級）
　　　1. かわきりに　　2. ばかりに　　3. あっての　　4. みなして

解析　选项2「ばかりに」意为"就因为……"。选项3「あっての」意为"有……才……"。选项4「みなして」意为"看作……"。　　　　　　　　　　　答案1

译文　以国防费为开端，各种预算开始被重新讨论。

②来月市民ホールが完成する。3 日の記念講演を_____、コンサートや発表会など
が連日予定されている。（99 年 1 級）
　　　1. はじまりに　　2. まくあけで　　3. かわきりに　　4. さいしょで

解析　选项1、2、4均不符合题意。　　　　　　　　　　　答案3

译文　下个月市民会馆完工。以3日的纪念演讲为开端，计划连续几天进行音乐会和发表会等。

③当劇団は評判がよく、明日の公演を_____、今年は 10 都市をまわる予定である。
（05 年 1 級）
　　　1. かわきりに　　2. かえりみず　　3. 前にして　　4. 禁じえず

解析　选项2「～をかえりみず」意为"不顾……"。选项3「～を前にして」接在名词后面，意为"面临……、在……面前"。选项4「～を禁じえず」意为"禁不住……"。　答案1

译文　该剧团的名声很好，以明天的公演为开端，计划今年要在十个城市进行巡演。

④その会社は、先週発表した新型車を_____、次々と新しい車を発表するそうだ。（08
年 1 級）
　　　1. おいて　　2. もって　　3. かぎりに　　4. かわきりに

解析　选项1「～をおいて」接在名词后面，后通常与否定形式连用，意为"除了……之外没有……"。选项2「～をもって」接在名词后面，意为"用……、以……、因……"。选项3「～をかぎりに」接在名词后面，意为"仅限于……、最大限度……"。　答案4

译文　据说那个公司要以上周发表的新型车为开端，陆续发表新车。

4　～を機_きに／～を機_きとして　以……为契机

接続　名詞＋を機に
解説　表示以前项为契机。

• 当レストランでは、開店 15 周年_{しゅうねん}をきに、メニューを大幅_{おおはば}に変えました。
　本饭店以开店十五周年为契机，大幅度地改变了菜单。

• 今回_{こんかい}の入院_{にゅういん}をきに、酒_{さけ}もタバコもやめようと思_{おも}っている。
　我想要以这次住院为契机，戒掉酒和烟。

• 離婚_{りこん}を機_きに、彼女_{かのじょ}は住_すみ慣_なれた北京_{ぺきん}から上海_{しゃんはい}に引_ひっ越_こした。
　以离婚为契机，她从住习惯了的北京搬到了上海。

5　～を禁じえない　　禁不住……

接続　名詞＋を禁じえない

解説　表示面对某种情景而控制不住产生愤怒、同情、惊讶等情感。是比较生硬的书面语表达。

- 子供への虐待のニュースを見て、怒りを禁じえなかった。

  看到虐待孩子的新闻，我不禁愤然。

- 今回の社長交代には、驚きを禁じえなかった。

  对于这次的社长交替，我不禁感到惊讶。

- 彼のひどい内容の発言には失笑を禁じえなかった。

  他的发言内容过分，让我不禁发笑。

考题解析及译文

①この事件の犯人には、強い怒りを＿＿＿＿＿＿。　（09年12月1级）

　　1. 禁じえない　　　　　　2. 禁じざるをえない

　　3. 禁じるにかたくない　　4. 禁じるばかりではない

解析　选项2「～ざるをえない」意为"不得不……"。选项3「～にかたくない」意为"不难……、很容易就……"。选项4「禁じるばかりではない」不存在这种表达。　　　**答案1**

译文　对于该事件的犯人，我难以抑制愤怒之情。

②山田さんのところは、去年火事にあって、今年はご両親が交通事故にあったそうだ。まったく同情を＿＿＿＿＿＿ね。　（93年1级）

　　1. 禁じられない　　2. 禁じさせない

　　3. 禁じえない　　　4. 禁じない

解析　选项1「禁じられない」意为"无法禁止"。选项2「禁じさせない」意为"不让禁止"。选项4「禁じない」意为"不禁止"。　　　**答案3**

译文　据说山田家去年发生火灾，今年父母又遭遇了交通事故。真是让人禁不住同情。

③事故で家族を失った人の話を聞いて、涙を＿＿＿＿＿＿。　（97年1级）

　　1. 禁じなかった　　　　　2. 禁じ得なかった

　　3. 禁じざるを得なかった　4. 禁ぜずにはおれなかった

解析　选项1「禁じなかった」意为"没有禁止"。选项3「禁じざるを得なかった」意为"不得不禁止"。选项4「禁ぜずにはおれなかった」不存在这种表达。　　　**答案2**

译文　听了别人因事故而失去家人的话，我不禁流泪。

④戦争の映画や写真を見るたびに、戦争への怒りを＿＿＿＿＿＿。　（00年1级）

　　1. 禁じえない　　　　2. 禁じかねない

　　3. 禁じざるをえない　4. 禁じないではすまない

解析　选项2「禁じかねない」意为"很可能禁止"。选项3「禁じざるをえない」意为"不得不禁止"。选项4「禁じないではすまない」意为"非禁止不可"。　　　**答案1**

16

译文　每次看有关战争的电影和照片，都难以抑制对战争的愤恨。

⑤私たちは、彼の突然の辞職に、戸惑いを＿＿＿＿＿＿。（04 年 1 級）
1. 覚えさせた　　　　2. 余儀なくさせた
3. 感じきれなかった　4. 禁じえなかった

解析　选项1「覚えさせた」意为"让记住"。选项2「余儀なくさせた」意为"迫使……不得不……"。选项3「感じきれなかった」意为"不能完全感受到"。　　　　**答案4**

译文　对于他的突然辞职，我们不禁感到困惑。

6 〜を控え（て）/ 〜を〜に控えて / 〜に〜を控えて　　面临……、靠近……

接续　名詞＋を控え（て）

解说　「控える」的意思为"等候、面临、临近"。本句型指时间上紧迫，马上就要发生某事。

- 受験を 1 か月後にひかえて、学生たちの集中力も高まってきたようだ。
  一个月后面临考试，学生们的注意力好像也提高了。

- オリンピック開幕を 2 か月後にひかえて、ロンドンでは、会場の準備が急ピッチで進んでいました。
  两个月后面临奥运会开幕，在伦敦，会场的准备工作正在快速进行着。

- 1 週間後に閉幕戦を控えて、選手たちの練習にも熱が入ってきた。
  一周后就是闭幕战了，选手们的练习也更有热情了。

7 〜を踏まえて / 〜を踏まえた　　根据……、依据……、在……基础上

接续　名詞＋を踏まえて

解说　「踏まえる」意为"踏、踩、根据、依据"。该句型表示依据前项做某事，或者表示把某事项或某想法考虑进去。

- 政治家たちは、制度を決める時、もっと生活スタイルの変化をふまえて議論すべきだと思う。
  我认为，政治家们在制定制度时，应根据生活方式的变化进行讨论。

- その形式を踏まえて書けば、それほど難しくはありませんよ。
  依据那种形式写的话，并没有那么难。

- 会社の中間報告を踏まえて、これからの対策を考えたいと思います。
  我想要依据公司的中期报告来考虑今后的对策。

考题解析及译文

①今年度の反省_____来年度の計画を立てなければならない。（01年1级）

　　1. のかぎり　　2. とみると　　3. をふまえて　　4. にわたって

解析　选项1「のかぎり」接在名词后面，表示达到最高限度，意为"全部……、尽……"。选项2「とみると」作为句型不存在。选项4「にわたって」接在名词后面，表示动作或行为所涉及的时间范围，或者次数、场所的范围，意为"在范围内……、历经……、一直……"。　　　**答案3**

译文　必须根据今年的反省，制定来年的计划。

②現在の状況_____、今後の計画を考え直す必要がある。（07年1级）

　　1. もがな　　2. とみるや　　3. に及ばず　　4. を踏まえて

解析　选项1「もがな」表示希望或愿望，意为"但愿……、如能……才好"。选项2「とみるや」意为"刚一看到……就立刻……"。选项3「に及ばず」接在名词后面，意为"赶不上……、不如……"。　　　**答案4**

译文　有必要根据现在的状况，重新思考今后的计划。

8　～を経て　经过……

接续　名詞＋を経て

解说　「経る」意为"经过"。该句型表示经过某个历程或某段时间。

- 新入社員は、3ヶ月の研修期間をへて、それぞれの部署に配属される。
  新来的职员经过三个月的研修期后，被分配到各个部门。
- 二度の審議をへて、新しい法案が議会で承認された。
  经过两次审议，新法案在议会上得到了通过。
- 厳しい予選を経て、決勝に10チームが進んできた。
  经过严格的预选，十支队进入了决赛。

考题解析及译文

①新しい条約は、議会の承認を_____認められた。（03年1级）

　　1. 経て　　2. 機に　　3. かねて　　4. ひかえて

解析　选项2「～を機に」意为"以……为契机"。选项3「～をかねて」意为"兼任……"。选项4「～をひかえて」意为"面临……、靠近……"。　　　**答案1**

译文　新条约经过议会批准后被认可。

9 ～を前に（して）　面对……、面临……、在……之前

接续　名詞＋を前に（して）

解说　表示时间、空间、事项等的接近。

• 何度も持ち上がった解散説を前にして、SMAP のメンバー 5 人の心境はどうだろうか。

面对多次沸沸扬扬的解散传闻，SMAP 的五位成员心情是怎样的呢？

• 卒業をまえにして、毎日忙しくてたまらない。

临近毕业，每天忙得不亦乐乎。

• このような問題を前にして、何をためらっているのか。

面对这样的问题，在犹豫什么呢？

10 ～をもって

（1）以……、用……

接续　名詞＋をもって

解说　表示手段、方法、工具等。有时可以表示具体动作，有时也可以和抽象的名词一起使用，表示"具有"的意思。

• 結婚式は新郎新婦のあいさつをもって終る予定である。

结婚典礼计划以新郎新娘的致辞结束。

• 彼は見事な処理能力をもって、今回の経営危機を乗り越した。

他以出色的处理能力渡过了这次的经营危机。

• どんな手段をもってしても、時間をやめることはできない。

不论以何种手段，都无法使时间停下脚步。

（2）于……、以……

接续　名詞＋をもって

解说　表示前面事项的开始、结束、界限点等。通常在告知时间或状况，宣布会议等结束、开始时使用本句型。有时会使用「～をもちまして」的形式，比「～をもって」语气更加郑重。

• 私は本日をもって退職することになりました。

我从今日起退休。

• 本日の営業は午後 10 時をもって終了いたします。

今天的营业将在下午 10 点结束。

「～をもってすれば」表示假如拥有前项的话。

- 彼の実力をもってすれば、オリンピックの二連覇も決して夢ではない。
  如果有他那样的实力的话，在奥运会蝉联冠军也绝不是梦想。

考题解析及译文

① 誠に勝手ながら、当店は10月30日＿＿＿＿＿閉店いたしました。（09年12月1級）
　　　1. につき　　2. をもって　　3. にひきかえ　　4. をかわきりに

解析　选项1「につき」有3个意思：A.意为"关于……、就……"；B.意为"比例是……"；C.意为"因为……"。选项3「にひきかえ」意为"与……相反"。选项4「をかわきりに」意为"以……为开端"。　　　**答案2**

译文　非常抱歉，本店要在10月30日闭店。

② 君の能力を＿＿＿＿＿すれば、どこに行ってもやっていけると思う。（93年1級）
　　　1. よそに　　2. とって　　3. 限りに　　4. もって

解析　选项1「～をよそに」意为"不顾……"。选项2「～にとって」意为"对于……来说"。选项3「～を限りに」意为"仅限于……、最大限度……"。　　　**答案4**

译文　我想，如果拥有你那样的能力的话，可以去任何地方工作。

③ 山下博士が画期的な理論を打ち立てたと新聞に出ていた。博士の頭脳と実力＿＿＿＿＿
すれば、それは意外なことではない。（99年1級）
　　　1. になって　　2. をとって　　3. にとって　　4. をもって

解析　选项1「になって」意为"成为……"。选项2「をとって」意为"取得……"。选项3「にとって」意为"对于……来说"。　　　**答案4**

译文　报纸上说山下博士建立了划时代的理论。以博士的头脑和实力，这并不让人感到意外。

④ 昨日の飛行機事故は、世界中に衝撃＿＿＿＿＿伝えられた。（03年1級）
　　　1. めいて　　2. をもって　　3. なしには　　4. にそくして

解析　选项1「めいて」接在名词后面，表示有某种样子、征兆，意为"像……样子、有……气息"。选项3「なしには」接在名词后面，意为"没有……"。选项4「にそくして」接在名词后面，意为"按照……、根据……"。　　　**答案2**

译文　昨天的飞机事故震惊了全世界。

⑤ 外交官としてどう対処するべきか、彼女は身を＿＿＿＿＿示した。（06年1級）
　　　1. かかげて　　2. うけて　　3. こめて　　4. もって

解析　选项1「～をかかげて」意为"挂……、掀……、刊登……、提出……"。选项2「～をうけて」意为"承接……、接到……"。选项3「～をこめて」意为"倾注……、满怀……"。　　　**答案4**

译文　她以身作则，告诉人们作为外交官该如何应对。

16

11 ～をものともせず（に）　不怕……、不顾……

接续　名词＋をものともせず（に）

解说　该句型的前面多接表示险恶、困难等词语，表示不把它当一回事。

- 消防士は危険をものともせず、火の中に飛び込んで子供を助けた。
  消防员不顾危险冲向火中，把孩子救出来。

- 不況をものともせず、急成長を続けている企業がある。
  尽管经济不景气，有些企业仍持续快速成长着。

- 彼は、向かい風をものともせず、新記録を出した。
  他不怕逆风，创造出了新纪录。

考题解析及译文

①雨が激しく降り始め、あたりが暗くなってきた。道路はすべりやすく、プロのドライバーでも運転が難しい状況だった。この悪条件を＿＿＿＿、参加者全員がみごとにゴールインした。（96 年 1 級）
  1. ものともせず　2. ものとして　3. ものならず　4. ものながら

解析　选项2、3、4作为句型均不存在。　　　　　　　　　　　　　　　　**答案1**

译文　开始下起大雨，周围变暗。道路易滑，连专业司机也很难驾驶。参加者们不顾这种恶劣天气，都冲刺到了终点。

②彼女は 3 度の足のけがを＿＿＿＿オリンピックの代表選手になった。（97 年 1 級）
  1. ものともせず　2. ものにせず　3. ものにして　4. ものではなく

解析　选项2、3、4作为句型均不存在。　　　　　　　　　　　　　　　　**答案1**

译文　她不顾脚三次受伤，成为奥运会的参赛选手。

③周囲の反対＿＿＿＿、兄はいつも自分の意志を通してきた。（02 年 1 級）
  1. であれ　2. をものともせず　3. にもまして　4. しないまでも

解析　选项1「であれ」接在疑问词后面，意为"无论……还是……"。选项3「にもまして」接在名词后面，意为"比……更……"。选项4「しないまでも」意为"即使不……也得……、没有……至少也……"。　　　　　　　　　　　　　　　　**答案2**

译文　哥哥不顾周围的反对，总是坚持己见。

④彼はたび重なる困難を＿＿＿＿、前に進んでいった。（05 年 1 級）
  1. こめて　2. とわず　3. ものともせず　4. たよりに

解析　选项1「～をこめて」接在名词后面，意为"倾注……、满怀……"。选项2「～をとわず」接在名词后面，意为"不论……、不管……"。选项4「～をたよりに」接在名词后面，意为"依靠……"。　　　　　　　　　　　　　　　　**答案3**

译文　他不顾重重困难，勇往直前。

12　～を余儀（よぎ）なくされる／～を余儀（よぎ）なくさせる　　不得已……、只能……、迫使……不得不……

接续　名詞＋を余儀なくされる

解说　「余儀（よぎ）ない」意思为"无奈、被迫"。「させる」是使役态，而「される」是使役加被动态构成的约音，表示被迫。该句型表示不得已而做某事。

- 長引（なが び）く不況（ふ きょう）で、我が社（しゃ）も雇用（こようちょうせい）調整（よぎ）を余儀なくされた。
  面对持续的经济不景气，我公司也被迫进行了雇佣调整。

- 医者（い しゃ）の忠告（ちゅうこく）を無視（む し）して病気（びょうき）になり、5年間（ねんかん）の入院生活（にゅういんせいかつ）を余儀（よぎ）なくされた。
  无视医生的忠告而得病，不得不过了5年住院生活。

- 会社（かいしゃ）の経営（けいえい）が悪化（あっか）し、社員（しゃいん）の約三分（やくさんぶん）の一（いち）が退職（たいしょく）を余儀（よぎ）なくされた。
  公司的经营恶化了，大约三分之一的职员不得不退职。

考题解析及译文

①前政権が崩壊してからというもの、この国では中小企業の倒産、大手の企業の合併が続き、多くの人が職場を離れることを＿＿＿＿＿。（95年1級）

　　1. 余儀なくしている　　　2. 余儀なくされている
　　3. 余儀なくさせている　　4. 余儀なくしてもらっている

解析　选项1、3、4的表达均不符合题意。　　　　　　　　　　　　　　**答案2**

译文　前政权崩溃之后，该国的中小企业破产，大型企业持续合并，很多人不得不离开职场。

②台風によって交通機関が止まってしまい、旅行の中止を＿＿＿＿＿。（97年1級）

　　1. 余儀なくした　2. 余儀なくさせた　3. 余儀なくされた　4. 余儀なくなった

解析　选项1「余儀なくした」意为"不得已做了"。选项2「余儀なくさせた」意为"迫使……不得不……"。选项4「余儀なくなった」意为"变得不得已"。　　**答案3**

译文　因为台风，交通瘫痪，旅行也不得不中止了。

③夏祭りの計画は、予算不足のため、変更を＿＿＿＿＿。（01年1級）

　　1. 余儀なくした　2. 余儀なくできた　3. 余儀なくさせた　4. 余儀なくされた

解析　选项1「余儀なくした」意为"不得已做了"。选项2「余儀なくできた」意为"不得已能"。选项3「余儀なくさせた」接在名词后面，表示不得已的行为，意为"迫使……不得不……"。选项3和选项4的意思接近，其区别是：「～を余儀なくさせる」的行为主体是动作的发出者，而「～を余儀なくされる」的行为主体是被动的承受者。　　**答案4**

译文　夏天庆祝活动的计划因为预算不足而不得不更改。

④道路拡張の工事のために、この周辺の人々は引っ越しを＿＿＿＿＿。（02年1級）

　　1. 余儀なくされた　　　　2. 余儀なくさせた
　　3. 余儀なくしてもらった　4. 余儀なくなった

解析　选项2「余儀なくさせた」意为"迫使……不得不……"。选项3「余儀なくしてもらった」意为"不得已请求为我做"。选项4「余儀なくなった」意为"变得不得已"。选项1

和选项2的区别是：「～を余儀なくさせる」的行为主体是动作的发出者，而「～を余儀なくされる」的行为主体是被动的承受者。　　　　　　　　　　　　　　　　　　　　**答案1**

译文　因为要进行道路扩张施工，所以周边的人们不得已只好搬家了。

⑤不正な取引が明らかになり、その取引に関わった会社役員は辞職_____。（07年1级）

　　　　1. を禁じえなかった　　2. を余儀なくされた
　　　　3. には及ばなかった　　4. にあずからなかった

解析　选项1「～を禁じえない」接在名词后面，意为"禁不住……"。选项3「には及ばなかった」意为"不如……、赶不上……"。选项4「にあずからなかった」意为"没参与……"。　　　　　　　　　　　　　　　　　　　　　　　　　　**答案2**

译文　不正当交易被曝光，相关公司职员不得不辞职。

13　～をよそに　不顾……

接续　名詞＋をよそに

解说　「よそ」意为"别处、其他、丢在一边、置之不顾"。该句型表示把某事物当成没有直接关系，或者表示对前项不理睬、不放在心上。

• 妻の不満をよそに、彼は今日もゴルフに出かけていった。
　不顾妻子的不满，他今天又去打高尔夫球了。

• 土砂崩れに対する周辺住民の不安をよそに、道路工事が進められている。
　不顾周边居民对山体滑坡的担心，道路工程仍继续进行着。

• ファンの期待をよそに、チームの成績は下降していった。
　不顾支持者的期待，队伍的成绩在下降。

考题解析及译文

①あき子は、親の心配_____、遊んでばかりいる。（92年1级）
　　　　1. をよそに　　2. はもとより　　3. はやはり　　4. をかぎりに

解析　选项2「はもとより」意为"不用说……"。选项3「はやはり」意为"依然、同样、果然、到底还是……"。选项4「をかぎりに」意为"仅限于……、最大限度……"。　　**答案1**

译文　秋子不顾父母的担心，一直在玩儿。

②あの子は教師の忠告_____、相変わらず悪い仲間と付き合っている。（95年1级）
　　　　1. をもとに　　2. をよそに　　3. をもって　　4. をこめて

解析　选项1「をもとに」意为"在……基础上、根据……"。选项3「をもって」意为"以……、于……"。选项4「をこめて」意为"倾注……、满怀……"。　　　　**答案2**

译文　那个孩子不顾老师的忠告，依旧和坏孩子交往。

③田中さんは周囲の心配＿＿＿＿＿＿ヨットで長い航海に出た。（97年1级）

    1. はもとより   2. をよそに   3. によらず   4. はおろか

解析   选项1「はもとより」意为"不用说……"。选项3「によらず」意为"不论……、不按……"。选项4「はおろか」意为"不要说……就连……也……"。   **答案2**

译文   田中不顾周围人的担心，驾驶快艇去长期航海了。

④住民の反対運動が盛り上がるのを＿＿＿＿＿＿、高層ホテルの建設工事はどんどん進められた。（00年1级）

    1. よそに   2. そとに   3. あとに   4. ほかに

解析   选项2「そとに」意为"在外面"。选项3「あとに」意为"……之后"。选项4「ほかに」意为"此外"。   **答案1**

译文   不顾居民反对运动的高涨，高层宾馆的建设工程仍在不断地进行着。

⑤親の期待を＿＿＿＿＿＿、子供たちは毎日ゲームに熱中している。（04年1级）

    1. もとに   2. きっかけに   3. よそに   4. めぐって

解析   选项1「〜をもとに」接在名词后面，意为"在……基础上、根据……"。选项2「〜をきっかけに」接在名词后面，意为"以……为契机"。选项4「〜をめぐって」意为"围绕……"。   **答案3**

译文   不顾父母的期待，孩子们每天热衷于游戏。

⑥あの人は周囲の心配を＿＿＿＿＿＿、好き勝手に振舞っている。（07年1级）

    1. へて   2. もって   3. よそに   4. たよりに

解析   选项1「〜をへて」意为"经过……"。选项2「〜をもって」意为"以……、于……"。选项4「〜をたよりに」接在名词后面，意为"依靠……、指望……"。   **答案3**

译文   那个人不顾周围人的担心，为所欲为。

16

14　〜んがため（に）／〜んがための　　为了……

接续   動詞ない形＋んがため（に）

解说   「ん」是表示推量的文语助动词「む」的连体形，表示意志、决心，接在「動詞ない形」的后面。文语格助词「が」相当于口语中的「の」，是文语的残余。「ために」表示目的。该句型表示为了某种目的而做某事，是一种文言的表达方式。通常用于惯用表达。该句型的意思和「ために」相同，但在口语中不使用。

• 彼女はつらい過去を忘れんがため、当てのない旅行に出た。
    她为了忘记痛苦的过去，开始了漫无目的的旅行。

• 試験に合格せんがために、寝る時間も惜しんで勉強している。
    为了考试合格，不惜占用睡眠时间来学习。

• 勝たんがために、禁止されている薬を使うような選手は、本当のスポーツマンではない。

为了获胜而使用被禁的药品，这样的选手不是真正的运动员。

「～べく」表示目的，虽然可以用同样表示目的的「～ために」替换，但是「べく」所含有的"当然的义务"的心情超过个人的意志。

• 北京で家を買うべく（⇔買うために）貯金している。

　为了在北京买房而存钱。

「べく」、「～んがために」与表示目的的「ために」不同的是，句末不能使用「～たい/～てください/～つもりだ」之类的表示意志、希望或依赖等的表达方式。

• 大学に合格するために、（×合格すべく）頑張ってください。

　为了能考上大学，请加油吧。

「～んがために」表示务必实现的积极目的，多用于挑战某种困难的情况。

• 勝たんがためには（⇔勝つためには）手段を選ばない。

　为了取胜，不择手段。

「～ように」、「べく」、「んがために」与表示目的的「ために」基本上是近义表达方式，但不能像表示目的的「ように」那样，接无意志性的自动词或可能态等。

• 病気が治るように（×治るべく/×治らんがために）、薬を飲んだ。

　为了治好病而喝药。

考题解析及译文

①人間は_____、心ならずも悪事を行ってしまう場合がある。（91年1級）

　　1. 生きぬがために　　2. 生きんがために

　　3. 生きまいがために　4. 生きないがために

解析　选项1、3、4的接续均不正确。　　　　　　　　　　　　**答案2**

译文　人为了生存，有时身不由己会做坏事。

②事実を明らかに_____、あらゆる手を尽くす。（00年1級）

　　1. するまじぐ　　2. すべからず　　3. せんがため　　4. せざるべく

解析　选项1「するまじく」意为"不应该做"。选项2「～べからず」意为"不得……、不可……"。选项4「せざるべく」意为"不应该……"。　　　　**答案3**

译文　为了弄清事实而想尽办法。

③国会で法案を_____、首相は根回し工作を開始した。（03年1級）

　　1. 通せばこそ　　2. 通るまいと　　3. 通さんがため　　4. 通ろうとして

解析　选项1「通せばこそ」意为"正因为通过"。选项2「通るまいと」意为"不想通过"。选项4「通ろうとして」意为"想通过"。　　　　**答案3**

译文　为了在国会上通过法案，首相开始了事前疏通工作。

④夢を_____、日々努力している。（08年1級）

    1. かなえるまいと   2. かなえるまじく

    3. かなえんがため   4. かなえないものを

解析 选项1「～まいと」后通常和「する」连用，意为"不想……"。选项2「～まじく」是古语助动词「まじい」的连用形，而「まじき」是「まじい」的连体形，意为"……所不该有的……"。选项4「～ものを」意为"却……、可是……"。   **答案3**

译文 为了实现梦想，每天都在努力。

⑤あのチームは_____がためには、どんなひどい反則でもする。（95年1級）

    1. 勝つ   2. 勝ち   3. 勝たぬ   4. 勝たん

解析 选项1「勝つ」意为"获胜"。选项2「勝ち」意为"获胜"。选项3「勝たぬ」意为"不获胜"。   **答案4**

译文 那个队伍为了获胜，多么过分的犯规都会有。

15　～んばかりだ／～んばかりに／～んばかりの　眼看要……、几乎……

接续 動詞ない形＋んばかりだ

解说 「ん」为表示否定的助动词，与「ばかり」搭配使用，表示前面的动作即将发生。这只是一种比喻，用来说明极为近似的状况。

- 子供たちは、引っ越していく友達を見送りながら、ちぎれんばかりに手を振った。

  孩子们一边为要搬走的朋友送行，一边使劲挥舞着双手。

- 小野さんは、おまえのせいだと言わんばかりに鈴木さんを睨んだ。

  小野瞪着铃木，就像在说"都是你的错"。

- 行方不明だった子供が見付かって、両親は涙を流さんばかりの喜びようだった。

  找到了失踪的孩子，父母高兴得眼看就要流泪了。

考题解析及译文

①自分は関係ないと_____ばかりの夫の言動に腹が立った。（09年7月1級）

    1. いわん   2. いわず   3. いいたい   4. いおう

解析 选项2「いわず」意为"不说"。选项3「いいたい」意为"想说"。选项4「いおう」意为"说吧"。   **答案1**

译文 对于丈夫事不关己似的言行很是生气。

②その赤ん坊は、私が抱き上げたら今にも泣き_____ばかりの顔をした。（94年1級）

    1. 出す   2. 出さ   3. 出さん   4. 出した

解析 选项1、2、4的接续均不正确。   **答案3**

16

译文 那个婴儿，我一抱过来就一副要哭出来的样子。

③今にも夕立が＿＿＿＿＿ばかりの空模様だ。（99年1级）

  1. 降り出した 2. 降り出して 3. 降り出さん 4. 降り出そう

解析 选项1、2、4的接续均不正确。 答案3

译文 看天色，好像马上要下雷阵雨了。

④田中さんは、責任はお前にあると＿＿＿＿＿ばかりの態度だった。（00年1级）

  1. 言う 2. 言わん 3. 言った 4. 言わず

解析 选项1、3、4的接续均不正确。 答案2

译文 田中的态度，几乎就是要说"责任就在你身上"。

⑤事故の被害者の見舞いに行ったが、相手はほとんど口もきかず、まるで早く帰れと＿＿＿＿＿。（02年1级）

  1. 言いかねた   2. 言わんばかりだった

  3. 言いそうもなかった 4. 言わなかったそうだ

解析 选项1「言いかねた」意为"难说"。选项3「言いそうもなかった」意为"不太可能说"。选项4「言わなかったそうだ」意为"据说没说"。 答案2

译文 去看望了事故受害者，但对方几乎不说话，简直就像要说"快点回去"。

⑥新しく来たコーチに対する彼の態度は、コーチとして認めないと＿＿＿＿＿。（05年1级）

  1. 言うまでもない 2. 言いがたい 3. 言わんばかりだ 4. 言わなくもない

解析 选项1「～までもない」意为"没必要……、用不着……"。选项2「～がたい」意为"难于……"。选项4「言わなくもない」意为"不是不说"。 答案3

译文 他对新教练的态度简直就像说"作为教练，我不认同你"。

⑦ビデオカメラの調子が悪いので、メーカーに電話した。すると、言葉遣いは丁寧だったが、＿＿＿＿＿と言わんばかりだった。（07年1级）

  1. 私の使い方が悪い 2. 商品の品質が良くない

  3. すぐに取り替える 4. メーカーに責任がある

解析 选项2「商品の品質が良くない」意为"商品质量不好"。选项3「すぐに取り替える」意为"马上就换"。选项4「メーカーに責任がある」意为"厂家有责任"。 答案1

译文 因为我的摄像机出问题了，所以给厂家打了电话。对方态度还可以，但是好像在说是我使用不当造成的。

人よりもほんの少し多くの苦労、人よりもほんの少し多くの努力で、その結果は大きく違ってくる。

——鈴木三郎助

比常人多辛苦几分、多努力几分，结果就会大相径庭。

——铃木三郎助

基础句型

第 17 单元

1　～あげく（に）　结果……、最后……

接续　動詞た形＋あげく（に）

　　　名詞＋の＋あげく（に）

- 両親と相談したあげくに、彼と離婚することにした。

  和父母商量之后，决定和他离婚。

2　～あまり（に）　过度……、过于……、太……

接续　［動詞、イ形容詞］の辞書形＋あまり（に）

　　　ナ形容詞な形＋あまり（に）

　　　名詞＋の＋あまり（に）

- 山田先生は仕事に熱心なあまり、昼食をとるのを忘れることもしばしばある。

  山田老师因太过专注于工作，时常会忘记吃午饭。

3　～以上（は）　既然……就……

接续　［動詞、イ形容詞、ナ形容詞、名詞］の名詞修飾形＋以上（は）

　　　（另外，也可不用「名詞＋の」的形式，而采用「名詞＋である」和「ナ形容詞語幹＋である」的形式。）

- 子供が行きたくないと言っている以上は、無理に連れて行けない。

  既然孩子说不想去，就不能勉强带着去。

4　～一方／～一方で（は）　一方面……另一方面……、同时……

接续　［動詞、イ形容詞、ナ形容詞、名詞］の名詞修飾形＋一方

　　　（也可以采用「名詞＋である」和「ナ形容詞語幹＋である」的形式。）

- 夫は会社で仕事に励む一方、妻は家で家事に追われていた。

  丈夫在公司拼命工作，妻子在家里忙于家务。

5　～一方だ　越来越……

接续　動詞辞書形＋一方だ

- 韓国へ来てから、痩せる一方だ。

  来韩国之后，越来越瘦。

6 ～うえ（に）　**而且……、既……又……**

接続　［動詞、イ形容詞、ナ形容詞、名詞］の名詞修飾形＋うえ（に）
（也可以采用「名詞＋である」和「ナ形容詞語幹＋である」的形式。）

• 値段が安いうえに品質が優れている。
不仅价格便宜，质量也很棒。

7 ～上は　**既然……就……**

接続　動詞辞書形／た形＋上は

• 留学する上はいろいろな準備が要るでしょう。
既然要去留学，就需要做很多准备。

8 ～うちは　**在……的期间、在……的时候**

接続　動詞辞書形＋うちは
　　　動詞ない形＋ない＋うちは
　　　イ形容詞辞書形＋うちは
　　　ナ形容詞な形＋うちは
　　　名詞＋の＋うちは

• 楽器は子供のうちは簡単に覚えられます。
孩童时期，学习乐器很简单。

9 ～おかげか／～おかげで／～おかげだ　**幸亏……、由于……的缘故**

接続　［動詞、イ形容詞、ナ形容詞］の名詞修飾形＋おかげか
　　　名詞＋の＋おかげか

• 静かだったおかげで落ち着いて勉強できた。
多亏安静，才能静下心来学习。

10 ～おそれがある　**恐怕会……、有可能……**

接続　動詞辞書形＋おそれがある
　　　名詞＋の＋おそれがある

• 車の数が増えると、交通渋滞がひどくなる恐れがある。
车增多的话，交通阻塞很可能会变得更严重。

11 ～かぎりでは　**据……所……、在……范围内**

接続　動詞辞書形＋かぎりでは
　　　名詞＋の＋かぎりでは

• 数字を見る限りでは、理にかなった提案に見えます。
从数字上来看，这是个非常合理的提案。

12 〜かけだ / 〜かけの / 〜かける　……做到一半、还没……完、刚要……就……

接续　動詞ます形＋かけだ

- 電話のベルが鳴りかけたが、切れてしまった。
  电话响了一下就被挂断了。

13 〜がたい　难以……、难……

接续　動詞ます形＋がたい

- この計画は成功したとは言いがたいですね。
  很难说这个计划成功了。

14 〜がちだ / 〜がちの / 〜がちな / 〜がちに　常常……、动辄……、往往……

接续　動詞ます形＋がちだ
　　　名詞＋がちだ

- 疲れている時、車を運転すると事故が起こりがちだ。
  疲劳的时候开车，很容易出事故。

15 〜かといえば / 〜かというとそうではない / 〜かというとそうとは限らない　本以为……实际并非……

接续　［動詞、イ形容詞、ナ形容詞、名詞］の普通形＋かといえば
　　　（也可以采用「名詞＋である」和「ナ形容詞語幹＋である」的形式。）

- どんな犬でも熱中症になりやすいかと言えば、そうではない。
  本以为所有的狗都容易中暑，而实际上并非如此。

16 〜かどうか / 〜か否か　是否……、是不是……

接续　［動詞、イ形容詞］の普通形＋かどうか
　　　ナ形容詞語幹（＋である/なの）＋かどうか
　　　名詞（＋である）＋かどうか

- 息子に留学に行かせるか否かで悩んでいます。
  犹豫着要不要让儿子去留学。

17 〜か〜ないかのうちに / 〜か〜ないうちに　刚刚……就……

接续　動詞辞書形＋か＋同じ動詞ない形＋ないかのうちに

- おじさんは毎朝起きるか起きないかのうちにお酒を飲む癖がある。
  叔叔有每天早上一起床就喝酒的习惯。

18 ~か何か   ……之类的、……什么的

接续　名詞＋か何か

- ああ、のどが渇いた。ジュースかなにかありませんか。
  啊，好渴啊，有没有果汁什么的。

19 ~かねない   很可能……、也许会……

接续　動詞ます形＋かねない

- ドアに鍵をかけないと、泥棒に入られかねない。
  门不上好锁的话，小偷有可能进来偷东西。

20 ~かねる   难以……、不能……

接续　動詞ます形＋かねる

- そういう態度には腹に据えかねます。
  那种态度让人很难忍受。

21 ~からすると／~からすれば   从……来看、根据……来判断

接续　名詞＋からすると

- 彼の収入からすると、そんな高い物はとても買えません。
  从他的收入来看，很难买得起那么昂贵的东西。

22 ~からといって／~からって／~からとて   虽说……但……、尽管……也……

接续　［動詞、イ形容詞、ナ形容詞、名詞］の普通形＋からといって

- やせているからと言って、体が弱いとは限らない。
  虽说瘦，但未必身体弱。

23 ~からには／~からは   既然……就……

接续　［動詞、イ形容詞］の普通形＋からには
　　　ナ形容詞語幹＋である＋からには
　　　名詞＋である＋からには

- 中国に来たからには、中国の習慣に従います。
  既然来了中国，就要遵循中国的习惯。

24 ~気味   有点儿……、稍有……

接续　動詞ます形＋気味
　　　名詞＋気味

- あの人はどうも焦り気味です。
  那个人有点急性子。

25 **～くせに／～くせして**　明明……却……、虽然……可是……

接续　[動詞、イ形容詞、ナ形容詞、名詞]の名詞修飾形＋くせに

• 勉強が嫌いなくせに、学者になりたがっている。

明明不喜欢学习，还想当学者。

26 **～こそ**　只有……オ……、正是……

接续　動詞て形＋こそ

　　　名詞＋こそ

• 暑い夏こそ、暑い国でよくアイスコーヒーを飲む。

正是因为酷暑，在炎热的地区才经常喝冰咖啡。

27 **～ことだ／～ないことだ**　最好是……、应该……／最好不……、不应该……

接续　動詞辞書形＋ことだ

　　　動詞ない形＋ないことだ

• 風邪をはやくなおしたいのだったら、暖かくして、ゆっくり寝ることだ。

要想感冒早点好，最好是暖暖和和地好好睡一觉。

28 **～ことだから**　因为……所以……

接续　名詞＋の＋ことだから

• 夫婦喧嘩のことだから、全然気にしないでください。

因为是夫妻吵架，所以千万别在意。

29 **～ことに／～ことには**　令人……的是

接续　動詞た形＋ことに

　　　イ形容詞辞書形＋ことに

　　　ナ形容詞な形＋ことに

• うれしいことに私に好意を持ってくださっている男性がいる。

令人高兴的是，有男子对我有好感。

30 **～際に／～際は／～際には**　在……的时候、遇到……的时候

接续　動詞辞書形／た形＋際に

　　　名詞＋の＋際に

• お降りの際はお忘れ物のないようお気を付け下さい。

下车的时候请不要遗忘物品。

31 **～最中に／～最中だ**　正在……中、在……时刻

接续　動詞ている形＋最中に

　　　名詞＋の＋最中に

17

• カラオケで歌っている最中に演奏中止ボタンを押された。

正唱着卡拉 OK 时，有人按了演奏停止按钮。

32 ～さえ（も）/ ～でさえ（も）　　连……都……、甚至……都……

接续　名詞＋さえ（も）

• 夫婦喧嘩は犬さえ食わない。

夫妻吵架，别人莫管。

33 ～ざるをえない　　不得不……、不能不……

接续　動詞ない形＋ざるをえない

• 終電に間に合わなかったので、家まで歩かざるを得ない。

因为没赶上末班车，所以只好走路回家了。

34 ～しかない　　只好……、只有……

接续　動詞辞書形＋しかない

• バスで財布をすりにすられてしまったのだから、歩いて帰るしかない。

因为钱包在公交车上被扒手偷了，所以只有走路回去了。

35 ～次第　　一……就……、一……立即……

接续　動詞ます形＋次第

• お父さんは怒っていて、手にし次第その辺にあるものを投げつけた。

爸爸很生气，顺手抓到什么就摔。

36 ～ずに　　没有……、不……

接续　動詞ない形＋ずに

• 後ろを振り向かずにずっと前へ進みましょう。

不要回头，一直向前进吧。

37 ～ずにはいられない　　不能不……、禁不住……

接续　動詞ない形＋ずにはいられない

• あの瞬間、「もう告白せずにはいられない」という気持ちを抑えられなくなった。

那个瞬间，我压抑不住想要表白的心情。

38 ～だけ　　尽量……、尽可能地……、能……就……

接续　動詞辞書形 / 可能形＋だけ
　　　イ形容詞辞書形＋だけ
　　　ナ形容詞な形＋だけ

• どうぞ、遠慮なく、お好きなだけ召し上がってください。

请不要客气，想吃多少就吃多少。

39 ～だけあって 不愧是……、无怪乎……、到底是……、难怪……

接続 ［動詞、イ形容詞、ナ形容詞、名詞］の名詞修飾形＋だけあって
（但是，不用「名詞＋の」的形式。）

• 偉大な学者だけあって、彼はその問いに容易に答えた。

不愧是伟大的学者，他很容易地回答出了那个问题。

40 ～だって 即使……也……、无论……也……

接続 ナ形容詞語幹＋だって
名詞＋だって
一部の格助詞＋だって

• 先生だって間違えることはあるよ。

即使是老师，也有弄错的时候。

41 ～たとたん（に） 刚一……就……

接続 動詞た形＋とたん（に）

• 窓を開けたとたん、冷たい風が入ってきた。

刚一打开窗户，冷风就吹进来了。

42 ～だらけ 满是……、全是……

接続 名詞＋だらけ

• 服を着たまま寝てしまったから、皺だらけになってしまった。

因为穿着衣服就睡着了，所以弄得衣服满是褶皱。

43 ～っこない 根本不可能……

接続 動詞ます形＋っこない

• あんなに器用な彼でも作れなかった物だから、僕なんかに作れっこないよ。

连手那么巧的他都做不出来的东西，我是不可能做出来的。

44 ～つつある 正在持续地……、在渐渐地……

接続 動詞ます形＋つつある

• 日本では子供が少なくなってきていることから、学校の数も減りつつある。

由于日本的儿童数量正在减少，所以学校的数量也在逐渐减少。

45 ～てからでないと / ～てからでなければ 如果不……就……、不等……之后就……

接続 動詞て形＋からでないと

17

・契約書の内容を確認してからでなければ、判は押せません。

不确认合同书的内容就无法盖章。

46 〜てしょうがない / 〜てしかたがない 非常……、……得不得了

接続　動詞て形＋しょうがない

イ形容詞て形＋しょうがない

ナ形容詞て形＋しょうがない

・もう少し待てば、バーゲンで半額になったのに、残念でしょうがない。

如果再等一会儿就是半价优惠了，真是太可惜了。

47 〜て（は）いられない 不能……、无法……

接続　動詞て形＋（は）いられない

名詞＋で（は）いられない

・今日は大学から合格の通知が来る日なので、朝からじっとしてはいられないのです。

今天是大学来入学通知书的日子，所以从早上开始就坐立不安。

48 〜てばかりいる 老是……、净是……、光……、一味地……

接続　動詞て形＋ばかりいる

・努力家の姉とは違って、弟は怠けてばかりいる。

与努力的姐姐不同，弟弟总是偷懒。

49 〜ということではない / 〜ということでもない 并非是……、并不是……

接続　［動詞、イ形容詞、ナ形容詞、名詞］の普通形＋ということではない

・あなたが行かないから私も行かないということではないよ。行きたくないだけだ。

并非是因为你不去我就不去，我只是不想去而已。

50 〜というものだ 真是……、才是……、也就是……

接続　［動詞、イ形容詞、ナ形容詞、名詞］の普通形＋というものだ

（但「ナ形容詞」和「名詞」常常不接「だ」。）

・彼の研究がやっと業界から評価された。長年の努力が認められたというものだ。

他的研究终于得到了业界的好评，多年的努力得到了认可。

51 〜とおり（に） / 〜どおり（に） 按照……那样、如……那样

接続　動詞辞書形 / た形＋とおり（に）

動詞ます形＋どおり（に）

名詞＋の＋とおり（に）

名詞＋どおり（に）

• 私の考えどおりに作品ができた。こんなに嬉しいことはない。

作品完成得跟我想的一样。没有比这更让人高兴的事了。

52 〜ところに / 〜ところへ　在……的时候

接続　動詞辞書形 / ている形 / た形＋ところに

• お風呂に入っているところに、友だちから電話がかかってきた。

正在洗澡的时候，朋友打来了电话。

53 〜途中（で）/ 〜途中に　……路上、……途中

接続　動詞辞書形＋途中（で）

　　　名詞＋の＋途中（で）

• 仕事を途中で投げ出すのは無責任ですよ。

工作做到一半就扔下是不负责任的行为。

54 〜とは限らない / 〜とも限らない　未必……、不一定……、不见得……

接続　［動詞、イ形容詞、ナ形容詞、名詞］の普通形＋とは限らない

　　　（也可以采用「名詞＋である」和「ナ形容詞語幹＋である」的形式。）

• 経験が豊富であるからといって必ずしもなんでも分かるとは限らない。

就算经验丰富，也不一定什么都知道。

55 〜ないではいられない　不能不……、不由得……

接続　動詞ない形＋ないではいられない

• 母は部屋が汚れていると、片付けないではいられない。

房间一脏，妈妈就要去收拾。

56 〜にあたって / 〜にあたり　在……之际、在……的时候

接続　動詞辞書形＋にあたって

　　　名詞＋にあたって

• 単身赴任するにあたって、いろいろな準備をしなければなりません。

单身赴任新调职的岗位时，必须要做很多准备。

57 〜に応じて（も）/ 〜に応じては / 〜に応じ / 〜に応じた　按照……、根据……

接続　名詞＋に応じて（も）

• 体力に応じて、適度な運動をするのは大事なことだ。

根据个人体力进行适当的运动很重要。

17

58 ～にかけて（は）／～にかけても　　在……方面、论……的话

接续　名詞＋にかけて（は）

• ディベートにかけては彼はクラスのだれにも引けを取らない。
在辩论上他不输给班上任何人。

59 ～に関して（は）／～に関しても／～に関する　　关于……、有关……

接续　名詞＋に関して（は）

• ご紹介した商品に関しては、リンク先の販売店で取引となります。
有关介绍到的商品，在链接里的商店有卖。

60 ～に先立って／～に先立ち／～に先立つ　　在……之前、先于……

接续　動詞辞書形＋に先立って

• 映画が始まるに先立ち、主演俳優が作品を紹介しました。
电影开始之前，主演对作品做了介绍。

61 ～にしても～にしても　　无论……都……、……也好……也好

接续　［動詞、イ形容詞、ナ形容詞、名詞］の普通形＋にしても＋［動詞、イ形容詞、ナ形容詞、名詞］の普通形＋にしても
（但是，不用「名詞だ＋にしても」或「ナ形容詞だ＋にしても」的形式，可以采用「名詞＋である」和「ナ形容詞語幹＋である」的形式。）

• 暇であるにしても、忙しいにしても、土曜日にはブログを更新することにしています。
不管忙与否，每个周六都会更新博客。

62 ～に相違ない　　一定……、肯定……

接续　［動詞、イ形容詞］の普通形＋に相違ない
　　　ナ形容詞語幹（＋である）＋に相違ない
　　　名詞（＋である）＋に相違ない

• この地域の民族紛争を解決するのは難しいに相違ない。
解决这个地区的民族纷争肯定很难。

63 ～につけ～につけ　　无论……还是……、……也好……也好

接续　動詞普通形＋につけ＋動詞普通形＋につけ
　　　イ形容詞辞書形＋につけ＋イ形容詞辞書形＋につけ
　　　ナ形容詞語幹＋につけ＋ナ形容詞語幹＋につけ
　　　名詞＋につけ＋名詞＋につけ

• 暑いにつけ寒いにつけ、うちのおばあさんは体調が悪いと言う。
不管天气热还是冷，奶奶都说身体不舒服。

64 ～に伴って／に伴い／に伴う　随着……、伴随……

接续　動詞辞書形＋に伴って

名詞＋に伴って

・利用者の増加に伴って、クレジットカードの被害は後を絶えず出ています。
随着使用者的增加，针对信用卡的诈骗事件也不断出现。

65 ～に反し（て）／～に反する／～に反した　与……相反、违反……

接续　名詞＋に反し（て）

・消費者の意に反する勧誘の販売方式を取ってはいけない。
违背消费者意愿的推销方式是不可取的。

66 ～にほかならない　无非是……、不外乎是……

接续　動詞辞書形＋にほかならない

名詞＋にほかならない

・デマのお先棒を担ぐことは、敵を利する行為にほかならない。
帮助散布谣言正是有利于敌人的行为。

67 ～にもかかわらず　虽然……但是……、尽管……却……

接续　［動詞、イ形容詞、ナ形容詞、名詞］の普通形＋にもかかわらず

（但是，不用「名詞だ＋にもかかわらず」或「ナ形容詞だ＋にもかかわらず」的形式，可以采用「名詞＋である」和「ナ形容詞語幹＋である」的形式。）

・政府の努力にもかかわらず、不景気が続いている。
尽管政府做出了努力，但经济还是不景气。

68 ～によると／～によれば　据说……、根据……

接续　名詞＋によると

・先輩の話によれば、社長は小説を書いているそうです。
据前辈说，社长在写小说。

69 ～にわたって／～にわたり／～にわたる／～にわたった　历经……、涉及……、在……范围内

接续　名詞＋にわたって

・5時間にわたった会議が今やっと終了した。
历经5个小时的会议现在终于结束了。

17

70 ～のみならず／～のみでなく／ 不仅……而且……、不仅……也……
～のみか

接続　[動詞、イ形容詞、ナ形容詞、名詞]の普通形＋のみならず

（但是，不用「名詞＋だ」的形式，可以采用「名詞＋である」和「ナ形容詞語幹＋である」的形式。）

- ここでは食べ物のみならず、水も貴重だ。
  在这里，不只是食物，水也很珍贵。

71 ～ばかりか／～ばかりでなく 不仅……而且……、不仅……也……

接続　[動詞、イ形容詞、ナ形容詞、名詞]の名詞修飾形＋ばかりか

（但是，不用「名詞＋の」的形式，可以采用「名詞＋である」和「ナ形容詞語幹＋である」的形式。）

- 自分のことばかりでなく、人の気持ちも考えなさい。
  不要老是考虑自己，也要考虑一下别人的感受。

72 ～ばかりで 只……、光……、净……

接続　動詞辞書形＋ばかりで
　　　イ形容詞辞書形＋ばかりで
　　　ナ形容詞な形＋ばかりで
　　　名詞＋ばかりで

- 忙しいばかりで、あんまり儲からない。
  只是忙，不怎么赚钱。

73 ～はずがない／～はずはない 不可能……、不会……

接続　[動詞、イ形容詞、ナ形容詞、名詞]の名詞修飾形＋はずがない

- あの監督の映画だったら、面白くないはずがない。
  那个导演拍的电影不可能不好看。

74 ～はもちろん／ 不用说……就连……也……、别说……就连……也……
～はもとより

接続　名詞＋はもちろん

- この病院では医者はもとより、看護士も足りない。
  这家医院别说医生了，就连护士也不够。

75 ～反面／～半面 另一方面……、与……相反

接続　[動詞、イ形容詞、ナ形容詞、名詞]の名詞修飾形＋反面

（也可以用「名詞＋である＋反面」、「ナ形容詞＋である＋反面」的形式。）

- この新しい薬はよく効く反面、副作用も強い。
  这种新药很有效，可是另一方面，副作用也很强。

76 〜もかまわず 不顾……、不管……

接续 名詞＋もかまわず

・試合では人目もかまわず、大声で応援した。

观看比赛的时候，我不顾旁人眼光，大声喊加油。

77 〜もの／〜もん 因为……、由于……

接续 ［動詞、イ形容詞、ナ形容詞、名詞］の普通形＋もの

（有时也有「です＋もの」或「ます＋もの」的形式。）

・誰でも悩みがあります。人間だもの。

谁都会有烦恼。都是人嘛。

78 〜ものがある 确实是……、真是……、实在……

接续 ［動詞、イ形容詞、ナ形容詞、名詞］の名詞修飾形＋ものがある

・留学は楽しみだが、友達と会えなくなるのはつらいものがある。

虽然很期待去留学，可是去了之后见不到朋友，实在很难受。

79 〜ものだから 因为……

接续 ［動詞、イ形容詞、ナ形容詞、名詞］の名詞修飾形＋ものだから

・雨が降ってきたものだから、濡れてしまった。

因为下雨了，所以被淋湿了。

80 〜ものの 虽然……但是……

接续 ［動詞、イ形容詞、ナ形容詞、名詞］の名詞修飾形＋ものの

・新しいカメラを買ったものの、まだ一度も使っていない。

虽然买了新相机，可是一次都没用过。

81 〜ようがない／〜ようもない 无法……、不能……

接续 動詞ます形＋ようがない

・この病気は現在の医学では治せない。どうしようもない。

这个病现代医学无法医治，没有办法。

82 〜ようなら 如果……的话

接续 動詞辞書形＋ようなら

イ形容詞辞書形＋ようなら

ナ形容詞な形＋ようなら

・もし君が行くようなら電話をしてくれるよ。

如果你去的话，给我打电话吧。

17

83 **～より（も）むしろ～** 与其……莫不如……、与其……宁可……

接续　動詞辞書形／ている形＋より（も）むしろ～
　　　名詞＋より（も）むしろ～

・出かけていくよりむしろ彼に電話をかけたほうがいい。
　与其出去找他，不如给他打电话。

84 **～わけがない／～わけはない** 不可能……、不会……

接续　［動詞、イ形容詞、ナ形容詞］の名詞修飾形＋わけがない

・あんな背の高い子が小学生のわけがない。
　那个孩子个子那么高，不可能是小学生。

85 **～わけではない／～わけでもない** 并不是……、不一定……、并非……

接续　［動詞、イ形容詞、ナ形容詞］の名詞修飾形＋わけではない

・嫌いなわけではないが、カラオケにはあまり行かない。
　并非讨厌唱卡拉 OK，但是不怎么去。

86 **～わりに（は）** 虽然……但是……

接续　［動詞、イ形容詞、ナ形容詞、名詞］の名詞修飾形＋わりに（は）

・あのレストランは値段のわりにおいしい料理を出す。
　那家餐馆虽然价钱便宜，但味道很好。

87 **～を契機に（して）／～を契機として／
～が契機になって／～が契機で** 以……为契机

接续　名詞＋を契機に（して）

・30歳になったのを契機にマラソンを始めた。
　到了 30 岁，以此为契机，开始练习马拉松。

88 **～を問わず／～は問わず** 不管……、无论……、不拘……

接续　名詞＋を問わず

・彼は男女を問わず、みんなから好かれています。
　不论男女，谁都喜欢他。

89 **～をぬきにして／～はぬきにして** 除去……、去掉……

接续　名詞＋をぬきにして

・冗談はぬきにして、本当のことを教えてください。
　不要开玩笑了，告诉我实情吧。

90 **～をめぐって / ～をめぐる**　　围绕……、就……

接続　名詞＋をめぐって

- オリンピックの代表をめぐって、最後のレースが行われます。
  围绕争夺奥运会参赛权，将进行最后的比赛。

91 **～んだった**　　……就好了、真该……

接続　動詞辞書形＋んだった

- もっと早く出るんだった。そうしたら、こんなに焦らなくて良かったのに。
  早点出门就好了。如果那样的话，就不用这么着急了。

17

努力せずに何かできるようになる人のことを天才というのなら、僕はそうじゃない。努力した結果、何かができるようになる人のことを天才というのなら、僕はそうだと思う。
——鈴木一郎

如果把无须努力而掌握一技之长的人称为天才，那我不属于此列；如果把经过努力而掌握一技之长者称为天才，那可算我一个。
——铃木一郎

超纲句型

第 18 单元

1 あまりの～に～ 对于……过度……

接续　あまりの＋名詞＋に

• 政治家のあまりの汚さに開いた口がふさがらない。
对于政治家的过度贪污，惊讶得说不出话来。

2 いかに～か 多么……啊

接续　いかに＋［動詞、イ形容詞、ナ形容詞］の普通形＋か
　　　いかに＋名詞＋か

• 雪山がいかに危険か、身をもって体験した。
亲身体验了雪山是何等的危险。

3 いくらなんでも～ （未免）也太……、不管怎么样

接续　いくらなんでも＋用言

• この料理はいくらなんでも辛すぎて、とても食べられない。
这道菜未免也太辣了，根本吃不了。

4 いずれにしろ～ / いずれにせよ～ 不管怎样

接续　副詞として

• パーティーに参加するかどうか、いずれにしろ返事は早いほうがいい。
是否参加宴会，不管怎么说，最好早点回复。

5 ～以前の～ 谈不上……

接续　Aは＋動詞辞書形／名詞＋以前の＋B

• 入学試験は、書類不備で受験する以前の問題だった。
因为文件不齐全，所以都不能参加入学考试。

6 ～うちにはいらない 算不上……、不能算是……

接续　動詞普通形＋うちにはいらない
　　　イ形容詞辞書形＋うちにはいらない
　　　名詞＋の＋うちにはいらない

• 通勤の行き帰りに駅まで歩くだけでは、運動するうちにはいらない。

仅仅是上下班步行到车站，不能算作运动。

7 ～（よ）うと思えば～られる　　如果想……就能……

接续　動詞意向形＋（よ）うと思えば＋動詞可能形

- 40万円ぐらいなら、貯めようと思えば貯められる。
  40万日元的话，如果想存就能存。

8 ～（よ）うとすらしない　　连……也不想做

接续　動詞意向形＋（よ）うとすらしない

- 主婦なのに、食事の後片付けをしようとすらしない。
  明明是主妇，却连饭后收拾餐桌都不想做。

9 おいそれとは～ない　　很容易地……、贸然……

接续　おいそれとは＋動詞ない形＋ない

- そんな大金をおいそれとは出せない。
  不能轻易地拿出那么多钱。

10 思えば～　　想起来

接续　思えば＋短文

- 思えば、あのころはよくあなたと徹夜で議論しましたね。
  想起来，那时经常和你一起通宵讨论呢。

11 ～おりに（は）　　……的时候

接续　動詞辞書形／た形＋おりに（は）
　　　名詞＋の＋おりに（は）

- 大阪にいらっしゃる折には、ぜひ、また当店にお立ち寄りください。
  您来大阪的时候，一定请再次光临我们店。

12 ～がいい　　最好……

接续　動詞辞書形＋がいい

- 悪いことばかり覚えて、お前なんか、そのうち警察に捕まるがいいよ。
  净学坏，你这样的，最好一会儿就被警察逮捕。

13 ～がけ　　顺便……

接续　動詞ます形＋がけ

- 病院への行きがけに、お見舞いの花でも買っていく。
  去医院时，顺便买探病用的花。

18

14 ～が関の山だ　充其量……、顶多……

接续　名詞＋が関の山だ

- 今の働きでは一家三人食っていくのがせきのやまだ。
  现在工作挣的钱刚够一家三口人糊口。

15 ～がましい　好像是……、……式的

接续　動詞ます形／名詞＋がましい

- 卒業式のスピーチに選ばれるなんて、晴れがましい。
  被选去参加毕业典礼的演讲，真是难为情。

16 ～からいけない　因为……，所以不好

接续　用言普通形＋からいけない
　　　名詞＋だ＋からいけない

- 人の忠告を聞き入れないからいけないのだよ。
  你不听别人的忠告可不好啊。

17 ～かれ～かれ　不论……

接续　イ形容詞語幹＋かれ＋イ形容詞語幹＋かれ

- 営業部門に配属されたら、遅かれ早かれ一度は地方の支店を経験することになるだろう。
  如果被分配到营业部，迟早会去地方分店经历一下的吧。

18 かろうじて～　勉强……、总算……

接续　かろうじて＋動詞た形

- 前の車にぶつかりそうになって急ブレーキをかけたら、かろうじて助かった。
  就要撞上前面的车了，紧急刹车之后，总算得救了。

19 ～きっての　头等……、头号……

接续　名詞＋きっての

- 彼女は町内きっての美人だ。
  她是城内头号美女。

20 ～ぐるみ　连带……、全部……

接续　名詞＋ぐるみ

- 会社ぐるみ事故の真相を隠していた。
  全公司都在隐瞒事故的真相。

21 ～こそあれ　　只能是……

接続　ナ形容詞語幹＋で＋こそあれ

- あなたのその言い方は、皮肉でこそあれ、けっしてユーモアとは言えない。
  你的那种说法，只能说是挪揄，绝不是幽默。

22 ～こそすれ　　只会……

接続　動詞ます形＋こそすれ
　　　名詞＋こそすれ

- 日本で暮らしたいという外国人は増えこそすれ、減ることはないと思うな。
  我认为，想在日本生活的外国人只会增加，不会减少。

23 ～こと（は）うけあいだ　　保证……、肯定……

接続　動詞辞書形＋こと（は）うけあいだ

- そんなやり方をしていたのでは、失敗することはうけあいだ。
  那样做的话，一定会失败的。

24 ことによると～　　根据情况，或许……

接続　ことによると＋短文

- ことによると彼の優勝は取り消されるかもしれない。
  根据情况，或许他的冠军头衔会被取消。

25 ～ことは～が／～ことは～けど　　……是……但是……

接続　動詞普通形＋ことは＋動詞普通形＋が
　　　イ形容詞普通形＋ことは＋イ形容詞普通形＋が
　　　ナ形容詞な形＋ことは＋ナ形容詞辞書形＋が

- 来週のパーティー、行くことは行くけど、正直に言うとあまり気が進まないな。
  下周的晚会，去是去，但是说实话不太起劲。

26 ～こともならない　　（也）不可能……

接続　動詞辞書形＋こともならない

- あの人は三人の子に取り巻かれて、逃げることもならなかったらしい。
  那个人被三个孩子围住，似乎逃不掉了。

27 これ／それ／あれ＋しき／しきの～　　少许……、一点……

接続　これ／それ／あれ＋しき／しきの＋名詞

- だらしないぞ、これしきのことで音を上げるな。
  没出息，这点事情不许叫苦。

28 これといって～ない　没有特别的……

接续　これといって＋動詞ない形＋ない

• 3時間話し合ったが、これといっていいアイディアは出なかった。
商量了3个小时，却没有想出特别好的想法。

29 ～盛り　……最盛时、……全盛状态、……鼎盛时期

接续　動詞ます形／名詞＋盛り

• 食べ盛りの子供がいるから、毎週お米を10キロ食べるのよ。
因为有食欲旺盛的孩子，所以每周要吃10公斤大米呢。

30 さすがの～も　就连……也……

接续　さすがの＋名詞＋も

• さすがのチャンピオンもけがには勝てなかった。
就连冠军也无法避免受伤。

31 さぞ～ことだろう　一定……吧

接续　さぞ＋動詞普通形／イ形容詞辞書形／ナ形容詞な形、である形＋ことだろう

• 息子が試験に合格して、両親はさぞ喜んでいることだろう。
儿子考试合格，父母一定很开心吧。

32 ～しな　临……的时候

接续　動詞ます形＋しな

• 寝しなに薬をのむ。
临睡前吃药。

33 ～しぶる　不痛快……、不情愿……

接续　動詞ます形＋しぶる

• お金を出ししぶるには、出ししぶるだけの理由があるはずです。
不肯花钱应该有不肯花的理由。

34 ～じみる　看起来好像……、仿佛……

接续　名詞＋じみる

• まだ若いのに、どうしてそんな年寄りじみたことを言うんだ。
明明还很年轻，为何说话那么像老人呢?

35 〜ずとも　即使不……也……

接续　動詞ない形＋ずとも

- そんな簡単なことぐらい聞かずとも分かる。

  那么简单的事，即使不问也能明白。

36 〜すれすれ　几乎接近……

接续　名詞＋すれすれ

- 僕の体すれすれのところを車が走り去った。

  车从我的身边飞驰而过。

37 それからというもの〜　从此以后……

接续　それからというもの＋短文

- 彼はポットを倒してやけどをした。それからというもの気をつけるようになった。

  他碰倒了暖水瓶，被烫伤了。从此以后就注意了。

38 〜ぞろい　全是……

接续　名詞＋ぞろい

- さすが中国を代表する書家の作品展だけあって、傑作ぞろいですね。

  真不愧是中国最具代表性的书法家的作品展，全都是杰作啊。

39 〜だい？／〜かい？　表示疑问

接续　疑問名詞＋だい

（「かい」作为终助词，接在句末各类词后。）

- 夜遅いから、送っていこうか。君、家はどこだい？

  已经很晚了，送你回去吧？你家在哪里？

- 君のお父さんは元気かい？

  你爸爸身体好吗？

40 たいして〜ない　不太……、不怎么……

接续　たいして＋用言ない形＋ない

- ここの餃子は人気があるが、私はたいしておいしいと思わない。

  这里的饺子很受欢迎，但我觉得不太好吃。

41 〜たことにする　算作……、算是……

接续　動詞た形＋ことにする

- この話は聞かなかったことにしましょう。

  这句话就算是没有听见吧。

42 ～だにしない　　连……都不……

接续　名詞＋だにしない

・このような事故が起きるとは想像だにしなかった。
連想都没有想过会发生这样的事故。

43 ～たなりで　　……着、一直……

接续　動詞た形＋なりで

・父はタバコを口にくわえたなりで、ぼんやり庭を見ていた。
父亲嘴里一直叼着烟，呆呆地望着院子。

44 ～たはずだ　　的确……、确实……、应该……

接续　動詞た形＋はずだ

・たしかにここに置いたはずなのに、いくら探しても見当たらない。
确实放在这里了，可是怎么也找不到。

45 ～たはずみに／～たはずみで　　在……时候

接续　動詞た形＋はずみに

・転んだはずみに、カバンの中のかぎを落としてしまったようだ。
好像是摔倒的时候，包里的钥匙掉出来了。

46 ～たひょうしに　　刚一……的时候

接续　動詞た形＋ひょうしに

・電車が発車したひょうしに、バランスを崩し倒れそうになった。
电车刚一启动的时候，我没有站稳而要摔倒。

47 ～た分だけ　　表示按其程度

接续　動詞た形＋分だけ

・勉強した分だけ、成績も上がってくれたらいいのにな。
如果学了多少成绩就会提高多少的话，那就好了。

48 ～たら～ただけ　　越……越……、愈……愈……

接续　動詞た形＋ら＋動詞た形＋だけ

・練習したらしただけの効果があった。
越练习就越有效。

49 ~たら~たで　……也……

接续　動詞た形＋ら＋動詞た形＋で

- 大学に合格したらしたで、また学費などの問題で悩まされることになる。
  考上了大学也有考上的难处，又要为学费等问题而苦恼了。

50 ~たら~までだ　如果……只有……、假如……只好……罢了

接续　動詞た形＋ら＋動詞辞書形＋までだ

- 失敗したらもう一度やるまでだ。
  失败的话就只好再做一次。

51 ~たらしめる　使……成为……

接续　XがYを＋A名詞＋たらしめる＋B名詞

- 彼を真のリーダーたらしめているものは部下への強い愛情だ。
  他对部下强烈的爱使其成为真正的领导者。

52 ~たると~たるとをとわず　无论……还是……都……

接续　名詞＋たると＋名詞＋たるとをとわず

- 先生たると学生たるとをとわず例外なしに出た。
  无论老师还是学生，都无一例外地参加了。

53 ~尽くす　……尽、……完

接续　動詞ます形＋尽くす

- この調子で乱獲を続ければ、捕り尽くすのも時間の問題だ。
  按照这种情况，如果继续乱捕的话，捕尽只是时间问题。

54 ~ってば / ~ったら　否定对方的疑惑、担心等，或者表示不满

接续　体言 / 短文＋ってば

- 母：タケシ、塾が終ったらまっすぐ帰ってくるのよ。
  母亲：小武，学习班结束后直接回家啊。

- 息子：しつこいなあ。分かったってば。
  儿子：真啰唆。我明白啦。

55 ~ていはしまいか　是不是……呢

接续　動詞て形＋いはしまいか

- 環境保護の運動が盛んになってきたが、本質的な問題を忘れていはしまいか。
  环境保护运动变得兴盛起来，但我们是不是忘记了本质的问题呢？

18

56 ～ているところを見ると　从……来看

接续　動詞ている形＋ところを見ると

- 駅前に人が集まっているところをみると、何かイベントがあるらしい。
  站前聚集了很多人，由此看来好像有什么活动。

57 ～ている場合ではない　不是……的时候

接续　動詞ている形＋場合ではない

- 世界情勢が緊迫している。首相は、のんびりゴルフなどしている場合ではない。
  现在世界形势紧张，不是首相悠闲地打高尔夫球的时候。

58 てっきり～と思う　以为一定……

接续　てっきり＋用言普通形＋と思う

- てっきり今年もボーナスが出ると思っていたが。
  我本来以为今年也一定会发奖金呢。

59 ～てたまるか　受得了……、忍受……

接续　動詞て形＋たまるか

- お前のような汚いやり方をする人間に負けてたまるか。
  输给你这样的卑鄙小人还得了？

60 ～て～ないことはない　不会不……

接续　動詞て形＋同一動詞可能形のない形＋ないことはない

- この工事は1週間あれば、やってやれないことはない。
  这个工程如果花一周的时间做的话，也不会做不完。

61 ～で（は）なしに　不是……而是……

接续　名詞＋で（は）なしに

- 病人にはご飯でなしにお粥をあげてください。
  请给病人喝粥，不要让他吃米饭。

62 ～てなによりだ　……比什么都好

接续　動詞て形＋なによりだ

- 一時はどうなることかと心配したが、早く退院できて何よりだ。
  那时担心要怎么办，但能早点出院比什么都好。

63 ～てのける　做完……、大胆地……

接续　動詞て形＋のける

- 彼女は18歳にして、「お金がない男性に興味がないの」と言ってのけた。
  她只有18岁，却大胆地说"对没钱的男人没兴趣"。

64 ～ては　表示动作反复出现

接续　動詞て形＋は

- このバスは、走っては止まり、走っては止まりで、なかなか前に進まない。
  这辆公交车走走停停，总是不前进。

65 ～てひさしい　……好久了

接续　動詞て形＋ひさしい

- 彼に会わなくなってひさしい。
  好久没有见他了。

66 ～てみろ　如果……的话，会有不好的结果

接续　動詞て形＋みろ

- 夏休みのお盆の時に遊園地なんかに行ってみろ、混雑で歩けやしない。
  暑假盂兰盆节的时候去游乐园的话，拥挤得不能走路。

67 ～てもどうなるものでもない　即使……也无济于事

接续　［動詞、イ形容詞、ナ形容詞］のて形＋もどうなるものでもない
　　　名詞＋でもどうなるものでもない

- いまから抗議してもどうなるものでもない。
  现在抗议也无济于事。

68 ～でもなさそうだ　并不像是……

接续　名詞＋でもなさそうだ

- 彼の行動からみれば悪い男でもなさそうだ。
  看他的行动，并不像坏人。

69 ～てやってもらえないか　能不能……呢

接续　動詞て形＋やってもらえないか

- 私は彼女の父親に「娘を富士山の頂上まで連れて行ってやってもらえないか」と言われた。
  她父亲对我说："能不能带我女儿爬到富士山的山顶呢？"

18

70 **～てやる**　做对方讨厌的事，让对方感到为难，含有挑战性、攻击性的心理

接续　動詞て形＋やる

- こんな不良品を売りつけられては黙っていられない。返金させてやる。
  被强行推销，买了这样的不合格产品，无法沉默。一定要让对方退钱。

71 **～と**　表示如前项那样的状态、样子

接续　名詞／助詞＋と

- 私たちは、東へと旅を続けた。
  我们继续向东旅行。

72 **～というよりむしろ～だ**　与其说是……，倒不如说是……

接续　名詞＋というよりむしろ＋名詞＋だ

- あの人は天才というより、むしろ努力家だ。
  那个人与其说是天才，倒不如说是很努力的人。

73 **～というのも～からだ**　之所以……是因为……

接续　用言普通形＋というのも＋用言普通形＋からだ

- 彼女が行かないというのも、本当は彼が行かないからだ。
  她之所以不去，其实是因为他不去。

74 **～といってもせいぜい～だけだ**　说是……顶多也就是……

接续　用言普通形／名詞＋といってもせいぜい＋用言普通形／ナ形容詞な形／名詞＋だけだ

- ボーナスといってもせいぜい２ヶ月分出るだけだ。
  说是有奖金，顶多也就相当于两个月的工资。

75 **～と言わずしてなんだろう**　才……

接续　用言普通形＋と言わずしてなんだろう

- 平凡な暮らしの中にこそ幸せがあるといわずしてなんだろう。
  平凡的生活中才有幸福啊。

76 **どうせ～なら**　反正要……

接续　どうせ＋動詞辞書形／た形＋（の）なら
　　　どうせ＋イ形容詞辞書形／た形＋（の）なら
　　　どうせ＋ナ形容詞語幹＋なら／ナ形容詞た形＋（の）なら
　　　どうせ＋名詞＋なら／名詞＋だった＋（の）なら

- どうせ進学するなら一流の大学に入りたい。
  反正要升学的话，就想进入一流的大学。

77　～と（は）うってかわって　和……截然不同

接続　名詞＋と（は）うってかわって

- 冬休み前とはうってかわって、学生たちは、熱心に勉強に取り組み始めた。
  和放寒假前截然不同，学生们都开始认真地学习。

78　どうりで～　当然……、怪不得……

接続　どうりで＋短文

- 今度のテストの問題を作ったのが鈴木先生だと聞いて、どうりで難しかったわけだと納得した。
  听说这次考试由铃木老师出题，当然会难了。

79　とかく～がちだ／ともすると～がちだ　往往是……

接続　とかく＋動詞ます形／名詞＋がちだ

- 一度失敗すると人は、とかく自信をなくしがちである。
  失败过一次的人，往往就容易不自信了。

80　～ときた日には　说到……、要是……

接続　名詞＋ときた日には

- 毎日、忙しい店だけど、月末の金曜ときた日には、まさに目が回りそうだよ。
  每天店里都很忙，但要是到了月末的周五，简直忙得一团糟。

81　～ときまって　一……就总是……

接続　動詞辞書形＋ときまって

- 選挙になるときまって候補者のポスターがあちこちに貼られる。
  一到选举日的话，总是到处张贴着候选者的海报。

82　～とくれば　说到……的话

接続　Ａ名詞＋とくれば＋Ｂ名詞

- 大阪とくれば、たこやきが一番思い浮かぶ。
  说到大阪的话，最先想起章鱼烧。
- 前々回の試験は98点、前回は99点とくれば、次は100点がとれそうだ。
  上上次的考试是98分，上次的话是99分，那么下次好像就能考100分了。

18

83 ～ところまでいかない / ～ところまできていない　　没有……程度、没有达到……地步

接续　動詞辞書形＋ところまでいかない
　　　名詞＋の＋ところまでいかない

・その時、私はこの文章を読んでまだ理解するところまでいっていかなかった。
当时我读了这篇文章，还没有到理解了的程度。

84 ～ところまでくる　　到达……程度、到……地步

接续　動詞辞書形＋ところまでくる
　　　名詞＋の＋ところまでくる

・双方の対立は一触即発のところまできている。
双方的对立达到了一触即发的程度。

85 ～としたことが　　竟会……、怎么会……

接续　名詞＋としたことが

・わたしとしたことが社長のカップを間違えるなんて、秘書失格だわ。
我竟然弄错了社长的杯子。作为秘书真是不够格啊。

86 ～となく　　无数、许多、总觉得……、说不清……

接续　どこ / なん＋となく
　　　なん＋数詞＋となく

・あの人はどことなく君と似ている。
那个人说不清是什么地方和你长得像。

87 ～とはうらはらに　　和……相反

接续　名詞＋とはうらはらに

・試合前の予想とはうらはらに、彼は無名の新人に負けてしまった。
和比赛前的预料相反，他输给了无名的新人。

88 ～とばかり思っていた　　一直以为……（可结果竟然让人难以置信）

接续　用言普通形＋とばかり思っていた
　　　名詞＋だ＋とばかり思っていた

・あの二人は結婚するものだとばかり思っていた。
一直以为那两个人会结婚的。

89 ～とはなにごとだ　……究竟是怎么回事

接続　用言普通形＋とはなにごとだ
　　　名詞＋だ＋とはなにごとだ

- 報告を聞きながら 小説を読むとは何事だ。
  一边听报告一边看小说，成何体统。

90 ～とみえて　看起来……

接続　用言普通形＋とみえて
　　　名詞＋（だ）とみえて

- 彼は最近 忙 しいと見えて、ぜんぜん連絡が来ない。
  他最近好像很忙，都没有联系。

91 ～と見るや　刚一（看到）……就……

接続　名詞／動詞た形＋と見るや

- 代 表 が飛行機から降りたと見るや花束をもった 少 年が駆け付けた。
  代表刚下飞机，手持花束的少年就跑上前去。

92 ～ともあろう人が／
～ともあろう者が　（地位高、有信用的人）竟然……、身为……还……

接続　名詞＋ともあろう人

- 校長先生ともあろう人が学校の設立された年を知らないなんて信じがたい。
  令人难以置信的是，校长竟然不知道学校创立的年代。

93 ～とも～ともつかない　说不清是……还是……

接続　名詞＋とも＋名詞＋ともつかない

- あの人は本気とも 冗 談ともつかない言い方をした。
  那个人说的话让人分不清是认真的还是开玩笑的。

94 ～ないでいる　一直不……、一直没有……

接続　動詞ない形＋ないでいる

- もう 12 時になったのに彼女はまだ寝ないでいる。
  已经到夜里 12 点了，可她一直没睡。

95 ～なければよかったのに　如果不……的话该多好啊

接続　動詞ない形＋なければよかったのに

- 車 を運転するのだから、お酒なんか飲まなければよかったのに。
  因为要开车，所以如果不喝酒的话就好了。

18

96 ～などありはしない　　絶対没有……

接続　名詞＋などありはしない

- 今の成績では、北京大学に入る可能性などありはしない。

以现在的成绩，绝对不可能考上北京大学。

97 ～などさらさらない　　绝没有……

接続　名詞＋などさらさらない

- 社長を疑う気持ちなどさらさらありません。

绝对没有怀疑社长的意思。

98 ～なみ　　和……同等程度

接続　名詞＋なみ

- 明日の最高気温は30度で、平年並みの暑さとなるでしょう。

明天的最高气温是30度，和往年一样热吧。

99 ～なら～で　　如果……的话，那么……

接続　用言辞書形＋（の）なら＋用言辞書形＋で

（但「ナ形容詞」采用「ナ形容詞語幹＋なら＋ナ形容詞語幹＋で」的形式。）

- 彼のことが嫌いなら嫌いで、はっきり伝えるべきだと思う。

我认为，如果讨厌他的话，那么就应该直接告诉对方。

100 ～なら別だが　　如果……的话，另当别论

接続　動詞辞書形／た形＋（の）なら別だが

イ形容詞辞書形／た形＋（の）なら別だが

ナ形容詞語幹／た形＋（の）なら別だが

名詞／名詞＋だった＋（の）なら別だが

- 弁償してくれるなら別だが、そうでなければ彼とはもう絶交だ。

如果赔偿的话就另当别论，如果不赔的话就和他绝交。

101 なんでも～そうだ　　据说……、听说……

接続　なんでも＋用言＋そうだ

- なんでも台風は西にそれてしまったそうだ。

听说台风偏向西边了。

102 なんら～ない／なんらの～も～ない　　没丝毫……、没有任何……

接続　なんら＋動詞ない形＋ない

なんらの＋名詞＋も＋動詞ない形＋ない

- いくらやってみても、なんらの効果もなかった。

无论怎么试着做，也无任何效果。

103 ～に～

（1）……了又……、反复……

接续　動詞ます形＋に＋同一動詞

- 駅まで走りに走って、予定通りの新幹線に乗ることができた。
  猛跑到车站，坐上了预定的新干线。

（2）……之后，某种组合

接续　名詞＋に＋名詞

- 日本の朝食といえば、やっぱりご飯に味噌汁でしょう。
  说起日本的早饭，果然还是米饭加上酱汤吧。

104 ～にかかっては　说到……、提到……

接续　名詞＋にかかっては

- その編集者にかかっては、どんなに怠け者の作家でも、締め切りを守らされてしまう。
  提到那个编辑，不管是多么懒惰的作家，都不得不遵守期限。

105 ～にかまけて　专心于……

接续　名詞＋にかまけて

- うちの主人は、仕事にかまけて、子供たちの世話をちっともしない。
  我丈夫专心于工作，根本都不照顾孩子。

106 ～にしてみれば　从……来看

接续　名詞＋にしてみれば

- 社員の側にしてみれば、労働時間短縮より賃金アップが望ましい。
  从公司职员的立场来看，比起缩短劳动时间，更期望提高工资。

107 ～にしのびない　不忍……

接续　動詞辞書形＋にしのびない

- 元気な祖父だっただけに寝たきりの姿は、見るにしのびない。
  曾经很健康的爷爷卧床不起的样子让我不忍目睹。

108 ～にて　在……（表示场所）

接续　名詞＋にて

- これより展望レストランにて昼食となります。その後、2時まで自由行動です。
  现在我们去瞭望餐厅吃午饭。之后自由行动到2点。

18

109 ～にまつわる　关于……

接续　名詞＋にまつわる

- ガイドさんは、この寺にまつわる伝説を話してくれた。
  导游给我们介绍了有关这座寺院的传说。

110 ～の一途をたどる　专朝着某个方向……

接续　名詞＋の一途をたどる

- 日本の労働人口は減少の一途をたどっている。
  日本的劳动人口一直在减少。

111 ～のがやっとだ　勉强……、刚够……

接续　動詞辞書形＋のがやっとだ

- あまりのショックに、彼はただ作り笑いでこたえるのがやっとだった。
  过于受打击，他仅仅强颜欢笑地做了回应。

112 ～のではなかろうか　是不是……呢

接续　動詞辞書形／ている形＋のではなかろうか
　　　イ形容詞辞書形＋のではなかろうか
　　　ナ形容詞な形＋のではなかろうか／ナ形容詞語幹＋ではなかろうか
　　　名詞＋（なの）ではなかろうか

- 彼は黙っていたが、本当はうわさの真相を知っているのではなかろうか。
  虽然他沉默着，但实际上是不是知道传闻的真相呢?

113 ～はいうにおよばず　不必说……

接续　名詞＋はいうにおよばず

- 外国で生活するなら、その国の言葉はいうにおよばず、習慣や文化も身に付けなければならない。
  在外国生活的话，那个国家的语言自不必说，也必须要掌握其习惯和文化。

114 ～は否めない　不能否定……

接续　名詞＋は否めない

- これだけ証拠がそろえば、彼が犯人だという説は否めない。
  如果汇齐了这些证据的话，就不能否认他是犯人一说了。

115 ～はしないかと　会不会……呢

接续　動詞ます形＋はしないかと

- めまいがして、倒れはしないかと思った。
  眩晕了，我想会不会摔倒呢。

116 ～羽目になる　　結果……、陷入……困境

接续　動詞辞書形＋羽目になる

- 上司の仕事のやりかたに意見を言ったら、地方に転勤させられる羽目になった。

  对上司的工作方法提出意见，结果被调任到地方去了。

117 ～ばりの～　　像……、模仿……

接续　名詞＋ばりの＋名詞

- 彼女は映画スターばりのドレスを着て現れた。

  她穿着像电影明星穿的裙子出现了。

118 ひた～に～　　一个劲地……、极力地……

接续　ひた＋動詞ます形＋に＋動詞

- 夫に先立たれた彼女は午前中ひた泣きに泣いた。

  她失去了丈夫，整个上午一个劲儿地哭。

119 ～ひとつとして～ない／ ～ひとりとして～ない　　就连……也没有、无一不……

接续　助詞＋ひとつとして＋動詞ない形＋ない

- その挑戦には一人として応ずるものはいなかった。

  没有一个人接受那个挑战。

120 ～びる　　看上去好像……、带有……的样子

接续　イ形容詞語幹＋びる
　　　名詞＋びる

- 人も通わぬような山奥に、古びた洋館がぽつんと一軒建っていた。

  没有人经过的深山里，有一座古旧的洋楼孤零零地立在那里。

121 ～ぶり／～っぷり　　样子、样态、情况

接续　動詞ます形／名詞＋ぶり

- 君、なかなかいい飲みっぷりだね。お酒、強いんだろう。

  你喝得真痛快啊。一定很能喝酒吧。

122 ～べくして～た　　该……、必然……

接续　動詞辞書形＋べくして＋動詞た形

- 大恋愛の末、結婚した二人はやはり出会うべくして出会ったと言えるだろう。

  长时间恋爱之后结婚了的两个人，他们的相遇是必然的，可以这样说吧。

18

123 べつだん～ない 并没有……、并不特别……

接续　べつだん＋動詞ない形＋ない

• 彼女たちのおしゃべりも私はべつだん気にならない。
对于她们的话，我也并没有特别在意。

124 ～へ～へと 一个劲地向……、一味地向……

接续　名詞＋へ＋名詞＋へと

• だんだん高くなってたくさん生えている杉の木が下へ下へとすいこまれて行きました。
很多杉树越长越高，根部向下越扎越深。

125 ～放題 自由、放任

接续　動詞ます＋放題

• この携帯電話なら、メールが使い放題で月1500円です。
这个手机的话，短信随便使用，每个月的费用是1500日元。

126 ～まいとして 不想……

接续　動詞ない形＋まいとして

• 医者は小さい子供をおびえさせまいとして、おもちゃを使って笑わせた。
医生不想让小孩害怕，就拿出玩具来逗他笑。

127 ～まいものではない／～まいものでもない （也）不见得不……、也许会……

接续　動詞辞書形／連用形＋まいものではない

• 途中で病気になるまいものではないから、薬を忘れないように。
路上不见得不生病，所以不要忘记带药去。

128 ～まくる 拼命地……、不停地……

接续　動詞ます形＋まくる

• 私は昔から漫画が大好きで、あらゆる漫画を読みまくった。
我很早之前就特别喜欢漫画，拼命地看了各种漫画。

129 ましてや～ 更何况……

接续　副詞として

• 成績優秀な彼女にとっても難しい試験なのだから、ましてやこの私が合格できるはずはないだろう。
因为对于成绩优秀的她来说都是很难的考试，所以更何况是我，我也不可能会及格吧。

130　まず～ないだろう / まず～まい　　大概不会……吧

接続　まず＋動詞ない形＋ないだろう

・彼女が面接に失敗することはまずないだろう。
她大概不会面试失败吧。

131　～までになっていない / ～までにいたっていない　　还没有到……的程度

接続　動詞辞書形＋までになっていない

・怪我をした足は少しよくなったが、まだ歩けるまでにいたっていない。
受伤的腿好点了，但还没到能走路的程度。

132　～まんまと～　　轻而易举地……、巧妙地……

接続　副詞として

・彼の巧みな言葉にまんまと騙された。
被他的花言巧语轻而易举地欺骗了。

133　みだりに～てはいけない / てはならない / ないでください　　不要乱……、不可擅自……、不要随便……

接続　みだりに＋動詞て形＋はいけない / はならない
　　　みだりに＋動詞ない形＋ないでください

・当人の迷惑を考えれば、みだりに人のうわさを流してはいけないことが分かります。
如果想到会给当事人添麻烦的话，就会明白不要随便散布别人的流言。

134　無理からぬ～　　不无道理的……

接続　無理からぬ＋体言

・彼があんなに悩むのも無理からぬことだ。
他那样烦恼也是不无道理的。

135　～目　　表示所处位置

接続　動詞ます形＋目

・気候の変わり目には体調を崩しやすいですから、くれぐれもお体にお気をつけください。
因为气候变化的时候身体容易生病，所以请您一定多多保重身体。

136　～もあろうかという　　有……吧

接続　名詞＋もあろうかという

・20人分もあろうかという大きなケーキが出てきた。
拿出了够二十个人吃的大蛋糕。

18

137 ～も～ことだし～も～ことだしするから 既……又……，所以……

接续　名詞＋も＋［動詞普通形、イ形容詞普通形、ナ形容詞な形／語幹＋である、名詞＋である］
＋ことだし＋名詞＋も＋［動詞普通形、イ形容詞普通形、ナ形容詞な形／語幹＋である、
名詞＋である］＋ことだしするから

- 値段も安いことだし品物もいいことだしするから、これを買うことに決めた。
  价格便宜质量又好，所以我决定就买这个。

138 ～もそこそこに 匆忙……

接续　名詞＋もそこそこに

- 朝ご飯もそこそこに会社へと向かうサラリーマンの姿は、どこか働き蜂に似ている。
  匆忙吃完早饭就奔向公司的工薪族，他们的样子某些地方和工蜂挺像的。

139 ～ものか～ものか 不知道是……还是……

接续　動詞た形＋ものか＋動詞た形＋ものか

- 人に頼んだものか自分でしたものか迷う。
  是求人，还是自己干好，我犹豫不决。

140 ～ものとして 当作……、看作……

接续　用言普通形＋ものとして

- その金は旅行に使ったものとして、あきらめよう。
  就把那个钱看作是去旅行花掉了，断念吧。

141 ～もろとも 和……一起、连同……一起

接续　名詞＋もろとも

- 氾濫した川は濁流となって人々を家もろとも押し流してしまった。
  河水泛滥，成为浊流，把许多人连同房子一起冲走了。

142 ～や～ 或是……或是……

接续　数詞＋や＋数詞

- 花子も年頃なんだから、ボーイフレンドが一人や二人いてもおかしくないわよ。
  因为花子正值妙龄，所以有一两个男朋友也不奇怪啊。

143 やっとのことで～ 好不容易……、好歹……

接续　連語として

- 母は何か月もかかってやっとのことで車の免許をとりました。
  妈妈用了好几个月的时间，好不容易才拿到了驾照。

144　やれ～だ、やれ～だと　……啦……啦（表示列举）

接続　やれ＋名詞＋だ、やれ＋名詞＋だと

- うちの妻は子供がちょっとでも具合が悪いというと、やれ薬だ、やれ医者だと大騒ぎをする。

  如果孩子身体稍微不舒服，我妻子就乱成一团，又是让孩子吃药又是去看医生。

145　～ゆえんは～にある　之所以……是因为……

接続　動詞辞書形＋ゆえんは＋名詞＋にある

- 君が彼に勝るゆえんは実にこの点にあるのだ。

  你之所以胜过他，其实就因为这点。

146　～ように言う　（不）要……

接続　動詞辞書形＋ように言う

　　　動詞ない形＋ない＋ように言う

- 彼は、部下に書類を5部ずつコピーしておくように言った。

  他对部下说了要每个文件复印五份。

147　～ように　为了……、希望……、以便……

接続　動詞可能形＋ように

　　　動詞ない形＋ない＋ように

- 風邪を引かないように、お母さんは子供に布団をしっかりかけてやった。

  妈妈怕孩子着凉感冒，给孩子严严实实地盖好了被子。

148　～よくしたもので／～よくしたものだ　正好……、正巧……、太好了……

接続　（助詞＋）よくしたもので＋短文

- よくしたもので私が病気になると妻が丈夫になる。

  说来也巧，我病了，妻子身体却会结实起来。

149　よしんば～としても／ても／でも／たって　即使……也……

接続　よしんば＋［動詞、イ形容詞、ナ形容詞、名詞］の普通形＋としても

　　　よしんば＋［動詞、イ形容詞、ナ形容詞］のて形＋も／名詞＋でも

　　　よしんば＋動詞た形＋って／イ形容詞く形＋たって

- よしんば金があっても知識がなければだめだ。

  即使有钱，没有知识也不行。

150　～よほどのことだ／～よほどのことがある　（有）相当大的事

接続　短文＋よほどのことだ

- 我慢強い彼女が泣いているのだから、よほどのことがあったのだろう。

18

忍耐力很强的她竟然哭了，一定是有大事发生了吧。

151 よもや〜まい　総不会……吧、未必……

接続　よもや＋動詞辞書形／連用形＋まい

• よもや5つの子供がそんなことはするまいと思っていたのに。

我本想着5岁的孩子不会干那种事吧。

152 〜よりしか〜ない　只……

接続　動詞辞書形／名詞＋よりしか＋動詞ない形＋ない

• こういう機械は今のところ北京よりしかできません。

这样的机器现在只有北京能够制造。

153 〜らしい〜は〜ない　没有像样的……

接続　名詞A＋らしい＋名詞A＋は＋動詞ない形＋ない

• 今年は夏に入ってから2か月も雨らしい雨が降らなかった。

今年入夏以来，两个多月没下过一场像样的雨。

154 〜わ〜わ

（1）表示有很多前项的事

接続　動詞辞書形＋わ＋動詞辞書形＋わ

• もう5時だというのに、終っていない仕事があるわあるわ。今日は一体何時に帰れるのだろうか。

已经5点了，还有很多工作没有完成。今天究竟几点能回去呢?

（2）表示不好的事接二连三地发生

接続　動詞辞書形＋わ＋動詞辞書形＋わ

• 高校時代のあの子は喧嘩はするわ、学校を辞めるわ、いつも親に心配をかけてしまった。

高中时代那个孩子又打架啊，又退学啊，净让父母担心了。

155 〜をかさに（着て）　依仗着……

接続　名詞＋をかさに（着て）

• 金の力をかさに着ての悪逆無道の数々、断じて許せない。

依仗着金钱的力量而做了太多暴虐无道的事，这绝不能饶恕。

156 〜をくだらない　超过……、不下……

接続　名詞＋をくだらない

• その政府は900兆ドルをくだらない額の借金があると言われている。

据说那个政府有超过900兆美元的负债。

157 ～をさかいに　以……为界

接续　名詞＋をさかいに

・彼に出会った日をさかいに、私の人生は大きく変わった。
遇见他之后，我的人生发生了很大的改变。

158 ～をしりめに　轻视……、蔑视……、无视……

接续　名詞＋をしりめに

・彼は忙しく働いている人たちをしりめに、さっさと自分の仕事を片付けて帰った。
他无视正忙着工作的人们，快速做完自己的工作就回家了。

159 ～を前提に（して）　以……为前提

接续　名詞＋を前提に（して）

・今後、子供の数がさらに減ることを前提に、政策を考えなければならない。
今后孩子的数量进一步减少，必须以此为前提考虑政策。

160 ～を頼りに　依仗……、借助……

接续　名詞＋を頼りに

・幼い頃の記憶だけを頼りに、彼は、自分の生まれた家を見つけ出した。
他仅仅依靠幼时的记忆，找到了自己出生时的家。

161 ～をなおざりにして　忽视……、疏忽……

接续　名詞＋をなおざりにして

・あの社員は、仕事をなおざりにして、インターネットに夢中になっている。
那个职员对工作疏忽，痴迷于上网。

162 ～をピークに（して）　……达到最盛时

接续　名詞＋をピークにして

・日本では1967年をピークに18歳の人口の減少過程に入った。
日本在1967年人口达到顶峰，之后18岁人口进入了减少阶段。

163 ～を振り出しに　以……为出发点

接续　名詞＋を振り出しに

・成田をふりだしに世界各国を旅行します。
从成田出发，周游世界各地。

18

164 ～んじゃない　不可以……

接续　動詞辞書形＋んじゃない

・みっともないから、ズボンをそんなに下げてはくんじゃない。
因为很不像样，所以穿裤子时不要把裤子褪得那么低。

自分に合う仕事なんかないですよ。自分が仕事に合わせなきゃいけないでしょう。まるで経験のない人が、アレもダメ、コレもダメと言っていたら、やる仕事なんてありませんよ。だから仕事というのは、与えられたらそれが天職だと思って、一生懸命修行すればいいと思います。そうすれば誰だって一人前になりますよ。
——小野二郎

世上可没有正好适合自己的工作，只能你去适应工作吧。毫无工作经验的人如果说这也不行那也不行，那就没有他能干的活了。因此我认为，所谓工作，就是一旦接受下来就把它看作天职，只要潜心苦练就可以了。那样的话任何人都能变得独当一面。
——小野二郎

第1单元　配套练习

問題1　次の文の（　　　）に入れるのに最もよいものを、1・2・3・4から一つ選びなさい。

① 祖父は、メガネを忘れたので、新聞を読もうにも（　　　）と言っている。

　　1　読んでいない　　　　2　読まない　　　　　3　読めない　　　　　4　読まれない

② 初めてのデートで相手の名前を間違えて呼んでしまい、とても恥ずかしい（　　　）。

　　1　思いをさせた　　　　2　思いをした　　　　3　思いをされた　　　4　思いをさせられた

③ 夏に飲むビールの旨さは言わず（　　　）だが、秋のビールの味もまた格別だ。

　　1　じまい　　　　　　　2　でこそ　　　　　　3　かたらず　　　　　4　もがな

④ 一年もかかった準備のかいもなく、（　　　）。

　　1　半年ぐらいあれば十分だろう　　　　　　　2　時間的にもやりかたにも問題があるのだ

　　3　試験に通らないでもないだろう　　　　　　4　とうとう大学院に落第してしまった

⑤ 雨が（　　　）降るまいと、明日は引っ越しをしなければならない。

　　1　降ろうと　　　　　　2　降ろうが　　　　　3　降らないと　　　　4　降らないが

⑥ 試験当日は理由の（　　　）、遅刻は認めませんから注意してください。

　　1　いかんによっては　　2　いかんによらず　　3　いかんで　　　　　4　次第で

⑦ 彼女の主張は（　　　）間違いとは言えない。

　　1　かならず　　　　　　2　あながち　　　　　3　かかわらず　　　　4　やむをえず

⑧ このような時ですから、今後は何が（　　　）、驚かないでください。

　　1　起これば　　　　　　2　起ころうか　　　　3　起ころうと　　　　4　起これ

⑨ 話し合いの結果（　　　）、計画を見直さざるを得ないかもしれない。

　　1　いかんでは　　　　　2　にかかわらず　　　3　といえども　　　　4　ならでは

⑩ 不況が続く中、どの会社も生き残るために必死である。しかし、社員（　　　）会社なのだから、社員に

　　負担をかけるようなことは、できるだけ避けなければならない。

　　1　ばかりの　　　　　　2　からなる　　　　　3　かぎりの　　　　　4　あっての

問題2　次の文の＿＿★＿＿に入る最もよいものを、1・2・3・4から一つ選びなさい。

⑪ 古い習慣は＿＿＿＿＿　＿＿＿＿＿　＿＿＿＿＿　＿＿★＿＿。

　　1　言えない　　　　　　2　一概に　　　　　　3　とは　　　　　　　4　不合理だ

⑫ ＿＿＿＿＿　＿＿＿＿＿　＿＿★＿＿　＿＿＿＿＿、以前は全然食べられない。

　　1　今でこそ　　　　　　2　納豆は　　　　　　3　だが　　　　　　　4　好物

⑬ 政府の遅い反応がたくさんの犠牲者を出した。これは＿＿＿＿　＿＿＿＿　★＿＿　＿＿＿＿。

1 何物　　　　　　　2 以外の　　　　　　3 でもない　　　　　4 人災

⑭ 他人＿＿＿＿　＿★＿＿　＿＿＿＿　＿＿＿＿してはいけない。

1 あまり　　　　　　2 からの　　　　　　3 援助を　　　　　　4 あてに

⑮ 彼は「私はそんな＿＿＿＿　＿★＿＿　＿＿＿　＿＿＿＿」と言いきった。

1 やった　　　　　　2 ことを　　　　　　3 覚えはない　　　　4 ひどい

問題3　次の文章を読んで、⑯から⑳の中に入る最もよいものを、1・2・3・4から一つ選びなさい。

　この二、三十年の間に、日本の人々の考え方や行動は少しずつ変化してきた。それは、どう変わってきたのだろうか。

　そのひとつに環境問題への関心の高まりをあげることができる。それは、⑯私たちの社会は自滅への道を歩きはじめているのかもしれない、という思いを社会に広めた。そればかりではなく、経済発展に対する迷いも人々の気持ちのなかに生みだしていた。経済の力は必要かもしれないが、⑰社会の持続は保証できないし、私たちも幸せにはなれないのではないかという思いが、少しずつ広がっていった。

　もうひとつ大きな変化があった。それは孤立した個人の社会から、協力し合う社会へと、私たちの社会目標が変わってきたことである。個人の自立、強い個人の確立がよい社会を作るという⑱、「関係性」、「共同性」、「支え合い」といった言葉が社会づくりのキーワードになっていった。

　そして、これらの変化が、農村社会への関心を高め、同時にNPOやボランティア活動の時代をひらいていったのである。⑲、いまではどの地域に行っても、無理をせずに農山村で暮らす高齢者や、有機農業などを志望する若い世代の人々が見られるようになった。都市でも消費者と生産者をつなぐ活動が広がり、都市と農山村の人々の新しい結びつきも生まれていった。

　このようなさまざまな動きが、徐々に⑳を変えていった。経済の発展や個人の自立をとおして豊かな社会をつくっていく、という発想では不十分だと考える確実な変化が、社会のなかに生まれていたのである。

⑯ 1 ただちに　　　　2 もしかすると　　　　3 おそらく　　　　4 たぶん

⑰ 1 それだけでは　　2 それでは　　　　　　3 それなのに　　　　4 それにしたがって

⑱ 1 以前の考え方と共に　　　　　　　　　2 以前の考え方に代わって

　　3 いまの考え方と共に　　　　　　　　　4 いまの考え方に代わって

⑲ 1 一方では　　　　2 しかし　　　　　　　3 その反面　　　　4 その結果

⑳ 1 経済の発展　　　2 社会への関心　　　　3 社会の価値観　　4 個人の自立

第1单元 配套练习 精解

问题1

1 选项1「読んでいない」意为"没有读"。选项2「読まない」意为"不读"。选项3「読めない」意为"不能读"。选项4「読まれない」意为"不被读"。

译文：爷爷说因为忘了戴眼镜，所以即使想读报纸也读不了。

2 选项1「思いをさせた」意为"使产生……感觉"。选项2「思いをした」意为"有……感觉"。选项3「思いをされた」意为"被迫产生……感觉"。选项4「思いをさせられた」意为"使被迫产生……感觉"。

译文：在第一次约会的时候叫错了对方的名字，我感觉很羞愧。

3 选项1「じまい」接在表示否定的「ず」后面，意为"没能……"。选项2「でこそ」表示强调，意为"正因为……"。选项3「かたらず」与「言わず」结合后的「言わず語らず」意为"不言不语、默默无言"。选项4「もがな」与「言わず」结合后的「言わずもがな」意为"不必说、不待言"。

译文：夏天喝的啤酒其美味自不必说，而秋天喝的啤酒味道也很特别。

4 选项1「半年ぐらいあれば十分だろう」意为"有大约半年的时间足够了吧"。选项2「時間的にもやりかたにも問題があるのだ」意为"在时间上和做法上都有问题"。选项3「試験に通らないでもないだろう」意为"也并不是不能通过考试吧"。选项4「とうとう大学院に落第してしまった」意为"最终还是没有考上研究生"。

译文：花了1年时间做的准备完全没有意义，最终还是没有考上研究生。

5 选项1「降ろうと」意为"不管下雨还是……"。选项2「降ろうが」也意为"不管下雨还是……"，但是与后面的「まいと」不一致。选项3「降らないと」意为"如果不下雨的话"。选项4「降らないが」意为"虽然不下雨"。

译文：不管下不下雨，明天都必须得搬家。

6 选项1「いかんによっては」意为"根据……、取决于……"。选项2「いかんによらず」意为"不管……、无论……"。选项3「いかんで」意为"根据……、取决于……"。选项4「次第で」意为"全凭……、要看……而定"。

译文：请注意，考试当天无论是何理由都不允许迟到。

7 选项1「かならず」意为"务必、一定"，后面接续肯定的表达方式。选项2「あながち」后项接续否定形式，意为"不一定、未必"。选项3「かかわらず」接在「に」或「にも」后面，表示"无论……、不管……"。选项4「やむをえず」意为"不得已、无奈"。

译文：她的主张不一定是错的。

8 选项1「起これば」意为"如果发生……"。选项2「起ころうか」意为"发生……呢"。选项3「起ころうと」意为"不管发生……"。选项4「起これ」是命令形，意为"发生"。

译文：因为是在这样的时候，所以今后不管发生什么都请不要惊讶。

9 选项1「いかんでは」意为"根据……、取决于……"。选项2「にかかわらず」意为"不管……、无论……"。选项3「といえども」意为"虽说……"。选项4「ならでは」意为"只有……才……"。

译文：根据商量的结果，有可能不得不重新考虑计划。

10 选项1「ばかりの」接在「動詞辞書形」或「イ形容詞」之后表示比喻，意为"几乎……、简直……"。选

项2「からなる」意为"由……组成"。选项3「かぎりの」意为"只限于……、到……为止"。选项4「あっての」意为"有……才有……、没有……就没有……"。

译文: 在经济持续萧条的情况下，为了生存，任何一家公司都在拼命努力。但是，有员工才会有公司，因此必须尽量避免出现给员工带来负担的事情。

问题2

11 **全文**: 古い習慣は一概に不合理だとは言えない。

译文: 不能一概地说旧的习惯不合理。

12 **全文**: 納豆は今でこそ好物だが、以前は全然食べられない。

译文: 虽然现在纳豆是我爱吃的，但是以前我一点儿都不能吃。

13 **全文**: 政府の遅い反応がたくさんの犠牲者を出した。これは人災以外の何物でもない。

译文: 政府迟钝的反应导致出现了众多的牺牲者。这就是一场人祸。

14 **全文**: 他人からの援助をあまりあてにしてはいけない。

译文: 不要过于指望别人的援助。

15 **全文**: 彼は「私はそんなひどいことをやった覚えはない」と言いきった。

译文: 他断言："我不记得我做过那么过分的事。"

问题3

16 本题考查的是副词的搭配使用。关键词是「かもしれない」（可能），因此正确的选项是能够与「かもしれない」相呼应的选项2「もしかすると」（或许）。选项1「ただちに」意为"立刻、直接"。选项3「おそらく」意为"恐怕"。选项4「たぶん」意为"大概"。

17 本题的关键句是「経済の力は必要かもしれない」（经济能力可能是必要的）和「社会の持続は保証できない」（不能保证社会的持续发展）。这表明"要保证社会的持续发展需要很多条件，而经济能力只是其中之一"，由此可以推断出，正确的是选项1「それだけでは」（仅仅靠这个）。选项2「それでは」意为"那么、如果那样的话"。选项3「それなのに」意为"虽然如此"。选项4「それにしたがって」意为"随着……"。

18 本题的关键句是「それは孤立した個人の社会から、協力し合う社会へと、私たちの社会目標が変わってきたことである」（那就是我们的社会目标从孤立的个人社会转变成了互相合作的社会）和「個人の自立、強い個人の確立がよい社会を作る」（建立一个个人自立，且较好地确立了很强个体性的社会）。"建立个人自立，且较好地确立了很强个体性的社会"是社会目标转变之前的内容，现在已经转变为"相互合作的社会"了。由此可以推断出，正确的是选项2「以前の考え方に代わって」（取代了以前的想法）。选项1「以前の考え方と共に」意为"与以前的想法一起"。选项3「いまの考え方と共に」意为"与现在的想法一起"。选项4「いまの考え方に代わって」意为"取代现在的想法"。

19 本题的关键句是「これらの変化が、農村社会への関心を高め、同時にNPOやボランティア活動の時代をひらいていったのである」（这些变化增强了人们对农村社会的关心，同时开启了NPO以及志愿者活动的时代）和「いまではどの地域に行っても、無理をせずに農山村で暮らす高齢者や、有機農業などを志望する若い世代の人々が見られるようになった」（现在无论去哪一个地区，都能看到自在地在农村和山村生活的老年人，以及有志于从事有机农业等的年轻人）。前后两句话是一种因果关系，所以正确的是选项

4「その結果」（其结果、因此）。选项1「一方では」意为"一方面……"。选项2「しかし」意为"但是"。选项3「その反面」意为"另一方面……"。

20 本题的关键句是「このようなさまざまな動き」（这些各种各样的活动），指的是上一段当中提到的老年人在农村和山村生活，以及年轻人从事有机农业等活动，在城市进行连接消费者和生产者的活动等，这是一种价值观的转变。因此，对照四个选项，通过排除法可以确定，正确的是选项3「社会の価値観」（社会的价值观）。选项1「経済の発展」意为"经济的发展"。选项2「社会への関心」意为"对社会的关心"。选项4「個人の自立」意为"个人的自立"。

译文：

在这二三十年间，日本人的想法和行动在逐渐发生变化。到底发生了怎样的变化呢？

其中之一就是越来越关心环境问题。这是因为一种观点已经蔓延到了社会中，即或许我们的社会正在开始走向自取灭亡的道路。不仅如此，人们心中还产生了对经济发展的迷惘。经济能力可能是必要的，但是仅仅依靠经济并不能保证社会的持续发展，而且我们也不能获得幸福，这种想法正在一点点地蔓延。

还有另外一个巨大的变化。那就是，我们的社会目标从孤立的个人社会转变成了互相合作的社会。以前的观点是建立一个个人自立，且较好地确立了很强个体性的社会。现在，取而代之的是"关系性"、"共同性"、"互相支持"等词语，它们成了建设社会的关键词。

而且，这些变化增强了人们对农村社会的关心，同时开启了NPO以及志愿者活动的时代。其结果，现在无论去哪一个地区，都能看到自在地在农村和山村生活的老年人，以及有志于从事有机农业等的年轻人。在城市，连接消费者和生产者的活动也在扩大，产生了城市和农村、山村人们之间新的结合点。

这些各种各样的活动正在慢慢改变着社会的价值观。有人认为，通过经济的发展和个人的自立来建立富裕的社会，这一构想是不充分的。这样切实的变化已经在社会中产生了。

第2单元　配套练习

問題1　次の文の（　　　）に入れるのに最もよいものを、1・2・3・4から一つ選びなさい。

1 緊急の電話を受けた警察官は、パトカーに（　　　）が早いか、猛スピードで現場へ向かった。

　1　飛び乗る　　　　　2　飛び乗り　　　　　3　飛び乗ろう　　　　　4　飛び乗れ

2 引き受けた以上、途中で止めてはいけないよ。途中で止めるぐらいなら、（　　　）。

　1　今から止めようと私は考えている　　　　　2　そうしてもしかたないことだ

　3　最初から引き受けないでください　　　　　4　私に言ってくれれば大丈夫だよ

3 長年連れそった主人を亡くし、何か心の中に穴があいたみたいで寂しさ（　　　）。

　1　至りだ　　　　　2　の極みだ　　　　　3　きりだ　　　　　4　限りだ

4 幸い雨が降ったからいいようなものの、長い日照りで（　　　）。

　1　大変なことになるところではなかった　　　　　2　大変なことになるところだろう

　3　大変なことにならないところだった　　　　　4　大変なことになるところだった

5 先日は大変お世話になりました。お礼（　　　）、田舎から届きましたりんごをお持ちしました。

　1　の一方　　　　　2　の半面　　　　　3　かたがた　　　　　4　ながらに

6 彼の欠点は、自分の意見を他人に強制する（　　　）ところだ。

1　きらいだ　　　　　2　きらいがある　　　　3　おそれだ　　　　4　おそれがある

7 失敗したが、一生懸命頑張ったから、別に私は悔しくも（　　　）。

1　何でもない　　　　2　何でもありうる　　　3　何ともない　　　4　何ものでもない

8 彼女は、一度（　　　）決して意志を曲げることのない人だ。

1　言い出したとしても　　　　　　　　2　言い出すや否や

3　言い出したが最後　　　　　　　　　4　言い出すが早いか

9 あんな小さい子供を一人で駐車場で遊ばせておくなんて、危険（　　　）。

1　極まっている　　　2　極めている　　　　3　極まらない　　　4　極まりない

10 私の父はよく散歩し（　　　）、スーパーに寄り、家族の好きなものを買ってきてくれる。

1　がてら　　　　　　2　かたがた　　　　　3　そばから　　　　4　ともに

問題2　次の文の＿＿★＿＿に入る最もよいものを、1・2・3・4から一つ選びなさい。

11 いつも＿＿＿＿＿＿＿＿＿＿＿＿＿＿★＿＿のは村人の役目だ。

1　畑を　　　　　　　2　家や　　　　　　　3　守る　　　　　　4　洪水から

12 彼が善意でやっている＿＿＿＿＿＿＿＿＿＿★＿＿＿＿＿。

1　目くじらを　　　　2　きりがない　　　　3　行為に　　　　　4　立てても

13 彼は訓練のために、毎日100段＿＿＿＿＿＿★＿＿＿＿＿＿＿＿＿しているそうだ。

1　何回も　　　　　　2　からある　　　　　3　上り下り　　　　4　階段を

14 ＿＿＿＿＿★＿＿＿＿＿＿＿＿、週末は近所の子供たちに英語を教えている。

1　かたわら　　　　　2　商社に　　　　　　3　彼女は　　　　　4　勤める

15 水は＿＿＿＿＿＿＿＿＿＿★＿＿＿＿＿＿である。

1　からなる　　　　　2　酸素　　　　　　　3　化合物　　　　　4　水素と

問題3　次の文章を読んで、16から20の中に入る最もよいものを、1・2・3・4から一つ選びなさい。

　　大学教員を10年、学生の進路支援も10年やっているが、学生の中には「本当にやりたいことが見つかるまで就職しない」という人もいる。何年かかけて、本当に自分の好きなことを見つけて就職するのもいいのだが、日本社会では、大学を出てからキャリアのない数年間は **16**。

　　そうした意味では、仕事をした方が収入も入って気持ちが楽になるし、心理的な自由度は広がる。高望みし過ぎて仕事をしないのは **17**。

　　うつ病の先生も増えている。圧倒的に増えている先生の業務量を減らすことが重要だし、今は、キャリア教育や金融教育など、オールラウンドにこなせる先生が評価される時代である。

　　18、振り返ってみると、すべてをそつなくこなす先生よりも、何か一つのことに秀でた、どこか型破りな先生の方が記憶に残っていて、そうした先生の人間的な個性というものが、自分の中に生かされているように思う。

　　診察に訪れる人の中には、自分に自信のない人が多く、さかのぼると、学校時代から先生に認められた経験がないという人もいる。**19**、先生には、たった一言で子供たちに自信を与えるチャンスがあるということ。

「君は出来る、大丈夫だ」と **20** ことで、子供の心に自信が芽生え、その子にとっては一生の宝物になり得る。学力にはすぐに反映されなくても、大人になってからの人生で、困難に直面した時の心の支えになるのである。

経済主導の、すぐに結果を求められる社会において、子供を育てるという長い時間が必要な仕事は、時代にマッチしないと思われるかもしれない。だが、親とは違う立場で人を支え、その後も一生にわたってその人を育て続けるという仕事は、ある意味、幸せな仕事だと思う。

16　1　有利になってくれるはずだ　　　　　　　2　不利になってしまう
　　　3　不利になるまでのことだ　　　　　　　　4　有利になるほかない

17　1　なさけない　　　　2　あっけない　　　　3　そっけない　　　　4　もったいない

18　1　だから　　　　　　2　そして　　　　　　3　だけど　　　　　　4　それに

19　1　逆に言えば　　　　2　すなわち　　　　　3　そう言えば　　　　4　要するに

20　1　悪意のない一言を言われる　　　　　　　　2　根拠の不明な保証を与える
　　　3　肯定する言葉をかけられる　　　　　　　　4　自分で自分に言い聞かせる

問題1　1-5：1 3 2 4 3　　　6-10：2 3 3 4 1　　　**問題2**　11-15：3 4 4 2 1
問題3　16-20：2 4 3 1 3　　　　　　　　　　　　　　　　　　　**答案**

第2単元　配套练习　精解

問題1

1 本题考查的是接续。「～が早いか」接续动词原形，所以正确选项是1。选项1「飛び乗る」意为"飞身跳上"。选项2「飛び乗り」是「動詞ます形」。选项3「飛び乗ろう」是意向形。选项4「飛び乗れ」是命令形。

译文：接到紧急电话的警察刚一跳上警车，就飞速赶往了现场。

2 选项1「今から止めようと私は考えている」意为"我打算从现在开始不做了"。选项2「そうしてもしかたないことだ」意为"那么做也是没办法的事"。选项3「最初から引き受けないでください」意为"从最开始就不要接受"。选项4「私に言ってくれれば大丈夫だよ」意为"如果你跟我说的话就没事儿"。

译文：既然接受了，就不要半途而废。与其半途而废，还不如从最开始就不要接受。

3 选项1「至りだ」接在「名詞＋の」的后面，意为"极其……、非常……"。选项2「の極みだ」中的「極みだ」同样接在「名詞＋の」的后面，意为"极其……、非常……"。选项3「きりだ」意为"只有、仅有"。选项4「限りだ」意为"到……为止、以……为限"。

译文：相伴多年的丈夫去世了，心中好像开了一个洞一样，非常寂寞。

4 选项1「大変なことになるところではなかった」意为"没有到不得了的程度"。选项2「大変なことになるところだろう」意为"应该会到不得了的程度吧"。选项3「大変なことにならないところだった」没有这样的表达。选项4「大変なことになるところだった」意为"差一点儿就不得了了"。

译文：幸好下了雨，由于长时间的日光照射，差一点儿就不得了了。

5 选项1「の一方」没有这样的表达，「一方」接在动词原形后面，意为"一方面……"。选项2「の半面」

没有这样的表达，「半面」前接名词时，要接在「名詞＋である」的后面，意为"另一方面……"。选项3「かたがた」意为"在……的同时、借……之便"。选项4「ながらに」意为"虽然……但是……"。

译文：前几天承蒙您照顾。在表达谢意的同时给您带了点儿老家寄来的苹果。

6 选项1「きらいだ」意为"讨厌"。选项2「きらいがある」意为"有……之嫌、有……的倾向、总爱……"。选项3「おそれだ」没有这样的表达。选项4「おそれがある」意为"有……的危险、恐怕会……"。

译文：他的缺点就是总爱把自己的意见强加给别人。

7 选项1「何でもない」意为"没什么"。选项2「何でもありうる」意为"什么都有可能"。选项3「何ともない」接在「イ形容詞く形」后面，意为"一点儿也不……、根本不……"。选项4「何ものでもない」意为"什么东西都不是"。

译文：虽然失败了，但是因为我拼命努力过了，所以一点儿也不懊悔。

8 选项1「言い出したとしても」意为"即使说出来了"。选项2「言い出すや否や」意为"刚一说出来就……"。选项3「言い出したが最後」意为"一旦说出来"。选项4「言い出すが早いか」意为"刚一说出来就……"。

译文：她是那种一旦说出口，就绝不会改变自己意志的人。

9 本题考查句型本身。选项1「極まっている」意为"达到了极限"。选项2「極めている」意为"到了头、极尽……"。选项3「極まらない」是「極まる」的否定形式，意为"没有到达极限"。选项4「極まりない」意为"非常……、极其……、太……"。

译文：让那么小的孩子一个人在停车场玩儿，太危险了。

10 选项1「がてら」接在「動詞ます形」或名词之后，意为"顺便……"。选项2「かたがた」意为"借……之便、在……的同时"，但是只能接在名词之后。选项3「そばから」意为"刚一……就……"。选项4「ともに」意为"随着……、与……一起"。

译文：我的父亲经常在散步的时候顺便去超市，买回来家人喜欢的东西。

問題2

11 全文：いつも家や畑を洪水から守るのは村人の役目だ。

译文：保护家园和田地免遭洪水破坏是村民们的责任。

12 全文：彼が善意でやっている行為に目くじらを立ててもきりがない。

译文：对他出于善意所做的行为吹毛求疵的话，就没完没了了。

13 全文：彼は訓練のために、毎日100段からある階段を何回も上り下りしているそうだ。

译文：听说他为了训练，每天都上上下下好几次一百多级的台阶。

14 全文：彼女は商社に勤めるかたわら、週末は近所の子供たちに英語を教えている。

译文：她在商社工作的同时，周末还教附近的孩子们英语。

15 全文：水は水素と酸素からなる化合物である。

译文：水是由氢和氧组成的化合物。

问题3

16 本题的关键句是「何年かかけて、本当に自分の好きなことを見つけて就職するのもいいのだが」（花好多年来找到自己真正喜欢的工作并就业虽然是好的），与后面的「日本社会では、大学を出てからキャリアのない数年間」（在日本社会中，大学毕业后没有职业经验的几年）是一种转折关系。所以正确的应该是选项2「不利になってしまう」（变得不利）。选项1「有利になってくれるはずだ」意为"应该会变得有利"。选项3「不利になるまでのことだ」意为"大不了变得不利就是了"。选项4「有利になるほかない」意为"只好变得有利了"。

17 本题考查的是词语的意思。关键句是「仕事をした方が収入も入って気持ちが楽になるし、心理的な自由度は広がる」（工作不仅有收入，让人心情愉悦，而且心理自由度也会得到扩展），说明工作有多种好处。而后面说的是「仕事をしない」（不工作），由此可以推断出，正确的是选项4「もったいない」（可惜），即工作有很多好处，所以不工作就可惜了。选项1「なさけない」意为"没有同情心的、可怜的、悲惨的"。选项2「あっけない」意为"没有意思的、不尽兴的、不能令人满意的"。选项3「そっけない」意为"冷淡的、缺乏同情心的"。

18 本题的关键句是「今は、キャリア教育や金融教育など、オールラウンドにこなせる先生が評価される時代である」（现在是一个能够全面处理好职业教育及金融教育等的老师会得到好评的时代）和「すべてをそつなくこなす先生よりも、何か一つのことに秀でた、どこか型破りな先生の方が記憶に残っていて」（与周到地处理好各方面的老师相比，对某一方面擅长、在某些地方与众不同的老师更让人记忆深刻）。这两句话很明显是一种转折关系，由此可以推断出，正确的是选项3「だけど」（但是）。选项1「だから」表示因果关系，意为"所以"。选项2「そして」表示顺接，意为"然后"。选项4「それに」表示添加，意为"而且、加之"。

19 本题的关键句是「診察に訪れる人の中には、自分に自信のない人が多く、さかのぼると、学校時代から先生に認められた経験がないという人もいる」（前来诊察的人当中，有很多是对自己没有信心的人，如果追根溯源的话，也有人是从学生时代就从未得到过老师的认可）和「先生には、たった一言で子供たちに自信を与えるチャンスがあるということ」（对于老师来说，仅凭一句话就有给予孩子们自信的机会）。前面说"没有自信的人没有得到过老师的认可"，后面说"老师的一句话就可以给予孩子们自信"，这表明前后说的是两种相反的情况，所以正确的是选项1「逆に言えば」（反过来说）。选项2「すなわち」意为"也就是说、即"。选项3「そう言えば」意为"这样说来"。选项4「要するに」意为"总而言之"。

20 本题的关键句是「『君は出来る、大丈夫だ』」（"你能行！没有问题"），根据上下文，这是一句给予孩子自信的肯定的话。由此可以推断，正确的是选项3「肯定する言葉をかけられる」（被给予肯定的话语）。选项1「悪意のない一言を言われる」意为"被说一句没有恶意的话"。选项2「根拠の不明な保証を与える」意为"给予根据不明的保证"。选项4「自分で自分に言い聞かせる」意为"自己说给自己听"。

译文：

我当了10年的大学教师，同时指导了10年学生的发展方向，学生之中有人坚持"在找到自己真正想做的工作之前不就业"。花好多年来找到自己真正喜欢的工作并就业虽然是好的，但是在日本社会中，大学毕业后没有职业经验的几年会变得很不利。

在这层意义上，工作不仅有收入，让人心情愉悦，而且心理自由度也会得到扩展。过分奢望而不工作是很可惜的。

得抑郁症的老师也在增加。减少老师大量增加的工作量是很重要的，而且现在是一个能够全面处理好职业及金融教育等的老师会得到好评的时代。

但是，回过头来看，我认为与周到地处理好各方面的老师相比，对某一方面擅长、在某些地方与众不同的老师更让人记忆深刻，这种老师在人性方面的个性会在自己的内心发挥作用。

前来诊察的人当中，有很多是对自己没有信心的人，如果追根溯源的话，也有人是从学生时代就从未得到过老师的认可。反过来说，对于老师来说，仅凭一句话就有给予孩子们自信的机会。

"你能行！没有问题"，通过被给予一句肯定的话语，孩子们的内心就会萌发自信，对于孩子来说有可能成为他一生的财富。即使不会立刻反映在学习能力上，在成人以后的人生中，也会成为其面对困难时的心灵支柱。

在以经济为主导的、希望能立即得到结果的社会当中，培养孩子这项需要很长时间的工作可能会被认为与时代并不相称。但是，我认为，站在与父母不同的立场上支持一个人，之后在其一生中也持续培养他的这种工作，从某种意义上来说是幸福的。

第3单元　配套练习

問題1　次の文の（　　）に入れるのに最もよいものを、1・2・3・4から一つ選びなさい。

① この説明書、わかりにくいこと（　　）ね。これなら、ない方がましだよ。

　　1　このうえない　　2　越したことはない　　3　いがいの何物でもない　　4　といったらありはしない

② 予算も少ない（　　）、今年の忘年会は持ち寄りパーティーにしよう。

　　1　いかんでは　　2　ようでは　　3　ことだし　　4　にして

③ お元気の（　　）と存じます。私の就職にあたってはいろいろお世話になりました。

　　1　もの　　2　ほど　　3　こと　　4　ばかり

④ 社長が我が家を訪ねてきたが、急な（　　）、大したおもてなしもできなかった。

　　1　かぎりでは　　2　そばから　　3　だけは　　4　こととて

⑤ 入場者数が35万人を突破したそうです。（　　）で行くと40万人～50万人になりそうですね。

　　1　そのもの　　2　このぶん　　3　それまで　　4　ひとり

⑥ あれもダメ、これもダメと言っては、着るものがなくなり、とうとう外へ出かけられなくなる（　　）。

　　1　至りだ　　2　しまつだ　　3　極みだ　　4　おもいだ

⑦ 同居している方にとって、つかず（　　）はかなり厳しいでしょう。

　　1　離れて　　2　離れず　　3　離れても　　4　離れるの

⑧ 今日は朝からいいこと（　　）で、つい鼻歌が出て、みんなに羨ましがられた。

　　1　がてら　　2　ずくめ　　3　ですら　　4　とやら

⑨ 買いたい機種が決まっていれば、インターネットで注文できるので、わざわざ店に（　　）にすむ。

　　1　行かず　　2　行く　　3　行かれず　　4　行かせず

⑩ 経費節約にご協力ください。コピー用紙は一枚も無駄に使わない（　　）。

　　1　べき　　2　もの　　3　こと　　4　はず

問題2　次の文の＿★＿に入る最もよいものを、1・2・3・4から一つ選びなさい。

11　＿★＿　＿＿＿＿　＿＿＿＿　＿＿＿＿手を煩わせないで、自分で考えてスパッと対処してほしい。

　　1　まで　　　　　　　2　ここに　　　　　　　3　こと　　　　　　　4　至って

12　まことに時間が経つのは早いもので、＿＿＿＿　＿★＿　＿＿＿＿　＿＿＿＿いきました。

　　1　ごとく　　　　　　2　流れて　　　　　　　3　この5年間は　　　　4　矢の

13　山田さんは白鳥がいる間は10年間、＿＿＿＿　＿＿＿＿　＿＿＿＿　＿★＿。

　　1　えさを与え続けた　2　一日も　　　　　　　3　ことなしに　　　　4　休む

14　連休に見ようと思ってDVDを何本も借りましたが、来客やら何やらで＿＿＿＿　＿＿＿＿　＿＿＿＿　＿★＿でした。

　　1　じまい　　　　　　2　一本も　　　　　　　3　見ず　　　　　　　4　とうとう

15　野党は与党の提出した法案に＿＿＿＿　＿＿＿＿　＿★＿　＿＿＿＿だろう。

　　1　には　　　　　　　2　せず　　　　　　　　3　おかない　　　　　4　反対

問題3　次の文章を読んで、16から20の中に入る最もよいものを、1・2・3・4から一つ選びなさい。

　日本の出版物（発行部数）の約三分の一はマンガであり、世界最大のストーリーマンガの生産国である。

　16、マンガが原作となったアニメは世界中に輸出され、『美少女戦士セーラームーン』や『ドラゴンボール』は、日本の首相より遥かに知名度が高いはずである。なぜ、これほどまでに社会的影響力が強いのか。最大の理由は伝達力の高さである。百聞は一見に如かずであるから、絵で見せれば伝わりやすいのは当然のことである。

　ビジュアルな表現で考えるなら、映画やテレビも同様である。ところが映画やテレビは、一回見た場面を遡って見ることができない。マンガは、何度でも自分の好きなページを遡ることができる。自分のペースで読むことができるのである。だから、受け取り手にとって17形になっている。

　また、映画は映画館、テレビはお茶の間で観賞しなければならない。最近は、携帯用のテレビもあるが、それでも一般的なもの18。その点、マンガはいつでもどこでも読むことができる。場所や時間を選ばないのである。伝達力の高さ19、簡便性にも優れている。

　マンガにおいて、「言語」にあたるものは何だろうか。台詞はもちろんだが、メインのキャラクターの描き方、ストーリーも、マンガの世界においては一種の「言語」とも解釈できる。20、こうしたものはそこで何が描かれているのか、すぐに言語に転換できるからだ。

16　1　それにしても　　2　おまけに　　　　　　3　とりわけ　　　　　4　さらに

17　1　理解しやすい　　2　理解しにくい　　　　3　理解できない　　　4　理解しかねない

18　1　とは思わない　　2　とは言いようがない　3　とはいえない　　　4　とは思ってもみなかった

19　1　に即して　　　　2　にして　　　　　　　3　に至って　　　　　4　に加えて

20　1　つまり　　　　　2　その一方　　　　　　3　すなわち　　　　　4　なお

第3单元　配套练习 精解

問題1

1 选项1「このうえない」前接「こと」意为"无比"。选项2「越したことはない」前面接「に」，意为"莫过于……"。选项3「いがいの何物でもない」意为"无非是……而已"。选项4「といったらありはしない」意为"极其……、难以形容"。

译文：这份说明书太难懂了。如果是这样，还不如没有。

2 选项1「いかんでは」前接名词，意为"根据……"。选项2「ようでは」的接续为「名詞＋の＋ようでは」、「ナ形容詞な形＋ようでは」、「動詞、イ形容詞、ナ形容詞、名詞の普通形＋ようでは」，意为"如果……的话，那就……"。选项3「ことだし」表示陈述理由。选项4「にして」前接名词，意为"到了……阶段才……"。

译文：预算也少，今年的年终联欢会采用自带菜的形式吧。

3 本题考查「～と存じます」前接「こと」的固定接续。表示推测，是书面语，多用于书信。其他三项不符合。

译文：我想您一定很康健。求职时得到了您很多照顾。

4 选项1「かぎりでは」意为"如果仅仅是……"。选项2「そばから」意为"刚……就……"。选项3「だけは」意为"起码得……"。选项4「こととて」意为"因为"。

译文：社长到访我家，但因为事发突然，所以都没能很好地招待。

5 选项1「そのもの」意为"……本身"。选项2「このぶん」与后文构成「この分でいくと」，意为"照这种情况进展的话"。选项3「それまで」意为"到那儿为止"。选项4「ひとり」意为"一个人"。

译文：听说入场人数突破35万人了。照这个状态下去的话，有可能有40万～50万人。

6 选项1「至りだ」前接「名詞＋の」，意为"无比……"。选项2「しまつだ」意为"落到……地步、竟然……"。选项3「極みだ」前接「名詞＋の」，意为"极限、顶点"。选项4「おもいだ」意为"感觉……"。

译文：说这也不行那也不行，变得没什么可穿的，最终竟然没法出门了。

7 本题考查「～ず～ず」的句型，表示"不……也不……"，也就是考查其接续问题。只有选项2符合。

译文：对于住在一起的人来说，不即不离是很难的吧。

8 选项1「がてら」接在「動詞ます形」或名词后面，意为"顺便……"。选项2「ずくめ」意为"净是……"。选项3「ですら」为极端举例，意为"甚至是……"。选项4「とやら」前接名词，意为"叫……之类"，表示不确定。

译文：今天从早晨开始净是好事，不由得哼起小曲，被大家羡慕了一番。

9 本题考查「～ずにすむ」句型的接续和主动被动问题。选项1「行かず」正确。选项2「行く」接续不正确。选项3「行かれず」为被动用法，意义不正确。选项4「行かせず」为使役用法，意义也不正确。

译文：如果确定了要买的机种便可在网上订购，所以不用特地去店里。

10 选项1「べき」为「べし」的连体形，意为"必须、应该"。选项2「もの」作为终助词，表示辩解、申述，含有不满等语气；作为接续助词时，用于说明原因。选项3「こと」表示命令，意为"必须、要"，或表示感叹。选项4「はず」意为"应该、理应"，后接「だ」。

译文：请配合节约经费。连一张复印纸也不要浪费。

問題2

11 全文：ことここに至ってまで手を煩わせないで、自分で考えてスパッと対処してほしい。

译文：事已至此，不要麻烦别人了，希望你自己思考，果断地应对。

12 全文：まことに時間が経つのは早いもので、この5年間は矢のごとく流れていきました。

译文：时间过得真快。这5年，时光飞逝如箭。

13 全文：山田さんは白鳥がいる間は10年間、1日も休むことなしにえさを与え続けた。

译文：山田在天鹅在的10年间，一直喂食，一天也未间断过。

14 全文：連休に見ようと思ってDVDを何本も借りましたが、来客やら何やらでとうとう1本も見ずじまいでした。

译文：借了好多DVD打算连休时看，但是因为有客人来以及其他事情，最终一部也没有看。

15 全文：野党は与党の提出した法案に反対せずにはおかないだろう。

译文：在野党势必会反对执政党提出的法案吧。

問題3

16 前两段在说明漫画的影响力。第一段「日本の出版物（発行部数）の約三分の一はマンガであり、世界最大のストーリーマンガの生産国である」[日本约三分之一的出版物（出版册数）是漫画，是世界最大的情节漫画出品国]和第二段「マンガが原作となったアニメは世界中に輸出され」（以漫画为原著的动画片出口到全世界）之间有举出特例的含义，因此正确的是选项3「とりわけ」（特别、尤其、格外）。选项1「それにしても」意为“即便如此”。选项2「おまけに」意为“况且”。选项4「さらに」意为“更加”。

17 本题的关键句是「マンガは、何度でも自分の好きなページを遡ることができる。自分のペースで読むことができるのである」（漫画可以无限次地回头看自己喜欢的那一页，可以按自己的步调去读），意在说明漫画的好处，所以正确的应该是选项1「理解しやすい」（易于理解）。选项2「理解しにくい」意为“难以理解”。选项3「理解できない」意为“不能理解”。选项4「理解しかねない」意为“有可能理解”。

18 本题的关键句是「最近は、携帯用のテレビもあるが」（最近，虽然也有便携式电视机）和「それでも」（但即便如此），表达虽然有一定程度的发展，但未能达到令人满意的程度，所以正确的应该是选项3「とはいえない」（不能说是……）。选项1「とは思わない」意为“不认为……”。选项2「とは言いようがない」意为“没法说……”。选项4「とは思ってもみなかった」意为“想都没想到……”。

19 本题的关键句是「伝達力の高さ」（高度的传达能力）和「簡便性にも優れている」（在方便程度上也很优秀），前后都在说明漫画的好处，表示累加，因此正确的应该是选项4「に加えて」（在……基础上、加上……）。选项1「に即して」意为“根据……”。选项2「にして」前接表示年龄或阶段的名词，意为“到了……才……”。选项3「に至って」意为“至于……、直到……”。

20 本题的关键句是后面的「こうしたもの」（这一系列的东西）与前面的「台詞」（台词）、「メインのキャラクターの描き方、ストーリー」（主角的描绘方式、情节），它们之间是一种汇总关系，说明它们都可以转换成语言，所以正确的应该是选项1「つまり」（归根结底、总之）。选项2「その一方」意为“另一方面”。选项3「すなわち」意为“换言之”。选项4「なお」意为“仍然、更、此外”。

译文：

日本约三分之一的出版物（出版册数）是漫画，是世界最大的情节漫画出品国。

特别是，以漫画为原著的动画片出口到全世界，《美少女战士》《龙珠》等作品应该比日本首相还要有知名度。为什么漫画会有如此强大的社会影响力呢？最主要的原因是它拥有高度的传达能力。百闻不如一见，用

画面来展示自然易于传达想法。

如果从视觉表现的角度来思考，电影和电视等也是一样的。但电影和电视看过一次的情景不能再回溯重看。而漫画可以无限次地回头看自己喜欢的那一页，可以按自己的步调去读。因此，对于受众来说它是一种易于理解的形式。

另外，电影必须在电影院、电视必须在起居室观赏。最近，虽然也有便携式电视机，但即便如此，也还不能说得上是具有普遍性的东西。在这一点上，漫画可以在任何时候、任何地点阅读，而不必选择场所和时间。

除高度的传达能力外，漫画在方便程度上也很优秀。

在漫画中，相当于"语言"的东西是什么呢？台词自不必说，主角的描绘方式、情节等在漫画的世界中也可以解释成一种"语言"。总之，因为它们所描绘的内容，是可以马上转换为语言的。

第4单元　配套练习

問題1　次の文の（　　　）に入れるのに最もよいものを、1・2・3・4から一つ選びなさい。

1 いくら人間関係を改善したいと思っても、何か行動を起こさなければ（　　　）。
　　1　それまでだ　　　　2　そのままだ　　　　3　そのものだ　　　　4　それのみだ

2 彼には日常必需品（　　　）ない、まして贅沢品はあるわけがない。
　　1　やら　　　　　　　2　すら　　　　　　　3　たりとも　　　　　4　とて

3 あんな高価な物を壊したのだから、（　　　）。
　　1　弁償しないこともない　　　　　　　　2　弁償しないではすまない
　　3　弁償しないものでもない　　　　　　　4　弁償しないにはおかない

4 祖母にとっては、ただ苦しい（　　　）の人生だったのだろうか。
　　1　しか　　　　　　　2　こそ　　　　　　　3　すら　　　　　　　4　のみ

5 その子はたいへん賢く、（　　　）覚えてしまう。
　　1　教えるかたわら　　2　教えるがてら　　　3　教えるそばから　　4　教わりつつも

6 交通事故でけがをして走れないけど、歩けるようになった（　　　）。
　　1　これまでだ　　　　2　だけましだ　　　　3　そのものだ　　　　4　いかんだ

7 中日両国の間にはたくさんの問題がありますが、（　　　）ビジネスはビジネスとして考えたい。
　　1　それはそれとして　　　　　　　　　　2　そればかりに
　　3　それはすなわち　　　　　　　　　　　4　それだけに

8 その事について調べる（　　　）調べたが、あとは結果を待つだけだ。
　　1　ながらも　　　　　2　なりに　　　　　　3　だけは　　　　　　4　ともなく

9 （　　　）安いのに、バーゲンともなると破格の安さだ。
　　1　かわきりに　　　　2　さておき　　　　　3　いざしらず　　　　4　ただでさえ

10 富士山はただ高い（　　　）、姿も美しいので、日本の象徴として愛されている。
　　1　もあいまって　　　2　はおろか　　　　　3　のみならず　　　　4　までして

問題2　次の文の＿＿★＿＿に入る最もよいものを、1・2・3・4から一つ選びなさい。

11　＿★＿　＿＿＿　＿＿＿　＿＿＿、もうそんなに息切れするの?

1　階段を　　　　　2　ぐらいで　　　　　3　たかが　　　　　4　上がった

12　火災で怪我人が＿＿＿　＿＿＿　＿★＿だ。

1　救い　　　　　　2　出なかった　　　　3　せめてもの　　　4　のが

13　うとうとしかけたところに、＿＿＿　＿＿＿　＿＿＿　＿★＿しまった。

1　そのまま　　　　2　かかってきて　　　3　寝そびれて　　　4　電話が

14　子供たちは＿＿＿　＿★＿　＿＿＿　＿＿＿。

1　していた　　　　2　無邪気　　　　　　3　表情を　　　　　4　そのものの

15　医者は＿＿＿＿＿　＿★＿　＿＿＿＿＿がなかった。

1　に対して　　　　2　なす　　　　　　　3　その病気　　　　4　すべ

問題3　次の文章を読んで、16から20の中に入る最もよいものを、1・2・3・4から一つ選びなさい。

　漢字とひらがな（およびカタカナ）の混合文である日本語文は、実は判読に非常に適しているといえる。16判読による速読•速解を身につけているか否かによって、大きな読書スピードの差が生まれるし、心読一辺倒の読み方では知識や情報に接し理解できる量が格段に劣ってしまうのである。

　日本語文のどこが判読•速読に適しているのか。まず文章は重要な語句、キーワードとそうでない補助的なものとの組み合わせ17構成されている。日本語文では、普通、漢字にキーワードが多く含まれ、それをひらがなでつないでいる。つまり、キーワードを多く含む漢字とかなにより文章にアクセントがつけられているから、漢字を中心とするいくつかの語句をかたまりとしてストレートに理解に結びつけやすいのである。より多くの文字を同時にとらえ、より速く理解することは、読書スピードを引き上げることにつながる。また、漢字自体、アルファベットやひらがななどの表音文字とは違い、象形、表意文字であるから、18形を見て瞬時に意味をつかみやすい文字である。

（中略）

　読みやすいように読点を入れても、ひらがなだけの文章は、非常に読みにくいものである。19漢字が入ると、文章の配列にアクセントがつき、見やすく、そして読みやすくなる。ひらがなだけでは、文字を見て、何をいっているのか瞬時に20が、漢字ならば見ただけで意味がわかる。心読一辺倒の読み方なら、瞬時に理解できる文字でも音に換えたうえで理解しようとするが、判読ならば一行全部、あるいは、読点部分で区切るようにしながら、すばやく見て理解することもできる。

16　1　それだけに　　　　2　それでは　　　　　3　すると　　　　　4　しかしながら

17　1　にしたがい　　　　2　にわたり　　　　　3　により　　　　　4　にひきかえ

18　1　たとえ音としては読めても　　　　　　　2　たとえ音としては読めなくても

　　3　たとえ音としては読まれても　　　　　　4　たとえ音としては読まれなくても

19　1　それから　　　　　2　それでも　　　　　3　たとえば　　　　4　ところが

20　1　理解しかねない　　2　理解しにかたくない　3　理解しやすい　　4　理解しにくい

第4单元　配套练习 精解

问题1

1 选项1「それまでだ」意为"……就没用了、……就完了"。选项2「そのままだ」表示状态的持续，意为"就一直保持那样"。选项3「そのものだ」表示强调，意为"简直就是……"。选项4「それのみだ」意为"只有那个"。

译文： 无论多么想改变人际关系，如果不采取行动的话也是没用的。

2 选项1「やら」往往两个一起使用，用于从几项中列举出两项，意为"又……又……"。选项2「すら」意为"甚至连……都……"。选项3「たりとも」前面接续表示最小的数量词，后面与否定形式连用，意为"即使……也不……"。选项4「とて」意为"就是……、即使是……"。

译文： 他甚至连日常必需品都没有，更不可能有奢侈品了。

3 选项1「弁償しないこともない」意为"不能不赔偿"，使用双重否定来表示"有那样的方面/有那样的可能性"的肯定意义。选项2「弁償しないではすまない」意为"不赔偿是不行的"，表示必须要赔偿，强调客观性。选项3「弁償しないものでもない」意为"也不是不赔偿"，消极地表示能赔偿。选项4「弁償しないにはおかない」意为"必然要赔偿"，但强调的是"不能放任它维持原状"，倾向于动作主体的主观想法。

译文： 弄坏了那么贵的东西，不赔偿是不行的。

4 选项1「しか」后面接否定，意为"只有、仅仅"。选项2「こそ」表示强调，意为"正是"。选项3「すら」意为"甚至连……都……"。选项4「のみ」可以与「ただ」呼应，意为"只是、仅仅"。

译文： 对于祖母来说，难道只是充满痛苦的人生吗？

5 选项1「教えるかたわら」意为"一边教，一边……"。选项2「教えるがてら」意为"在教的时候顺便……"。选项3「教えるそばから」意为"刚一教完就……"。选项4「教わりつつも」意为"虽然受教，但是……"。

译文： 那个孩子非常聪明，一教就会。

6 选项1「これまでだ」意为"……就全完了、……就全没用了"。选项2「だけましだ」意为"好在……、幸好……"。选项3「そのものだ」意为"简直就是……"。选项4「いかんだ」意为"要看……、根据……"。

译文： 虽然在交通事故中受了伤，不能跑了，但幸好还能走。

7 选项1「それはそれとして」意为"那个暂且不说、那个先放在一边"。选项2「そればかりに」意为"就因为那样"。选项3「それはすなわち」意为"那就是说"。选项4「それだけに」意为"正因为那样"。

译文： 中日两国之间虽然存在很多问题，但那个暂且不提，我想把商务就作为商务来考虑。

8 选项1「ながらも」表示逆接，意为"虽然……但是……"。选项2「なりに」意为"与……相适应、……那样"。选项3「だけは」意为"能……都……"。选项4「ともなく」意为"不知……、无意识地……"。

译文： 关于那件事能调查的都已经调查了，就只剩下等待结果了。

9 选项1「かわきりに」意为"以……为契机、以……为开端"。选项2「さておき」意为"暂且放在一边"。选项3「いざしらず」意为"姑且不论"。选项4「ただでさえ」意为"本来就……、平时就……"。

译文：本来就很便宜，要是赶上大甩卖就更便宜了。

⑩ 选项1「もあいまって」意为"与……相结合、与……相融合"。选项2「はおろか」意为"不要说……就连……也……"。选项3「のみならず」意为"不仅……而且……"。选项4「までして」意为"甚至于到……地步"。

译文：富士山不仅高，而且姿态优美，因此作为日本的象征受到喜爱。

問題2

⑪ 全文：たかが階段を上がったぐらいで、もうそんなに息切れするの？

译文：就是爬了爬楼梯，就那么喘了？

⑫ 全文：火災で怪我人が出なかったのがせめてもの救いだ。

译文：在火灾当中没有出现伤者是唯一的安慰。

⑬ 全文：うとうとしかけたところに、電話がかかってきてそのまま寝そびれてしまった。

译文：正在昏昏欲睡的时候有人打电话过来，然后就一直没睡成。

⑭ 全文：子供たちは無邪気そのものの表情をしていた。

译文：孩子们一副非常天真无邪的表情。

⑮ 全文：医者はその病気に対してなすすべがなかった。

译文：医生对那种病束手无策。

問題3

⑯ 本题的关键句是「漢字とひらがな（およびカタカナ）の混合文である日本語文は、実は判読に非常に適しているといえる」[可以说，作为汉字和平假名（以及片假名）的混合句的日语句子，实际上是非常适合猜读的]和「判読による速読•速解を身につけているか否かによって、大きな読書スピードの差が生まれる」（能否掌握以猜读为基础的快速阅读、快速理解，在读书速度上会产生很大的差异）。前面一句说的是"日语句子适合猜读"，后面一句说的是"通过猜读会带来什么样的好处"，前后是一种因果关系，因此正确的是选项1「それだけに」（正因为那样）。选项2「それでは」意为"那么"。选项3「すると」意为"于是"，表示一种自然而然的结果。选项4「しかしながら」意为"但是"。

⑰ 本题的关键句是本题所在的句子，即「まず文章は重要な語句、キーワードとそうでない補助的なものとの組み合わせ～構成されている」。分析句子结构不难发现，这句话的主干是「文章は～、～と～との組み合わせ～構成されている」，由此可以推断出，正确的是选项3「により」（由……）。选项1「にしたがい」意为"按照……、随着……"。选项2「にわたり」意为"在……范围内、涉及……"。选项4「にひきかえ」意为"与……相反、与……不同"。

⑱ 本题的关键句是「また、漢字自体、アルファベットやひらがなどの表音文字とは違い、象形、表意文字であるから」（另外，因为汉字本身就与字母及平假名等表音文字不同，是象形、表意文字）和「形を見て瞬時に意味をつかみやすい文字である」（是观其形就很容易马上理解其意的文字）。前面一句提到"汉字非表音文字，而是象形、表意文字"，而后面一句说了"观其形知其意"，由此可以推断出，正确的是选项2「たとえ音としては読めなくても」（即使不能读出音）。选项1「たとえ音としては読めても」意为"即使能读出音"。选项3「たとえ音としては読まれても」意为"即使被读出音"。选项4「たとえ音としては読まれなくても」意为"即使不被读出音"。

19 本题的关键句是「ひらがなだけの文章は、非常に読みにくいものである」（只有平假名的文章很难读懂）和「漢字が入ると、文章の配列にアクセントがつき、見やすく、そして読みやすくなる」（如果有汉字，文章的排列就会有重点，变得容易看，也容易读懂）。前后两句话很明显是一种转折关系，所以正确的是选项4「ところが」（但是）。选项1「それから」意为"然后"。选项2「それでも」意为"即使那样"。选项3「たとえば」意为"例如"。

20 本题的关键句是「漢字ならば見ただけで意味がわかる」（如果是汉字，则一看就明白意思），关键词是问题20后面的「が」。结合前后文脉，可知此处的「が」表示的是逆接，再对照四个选项，通过排除法可以确定正确的是选项4「理解しにくい」（难以理解）。选项1「理解しかねない」意为"很有可能理解"。选项2「理解しにかたくない」中的「～にかたくない」接在名词或动词原形后面，表示"不难……"。选项3「理解しやすい」意为"容易理解"。

译文：

可以说，作为汉字和平假名（以及片假名）的混合句的日语句子，实际上是非常适合猜读的。正因为如此，能否掌握以猜读为基础的快速阅读、快速理解，在读书速度上会产生很大的差异。如果只是默读，在接触、理解知识及信息方面是远远不及的。

日语句子到底什么地方适合猜读、速读呢？首先，文章是由重要语句、关键词和辅助性词句组合而成的。在日语句子中，通常很多关键词会包含在汉字中，并通过平假名连接在一起。也就是说，通过包含很多关键词的汉字和假名给文章标注上重点，因此以汉字为中心的几个短语就容易作为一个整体直接加以理解。要想同时把握更多的文字、更快地加以理解，就需要提高读书速度。而且，汉字本身就与字母及平假名等表音文字不同，是象形、表意文字，所以即使不知道怎么读，观其形也很容易马上理解其意。

（中略）

即使为了便于理解而加入顿号，只有平假名的文章也很难读懂。但是，一旦加入汉字，文章的排列就会有重点，变得容易看，也容易读懂。如果只是平假名，看到文字，很难马上理解在说什么，而如果是汉字则一看就明白意思。如果只是默读的读书方法，则即使是能够马上理解的文字也想要转换成声音之后再去理解，而猜读则能够一边通过行或标点符号来进行分段，一边迅速浏览并加以理解。

第5单元　配套练习

問題1　次の文の（　　）に入れるのに最もよいものを、1・2・3・4から一つ選びなさい。

1 私はからかった（　　）だけどね。怒らないでください。
　1　べくもない　　　2　つもりはない　　　3　ほどでもない　　　4　まではない

2 どんなに後悔した（　　）、一度犯した罪を消すことはできない。
　1　ゆえに　　　2　にもまして　　　3　ところで　　　4　ならでは

3 大震災で町全体が破壊するなど、想像する（　　）恐ろしい。
　1　にあって　　　2　だけは　　　3　ですら　　　4　だに

4 残念なことに、登山道にはペットボトル（　　）、ビニール袋（　　）が投げ捨てられていた。
　1　だの/だの　　　2　とて/とて　　　3　とも/とも　　　4　なり/なり

⑤ 私の研究室の留学生の中で、特に君には期待しているよ。頑張り（　　）。

　　1　そのものだ　　　　　2　たまえ　　　　　3　そびれる　　　　　4　だけましだ

⑥ 今度こそ禁煙するなんて言って、続いた（　　）でしょう。

　　1　かいがない　　　　　2　きらいがある　　　3　ことと思う　　　　4　ためしがない

⑦ 教育者（　　）、学生と一緒になって騒ぎ、警察のお世話になるなんて、そんなことは許されない。

　　1　ごとく　　　　　　　2　たるもの　　　　　3　こととて　　　　　4　というもの

⑧ 貧乏（　　）金持ち（　　）、そんなことは関係ない。

　　1　だろう / だろう　　2　だったら / だったら　3　だけ / だけ　　　　4　だろうが / だろうが

⑨ 山へ行くの（　　）海へ行くの（　　）、自分の健康状態には気をつけたほうがいい。

　　1　もの / もの　　　　2　であれ / であれ　　3　どころか / どころか　4　ようなら / ようなら

⑩ やるべきことはやったのだから、結果は（　　）、後悔はない。

　　1　どうだけでなく　　2　どうゆえに　　　　3　どうであれ　　　　4　どうのみか

問題2　次の文の＿＿★＿＿に入る最もよいものを、1・2・3・4から一つ選びなさい。

⑪ 暑かったので、＿＿＿＿　＿＿＿＿　＿＿＿＿　＿＿★＿＿で寝てしまった。

　　1　っぱなし　　　　　　2　開け　　　　　　　3　うっかり　　　　　4　窓を

⑫ 試合まで後1週間。＿＿＿＿　＿＿★＿＿　＿＿＿＿　＿＿＿＿いかない。

　　1　わけには　　　　　　2　たりとも　　　　　3　練習を休む　　　　4　1日

⑬ ライバルの二人は、＿＿＿＿　＿＿＿＿　＿＿★＿＿　＿＿＿＿の関係を続けている。

　　1　追われつ　　　　　　2　テストの成績　　　3　追いつ　　　　　　4　でも

⑭ ＿＿＿＿　＿＿＿＿　＿＿＿＿　＿＿★＿＿、それでも規格に合わない品が出た。

　　1　だろうに　　　　　　2　も　　　　　　　　3　検査した　　　　　4　何度

⑮ 一人では心細いんで、＿＿＿＿　＿＿＿＿　＿＿★＿＿　＿＿＿＿んですけど。

　　1　いただけると　　　　2　行って　　　　　　3　嬉しい　　　　　　4　一緒に

問題3　次の文章を読んで、⑯から⑳の中に入る最もよいものを、1・2・3・4から一つ選びなさい。

　　カエルの眼を研究すると、面白いことが分かるそうです。

　　カエルの眼は、自分に近付いてくるものと遠ざかってゆくものしか見ることができないのだそうです。つまりカエルにとっては、自分が喰うエサと、自分を喰いにくる敵だけしかこの世の中には存在していないということになります。カエルの眼がそういう性質をもっているから、静止しているものは⑯のです。つまり、ヘビに睨まれたカエルは、じっと動かないヘビを見失ってしまうので、動かなくなってしまうのです。

　　ところで、人間の眼はそれよりもう少し発達しているけれども、⑰、同じような性質を持っているのだそうで、チラチラ動くものがとくに目につくのはそのためです。女性がキラキラ光るダイヤモンドが好きなのも、男性がチラチラ光るネオンが好きなのも、みんな人間の眼のせいなのだということになるわけです。

　　人間には静止したものも見ることができます。⑱を調べると、静止したものを見つめている時には、人間の目玉を動かす筋肉が小刻みに震えているからなのだそうです。あっちが動いてくれなければ仕方がないからこっちが動くようになり、それで静止したものでも見えるのだということです。びっくりするような仕組みが人

間の眼にはあるものですね。「人間の眼って頭いいんだな」などと変な感心をしてしまうほかはないのです。

　19、こういうふうなことを考えてゆくと、カエルにはカエルの見る世界というものがあり、また魚には魚の世界が、犬には犬の世界の見え方があるわけです。人間は人間が見るような世界しかないと信じているけれども、結局は人間が見るような世界しか知っていないだけであることが分かります。仏さまが見る世界というものは、また違った様子をしているのではないかと思います。20のかというと、「五蘊皆空」と見えるのです。

16	1 見られない	2 見たくない	3 見られたくない	4 見えない
17	1 基本的には	2 原則的に	3 公平的に	4 平等的に
18	1 それは何か	2 それは見えるか	3 それはなぜか	4 それは違うか
19	1 だって	2 よって	3 だから	4 でも
20	1 どんなふうに見える	2 どんなふうに考える	3 こんなふうに思う	4 こんなふうに分かる

問題 1 1-5: 2 3 4 1 2　　6-10: 4 2 4 2 3　　**問題 2** 11-15: 1 2 3 1 1　　答案

問題 3 16-20: 4 1 3 4 1

第 5 単元　配套练习 精解

1 选项1「べくもない」意为"无法……"。选项2「つもりはない」意为"不打算……、不想……、没想……"。选项3「ほどでもない」意为"没有达到……程度"。选项4「まではない」意为"没必要……"。

译文：我并非有意嘲弄。请不要生气。

2 选项1「ゆえに」意为"因此"。选项2「にもまして」意为"比……更……"。选项3「ところで」意为"可是、即使"。选项4「ならでは」意为"只有……才……"。

译文：不管如何后悔，曾犯下的罪行是无法消除的。

3 选项1「にあって」意为"处于……情况下"。选项2「だけは」意为"能……都……、起码得……"。选项3「ですら」意为"甚至"。选项4「だに」意为"连、甚至、即使"。

译文：因大地震整个城镇被破坏，连想一下都觉得很恐怖。

4 选项1「だの/だの」表示列举。选项2「とて/とて」通常不会重复使用。选项3「とも/とも」通常不会重复使用。选项4「なり/なり」意为"或是……或是……"。

译文：令人遗憾的是，登山路上被扔了塑料瓶啦塑料袋啦什么的。

5 选项1「そのものだ」意为"简直就是……"。选项2「たまえ」意为"……吧"。选项3「そびれる」意为"错过机会"。选项4「だけましだ」意为"好在……、幸好……"。

译文：在我研究室的留学生中，我特别期待你的表现。加油吧。

6 选项1「かいがない」意为"没意义"。选项2「きらいがある」意为"有……倾向"。选项3「ことと思う」意为"我想……"。选项4「ためしがない」意为"从来没有……"。

译文：说这次一定要戒烟，但从来没有坚持下去过吧。

7 选项1「ごとく」意为"像"。选项2「たるもの」意为"作为"。选项3「こととて」意为"因为"。选项

4「というもの」意为"······这种东西"。

译文： 作为教育者，和学生一起闹事，给警察添麻烦，这种事不能被原谅。

⑧ 选项1「だろう/だろう」通常不会重复使用。选项2「だったら/だったら」通常不会重复使用。选项3「だけ/だけ」通常不会重复使用。选项4「だろうが/だろうが」意为"无论是······还是······"。

译文： 不管贫穷，还是富有，都没有关系。

⑨ 选项1「もの/もの」通常不会重复使用。选项2「であれ/であれ」意为"不管是······还是······"。选项3「どころか/どころか」通常不会重复使用，单独使用时意为"岂止······、哪里谈得上······"。选项4「ようなら/ようなら」通常不会重复使用，单独使用时意为"如果"。

译文： 不管是去爬山还是去海边，都最好注意下自己的健康状况。

⑩ 选项1「どうだけでなく」的表达不正确。选项2「どうゆえに」的表达不正确。选项3「どうであれ」意为"不管怎样"。选项4「どうのみか」的表达不正确。

译文： 做了该做的事，所以不管结果怎么样都不会后悔。

問題2

⑪ **全文：** 暑かったので、うっかり窓を開けっぱなしで寝てしまった。

译文： 因为很热，所以不小心开着窗户睡着了。

⑫ **全文：** 試合まで後1週間。1日たりとも練習を休むわけにはいかない。

译文： 距离比赛还有一周的时间。即使一天也不能耽误练习。

⑬ **全文：** ライバルの二人は、テストの成績でも追いつ追われつの関係を続けている。

译文： 作为对手的两个人，即使是考试成绩也是你追我赶、彼此竞争。

⑭ **全文：** 何度も検査しただろうに、それでも規格に合わない品が出た。

译文： 即使检查了很多次，但仍旧有不合格产品。

⑮ **全文：** 一人では心細いんで、一緒に行っていただけると嬉しいんですけど。

译文： 一个人的话有些心里没底，如果可以让你一起去的话，我会很开心。

問題3

⑯ 本题的关键句是「つまり、ヘビに睨まれたカエルは、じっと動かないヘビを見失ってしまうので、動かなくなってしまうのです」（也就是说，被蛇盯上的青蛙看不到一直不动的蛇，所以才会变得不动了），所以正确的应该是选项4「見えない」（看不到）。选项1「見られない」意为"不被看到"。选项2「見たくない」意为"不想看"。选项3「見られたくない」意为"不想被看到"。

⑰ 本题的关键句是「同じような性質を持っているのだそうで」（据说拥有同样的特性）。通过排除法，正确的应该是选项1「基本的には」（基本上）。选项2「原則的に」意为"原则上"。选项3「公平的に」意为"公平地"。选项4「平等的に」意为"平等地"。

⑱ 本题的关键句是「静止したものを見つめている時には、人間の目玉を動かす筋肉が小刻みに震えているからなのだそうです。あっちが動いてくれなければ仕方がないからこっちが動くようになり、それで静止したものでも見えるのだということです」（据说是因为凝视静止的事物时，转动人眼珠的肌肉会轻微震动。如果对方不动的话也没有办法，所以只能自己动，因此，即使是静止的事物也能够看到），所以正

确的应该是选项3「それはなぜか」（那是为何呢）。选项1「それは何か」意为"那是什么呢"。选项2「それは見えるか」意为"那能看到吗"。选项4「それは違うか」意为"那错了吗"。

⑲ 本题的关键句是「『人間の眼って頭いいんだな』などと変な感心をしてしまうほかはないのです」（只好奇怪地佩服道："人类的眼睛真是聪明啊"）和「こういうふうなことを考えてゆくと、カエルにはカエルの見る世界というものがあり、また魚には魚の世界が、犬には犬の世界の見え方があるわけです」（这样考虑的话，青蛙有青蛙眼中的世界，鱼有鱼的世界，狗有狗看世界的方式）。由此分析可知，前后两句是转折关系，所以正确的应该是选项4「でも」（但是）。选项1「だって」意为"话虽如此"。选项2「よって」意为"因此"。选项3「だから」意为"所以"。

⑳ 本题的关键句是「仏さまが見る世界というものは、また違った様子をしているのではないかと思います」（我想，佛所看到的世界会不会又是不同的样子呢）和「『五蘊皆空』と見えるのです」（看到"五蘊皆空"）。本题通过排除法可以判断，正确的应该是选项1「どんなふうに見える」（看起来是什么样呢）。选项2「どんなふうに考える」意为"如何思考"。选项3「こんなふうに思う」意为"这样想"。选项4「こんなふうに分かる」意为"这样明白"。

译文：

据说研究了青蛙的眼睛之后，知道了很有趣的事。

据说，青蛙的眼睛只能看到接近自己的事物和远去的事物。也就是说，对于青蛙来说，世界上只存在自己吃的食物和来吃自己的敌人。因为青蛙的眼睛有这种特性，所以不能看到静止的事物。也就是说，被蛇盯上的青蛙看不到一直不动的蛇，所以才会变得不动了。

虽然人类的眼睛和青蛙的相比稍微发达一些，但据说基本上拥有同样的特性，所以特别能注意到晃来晃去的事物。女性喜欢闪闪发光的钻石，男性喜欢闪烁的霓虹灯，都是因为人类眼睛的缘故。

人也能够看到静止的事物。调查一下其缘由，据说是因为凝视静止的事物时，转动人眼珠的肌肉会轻微震动。如果对方不动的话也没有办法，所以只能自己动，因此即使是静止的事物也能够看到。人的眼睛有着让人很惊讶的构造。只好佩服道："人类的眼睛真是聪明啊。"

但是这样考虑的话，青蛙有青蛙眼中的世界，鱼有鱼的世界，狗有狗看世界的方式。我明白了，虽然人们相信只存在人所看到的世界，但结果却是人们仅仅知道自己所看到的世界而已。我想，佛所看到的世界会不会又是不同的样子呢？看起来是什么样的呢，应该看到"五蘊皆空"的世界。

第6单元　配套练习

問題1　次の文の（　　）に入れるのに最もよいものを、1・2・3・4から一つ選びなさい。

① 日本に留学してから（　　）、彼は毎日のように国の家族や友人にメールを送っている。

1　てまえ　　　　　2　となっては　　　　3　というもの　　　　4　だろうに

② 一度やめていたタバコをまた吸って（　　）。

1　始末だ　　　　　2　しまいそうだ　　　3　そのものだ　　　　4　だけましだ

③ わが子を救うため、燃え盛る火の海に飛び込んだ父親。あれが愛（　　）。

1　でなくてなんだろう　2　ことと存じる　　3　に値する　　　　　4　のみだ

4 こんな時間に電話していたのはおまえのことを心配（　　　）。

　1　しようがない　　　　2　してのことだ　　　3　するまでのことだ　　4　するにもほどがある

5 漫画やアニメ（　　　）、現実では正義が勝つとは限らない。

　1　だけでなく　　　　2　はおろか　　　　　3　と思いきや　　　　　4　ではあるまいし

6 先週からうちの前で道路工事が始まったんだ。うるさくて（　　　）よ。

　1　いかんだ　　　　　2　かなわない　　　　3　べからず　　　　　　4　しかるべきだ

7 なんかそのままでは（　　　）気持ちがする。

　1　すまない　　　　　2　はばからない　　　3　すまされない　　　　4　いられない

8 寂しくて苦しくて（　　　）時、どんな歌を聴いたり口ずさんだりしたら、元気になれますか。

　1　やりきれない　　　2　きりがない　　　　3　おかない　　　　　　4　かぎらない

9 メニューの値段を見て驚いたが、部下たちに「今夜はおごる」と言った（　　　）、今更店を出られない。

　1　すら　　　　　　　2　こととて　　　　　3　だに　　　　　　　　4　手前

10 先生の親切に対しては、いくら感謝しても（　　　）。

　1　しきれない　　　　2　なんともない　　　3　もってのほかだ　　　4　きわまりない

問題2　次の文の＿★＿に入る最もよいものを、1・2・3・4から一つ選びなさい。

11 敗北経験がない人間は＿＿＿　＿＿＿　＿＿＿　＿★＿。

　1　なのではあるまいか　2　かえって　　　　3　人間　　　　　　　　4　逆境に弱い

12 その三人が＿＿＿　＿★＿　＿＿＿　＿＿＿んだ。

　1　を証明して　　　　2　ということ　　　　3　見せる　　　　　　　4　偽者だ

13 自分を＿＿＿　＿＿＿　＿★＿　＿＿＿、彼女もうぬぼれが強いね。

　1　なんて　　　　　　2　にたとえて　　　　3　はばからない　　　　4　バラ

14 国民の平均収入が減ったのだから、＿＿＿　＿＿＿　＿＿＿　＿★＿。

　1　税金も減って　　　2　本来なら　　　　　3　べきだ　　　　　　　4　しかる

15 妻が妊娠しているので、＿＿＿　＿★＿　＿＿＿　＿＿＿。

　1　ばかりは　　　　　2　今までのように　　3　いられません　　　　4　旅行して

問題3　次の文章を読んで、16から20の中に入る最もよいものを、1・2・3・4から一つ選びなさい。

　外国人の友人が、学生時代、夏休みに日本人の家にホームステイした時の話をした。彼女が滞在した家庭では、それぞれ自分用の食器を持っていたというのだ。それに何でびっくりしたのか、初めは理解できなかった。よく聞くと、彼女の国では、食器は誰がどの食器を使おうとかまわず、ただ人数分の食器があるだけらしい。16、彼女の泊まった日本人ホストファミリーのお宅では、はしをはじめ、茶碗、お椀、コーヒーカップとあらゆる食器がお父さん用、お母さん用と決められていてびっくりしたというのだ。

　17、私の家でもそれぞれ決められた食器がある。また、結婚して初めて主人の実家を訪ねた時、義理の母も「これがあなたの茶碗と湯飲みね」と用意してくれたのを思い出した。私の実家にも年に数回しか帰らない嫁に行った娘達用の食器がいまだにあり、もちろん新しく増えた義理の息子や孫用の食器も並んでいる。非常に不経済だと思うのだが、母は「自分の食器がなかったら寂しいでしょう。これが家族なのよ」と言う。ここに

はあなたの居場所があるという、帰属意識を持たせるためなのか、衛生的な観点から、他の人と食器を共有したくないという気持ちの表れなのだろうか。⑱、食器までいちいち所有をはっきりさせるというのは所有欲が強いのだろうか。もっとも、たまたま私の家も同じ習慣を持っていただけで、日本人がみなというわけではないだろうか、友人の言ったことが⑲。

ふと、昔読んだ小説を思い出した。うろ覚えだが、かいつまんで説明するとこんな話だったと思う。その小説に登場する女性の愛用している湯飲み茶碗には、口紅の跡がついていた。毎日同じ所からお茶を飲むので、洗っても落ちなかったのだ。持ち主が亡くなった後、その口紅の跡を見ると、亡くなった彼女の魂がその湯飲み茶碗に宿っているように感じたという話だった。日本人は、食器にもそれを使う人の魂が宿ると⑳。

⑯	1 だからといって	2 さらに	3 あるいは	4 それに対して
⑰	1 考えてみれば	2 考えておくと	3 考えてやると	4 考えてくれば
⑱	1 すると	2 それとも	3 ようするに	4 その反面
⑲	1 気にならない		2 気になるとは限らない	
	3 気になってしょうがない		4 気になるほかはない	
⑳	1 考えるのだろうか	2 考えられないことか	3 考えてやるものか	4 考えておくべきか

問題1 1-5：3 2 1 2 4　　6-10：2 3 1 4 1　　**問題2** 11-15：1 2 3 4 4

問題3 16-20：4 1 2 3 1

答案

第6单元　配套练习 精解

1 选项1「てまえ」意为"面前、这边、面子、才能"。选项2「となっては」意为"成为……的话"。选项3「というもの」意为"……这种东西"，「～てからというもの（は）」意为"自从……以后"。选项4「だろうに」意为"本来是……可……、本来觉得……"。

译文：自从去日本留学之后，他每天都给国内的家人和朋友发邮件。

2 选项1「始末だ」意为"结果竟然……"。选项2「しまいそうだ」前接「動詞て形」，意为"也许会……、恐怕会……"。选项3「そのものだ」意为"简直就是……"。选项4「だけましだ」意为"好在……、幸好……"。

译文：一度戒了的烟恐怕又要开始吸了。

3 选项1「でなくてなんだろう」意为"不是……又是……呢"。选项2「ことと存じる」意为"我想……"。选项3「に値する」意为"值得……"。选项4「のみだ」意为"仅仅"。

译文：为了救孩子，父亲跳入熊熊燃烧的火海，这不是爱又是什么呢？

4 选项1「しようがない」意为"没办法"。选项2「してのことだ」意为"因为……才……"。选项3「するまでのことだ」意为"大不了……就是了"。选项4「するにもほどがある」意为"做……也要有分寸"。

译文：这个时间给你打电话，是因为担心你啊。

5 选项1「だけでなく」意为"不仅仅"。选项2「はおろか」意为"不要说……就连……也……"。选项3「と思いきや」意为"本以为……"。选项4「ではあるまいし」意为"又不是……"。

译文：又不是漫画或动画片，现实中正义未必会获胜。

6 选项1「いかんだ」意为"要看……、根据……"。选项2「かなわない」意为"敌不过、受不了、不允许"。选项3「べからず」意为"不该、不许、不可能"。选项4「しかるべきだ」意为"应有的、理所当然的"。

译文：从上周开始我们家前面的道路施工，吵得不得了。

7 选项1「すまない」意为"对不起"。选项2「はばからない」意为"不顾忌"。选项3「すまされない」意为"不能解决"。选项4「いられない」前接「では」，意为"不能……"。

译文：总觉得如果这样下去的话是不能解决问题的。

8 选项1「やりきれない」意为"忍受不了的"。选项2「きりがない」意为"没完没了"。选项3「おかない」意为"不放置"。选项4「かぎらない」意为"不限制"。

译文：寂寞、痛苦得忍受不了的时候，听听或哼唱什么样的歌曲会好起来呢？

9 选项1「すら」意为"连、甚至"。选项2「こととて」意为"因为"。选项3「だに」意为"甚至、即使"。选项4「手前」意为"面前、这边、面子、才能"。

译文：虽然看了菜单上的价格很吃惊，但是在部下面前说了今晚要请大家吃饭，事到如今也无法离开饭店了。

10 选项1「しきれない」前接「ても」，意为"怎么……也（不）……"。选项2「なんともない」意为"没什么、一点儿也不……"。选项3「もってのほかだ」意为"意外、岂有此理"。选项4「きわまりない」意为"极其、非常"。

译文：对于老师的好意，如何感谢都不为过。

問題2

11 全文：敗北経験がない人間はかえって逆境に弱い人間なのではあるまいか。

译文：没有失败经历的人，反而在逆境中非常脆弱吧？

12 全文：その三人が偽者だということを証明して見せるんだ。

译文：证明给大家看，那三个人是冒充者。

13 全文：自分をバラにたとえてはばからないなんて、彼女もうぬぼれが強いね。

译文：毫无顾忌地把自己比喻成玫瑰什么的，她也真是很自负。

14 全文：国民の平均収入が減ったのだから、本来なら税金も減ってしかるべきだ。

译文：因为国民的平均收入减少了，所以本来税金也应理所当然地减少。

15 全文：妻が妊娠しているので、今までのように旅行してばかりはいられません。

译文：妻子怀孕了，所以不能像以前那样经常旅行了。

問題3

16 本题的关键句是「よく聞くと、彼女の国では、食器は誰がどの食器を使おうとかまわず、ただ人数分の食器があるだけらしい」（好好询问之后，据说在她的国家里，谁来使用哪个餐具都无所谓，只要有足够人数使用的餐具就可以了）和「彼女の泊まった日本人ホストファミリーのお宅では、はしをはじめ、茶碗、お椀、コーヒーカップとあらゆる食器がお父さん用、お母さん用と決められていてびっくりしたというのだ」（她住的日本寄宿家庭中，以筷子为首，茶杯、碗、咖啡杯等所有的餐具均规定好哪个是父亲用、哪个是母亲用的，对此很是吃惊）。前后两句很明显是对比关系，所以正确的应该是选项4「それに対して」（与此相对）。选项1「だからといって」意为"（但不能）因此而……"。选项2「さらに」意

为"再、进一步、更加"。选项3「あるいは」意为"或者"。

17 本题的关键句是「私の家でもそれぞれ決められた食器がある」（我家中也有分别规定好了的餐具）。上一段提到，那个外国朋友对于日本家庭里每个人都有各自的餐具而感到吃惊，于是作者想起来原来自己家也是如此的，所以正确的应该是选项1「考えてみれば」（考虑一下的话、想想看的话）。选项2「考えておくと」意为"事先考虑的话"。选项3「考えてやると」意为"为对方考虑的话"。选项4「考えてくれれば」意为"为我考虑的话"。

18 本题的关键句是「ここにはあなたの居場所があるという、帰属意識を持たせるためなのか、衛生的な観点から、他の人と食器を共有したくないという気持ちの表れなのだろうか」（是为了让你有一种这里有你容身之所的归属感，还是从卫生的观点来说，是不想和其他人共用餐具的心情的表达呢）和「食器までいちいち所有をはっきりさせるというのは所有欲が強いのだろうか」（连餐具都要一一弄清楚其所有，是不是占有欲太强了呢），所以正确的应该是选项2「それとも」（还是）。选项1「すると」意为"于是"。选项3「ようするに」意为"总之"。选项4「その反面」意为"相反"。

19 本题通过排除法，选出正确的应该是选项3「気になってしょうがない」（很在意）。选项1「気にならない」意为"不在意"。选项2「気になるとは限らない」意为"未必在意"。选项4「気になるほかはない」意为"只好在意"。

20 本题的关键句是「持ち主が亡くなった後、その口紅の跡を見ると、亡くなった彼女の魂がその湯飲み茶碗に宿っているように感じたという話だった」（持有者去世后，看到那个口红的痕迹，感觉去世的她灵魂好像附着在茶杯上一样），所以正确的应该是选项1「考えるのだろうか」（这样认为吧）。选项2「考えられないことか」意为"得多么不可想象啊"。选项3「考えてやるものか」意为"绝不会为对方考虑吧"。选项4「考えておくべきか」意为"应该事先考虑一下吗"。

译文：

一位外国朋友讲述了她在学生时代，暑假来日本家庭体验生活的事。她所住的家庭，据说每个人都有自己的餐具。为何会对那个感到吃惊呢，我刚开始无法理解。好好询问之后，据说在她的国家里，谁来使用哪个餐具都无所谓，只要有足够人数使用的餐具就可以了。与此相对，她住的日本寄宿家庭中，以筷子为首，茶杯、碗、咖啡杯等所有的餐具均规定好了哪个是父亲用、哪个是母亲用的，她对此很是吃惊。

想想看的话，我家中也有分别规定好了的餐具。此外，想起了结婚后首次拜访丈夫家的时候，婆婆也为我准备了餐具，对我说"这是你的碗和茶杯"。在我的娘家，虽然出嫁了的女儿一年只回家几次，但至今还有她们专用的餐具，当然也准备了新增加的女婿和孙子们用的餐具。虽然觉得这样非常浪费，但母亲说："没有自己的餐具的话会寂寞吧。这就是家人啊。"这是为了让你有一种这里有你容身之所的归属感，还是从卫生的观点来说，是不想和其他人共用餐具的心情的表达呢？还是说，连餐具都要一一弄清楚其所有，是不是占有欲太强了呢？不过，本以为只是我家碰巧也有同样的习惯而已，并非所有日本人都如此吧，但朋友的话让我很在意。

突然想起了以前读过的小说。虽然记忆有些模糊了，但大概解释一下的话是这样的。那个小说中出场的女性，她喜爱用的茶杯上附着着口红的痕迹。每天从同样的地方喝茶，所以即使洗也洗不掉。持有者去世后，看到那个口红的痕迹，感觉去世的她灵魂好像附着在茶杯上一样。日本人认为，餐具上也附着着使用者的灵魂吧。

第7単元 配套練習

1 試験前は、いくら勉強しても（　　）ことはない。

　　1　しすぎる　　　　　　　2　からなる　　　　　　　3　そびれる　　　　　4　ままになる

2 遅くても（　　）。トラブルがありましたら、ご連絡ください。

　　1　およびません　　　　2　こしたことはありません　　3　あたりません　　4　さしつかえありません

3 一目惚れってメールアドレスの交換（　　）告白してもいいと思いますか。

　　1　といえども　　　　　2　ときたら　　　　　　　　3　でもしたら　　　　4　としたって

4 治れば得だし、治らなくて（　　）という軽い気持ちで依頼してください。

　　1　もともとだ　　　　　2　しかるべきだ　　　　　　3　すまされない　　　4　やりきれない

5 今となってどうのこうのと言っても（　　）。

　　1　それまでだ　　　　　2　はじまらない　　　　　　3　だけましだ　　　　4　なんともない

6 くれぐれもお大事に。1日も早いご回復を祈って（　　）。

　　1　きわまりません　　　2　いられません　　　　　　3　かかわりません　　4　やみません

7 紅葉が山の緑（　　）非常に美しい光景だ。

　　1　あっての　　　　　　2　と相まって　　　　　　　3　からの　　　　　　4　というのもの

8 バーゲンセールの初日（　　）、開店前から入り口に客が並んでいた。

　　1　とあって　　　　　　2　ことだし　　　　　　　　3　くらいなら　　　　4　とはいえ

9 目の形（　　）声（　　）、この子はお父さんにそっくりだ。

　　1　ですら / ですら　　　2　だけは / だけは　　　　　3　といい / といい　　4　とて / とて

10 この絵は、不思議（　　）、面白い（　　）、とにかく見ていて飽きない絵だ。

　　1　というか / というか　2　なり / なり　　　　　　　3　とも / とも　　　　4　てまえ / てまえ

11 自分の夢を実現するためなんだから、＿＿＿　＿＿＿　＿★＿　＿＿＿よ。

　　1　でも　　　　　　　　2　ありません　　　　　　　3　こんなの苦労　　　4　なんでも

12 一流のレストランの味が＿＿＿　＿＿＿　＿＿＿　＿★＿、多くの人が食べに来るのも納得できる。

　　1　とあれば　　　　　　2　ランチで　　　　　　　　3　食べられる　　　　4　安く

13 中国語を習い始めて1か月、話せるのは＿＿＿　＿＿＿　＿★＿　＿＿＿。

　　1　挨拶や自己紹介　　　2　ところだ　　　　　　　　3　まだ　　　　　　　4　といった

14 ＿＿＿　＿＿＿　＿＿＿　＿★＿誤解をされる方が多いと思います。

　　1　出産できる　　　　　2　45歳で　　　　　　　　3　というふうに　　　4　自分も

15 ＿＿＿　＿＿＿　＿＿＿　＿★＿、1日も休まず働いている。

　　1　というもの　　　　　2　てから　　　　　　　　　3　20年　　　　　　　4　この店を始め

問題3 次の文章を読んで、16から20の中に入る最もよいものを、1・2・3・4から一つ選びなさい。

われわれは子供のときから、嘘をいってはならないものだということを、十分に教え込まれている。16、世の中の人々は一人の例外もなく、すべて嘘はいってはならないものだと信じているだろう。理由はともかくとして、なんとなく皆そう17。「嘘」という言葉を聞くと、われわれの頭にはすぐに「狼が来た」と、しばしば嘘をついたため、だんだんと村人の信用を失って、ついには本当に狼に食われてしまった羊飼の話が自然と浮かぶ。それほどわれわれの頭には嘘をいってはならぬということが、深く深く教え込まれているようだ。

ところが、それほど深く刻み込まれ、教え込まれているにもかかわらず、われわれの世の中には嘘がたくさん18。やむをえず言われている嘘、ひそかに言われている嘘、おおっぴらに言われている嘘、否定すると刑罰を受けるようなおそろしい嘘までが、堂々と天下に言われているほど、この世の中には、種々雑多な嘘が無数に言われている。

19、全く嘘をつかずに生き長らえることは、全く不可能なようにこの世の中ができているのだ。

そこで、われわれお互いにこの世の中に生きていきたいと思う者は、これらの嘘をいかに処理すべきか、というきわめて重大なしかもすこぶる困難な問題を解決せねばならない。なにしろ、嘘をついてはならず、さらばといって、嘘をつかずには20のだから。

16　1　すなわち　　　　　2　一概に　　　　　　3　それなら　　　　　4　おそらく

17　1　考えようがない　　　　　　　　　　　2　考えているに違いない
　　3　考えるわけにはいかない　　　　　　　4　考えているほかしかたがない

18　1　言われるとのことだ　　　　　　　　　2　言うにきまっている
　　3　言われている　　　　　　　　　　　　4　言うというものだ

19　1　それにしても　　　　2　その反面　　　　3　なぜなら　　　　　4　実をいうと

20　1　生きることはない　　　　　　　　　　2　生きてはならない
　　3　生きていかれない　　　　　　　　　　4　生きるにちがいない

第7単元　配套练习　精解

1 选项1「しすぎる」意为"过度……"。选项2「からなる」意为"由……构成"。选项3「そびれる」意为"失去机会"。选项4「ままになる」意为"搁置"。

译文：考试之前不管怎么学习都不为过。

2 选项1「およびません」意为"不涉及……、不必……"。选项2「こしたことはありません」意为"最好……"。选项3「あたりません」意为"不中"。选项4「さしつかえありません」意为"无影响"。

译文：即使迟到也没关系。如果有麻烦，请联系我。

3 选项1「といえども」意为"虽说……"。选项2「ときたら」意为"提到……"。选项3「でもしたら」意

为"如果……"。选项4「としたって」意为"即使……"。

译文：一见钟情的话，你觉得如果交换了邮箱地址，就可以告白了吗？

④ 选项1「もともとだ」意为"不赔不赚、同原来一样"。选项2「しかるべきだ」意为"理所当然"。选项3「すまされない」意为"不能解决"。选项4「やりきれない」意为"无法应付的、忍受不了的"。

译文：如果能治好很合算，即使治不好也没什么，请以这种轻松的心态拜托对方。

⑤ 选项1「それまでだ」意为"就完了"。选项2「はじまらない」意为"没用、白费、没办法"。选项3「だけましだ」意为"好在、幸好"。选项4「なんともない」意为"没什么、不要紧"。

译文：到了现在，无论说什么都是白费的。

⑥ 选项1「きわまりません」意为"极其"。选项2「いられません」意为"不能"。选项3「かかわりません」意为"不牵扯"。选项4「やみません」意为"不止"。

译文：请您多保重身体。祝愿您早日康复。

⑦ 选项1「あっての」意为"有……才……"。选项2「と相まって」意为"与……相结合"。选项3「からの」意为"来自……的"。选项4「というのもの」表达不正确。

译文：红叶配上山上的绿色，景色非常漂亮。

⑧ 选项1「とあって」意为"因为"。选项2「ことだし」意为"因为"。选项3「くらいなら」意为"如果"。选项4「とはいえ」意为"虽说"。

译文：因为是大甩卖的第一天，所以开店之前已经有客人在门口排队了。

⑨ 选项1「ですら/ですら」通常不会重复使用。选项2「だけは/だけは」通常不会重复使用。选项3「といい/といい」意为"不论……还是……"。选项4「とて/とて」通常不会重复使用。

译文：不论是眼睛的形状还是声音，这个孩子都和父亲一模一样。

⑩ 选项1「というか/というか」意为"是……还是……"。选项2「なり/なり」意为"或是……或是……"。选项3「とも/とも」、选项4「てまえ/てまえ」通常不会重复使用。

译文：这幅画，是说它不可思议还是有趣呢，总之百看不厌。

問題2

⑪ **全文**：自分の夢を実現するためなんだから、こんなの苦労でもなんでもありませんよ。

译文：因为是为了实现自己的梦想，所以这些辛苦都不算什么。

⑫ **全文**：一流のレストランの味がランチで安く食べられるとあれば、多くの人が食べに来るのも納得できる。

译文：如果午餐能很便宜地品尝到一流餐厅的味道，那么很多人来也是可以理解的。

⑬ **全文**：中国語を習い始めて一か月、話せるのはまだ挨拶や自己紹介といったところだ。

译文：开始学习汉语有一个月了，现在能说的还只是寒暄和自我介绍而已。

⑭ **全文**：自分も45歳で出産できるというふうに誤解をされる方が多いと思います。

译文：自己在45岁也能生孩子，我认为这样误解的人很多。

⑮ **全文**：この店を始めてから20年というもの、1日も休まず働いている。

译文：开这个店已经有20年了，一天都没有休息过。

問題 3

16 本题的关键句是「われわれは子供のときから、嘘をいってはならないものだということを、十分に教え込まれている」（我们从小时候开始就被教导不要撒谎）和「世の中の人々は一人の例外もなく、すべて嘘はいってはならないものだと信じているだろう」（世人都无一例外地相信不能撒谎吧）。前后两句的意思是连贯的，认为一般人都觉得不能撒谎，所以正确的应该是选项4「おそらく」（恐怕）。选项1「すなわち」意为"换言之"。选项2「一概に」意为"一概"。选项3「それなら」意为"如果那样"。

17 本题的关键句是「世の中の人々は一人の例外もなく、すべて嘘はいってはならないものだと信じているだろう。理由はともかくとして、なんとなく皆そう～」（世人都无一例外地相信不能撒谎吧。理由暂且不论，不知为何大家都……）。通过排除法得出，正确的应该是选项2「考えているに違いない」（一定这样认为）。选项1「考えようがない」意为"没法想"。选项3「考えるわけにはいかない」意为"不能想"。选项4「考えているほかしかたがない」意为"只好想着"。

18 本题的关键句是「この世の中には、種々雑多な嘘が無数に言われている」（世上有种种无数的谎言），所以正确的应该是选项3「言われている」（被说）。选项1「言われるとのことだ」意为"据说被说"。选项2「言うにきまっている」意为"一定要说"。选项4「言うというものだ」意为"也就是说"。

19 本题的关键句是「この世の中には、種々雑多な嘘が無数に言われている」（世上有种种无数的谎言）和「全く嘘をつかずに生き長らえることは、全く不可能なようにこの世の中ができているのだ」（完全不撒谎地在世上生活，那是完全不可能的事），所以正确的应该是选项4「実をいうと」（说实话）。选项1「それにしても」意为"尽管如此、然而"。选项2「その反面」意为"相反"。选项3「なぜなら」意为"因为、原因是……"。

20 本题的关键句是「全く嘘をつかずに生き長らえることは、全く不可能なようにこの世の中ができているのだ」（完全不撒谎地在世上生活，那是完全不可能的事），所以正确的应该是选项3「生きていかれない」（活不下去）。选项1「生きることはない」意为"用不着活着"。选项2「生きてはならない」意为"不能活着"。选项4「生きるにちがいない」意为"一定要活着"。

译文：

我们从小时候就被教导不能撒谎。或许世人都无一例外地相信不能撒谎吧。理由暂且不论，不知为何大家都一定是这样想的。听到"谎言"这个词，我们的脑海中马上浮现的就是"狼来啦"，即因为经常撒谎，所以渐渐失去了村民的信任，最终真的被狼吃掉了的放羊人的故事。好像我们的头脑中被那样深深地教育着不能撒谎。

然而，即使被深深印刻着、被教育着不能撒谎，我们的社会中仍有很多谎言。迫不得已的谎言、背地里说的谎言、毫不顾忌的谎言、甚至是如果否定的话会受到惩罚的可怕的谎言，世上有这些堂堂正正地在天下流传的种种无数的谎言。

说实话，完全不撒谎地在世上生活，那是完全不可能的事。

因此，我们想要彼此在世上生存下去，应如何处理这些谎言，必须解决这个重大而且非常困难的问题。不管怎么说，必须撒谎，因为不撒谎的话是无法生存下去的。

第8単元　配套練習

問題1　次の文の（　　　）に入れるのに最もよいものを、1・2・3・4から一つ選びなさい。

① 地位の高い官僚（　　　）、公務員であることに変わりはない。

　　1　といえども　　　　　2　とやら　　　　　　3　ともなると　　　　4　なりに

② うちの母は、昼（　　　）、夜（　　　）、電話をかけてくるので、困っている。

　　1　とも/とも　　　　　2　なら/なら　　　　　3　ながら/ながら　　4　といわず/といわず

③ 最近、夫（　　　）、定年退職後のことばかり気にしているのよ。

　　1　ときたら　　　　　　2　かたがた　　　　　3　とあって　　　　　4　というふうに

④ お忙しい（　　　）恐れ入りますが、今日中にお送りいただけないでしょうか。

　　1　なくして　　　　　　2　ところを　　　　　3　とばかりに　　　　4　だろうに

⑤ 教師にしたら夏休みは長いほうがいいが、学生（　　　）それは同じだろう。

　　1　にしたって　　　　　2　だに　　　　　　　3　たりとも　　　　　4　ことだし

⑥ いくら頼んだ（　　　）、彼はこのパーティーに出席してくれない。

　　1　すら　　　　　　　　2　こととて　　　　　3　だけは　　　　　　4　とて

⑦ 長い休暇はうれしいものだが、1週間も休む（　　　）かえって心配になる。

　　1　となると　　　　　　2　いかんでは　　　　3　かたわら　　　　　4　ごとく

⑧ 首相は今日の記者会見で、失業率は（　　　）つつあるが、景気自体は減速していないとの認識を示した。

　　1　上がる　　　　　　　2　上がり　　　　　　3　上がって　　　　　4　上がれ

⑨ 彼は社長に「もっと休暇をください」と言ったそうだ。そこまで言う（　　　）彼も強気だなあ。

　　1　ものを　　　　　　　2　にして　　　　　　3　にのっとって　　　4　とは

⑩ 美味しい（　　　）、こんなにたくさん食べられない。

　　1　とは言い条　　　　　2　ようでは　　　　　3　ゆえに　　　　　　4　ままに

問題2　次の文の＿★＿に入る最もよいものを、1・2・3・4から一つ選びなさい。

⑪ 彼は大事な会議で発表する企画書を、タクシーの中に置き忘れてしまった。その時の＿＿＿＿　＿＿＿＿　＿＿＿＿　＿★＿。

　　1　あわて　　　　　2　といったらない　　　3　彼の　　　　　　　4　よう

⑫ 彼の日本語は＿＿＿＿　＿＿＿＿　＿★＿　＿＿＿＿。

　　1　ではない　　　　2　日本人以上だ　　　　3　言い過ぎ　　　　　4　といっても

⑬ ＿＿＿＿　＿＿＿＿　＿＿＿＿　＿★＿、また、大きな声で泣き出した。

　　1　寝た　　　　　　2　静かに　　　　　　　3　と思いきや　　　　4　赤ちゃんは

⑭ ＿★＿　＿＿＿＿　＿＿＿＿　＿＿＿＿、働きすぎて病気になったら元も子もない。

　　1　ため　　　　　　2　新しい家を買う　　　3　とはいえ　　　　　4　いくら

15 _____ _____ ★ 、_____ 殺虫剤を吹き付けた。

1 消えろ　　　　2 ゴキブリに向かって　　　3 とばかりに　　　　4 はやく

問題3　次の文章を読んで、16から20の中に入る最もよいものを、1・2・3・4から一つ選びなさい。

　日本食や平均寿命の長さから日本人は非常に健康だと思われているようである。ところが、日本も他の先進国と同様に生活習慣病大国であることは16事実である。「食育」という言葉が叫ばれるようになったのも、それが若年層にまで広がっていて、政府が危機を17からである。

　食品と言えば、特に果物の摂取量は他国との違いが大きい。日本では従来果物は嗜好品、つまり、お菓子のようなもので、そこから栄養を取るとは18。欧米のスポーツ選手が日常の水分代わりに果物を取っていることを考えると、いかにも少ない。イメージとして「果物は甘い＝太る」という図式が頭の中に出来上がり、特に20代、30代の摂取量は他の年代に比べて極端に落ちる。果物は嗜好品と19が、実はカロリーは低く、しかも、他の食品では取れない栄養素が詰まった優秀な食べ物なのである。農林水産省と厚生労働省が作成した「食事のバランスガイド」によると、成人なら果物は1日たった200ｇの摂取で十分である。簡単に必要な栄養素をとるのにもってこいの食品である。

　「朝の果物は金、昼の果物は銀、夜の果物は銅」などと言われ、特に夜、果物を取ることは、寝る前に水分を取ることになり、体を冷やすと考えられた。20、あまり好ましくないと思われがちであったが、実は栄養学的には1日中いつでも「金」なのである。

16　1 疑いようがない　　2 疑うほかない　　3 疑ってしかたがない　　4 疑いかねない
17　1 募られた　　　　　2 募っていた　　　3 募っておいた　　　　　4 募らせた
18　1 考えなくてはいけなかった　　　　　2 考えられていなかった
　　3 考えておかなかった　　　　　　　　4 考えていられなかった
19　1 思われるべきだ　　2 思われがちだ　　3 思ってしまう　　　　　4 思っていく
20　1 しかしながら　　　2 それなのに　　　3 ならびに　　　　　　　4 それゆえ

問題1　1-5：1 4 1 2 1　　6-10：4 1 2 4 1　　**問題2**　11-15：2 3 3 4 3
問題3　16-20：1 4 2 2 4

答案

第8単元　配套练习 精解

1 选项1「といえども」意为"虽说……"。选项2「とやら」意为"叫什么、说是……"。选项3「ともなると」意为"要是……"。选项4「なりに」意为"与……相应的"。

译文：虽说是地位高的官僚，但也还是公务员。

2 选项1、2、3通常不重复使用。选项4「といわず/といわず」意为"不论……还是……"。

译文：我妈妈不管白天还是夜晚，总是打电话来，所以很犯愁。

3 选项1「ときたら」意为"提到……"。选项2「かたがた」意为"顺便"。选项3「とあって」意为"因为"。选项4「というふうに」意为"像……样的"。

译文： 最近，提起丈夫，他一直在担心退休后的事。

④ 选项1「なくして」意为"失去"。选项2「ところを」意为"正……时、……之时"。选项3「とばかりに」意为"几乎要……、认为……"。选项4「だろうに」意为"本来是……，可……"。

译文： 在您百忙之中很过意不去，能不能今天帮我送一下呢？

⑤ 选项1「にしたって」意为"即使……也……"。选项2「だに」意为"至少、甚至、即使"。选项3「たりとも」意为"哪怕……也（不）……"。选项4「ことだし」意为"因为"。

译文： 教师认为暑假长比较好，即使是学生也是同样认为的吧。

⑥ 选项1「すら」意为"甚至"。选项2「こととて」意为"因为"。选项3「だけは」意为"能……都……、起码得……"。选项4「とて」意为"即使……"。

译文： 不管怎么请求，他都不会出席宴会。

⑦ 选项1「となると」意为"如果"。选项2「いかんでは」意为"根据……、要看……"。选项3「かたわら」意为"一边……一边……"。选项4「ごとく」意为"像……"。

译文： 长假让人很开心，但是如果休息一周的话，反而会变得担心。

⑧ 选项1、3、4的接续均不正确。

译文： 首相在今天的记者见面会上表示，虽然失业率在不断上升，但经济发展本身并未减速。

⑨ 选项1「ものを」意为"可是"。选项2「にして」意为"到了……才……"。选项3「にのっとって」意为"依据……"。选项4「とは」意为"所谓的……就是……"，或者表示惊讶。

译文： 据说他对社长说"请给我更多的假"。能说出这样的话，他也真是强势啊。

⑩ 选项1「とは言い条」意为"虽说"。选项2「ようでは」意为"取决于……"。选项3「ゆえに」意为"因此"。选项4「ままに」意为"随意、任人摆布"。

译文： 虽然好吃，但吃不了这么多。

問題2

⑪ **全文：** 彼は大事な会議で発表する企画書を、タクシーの中に置き忘れてしまった。その時の彼のあわてようといったらない。

译文： 他把要在重要会议上发表的计划书忘在了出租车上。那时，他无比着急。

⑫ **全文：** 彼の日本語は日本人以上だといっても言い過ぎではない。

译文： 他的日语比日本人都好，即使这样说也不为过。

⑬ **全文：** 赤ちゃんは静かに寝たと思いきや、また、大きな声で泣き出した。

译文： 本以为婴儿静静地睡着了，但又大声哭了起来。

⑭ **全文：** いくら新しい家を買うためとはいえ、働きすぎて病気になったら元も子もない。

译文： 虽说想买新房子，但过度工作生病了的话，就会鸡飞蛋打。

⑮ **全文：** はやく消えろとばかりに、ゴキブリに向かって殺虫剤を吹き付けた。

译文： 简直就像说"快点消失吧"似的，对着蟑螂使劲儿喷杀虫剂。

問題3

16 本题的关键句是「日本食や平均寿命の長さから日本人は非常に健康だと思われているようである。ところが、日本も他の先進国と同様に生活習慣病大国であることは〜事実である」（从日本饮食和平均寿命的长度来看，一般人好像会认为日本人是非常健康的。可是，日本也和其他先进国家一样，是生活习惯病大国，这是……的事实）。文中前后两句是转折关系，所以正确的应该是选项1「疑いようがない」（没法怀疑）。选项2「疑うほかない」意为"只好怀疑"。选项3「疑ってしかたがない」意为"特别怀疑"。选项4「疑いかねない」意为"可能怀疑"。

17 本题的关键句是「ところが、日本も他の先進国と同様に生活習慣病大国であることは疑いようがない事実である。『食育』という言葉が叫ばれるようになったのも、それが若年層にまで広がっていて、政府が危機を〜からである」（可是，日本也和其他先进国家一样，是生活习惯病大国，这是不争的事实。"食育"这个词被使用，甚至被扩展到年轻人阶层，是因为政府……危机），由此可以看出，正确的应该是选项4「募らせた」（使激化）。选项1「募られた」意为"被激化"。选项2「募っていた」意为"越来越严重、正在招募"，与题意不符。选项3「募っておいた」意为"事先招募了"。

18 本题的关键句是「食品と言えば、特に果物の摂取量は他国との違いが大きい。日本では従来果物は嗜好品、つまり、お菓子のようなもので、そこから栄養を取るとは〜」（说起食品，特别是水果的摄取量和其他国家差异巨大。在日本，一直以来水果都是嗜好品，也就是说，是像点心那样的东西，从中摄取营养是……的），所以正确的应该是选项2「考えられていなかった」（未被考虑）。选项1「考えなくてはいけなかった」意为"必须考虑"。选项3「考えておかなかった」意为"未事先考虑"。选项4「考えていられなかった」意为"未能考虑"。

19 本题的关键句是「果物は嗜好品と〜が、実はカロリーは低く、しかも、他の食品では取れない栄養素が詰まった優秀な食べ物なのである」（水果……是嗜好品，但实际上卡路里低，而且充满了从其他食品中不能摄取的营养素，是优秀的食物），所以正确的应该是选项2「思われがちだ」（容易被认为）。选项1「思われるべきだ」意为"应该被认为"。选项3「思ってしまう」意为"觉得"。选项4「思っていく」意为"会觉得"。

20 本题的关键句是「特に夜、果物を取ることは、寝る前に水分を取ることになり、体を冷やすと考えられた。〜、あまり好ましくないと思われがちであったが」（特别是晚上，吃水果相当于睡前摄取水分，被认为会使身体变冷。……容易被认为不太好）。方框处前后两句是因果关系，所以正确的应该是选项4「それゆえ」（因此）。选项1「しかしながら」意为"但是"。选项2「それなのに」意为"尽管如此，却……"。选项3「ならびに」意为"以及"。

译文：

　　从日本饮食和平均寿命的长度来看，一般人好像会认为日本人是非常健康的。可是，日本也和其他先进国家一样，是生活习惯病大国，这是不争的事实。"食育"这个词被使用，甚至被扩展到年轻人阶层，是因为政府激化了危机。

　　说起食品，特别是水果的摄取量和其他国家差异巨大。在日本，一直以来水果都是嗜好品，也就是说，是像点心那样的东西，从中摄取营养是没有被考虑过的。欧美的运动员通过吃水果来代替日常的水分摄取，这在日本是非常少见的。印象中"水果是甜的=会让人发胖"，这种等式会在头脑中浮现出来。特别是20多岁、30多岁的人，其水果摄取量和其他年代的相比是极其低的。水果容易被认为是嗜好品，但实际上卡路里低，而

且充满了从其他食品中不能摄取的营养素，是优秀的食物。根据农林水产省和厚生劳动省制作的"饮食平衡指南"，成人的话每天摄取200克水果就足够了。水果是简单摄取必要营养素的最理想食品。

据说"早上的水果是金，中午的水果是银，晚上的水果是铜"。特别是晚上，吃水果相当于睡前摄取水分，被认为会使身体变冷。因此，容易被人们认为不太好，但其实从营养学上来讲，一整天中任何时候都是"金"。

第9单元　配套练习

問題1　次の文の（　　　）に入れるのに最もよいものを、1・2・3・4から一つ選びなさい。

① 一人で過ごす時間は今後さらに増える（　　　）。

　1　と考えられる　　　　2　それまでだ　　　　3　かぎりだ　　　　4　といったところだ

② 欠航とまでは（　　）が、出発が遅れたフライトがありました。

　1　行けない　　　　　2　しない　　　　　　3　できない　　　　　4　行かない

③ どんなに暑く（　　）長袖の上着は用意しましょう。

　1　すら　　　　　　　2　とも　　　　　　　3　がてら　　　　　　4　だけは

④ この学生は時間にルーズで、（　　　）授業に1時間も平気で遅れてくる。

　1　あながち　　　　　2　いわずもがな　　　3　ともすると　　　　4　ただでさえ

⑤ 大会社の社長（　　　）、食事をとる暇もないほど忙しいらしい。

　1　であれ　　　　　　2　ともなると　　　　3　だろうに　　　　　4　とあいまって

⑥ 毎回買っては外れる宝くじ、今度は当たりそうな気がしない（　　　）。やっぱり次も買ってみよう。

　1　でもない　　　　　2　でもなんでもない　3　ならいざしらず　　4　にこしたことがない

⑦ 絶対とは（　　　）、この手術が成功する確率は高いと言えます。

　1　言うもしない　　　2　言いようもない　　3　言うのにもまして　4　言えないまでも

⑧ この課題は朝までかかってやれば、できない（　　　）。

　1　ものと思われる　　2　ものでもない　　　3　やしない　　　　　4　を余儀なくされる

⑨ 勉強する気持ち（　　　）進学しても意味がない。

　1　にたえない　　　　2　はおろか　　　　　3　なくして　　　　　4　となっては

⑩ その後、あの男の人はどこへともなく立ち去ってしまった（　　　）。

　1　といってもいいすぎではない　　　　　2　だけましだ

　3　それまでのことだ　　　　　　　　　　4　とやら

問題2　次の文の＿＿★＿＿に入る最もよいものを、1・2・3・4から一つ選びなさい。

⑪ なんとかして＿＿＿＿　＿＿＿＿　＿＿＿＿　＿★＿。

　1　ものだろうか　　　2　就職　　　　　　　3　できない　　　　　4　日本の会社に

⑫ 事故で入院していた兄は、最近＿＿＿＿　＿＿＿＿　＿★＿　＿＿＿＿。

　1　ようになった　　　2　ながらも　　　　　3　歩ける　　　　　　4　ゆっくり

⑬ ＿＿＿＿ ＿＿＿＿ ＿★＿ ＿＿＿＿、鍵はちゃんとかけておいて。

　1　から　　　　　　　　2　泥棒に　　　　　　　　3　とも限らない　　　　4　入られない

⑭ 休みの日、彼は、1日中、＿＿＿＿ ＿★＿ ＿＿＿＿ ＿＿＿＿。

　1　ベッドに　　　　　　2　何を考える　　　　　　3　横になっていた　　　4　ともなく

⑮ インターネットが普及し、＿＿＿＿ ＿★＿ ＿＿＿＿ ＿＿＿＿気軽に会話できるようになった。

　1　日本に　　　　　　　2　にして　　　　　　　　3　外国の友人と　　　　4　いながら

問題3　次の文章を読んで、⑯から⑳の中に入る最もよいものを、1・2・3・4から一つ選びなさい。

　先日、留学生の日本語のクラスで週刊誌の記事の「アメリカの算数事情」について話し合った。かいつまんで説明すると、アメリカでは小学校の算数のテストであっても、⑯、自分の主張を表明する機会があるというようなものであった。

　例えば、「1個1ドルのケーキを3個買うと2ドルになる。いくら得をしたか」という問題の答えとして、日本人の子はどの子も「1ドル得」と答え、先生も正解は一つしかないと教える。⑰、アメリカの先生によると、「3個2ドルで買って、弟二人に1個1ドルで売れば、ただになる」とか、「一人で3個も食べられないから、1ドルの損」とか、子供なりの論理で間違いのない解答であれば、正解と考えるというのである。

　ちょっと待ってくれ。これは算数の問題であって、個人の意見や好みを表明する場ではないはずだと思ったのだが、日本語のクラスの留学生たちの発言にも驚いた。オーストラリアの学生たちは、自分の国もそうだと言う。「応用問題というのは生きるためのスキルを磨くためなのだから当然」と言うのである。だが、それはやはりおかしい。タイや韓国の学生も「これは算数の問題で、個人の意見を聞く問題ではない」と⑱。

　確かに日本のように、算数の計算を機械的にするやり方や、公式に当てはめて答えを出す方法を重視する限り、「アメリカの算数」は⑲だろう。習った計算方法を使って、現実に与えられた状況をどう自分に有利にするか、また、その計算結果をどう判断し、説得していくかが現実の生活である。今後、日本でも計算だけでない総合的な問題に力を入れるらしいが、知識や計算の速さを問う試験の問題の傾向が今後大きく変わるとは⑳という意見もある。

⑯　1　計算のつもりだけで　　2　計算のせいだけでなく　3　計算のはずだけで　4　計算のためだけでなく

⑰　1　ところが　　　　　　　2　そのうえ　　　　　　　3　もしくは　　　　　4　というのは

⑱　1　私に質問した　　　　　2　私に反対した　　　　　3　私に同意した　　　4　私に相談した

⑲　1　理解すべき　　　　　　2　理解しようとする　　　3　理解しかねない　4　理解できない

⑳　1　考えやすい　　　　　　2　考えかねない　　　　　3　考えにくい　　　　4　考えがちだ

第 9 单元　配套练习 精解

1 选项1「と考えられる」意为"一般认为……"。选项2「それまでだ」意为"……就完了"。选项3「かぎりだ」意为"尽量、极限"。选项4「といったところだ」意为"也就是……那个程度"。

译文：一般认为，今后一个人度过的时间会继续增多。

2 选项1「行けない」意为"不能去"。选项2「しない」意为"不做"。选项3「できない」意为"不能"。选项4「行かない」意为"不去"。

译文：虽然不至于会停飞，但有航班出发晚点了。

3 选项1「すら」意为"甚至"。选项2「とも」意为"不论……也……"。选项3「がてら」意为"顺便"。选项4「だけは」意为"能……都……、起码得……"。

译文：不管多么热，还是要准备长袖的上衣吧。

4 选项1「あながち」与否定形式连用，意为"不一定、未必"。选项2「いわずもがな」意为"不用说"。选项3「ともすると」意为"往往"。选项4「ただでさえ」意为"本来就……"。

译文：这个学生比较没有时间观念，往往毫不在乎地上课迟到一个小时。

5 选项1「であれ」意为"无论是……还是……"。选项2「ともなると」意为"要是……"。选项3「だろうに」意为"本来是……，可……"。选项4「とあいまって」意为"与……相结合"。

译文：要是大公司的社长的话，好像忙得连吃饭的时间都没有。

6 选项1「でもない」意为"也不是……"。选项2「でもなんでもない」意为"并不是……"。选项3「ならいざしらず」意为"姑且不论"。选项4「にこしたことがない」意为"最好是……"。

译文：每次买都不会中的彩票，这次感觉好像要中。下次也买买看吧。

7 选项1「言うもしない」意为"不说"。选项2「言いようもない」意为"无法说"。选项3「言うのにもまして」意为"比说更加……"。选项4「言えないまでも」意为"虽然不能说……，但……"。

译文：虽然不能说是绝对，但可以说这个手术成功概率很高。

8 选项1「ものと思われる」意为"被认为"。选项2「ものでもない」意为"也并不那么……"。选项3「やしない」意为"不……"。选项4「を余儀なくされる」意为"迫不得已……"。

译文：这个课题如果做到凌晨，也不是不能完成。

9 选项1「にたえない」意为"不胜……"。选项2「はおろか」意为"不要说……就连……也……"。选项3「なくして」意为"如果没有……"。选项4「となっては」意为"如果……的话"。

译文：如果没有学习的心情，那么即使升学了也没有意义。

10 选项1「といってもいいすぎではない」意为"即使说是……也不为过"。选项2「だけましだ」意为"幸好……"。选项3「それまでのことだ」意为"……就完了"。选项4「とやら」意为"叫什么、说是……"。

译文：据说，后来那个男人不知道去哪里了。

問題 2

11 **全文：** なんとかして日本の会社に就職できないものだろうか。

　　译文： 能不能设法到日本的公司就职呢？

12 **全文：** 事故で入院していた兄は、最近ゆっくりながらも歩けるようになった。

译文：遭遇事故而住院的哥哥，最近慢慢地能走路了。

13 全文：泥棒に入られないとも限らないから、鍵はちゃんとかけておいて。

　译文：未必不会有小偷进来偷东西，所以要好好上锁。

14 全文：休みの日、彼は、1日中、何を考えるともなくベッドに横になっていた。

　译文：休息日，他一整天不知在思考什么，一直躺在床上。

15 全文：インターネットが普及し、日本にいながらにして外国の友人と気軽に会話できるようになった。

　译文：因特网普及，即使在日本，也能轻松地和外国朋友聊天了。

問題 3

16 本题的关键句是「アメリカでは小学校の算数のテストであっても、～、自分の主張を表明する機会があるというようなものであった」（在美国，即使是小学的算术考试，……，有表达自己主张的机会）。由此可以判断，正确的应该是选项4「計算のためだけでなく」（不仅仅是为了计算）。选项1「計算のつもりだけで」意为"仅仅打算计算"。选项2「計算のせいだけでなく」意为"不仅因为计算"。选项3「計算のはずだけで」意为"仅仅应该计算"。

17 本题的关键句是「先生も正解は一つしかないと教える。～、アメリカの先生によると、～子供なりの論理で間違いのない解答であれば、正解と考えるというのである。」（老师也告诉大家正确答案只有一个。……，美国的老师却认为，……按照孩子的理论，如果不是错误的解答的话，就认为是正确答案）。通过判断，方框处前后两句为转折关系，所以正确的应该是选项1「ところが」（然而）。选项2「そのうえ」意为"而且"。选项3「もしくは」意为"或者"。选项4「というのは」意为"所谓……、因为……"。

18 本题的关键句是「これは算数の問題であって、個人の意見や好みを表明する場ではないはずだと思ったのだが、日本語のクラスの留学生たちの発言にも驚いた」（我认为这是算术的问题，不应该是表明自己个人意见和喜好的场合，但日语班里留学生们的发言让我很吃惊）和「だが、それはやはりおかしい」（但是，那还是很奇怪）。由此可以判断出，作者认为这是算术问题，而非询问个人意见的问题，而泰国和韩国学生也是这样认为的，故正确的应该是选项3「私に同意した」（同意我的想法）。选项1「私に質問した」意为"询问我"。选项2「私に反対した」意为"反对我"。选项4「私に相談した」意为"和我商量"。

19 本题的关键句是「確かに日本のように、算数の計算を機械的にするやり方や、公式に当てはめて答えを出す方法を重視する限り」（确实，如果像日本那样，重视机械地计算算术以及套公式而得出答案的方法的话）。由此可以判断出，正确的应该是选项4「理解できない」（不能理解）。选项1「理解すべき」意为"应该理解"。选项2「理解しようとする」意为"想要理解"。选项3「理解しかねない」意为"很可能理解"。

20 本题的关键句是「習った計算方法を使って、現実に与えられた状況をどう自分に有利にするか、また、その計算結果をどう判断し、説得していくかが現実の生活である。今後、日本でも計算だけでない総合的な問題に力を入れるらしいが、知識や計算の速さを問う試験の問題の傾向が今後大きく変わるとは～という意見もある」（使用学习过的计算方法，如何使现实中的状况变得有利于自己，或者如何判断计算结果且说服别人，这就是现实的生活。今后，在日本不仅仅是计算问题，对于综合性的问题好像也要加大考查力度。但也有意见认为，考查知识和计算速度的考试出题倾向今后发生很大改变是……的）。由此可以看出，日本的方式和美国的方式依旧不同，所以正确的应该是选项3「考えにくい」（难以想象）。选项1「考えやすい」意为"容易想象"。选项2「考えかねない」意为"很可能想象"。选项4「考えがちだ」意为"易想象"。

译文:

前几天,在留学生日语班上关于周刊杂志的报道《美国的算术情况》进行了对话。概括说明的话,在美国,即使是小学的算术考试,也不仅仅是为了计算,而是有一个表达自己主张的机会。

比如,"如果每个蛋糕是一美元,买三个的话是两美元。赚了多少钱呢?"对于这个问题,日本无论哪个孩子的回答都会是"赚了一美元"。老师也告诉大家正确答案只有一个。可是,美国的老师却认为,"买三个蛋糕花了两美元,那么卖给两个弟弟,每人一美元一个的话,就是白给了",或者"一个人也吃不了三个,所以损失一美元"等,按照孩子的理论,如果不是错误的解答的话,就是正确答案。

请稍等。我认为这是算术的问题,不应该是表明自己个人意见和喜好的场合,但日语班里留学生们的发言让我很吃惊。澳大利亚的学生们说自己的国家也是如此,说是"应用问题是为了磨炼生存技巧,所以是理所当然的"。但是,那还是很奇怪。泰国和韩国的学生们也同意我的观点,即"这是算术问题,而不是询问个人意见的问题"。

确实,如果像日本那样,重视机械地计算算术以及套公式而得出答案的方法的话,就不能理解"美国的算术"吧。使用学习过的计算方法,如何使现实中的状况变得有利于自己,或者如何判断计算结果且说服别人,这就是现实的生活。今后,在日本,不仅仅是考查计算问题,对于综合性的问题好像也要加大考查力度。但也有意见认为,考查知识和计算速度的考试出题倾向今后发生很大改变是难以想象的。

第 10 单元　配套练习

問題1　次の文の（　　）に入れるのに最もよいものを、1・2・3・4から一つ選びなさい。

1 あの画家の作品は（　　）。しかし、自分からすすんで読む気にはなれない。

　1　嫌いなわけではない　　2　嫌いのも当然だ　　3　嫌いのには無理がある　　4　嫌いにもほどがある

2 彼の家はわかりにくいところにある。誰も地図（　　）行けないだろう。

　1　に即して　　　　　　2　に照らして　　　　　3　ながらも　　　　　　4　なしに

3 今後の日本経済の復活は、まず行政改革（　　）、ありえないだろうと思う。

　1　いかんでは　　　　　2　なしには　　　　　　3　ごとく　　　　　　　4　こととて

4 暇な時なら（　　）、忙しい時にお客さんに来られては困りますよ。

　1　かぎりで　　　　　　2　しまつで　　　　　　3　しかるべきで　　　　4　いざしらず

5 父は、私の料理を一口食べる（　　）、はしを置いて部屋を出て行ってしまった。

　1　ことだし　　　　　　2　なり　　　　　　　　3　だけは　　　　　　　4　であれ

6 この魚は焼く（　　）煮る（　　）、天ぷらにしてもおいしい。

　1　とて／とて　　　　　2　との／との　　　　　3　とも／とも　　　　　4　なり／なり

7 あの人（　　）あなたのことを考えて言ってるんだから、怒らないで。

　1　なりに　　　　　　　2　からなる　　　　　　3　がてら　　　　　　　4　ゆえの

8 最近、僕のところに「夏目漱石財団」（　　）を設立したので協力してくれとの手紙が届いた。

　1　すら　　　　　　　　2　なりの　　　　　　　3　とやら　　　　　　　4　なるもの

⑨ 外国で同じバスに乗り合わせるなんて、（　　　）偶然だろう。

1　ただでさえ　　　　　2　なんという　　　　　3　ただ　　　　　4　あながち

⑩ 女性の深い考えは尊敬（　　　）。最近ふと気がついたのです。

1　にかかっている　　　2　にたとえる　　　　3　に値する　　　　4　にかかわる

問題2　次の文の__★__に入る最もよいものを、1・2・3・4から一つ選びなさい。

⑪ もう大人になるのに、＿＿＿＿　＿＿＿＿　＿＿★＿＿　＿＿＿＿。

1　できない　　　　　　2　ひとつ　　　　　　3　家事は　　　　　4　なに

⑫ これは芸術の才能のある＿＿＿＿　＿＿★＿＿　＿＿＿＿　＿＿＿＿。

1　作品だ　　　　　　　2　ならではの　　　　3　と思う　　　　　4　鈴木さん

⑬ 彼は今日また遅刻した。＿＿＿＿　＿＿＿＿　＿＿＿＿　＿＿★＿＿、のんびりと歩いてくるのだから、頭にくるよ。

1　なら　　　　　　　　2　急いで　　　　　　3　まだしも　　　　4　走ってくる

⑭ この部屋は寒そうだから、カーペットを入れる＿＿★＿＿　＿＿＿＿　＿＿＿＿　＿＿＿＿。

1　なんなり　　　　　　2　ならない　　　　　3　なり　　　　　　4　しなければ

⑮ 彼女が英語を話せる＿＿＿＿　＿＿＿＿　＿＿＿＿　＿＿★＿＿。小さい頃、アメリカに住んでいたのだから。

1　にはあたらない　　　2　から　　　　　　　3　驚く　　　　　　4　といって

問題3　次の文章を読んで、⑯から⑳の中に入る最もよいものを、1・2・3・4から一つ選びなさい。

　近頃、カタカナ名の仕事が増えている。名前を⑯、瞬時に仕事が理解できないことも多い。メディアトレーナーもその一つだろう。

　これは、メディアのインタビューに答える機会の多い人、例えば、会社の役員、広報担当などに、話し方、服装、目の動かし方など対応の仕方を教える仕事である。不祥事が起こると、テレビカメラに向かい会社の役員が頭を下げる姿がよく映し出されるが、⑰、どのような方法が、消費者の怒りを和らげ、素早く問題解決となるのか、本当に謝罪したと受け止められるのか判断し、適切なアドバイスをするのである。

　また、政治家も「選挙に負ければただの人」と言われるように、人気商売的なところがあり、メディアへの露出が増えるに従って有権者の反応が気になるところである。最近では記者にインタビューを受ける首相の目線が話題になった。国民を意識し、カメラに向かって受け答えをした方がいいか、記者を見て話した方が好印象か。メディアトレーナーは、放送される番組を録画し、成功例、失敗例を研究して適切にアドバイスをしてくれる。ただ、受け手のとらえ方は千差万別で、そのアドバイスへの評価は⑱ところだ。

　オリンピックを前に、最近特に注目されているのが、スポーツ選手に対するトレーニングだ。スポーツ選手は企業に⑲、ファンからの後援状況でトレーニング環境が決まるシビアな世界である。インタビューへの応対次第では、ファンの人気も下がり、選手生命を脅かすことにも⑳。

　彼ら自身がよりよい選手生活を送り、成果を上げるためにも、メディアトレーナーの仕事は欠かせなくなっている。

⑯　1　聞いてやれば　　　2　聞いていただいて　　3　聞いただけでは　　　4　聞いたばかりは

⑰　1　あるいは　　　　　2　果たして　　　　　　3　だって　　　　　　　4　しかも

18　1　一言では言うべきではない　　　　　　2　一言では言われない

　　3　一言では言おうとしない　　　　　　　4　一言では言いがたい

19　1　所属しない限り　　　　　　　　　　　2　所属するものなら

　　3　所属しないからといって　　　　　　　4　所属するにしたがって

20　1　なりえない　　　　2　なりかねない　　　　3　なることはない　　　　4　なるほかはない

問題1　1-5：14242　　　6-10：41423　　**問題2**　11-15：22331

問題3　16-20：32412

答案

第10単元　配套练习 精解

1　选项1「嫌いなわけではない」意为"并非讨厌"。选项2「嫌いのも当然だ」意为"讨厌也是理所当然的"。选项3「嫌いのには無理がある」意为"讨厌有些勉强"。选项4「嫌いにもほどがある」意为"讨厌也要有分寸"。

译文：并非讨厌那个画家的作品。但是，没有自己主动去欣赏的心情。

2　选项1「に即して」意为"按照……"。选项2「に照らして」意为"参照……"。选项3「ながらも」意为"虽然……但是……"。选项4「なしに」意为"没有……、不……"。

译文：他的家在很难找的地方。任何人不拿地图的话，都无法找到他家吧。

3　选项1「いかんでは」意为"根据……"。选项2「なしには」意为"（如果）不……"。选项3「ごとく」意为"像……一样"。选项4「こととて」意为"因为"。

译文：我认为，今后日本经济的复兴如果没有行政改革的话，大概难以实现吧。

4　选项1「かぎりで」意为"以……为限"。选项2「しまつで」意为"结果竟然……"。选项3「しかるべきで」意为"理所当然"。选项4「いざしらず」意为"姑且不论"。

译文：闲暇时姑且不论，繁忙的时候来了客人会很为难的。

5　选项1「ことだし」意为"因为"。选项2「なり」意为"一……就……"。选项3「だけは」意为"能……都……、起码得……"。选项4「であれ」意为"无论是……还是……"。

译文：父亲刚吃了一口我做的饭菜，就放下筷子走出了房间。

6　选项1、2、3通常不重复使用。选项4「なり/なり」意为"或是……或是……"。

译文：这个鱼或是烤着吃或是煮着吃，做成天妇罗也很好吃。

7　选项1「なりに」意为"与……相适"。选项2「からなる」意为"由……构成"。选项3「がてら」意为"顺便"。选项4「ゆえの」意为"因为"。

译文：那个人是为了你才那么说的，所以不要生气。

8　选项1「すら」意为"甚至"。选项2「なりの」意为"与……相适的"。选项3「とやら」意为"叫什么、说是……"。选项4「なるもの」意为"称作、所谓的……"。

译文：最近我收到一封信，大意是要设立所谓的"夏目漱石财团"，所以请求我配合。

9　选项1「ただでさえ」意为"本来就……"。选项2「なんという」意为"多么、何等"。选项3「ただ」意为"仅"。选项4「あながち」后面与否定形式连用，意为"不一定、未必"。

译文: 在外国能坐上同一辆公交车,是何等的偶然啊。

⑩ 选项1「にかかっている」意为"关系到……"。选项2「にたとえる」意为"比喻成……"。选项3「に值する」意为"值得……"。选项4「にかかわる」意为"关系到……"。

译文: 女性的深思熟虑值得尊敬。这是我最近突然意识到的。

問題 2

⑪ **全文:** もう大人になるのに、家事はなにひとつできない。

译文: 已经长大成人了,却什么家务也不会做。

⑫ **全文:** これは芸術の才能のある鈴木さんならではの作品だと思う。

译文: 我想,这就是只有拥有艺术才华的铃木才能创作出的作品。

⑬ **全文:** 彼は今日また遅刻した。 急いで走ってくるならまだしも、のんびりと歩いてくるのだから、頭にくるよ。

译文: 今天他又迟到了。如果匆忙跑过来的话也还好,竟然悠闲地走,所以让人很生气。

⑭ **全文:** この部屋は寒そうだから、カーペットを入れるなりなんなりしなければならない。

译文: 这个房间好像很冷,所以必须放入地毯什么的。

⑮ **全文:** 彼女が英語を話せるからといって驚くにはあたらない。小さい頃、アメリカに住んでいたのだから。

译文: 她能讲英语也用不着惊讶,因为她小时候住在美国。

問題 3

⑯ 本题的关键句是「近頃、カタカナ名の仕事が増えている。名前を〜、瞬時に仕事が理解できないことも多い」(最近,用片假名表示的工作增加了。……名字,很多时候不能瞬间理解这个工作是干什么的)。由此可以判断,正确的应该是选项3「聞いただけでは」(仅仅听一下)。选项1「聞いてやれば」意为"为你听的话"。选项2「聞いていただいて」意为"请求听"。选项4「聞いたばかりは」意为"刚刚听完"。

⑰ 本题的关键句是「どのような方法が、消費者の怒りを和らげ、素早く問題解決となるのか」(以何种方法能缓和消费者的愤怒,早点解决问题呢)。由此可以判断,正确的应该是选项2「果たして」(到底、究竟)。选项1「あるいは」意为"或者"。选项3「だって」意为"可是"。选项4「しかも」意为"而且"。

⑱ 本题的关键句是「ただ、受け手のとらえ方は千差万別で」(不过,接受者的理解方式千差万别)。由此可以判断,正确的应该是选项4「一言では言いがたい」(一言难尽)。选项1「一言では言うべきではない」意为"不应该一句话说完"。选项2「一言では言われない」意为"没有用一句话被说"。选项3「一言では言おうとしない」意为"不想一句说出"。

⑲ 本题的关键句是「ファンからの後援状況でトレーニング環境が決まるシビアな世界である」(是根据支持者的后援状况,决定其训练环境的严厉的世界)。由此可以判断,正确的应该是选项1「所属しない限り」(只要不所属于)。选项2「所属するものなら」意为"如果所属于"。选项3「所属しないからといって」意为"说是不所属于"。选项4「所属するにしたがって」意为"随着所属于"。

⑳ 本题的关键句是「インタビューへの応対次第では、ファンの人気も下がり」(根据对采访的应对情况,有时在支持者中的人气会下降)和「彼ら自身がよりよい選手生活を送り、成果を上げるためにも、メディアトレーナーの仕事は欠かせなくなっている」(他们自身为了过上更好的运动员生活,也为了提高成

绩，而使媒体培训师的工作变得不可或缺）。由此可以判断，正确的应该是选项2「なりかねない」（很可能成为）。选项1「なりえない」意为"不能成为"。选项3「なることはない」意为"用不着成为"。选项4「なるほかはない」意为"只好成为"。

译文：

最近，用片假名表示的工作增加了。仅仅听了名字，很多时候不能瞬间理解这个工作是干什么的。"媒体培训师"就是其中之一吧。

这是针对有很多机会回答媒体采访的人，比如公司董事、宣传负责人等，教导他们说话方式、着装、眼睛转动方法等应对方法的工作。如果发生不幸事件的话，经常能拍到面向电视镜头，鞠躬道歉的公司董事的样子。究竟以何种方法能缓和消费者的愤怒，早点解决问题呢？媒体培训师就是要判断道歉是否真的被接受了，并提出适当的建议。

此外，政治家也被说成是"如果选举输了，就是普通人"，是需要靠人缘来维持的职业。随着在媒体前出现次数的增多，也会担心选民的反应。最近，首相接受记者采访时的视线成为了大家讨论的话题。意识到国民，面向镜头回答问题比较好，还是看着记者讲话会留下好印象呢？媒体培训师会录下播放的节目，研究成功、失败的例子，给予恰当的建议。不过，接受者的理解方式千差万别，对于建议的评价也是一言难尽。

在奥运会开幕之前，最近特别被瞩目的是对于运动员的训练。运动选手只要不属于某个企业，就得根据支持者的后援状况决定其训练环境，即是这样一个严厉的世界。根据对采访的应对情况，有时在支持者中的人气会下降，甚至可能威胁到选手的运动生涯。

他们自身为了过上更好的运动员生活，也为了提高成绩，而使得媒体培训师的工作变得不可或缺。

第11单元　配套练习

問題1　次の文の（　　）に入れるのに最もよいものを、1・2・3・4から一つ選びなさい。

1 妻に離婚を言い出される（　　）、彼は、家族の大切さに気付いた。

　1 だけは　　　　　2 くらいなら　　　　3 ごとく　　　　4 にいたって

2 俺（　　）どう考えても小池栄子の方が女優としては成功している。

　1 にいわせれば　　2 なしには　　　　　3 といえども　　4 ですら

3 お客様（　　）、誠にお手数でございますが、お買い上げの店舗にお申し出いただけないでしょうか。

　1 におかれましては　2 となると　　　　3 とやら　　　　4 なりに

4 家族は言う（　　）、友人たちも心配している。

　1 そばから　　　　2 こととて　　　　　3 といえども　　4 に及ばず

5 仕事自体は1日だけなのに、それ（　　）、1週間イギリスを周った。

　1 とあって　　　　2 にかこつけて　　　3 とおもいきや　4 にあって

6 今後、アメリカの経済状況がさらに悪化することは、想像（　　）。

　1 以外の何物でもない　2 からよかったものの　3 にかたくない　4 だけましだ

⑦ 今年合格できればそれ（　　　）が、だめなら来年頑張ればいい。

　　1　にこしたことはない　2　にたえない　　　　　3　ではすまされない　　　4　だろうに

⑧ 私はこの年（　　　）はじめて、海外旅行をすることになった。

　　1　として　　　　　　　2　とて　　　　　　　　3　こととて　　　　　　　4　にして

⑨ 災害時は、状況（　　　）臨機応変の対応が求められる。

　　1　をひかえて　　　　　2　ままに　　　　　　　3　ならでは　　　　　　　4　に即した

⑩ 専門家の批判（　　　）小説を書きたい。

　　1　をもって　　　　　　2　にたえる　　　　　　3　ゆえに　　　　　　　　4　もあいまって

問題2　次の文の＿★＿に入る最もよいものを、1・2・3・4から一つ選びなさい。

⑪ ＿＿＿＿　＿★＿　、＿＿＿＿　＿＿＿＿を見つけることは難しい。

　　1　仕事　　　　　　　　2　にあって　　　　　　3　条件のいい　　　　　　4　この不況下

⑫ ＿＿＿＿　＿★＿　＿＿＿＿　＿＿＿＿、真実を話してください。

　　1　話　　　　　　　　　2　にかかわる　　　　　3　だから　　　　　　　　4　人の命

⑬ お金の流れを考えながら働いているのは、＿＿＿＿　＿＿＿＿　＿★＿　＿＿＿＿。

　　1　ではありません　　　2　なにも　　　　　　　3　にかぎったこと　　　　4　経理さん

⑭ 祖父は＿＿＿＿　＿＿＿＿　＿★＿　＿＿＿＿が、私はすごくいいと思う。

　　1　にたえない　　　　　2　見る　　　　　　　　3　と言う　　　　　　　　4　山田君の服装は

⑮ 成功するかどうかは、＿＿＿＿　＿＿＿＿　＿＿＿＿　＿★＿。

　　1　にかかっている　　　2　与えられた時間を　　3　使うか　　　　　　　　4　どう

問題3　次の文章を読んで、⑯から⑳の中に入る最もよいものを、1・2・3・4から一つ選びなさい。

　科学は呪うべきものであるという人がいる。その理由は次のとおりである。

　原始人の闘争と現代人の戦争を比較してみると、その殺戮の量において比較にならぬ大きな差異がある。個人どうしのつかみ合いと、航空機の爆撃を比べて⑯。さらに進んでは人口何十万という都市を、一瞬にして壊滅させる爆弾に至っては言語道断である。このような残虐な行為はどうして⑰。それは自然科学の発達した結果にほかならない。であるから、科学の進歩は人類の退歩を意味するものであって、まさに呪うべきものであるという。

　⑱、われわれの生活は原始人に比べて、少なくとも物質的には問題なく豊かになり、昔の人の夢と考えた欲求が現実にかなえられるようになった。例えば、地球温暖化により、寒い地域でも米が栽培できるようになったこと。そして、これら物質文明の進歩は、当然精神文明にもよい影響を⑲のである。これらはすべて科学の進歩のおかげであると見れば、科学は人類に進歩をもたらすものとして⑳。

　以上で明らかなとおり、科学を呪うべきものとするか、礼賛すべきものとするかは、科学自身のゆえんではなくて、これを駆使する人の心にあるのである。

⑯　1　みなくてもよい　　　2　みられるものだ　　3　みるはずがない　　　　4　みればよい

⑰　1　可能にならないか　　　　　　　　　　　　2　可能になったのであろうか

　　3　可能になろうとするか　　　　　　　　　　4　可能になりかねないか

18	1 しかし一方	2 あるいは	3 つまり	4 それなら

19	1 与えなければならない		2 与えないではおかない
	3 与えないとはいけない		4 与えないですむ

20	1 礼賛するというものではない		2 礼賛しなくてもよい
	3 礼賛してばかりいる		4 礼賛せねばならぬ

問題 **1**　1-5：4 1 1 4 2　　6-10：3 1 4 4 2　　問題 **2**　11-15：2 2 3 1 1

問題 **3**　16-20：4 2 1 2 4

答案

第 11 単元　配套练习 精解

1 选项1「だけは」意为"能……都……、起码得……"。选项2「くらいなら」意为"与其……不如……"。选项3「ごとく」意为"像……一样"。选项4「にいたって」意为"到了……才……"。

译文：直到妻子提出离婚，他才意识到家人的重要性。

2 选项1「にいわせれば」意为"如果让……说"。选项2「なしには」意为"（如果）没有……"。选项3「といえども」意为"虽说"。选项4「ですら」意为"甚至"。

译文：让我说的话，不管怎么想，小池荣子作为女演员都是成功的。

3 选项1「におかれましては」意为"关于……的情况"。选项2「となると」意为"那样的话、如果……、要是……"。选项3「とやら」意为"叫什么、听说……"。选项4「なりに」意为"与……相适"。

译文：客人，给您添麻烦了，能否请您到购买该物品时的店铺提交申请呢?

4 选项1「そばから」意为"刚……就……"。选项2「こととて」意为"因为"。选项3「といえども」意为"虽说"。选项4「に及ばず」意为"不必"。

译文：家人自不必说，朋友们也很担心。

5 选项1「とあって」意为"因为"。选项2「にかこつけて」意为"以……为借口"。选项3「とおもいきや」意为"本以为"。选项4「にあって」意为"处于……的情况下"。

译文：工作本身只是一天，然而以此为借口，去英国游玩了一周的时间。

6 选项1「以外の何物でもない」意为"只是"。选项2「からよかったものの」意为"幸好"。选项3「にかたくない」意为"不难……"。选项4「だけましだ」意为"幸好"。

译文：不难想象，今后美国的经济状况会持续恶化。

7 选项1「にこしたことはない」意为"莫过于……、最好是……"。选项2「にたえない」意为"不堪……、忍耐不了……"。选项3「ではすまされない」意为"如果……的话就不算完"。选项4「だろうに」意为"本来是……，可……"。

译文：如果今年能合格的话就再好不过了，不行的话明年再努力就是了。

8 选项1「として」意为"作为"。选项2「とて」意为"即使"。选项3「こととて」意为"因为"。选项4「にして」意为"到了……才……"。

译文：我到了这个年龄才第一次去海外旅行。

9 选项1「をひかえて」意为"面临……"。选项2「ままに」意为"任凭、搁置不管"。选项3「ならでは」

意为"只有……才……"。选项4「に即した」意为"按照……、根据……"。

译文：发生灾害的时候，需要根据状况临机应变。

⑩ 选项1「をもって」意为"以此……"。选项2「にたえる」意为"耐……、值得……"。选项3「ゆえに」意为"因而"。选项4「もあいまって」意为"与……相结合"。

译文：我想写一本能经受住专家批判的小说。

問題2

⑪ **全文**：この不況下にあって、条件のいい仕事を見つけることは難しい。

译文：在经济不景气之下，很难找到条件好的工作。

⑫ **全文**：人の命にかかわる話だから、真実を話してください。

译文：因为是关乎人命的事，所以请说真话。

⑬ **全文**：お金の流れを考えながら働いているのは、なにも経理さんにかぎったことではありません。

译文：一边考虑金钱流向的问题，一边工作的并非只有会计。

⑭ **全文**：祖父は山田君の服装は見るにたえないと言うが、私はすごくいいと思う。

译文：祖父说山田的衣服惨不忍睹，但是我觉得很好。

⑮ **全文**：成功するかどうかは、与えられた時間をどう使うかにかかっている。

译文：能否成功，取决于如何使用被给予的时间。

問題3

⑯ 本题的关键句是「原始人の闘争と現代人の戦争を比較してみると、その殺戮の量において比較にならぬ大きな差異がある。個人どうしのつかみ合いと、航空機の爆撃を比べて～」（比较看看原始人的斗争和现代人的战争，其杀戮数量差异巨大。个人之间的扭打和航空器的爆炸，对比这两者……）。由此可以判断，正确的应该是选项4「みればよい」（试试看就行）。选项1「みなくてもよい」前接「て」，意为"不试试看也行"。选项2「みられるものだ」意为"被看到"。选项3「みるはずがない」前接「て」，意为"不会试试看"。

⑰ 本题的关键句是「さらに進んでは人口何十万という都市を、一瞬にして壊滅させる爆弾に至っては言語道断である。このような残虐な行為はどうして～」（更进一步，炸弹能瞬间毁灭一座拥有十几万人口的城市，这更是让人觉得荒谬绝伦。这种残酷的行为为何……）。由此可以判断，应该是过去时态，故正确的应该是选项2「可能になったのであろうか」（变成可能的呢）。选项1「可能にならないか」意为"不会变成可能吗"。选项3「可能になろうとするか」意为"会成为可能吗"。选项4「可能になりかねないか」意为"很可能成为可能吗"。

⑱ 本题的关键句是「であるから、科学の進歩は人類の退歩を意味するものであって、まさに呪うべきものであるという」（因此，科学的进步意味着人类的退步，科学真是应该被痛恨的东西）和「われわれの生活は原始人に比べて、少なくとも物質的には問題なく豊かになり、昔の人の夢と考えた欲求が現実にかなえられるようになった」（我们的生活和原始人相比，至少物质方面上变得富裕了，古代人梦想中的欲求变成了现实）。由此可以判断，正确的应该是选项1「しかし一方」（但另一方面）。选项2「あるいは」意为"或者"。选项3「つまり」意为"也就是说"。选项4「それなら」意为"如果那样的话"。

19 本题的关键句是「例えば、地球温暖化により、寒い地域でも米が栽培できるようになったこと。そして、これら物質文明の進歩は、当然精神文明にもよい影響を～のである」（比如，因为全球气候变暖，即使在寒冷的地区也能够栽培大米了。而且，这些物质文明的进步，当然也对精神文明……好的影响）。由此可以判断，正确的应该是选项2「与えないではおかない」（必然会给予）。选项1「与えなければならない」意为"必须给予"。选项3「与えないとはいけない」意为"必须给予"。选项4「与えないですむ」意为"没有给予就解决了"。

20 本题的关键句是「これらはすべて科学の進歩のおかげであると見れば、科学は人類に進歩をもたらすものとして～」（这些全都多亏了科学的进步，这样看来的话，科学给人类带来了进步，是……）。由此可以判断，正确的应该是选项4「礼賛せねばならぬ」（必须赞扬）。选项1「礼賛するというものではない」意为"并非赞扬"。选项2「礼賛しなくてもよい」意为"不赞扬也可以"。选项3「礼賛してばかりいる」意为"总是在赞扬"。

译文：

有人说科学是应该令人痛恨的东西。其理由如下。

比较看看原始人的斗争和现代人的战争，其杀戮数量差异巨大。个人之间的扭打和航空器的爆炸，试着比较一下这两者就可以了。更进一步，炸弹能瞬间毁灭一座拥有十几万人口的城市，这更让人觉得荒谬绝伦。这种残酷的行为为何成为可能呢？那无非是自然科学发展的结果。因此，科学的进步意味着人类的退步，科学真是应该被痛恨的东西。

但是另一方面，我们的生活和原始人相比，至少物质方面上变得富裕了，古代人梦想中的欲求变成了现实。比如，因为全球气候变暖，即使在寒冷的地区也能够栽培大米了。而且，这些物质文明的进步也必然会给精神文明带来好的影响。这些全都多亏了科学的进步。这样看来的话，科学给人类带来了进步，是必须赞扬的。

如上，很明了的是，是该痛恨科学，还是应该赞扬科学，这不取决于科学本身，而在于驱使科学的人心。

第12单元 配套练习

問題1 次の文の（　　）に入れるのに最もよいものを、1・2・3・4から一つ選びなさい。

1 健康維持（　　）、ジョギングを始めた。

　1　としたって　　　　2　とて　　　　　　3　にと思い　　　　4　ながらに

2 事故の影響は、原子力発電所の中（　　）、周辺の広い地域にも及んだ。

　1　にとどまらず　　2　だに　　　　　　3　だろうに　　　　4　ならでは

3 倒れた木に妨害されて、車は（　　）通れない。

　1　通りたいにも　　2　通るにも　　　　3　通るそばから　　4　通るすら

4 この書類は、こちらの書式（　　）、作成してください。

　1　にのっとって　　2　とばかりに　　　3　ときたら　　　　4　にいたって

5 仮に百歩譲って過失だったとしても、ジャンボジェット機が滑走路を間違えたくらいの重大事であること（　　）。

　1　に越したことはない　2　にたえない　　　3　に変わりはない　　4　にあたらない

6 原発推進派の言い分（　　　）。企業はみんな反原発。原発推進派の意見は大抵経済面の指摘です。

  1　からよかったものの　　　　　　　　　　　2　でなくてなんだろう

  3　といっても言い過ぎではない　　　　　　　4　には無理がある

7 昔の子供たちののんびりした生活（　　　）、今の子供はなんと忙しいことか。

  1　たりとも　　　　　2　にひきかえ　　　　3　といえども　　　　4　ならまだしも

8 大変そうだったから手伝ってあげただけなのに、私があなたのことを好きだなんて言いふらして。勘違い（　　　）わ。

  1　だけましだ　　　　2　にもほどがある　　　3　ことと思う　　　　4　といったらない

9 何事（　　　）、努力がすべて報いられるということはありえない。

  1　をよそに　　　　　2　をおして　　　　　3　によらず　　　　　4　におよばず

10 みんなの前で歌を歌うという夢が実現した瞬間、彼女は、感動の（　　　）に達し、涙が止まらなくなった。

  1　手前　　　　　　　2　始末　　　　　　　3　限り　　　　　　　4　極み

問題2　次の文の＿＿★＿＿に入る最もよいものを、1・2・3・4から一つ選びなさい。

11 最近の＿＿＿＿　＿＿＿＿　＿★＿＿　＿＿＿＿が少なくなってしまった。

  1　に足る　　　　　　2　彼の作品は　　　　3　もの　　　　　　　4　論ずる

12 毎日の＿＿＿＿　＿★＿＿　＿＿＿＿　＿＿＿＿、課長が口うるさいことだ。

  1　にもまして　　　　2　きつさ　　　　　　3　いやなのは　　　　4　仕事の

13 辞書で調べた言葉がどの意味にあたるか、＿＿＿＿　＿★＿＿　＿＿＿＿　＿＿＿＿。

  1　にてらして　　　　2　みましょう　　　　3　文章　　　　　　　4　考えて

14 学生の成績は＿＿＿＿　＿★＿＿　＿＿＿＿　＿＿＿＿。

  1　ところが　　　　　2　先生の教え方　　　3　大きい　　　　　　4　による

15 社長に＿＿＿＿　＿＿＿＿　＿＿＿＿　＿★＿＿です。

  1　なんて　　　　　　2　誉めて　　　　　　3　光栄の至り　　　　4　いただける

問題3　次の文章を読んで、16から20の中に入る最もよいものを、1・2・3・4から一つ選びなさい。

われわれの生活を振り返ってみても、遊ぶのにはまったく事欠きません。

そして、ますますそういう手段、施設は**16**です。だが、増えれば増えるほど、逆にますます遊ぶ人たちの気分は空しくなってくるという奇妙な事実があります。遊ぶにしても、楽しむにしても、ほんとうに楽しく、生命が輝いたという全身的な充実感、生きがいの手ごたえがなければ、ほんとうの意味のレクリエーション、つまりエネルギーの蓄積、再生産としてのレクリエーションは**17**。

身近な例で、**18**プロ野球を見に行く。チャンスにホームランが出る、また素晴らしいファイン・プレー。みんな大喜び。胸がスーッとします。

だが、それがあなたの生きがいでしょうか。

あなたの本質とはまったくかかわりない。そのホームランのために自分の指一つ動かしたわけじゃないし、スタンドでの感激はあっても、やはりただ見物人である**19**のです。まして、テレビでも見ている場合はなおさらでしょう。ひとがやったこと、あなたは全人間的にそれに参加してはいない。**20**、自分は不在になってし

まう。

（中略）

どんなに遊んでも、その時は結構楽しんでいるようでも、何か空虚なのです。

16	1 増える一方	2 増えるはず	3 増えるべき	4 増えるだけ
17	1 なりたつとは限りません		2 なりたちかねません	
	3 なりたちません		4 なりたってはいられません	
18	1 なお	2 したがって	3 それでも	4 たとえば
19	1 にほかならない	2 にすぎない	3 にかぎらない	4 にちがいない
20	1 だからといって	2 結局	3 しかしながら	4 そのうえ

問題1 1-5: 3 1 2 1 3　　6-10: 4 2 2 3 4　　**問題2** 11-15: 1 2 1 4 3

問題3 16-20: 1 3 4 2 2

答案

第12单元　配套练习 精解

1 选项1「としたって」意为"即使……也……"。选项2「とて」意为"即使"。选项3「にと思い」意为"为了"。选项4「ながらに」意为"虽然……但是……"。

译文: 为了保持健康,开始了慢跑。

2 选项1「にとどまらず」意为"不仅"。选项2「だに」意为"至少……、连……、即使……"。选项3「だろうに」意为"本来是……,可……"。选项4「ならでは」意为"只有……才……"。

译文: 事故的影响不仅是在核电站中,而且波及了周边更广阔的地区。

3 选项1「通りたいにも」意为"想通过"。选项2「通るにも」意为"要通过"。选项3「通るそばから」意为"刚通过就……"。选项4「通るすら」意为"甚至通过"。

译文: 被倒下的树木妨碍,车想过也过不去。

4 选项1「にのっとって」意为"遵照……"。选项2「とばかりに」意为"以为……是……、几乎就要说……"。选项3「ときたら」意为"提到……、说到……"。选项4「にいたって」意为"到了……才……"。

译文: 这个文件,请按照这样的书写格式进行写作。

5 选项1「に越したことはない」意为"莫过于……"。选项2「にたえない」意为"不胜……、不堪……"。选项3「に変わりはない」意为"没有差别"。选项4「にあたらない」意为"用不着……"。

译文: 假如退一百步来说,是过失的话,也和超巨型喷气式飞机弄错跑道的重大事件没有什么差别。

6 选项1「からよかったものの」意为"因为……幸好……"。选项2「でなくてなんだろう」意为"不是……又是什么呢"。选项3「といっても言い過ぎではない」意为"即使这样说也不为过"。选项4「には無理がある」意为"有些勉强、……里有不合理的地方"。

译文: 核能发电推进派的说法有不合理的地方。企业都反对核能发电。核能发电推进派的意见大体上都是经济方面的。

7 选项1「たりとも」后面与否定形式连用,意为"即使……也不……"。选项2「にひきかえ」意为"与……

相反”。选项3「といえども」意为“虽说”。选项4「ならまだしも」意为“如果……倒还好”。

译文： 以前的孩子们都过着悠闲的生活，相反，现在的孩子是多么忙啊。

⑧ 选项1「だけましだ」意为“幸好”。选项2「にもほどがある」意为“……也得有分寸”。选项3「ことと思う」意为“我想”。选项4「といったらない」意为“难以形容”。

译文： 因为看起来比较辛苦，所以帮忙了而已。但散布谣言说我喜欢你什么的，误会也要有个分寸啊。

⑨ 选项1「をよそに」意为“不顾……”。选项2「をおして」意为“不顾……”。选项3「によらず」意为“不按……、不论……”。选项4「におよばず」意为“不用……、不如……”。

译文： 不论何事，努力都有回报是不可能的。

⑩ 选项1「手前」意为“这边、面子、才能、在……面前”。选项2「始末」意为“（结果）竟然……”。选项3「限り」意为“界限、极限、最后、限于……、只要……”。选项4「極み」意为“极限、顶点”。

译文： 实现了在大家面前唱歌这一梦想的瞬间，她感动至极，泪流不止。

問題2

⑪ **全文：** 最近の彼の作品は論ずるに足るものが少なくなってしまった。

译文： 最近，他的作品中值得讨论的东西越来越少了。

⑫ **全文：** 毎日の仕事のきつさにもましていやなのは、課長が口うるさいことだ。

译文： 比起每天工作的辛苦，更让人讨厌的是科长太啰唆了。

⑬ **全文：** 辞書で調べた言葉がどの意味にあたるか、文章にてらして考えてみましょう。

译文： 在词典中查找的单词是什么意思，参照着文章来思考一下吧。

⑭ **全文：** 学生の成績は先生の教え方によるところが大きい。

译文： 学生的成绩和老师的教导方法有很大关系。

⑮ **全文：** 社長に誉めていただけるなんて光栄の至りです。

译文： 能够受到社长的赞扬，我感到无比光荣。

問題3

⑯ 本题的关键句是「だが、増えれば増えるほど、逆にますます遊ぶ人たちの気分は空しくなってくるという奇妙な事実があります」（但是，越是增多，相反，玩儿的人们心情越是变得空虚，有这样一个奇妙的事实存在）。由此可以判断，正确的应该是选项1「増える一方」（不断增加）。选项2「増えるはず」意为“应该增加”。选项3「増えるべき」意为“应该增加”。选项4「増えるだけ」意为“仅仅增加”。

⑰ 本题的关键句是「遊ぶにしても、楽しむにしても、ほんとうに楽しく、生命が輝いたという全身的な充実感、生きがいの手ごたえがなければ、ほんとうの意味のレクリエーション、つまりエネルギーの蓄積、再生産としてのレクリエーションは～」（即使玩儿，即使享受，但如果没有真的开心，没有一种生命都在发光的全身充实感，没有关于生存意义的感受的话，那就……真正意义上的娱乐。也就是说，能量的积累、作为再生产的娱乐是……的）。由此可以判断，正确的应该是选项3「なりたちません」（不会成立）。选项1「なりたつとは限りません」意为“未必能成立”。选项2「なりたちかねません」意为“很可能成立”。选项4「なりたってはいられません」意为“不能成立”。

⑱ 本题的关键句是「身近な例で、～プロ野球を見に行く」（以身边的事为例，……去看职业棒球比赛）。

由此可以判断，正确的应该是选项4「たとえば」（比如）。选项1「なお」意为"仍然"。选项2「したがって」意为"所以"。选项3「それでも」意为"尽管如此"。

19 本题的关键句是「そのホームランのために自分の指一つ動かしたわけじゃないし、スタンドでの感激はあっても、やはりただ見物人である～のです」（并非为了那个本垒打而动过自己的任何一根手指，即使有在看台上的激动，但也只是观众……）。由此可以判断，正确的应该是选项2「にすぎない」（只不过是……）。选项1「にほかならない」意为"不外乎……"。选项3「にかぎらない」意为"不一定……、不限于……"。选项4「にちがいない」意为"一定是……"。

20 本题的关键句是「ひとがやったこと、あなたは全人間的にそれに参加してはいない。～、自分は不在になってしまう」（别人在做的事情，你却没有完全地参与其中。……自己变成不在场了）。由此可以判断，正确的应该是选项2「結局」（结果）。选项1「だからといって」意为"（但不能）因此而……"。选项3「しかしながら」意为"但是"。选项4「そのうえ」意为"而且"。

译文：

即使回顾我们的生活，也从来不缺玩儿的东西。

而且，这种娱乐的手段、设施越来越多。但是，越是增多，相反，玩儿的人们心情越是变得空虚，有这样一个奇妙的事实存在。即使玩儿，即使享受，但如果没有真的开心，没有一种生命都在发光的全身充实感，没有关于生存意义的感受的话，那就不会成为真正意义上的娱乐。也就是说，能量的积累、作为再生产的娱乐是不会成立的。

以身边的事为例，比如去看职业棒球比赛。有时会出现本垒打，然后又是一个出色的动作。大家都很开心，心中特别畅快。

但是，那是你的生存意义吗？

那和你的本质完全不相关。你并非为了那个本垒打而动过自己的任何一根手指，即使有在看台上的激动，但也只不过是观众而已。更何况是在电视上看的时候了，那就更是如此了吧。别人在做的事情，你却没有完全地参与其中。结果，自己变成不在场了。

（中略）

无论怎么玩儿，无论那时看起来是多么开心，但总是有点儿空虚。

第13单元　配套练习

問題1　次の文の（　　　）に入れるのに最もよいものを、1・2・3・4から一つ選びなさい。

1 会長の（　　　）、総会を開催しなければならない。

　1　名において　　　　2　いかんでは　　　　3　ならでは　　　　4　かたがた

2 仕事が忙しくて、ゆっくりできるのは週末（　　　）。

　1　それまでだ　　　　2　と見られる　　　　3　ぐらいのものだ　　　4　までのことだ

3 もう半年も勉強しているのに、漢字（　　　）平仮名も書けない。

　1　もあいまって　　　　2　はおろか　　　　3　はもってのほかで　　　4　もさることながら

④ この会社では給料の額（　　　）、仕事の内容がわたしには合わない。

1　ですら　　　　　　　2　というもの　　　　　3　ときたら　　　　　　4　はさておき

⑤ 予想では、あんなにうまくいく（　　　）のだが。

1　といったらありはしない　　　　　　　　2　といっても過言ではない

3　はずではなかった　　　　　　　　　　　4　に越したことはない

⑥ 高いところは（　　　）、手の届くところはきれいに抜いてください。

1　別として　　　　　　2　こととて　　　　　　3　ならまだしも　　　　4　ゆえに

⑦ （　　　）お酒と言ってもその種類は多く、含まれているアルコールの量も違う。

1　ただ　　　　　　　　2　あながち　　　　　　3　ただでさえ　　　　　4　ひとくちに

⑧ 現代では、一国の経済危機がひとりその国（　　　）、ほかの国へも大きな影響を及ぼす。

1　のみならず　　　　　2　くらいなら　　　　　3　かたわら　　　　　　4　だけは

⑨ 新企画を成功させる（　　　）、社員は会社に泊まりこみで頑張った。

1　とは　　　　　　　　2　なりに　　　　　　　3　べく　　　　　　　　4　とやら

⑩ 多くの証拠と関係者の証言から、彼が不正を働いたのは、疑う（　　　）。

1　かいがない　　　　　2　きりがない　　　　　3　なくはない　　　　　4　べくもない

問題2　次の文の＿＿★＿＿に入る最もよいものを、1・2・3・4から一つ選びなさい。

⑪ 荷造りはすっかり＿＿＿＿、＿＿＿＿＿＿★＿＿＿＿＿。

1　になっている　　　　2　終って　　　　　　　3　ばかり　　　　　　　4　運び出す

⑫ 会社には、＿＿＿＿　＿＿★＿　＿＿＿＿　＿＿＿＿というものがたくさんある。

1　機密　　　　　　　　2　担当者以外は　　　　3　べからざる　　　　　4　知る

⑬ 会場内を歩くのも受験生の気が散るので禁止。＿＿＿＿　＿＿＿＿　＿＿＿＿　＿★＿＿。

1　などは　　　　　　　2　居眠り　　　　　　　3　もってのほかだ　　　4　当然

⑭ 子供は、＿＿＿＿　＿＿＿＿　＿★＿＿　＿＿＿＿、学校へ行こうとしない。

1　なんの　　　　　　　2　の　　　　　　　　　3　と言って　　　　　　4　頭が痛い

⑮ ＿＿＿＿　＿＿＿＿　＿★＿＿　＿＿＿＿、車に乗らずに歩くのです。

1　すれば　　　　　　　2　健康を大切に　　　　3　こそ　　　　　　　　4　私は

問題3　次の文章を読んで、⑯から⑳の中に入る最もよいものを、1・2・3・4から一つ選びなさい。

　一説によると、日本のサラリーマンは歩くスピードが世界一速いそうだが、確かに「忙しい」は日本人の口ぐせのようになっている。

　たくさんの案件を抱えた課長、数ヵ月後に入試をひかえた受験生、国会審議の資料を作成する役人など、誰もかれもが期日を突きつけられて「忙しい」を連発している。しかし、本当に忙しいのだろうか、胸に手を当てて⑯。

　たとえば、受験生、早く勉強を始めればいいものを、一日一日と先送りしてだらだらした生活を送り、受験日間近になってようやく慌て始めて徹夜で⑰。また、役人は、かりに期日の1週間前に資料ができあがったとしたら、果たしてすぐ国会議員に提出するだろうか。いや、おそらく、見直しとか、追加とかいろんな言い

訳をして期日ぎりぎりまで出さないに違いない。早く提出したら、また、次の仕事を押し付けられるかもしれない、ぎりぎりに提出して苦労をアピールしようなどとつい⒅のだろう。

このように日本人は実際には今までの半分以下の時間でできることも、時間いっぱい使ってやっているのではないだろうか。⒆、これは日本人に限ったことではなく、世界共通の人間の愚かな心理なのかもしれない。

ある若いサラリーマンが取引先の社長を訪問した。「忙しいですか」とあいさつされて、「大変忙しくしております」と答えたら、「忙しいという言葉を自分に⒇、忙しがることは恥ずかしいことですよ」と言われたそうである。

この社長の言葉を胸に刻みたい。

⒃	1 考えなくてもいい	2 考えるべきだ	3 考えてみた方がいい	4 考えるつもりだ
⒄	1 がんばってまいる	2 がんばろうとする	3 がんばると思われる	4 がんばっておる
⒅	1 思ってやる	2 思ってみる	3 思ってくれる	4 思ってしまう
⒆	1 もちろん	2 結局	3 つまり	4 一方
⒇	1 使ってはいけません		2 使いたくありません	
	3 使いようがありません		4 使ってはいられません	

> **問題 1** 1-5：1 3 2 4 3　　6-10：1 4 1 3 4　　**問題 2** 11-15：3 4 3 1 1
> **問題 3** 16-20：3 2 4 1 1
>
> 答案

第 13 单元　配套练习 精解

1 选项1「名において」意为"以……名义"。选项2「いかんでは」意为"要看……、根据……"。选项3「ならでは」意为"只有……才……"。选项4「かたがた」意为"各位、顺便……"。

　　译文： 必须以会长的名义召开大会。

2 选项1「それまでだ」意为"……就完了"。选项2「と見られる」意为"被认为……"。选项3「ぐらいのものだ」意为"就只有……才……"。选项4「までのことだ」意为"……就是了"。

　　译文： 工作很忙，就只有周末才能享受悠闲的生活。

3 选项1「もあいまって」意为"与……相结合"。选项2「はおろか」意为"不用说……就连……也……"。选项3「はもってのほかで」意为"……是毫无道理的"。选项4「もさることながら」意为"……也是不用说的事"。

　　译文： 明明已经学习半年了，不用说汉字了，就连平假名也不会写。

4 选项1「ですら」意为"甚至"。选项2「というもの」意为"……这种东西"。选项3「ときたら」意为"提起……、提到……"。选项4「はさておき」意为"……暂且不提"。

　　译文： 在这个公司，工资多少暂且不提，工作内容不适合我。

5 选项1「といったらありはしない」意为"极其……"。选项2「といっても過言ではない」意为"即使这么说也不为过"。选项3「はずではなかった」意为"本来不该"。选项4「に越したことはない」意为"莫过于……"。

译文: 按照预想，本来不该那么顺利的。

6 选项1「別として」意为"另当别论"。选项2「こととて」意为"因为"。选项3「ならまだしも」意为"如果……的话还行"。选项4「ゆえに」意为"因此"。

译文: 高处就另当别论，手能够到的地方请拔得干净一些。

7 选项1「ただ」意为"白费、普通"。选项2「あながち」后面与否定形式连用，意为"不见得……、不一定……"。选项3「ただでさえ」意为"本来就……"。选项4「ひとくちに」后面与「といっても」连用，意为"虽然统称说是……"。

译文: 虽然统称为酒，但种类很多，所含的酒精度数也不同。

8 选项1「のみならず」意为"不仅"。选项2「くらいなら」意为"与其……不如……"。选项3「かたわら」意为"一边……一边……"。选项4「だけは」意为"起码得……"。

译文: 在现代，一国的经济危机不仅仅对本国，甚至对其他国家也会产生重大影响。

9 选项1「とは」意为"所谓的……就是……"。选项2「なりに」意为"那样、那般、与……相适"。选项3「べく」意为"为了……"。选项4「とやら」意为"叫什么、听说……"。

译文: 为了使新计划成功，职员都住在公司，拼命努力。

10 选项1「かいがない」意为"没有回报"。选项2「きりがない」意为"没完没了"。选项3「なくはない」意为"不会不"。选项4「べくもない」意为"无法"。

译文: 依据很多的证据和相关者的证言，无从质疑的是他曾有过不正当行为。

問題2

11 **全文**: 荷造りはすっかり終って、運び出すばかりになっている。

译文: 已经打包结束，就等着搬运了。

12 **全文**: 会社には、担当者以外は知るべからざる機密というものがたくさんある。

译文: 公司里面，有很多除了负责人之外不该被他人知道的机密。

13 **全文**: 会場内を歩くのも受験生の気が散るので禁止。当然居眠りなどはもってのほかだ。

译文: 在会场内行走会分散考生的注意力，所以是被禁止的。当然，打瞌睡之类的更是荒谬。

14 **全文**: 子供は、頭が痛いのなんのと言って、学校へ行こうとしない。

译文: 孩子说头疼什么的，不想去上学。

15 **全文**: 私は健康を大切にすればこそ、車に乗らずに歩くのです。

译文: 我就是因为意识到健康的重要性，所以才不乘车而步行的。

問題3

16 本题的关键句是「誰もかれもが期日を突きつけられて『忙しい』を連発している。しかし、本当に忙しいのだろうか。」（任何人都赶着期限而不停地说"很忙"。但是，真的这么忙吗？）由此可以判断，正确的应该是选项3「考えてみた方がいい」（最好试着考虑一下）。选项1「考えなくてもいい」意为"不考虑也行"。选项2「考えるべきだ」意为"应该考虑一下"。选项4「考えるつもりだ」意为"计划考虑一下"。

17 本题的关键句是「たとえば、受験生、早く勉強を始めればいいものを、一日一日と先送りしてだらだ

らした生活を送り、受験日間近になってようやく慌て始めて徹夜で～」（比如说，考生如果早点准备考试的话就好了，可是却一天一天地往后拖延，过着散漫的生活，临近考试了才终于开始慌乱起来，熬夜……）。由此可以判断，正确的应该是选项2「がんばろうとする」（想要加油）。选项1「がんばってまいる」意为"加油下去"。选项3「がんばると思われる」意为"一般认为加油"。选项4「がんばっておる」意为"在加油"。

18 本题的关键句是「早く提出したら、また、次の仕事を押し付けられるかもしれない、ぎりぎりに提出して苦労をアピールしようなどとつい～のだろう」（如果早提交的话，或许又被派上新的工作，在期限前勉强地提交，……显示自己的辛苦吧）。由此可以判断，正确的应该是选项4「思ってしまう」（认为）。选项1「思ってやる」意为"为对方考虑"。选项2「思ってみる」意为"试着认为"。选项3「思ってくれる」意为"为我考虑"。

19 本题的关键句是「このように日本人は実際には今までの半分以下の時間でできることも、時間いっぱい使ってやっているのではないだろうか。～、これは日本人に限ったことではなく、世界共通の人間の愚かな心理なのかもしれない」（就像这样，日本人实际上把用至今为止一半以下的时间就能够做出的事情，却使用了全部的时间来做的吧？……这不仅仅只限于日本人，或许这是全世界共同的人类的愚蠢心理吧）。由此可以判断，正确的应该是选项1「もちろん」（当然）。选项2「結局」意为"结果"。选项3「つまり」意为"也就是说"。选项4「一方」意为"一方面"。

20 本题的关键句是「『忙しがることは恥ずかしいことですよ』と言われたそうである」（"故意做出忙的样子是很可耻的"，据说被这样说了）。由此可以判断，正确的应该是选项1「使ってはいけません」（不能使用）。选项2「使いたくありません」意为"不想使用"。选项3「使いようがありません」意为"无法使用"。选项4「使ってはいられません」意为"不能使用"。

译文：

据说，日本的工薪族走路的速度是世界第一快，确实，"很忙"好像成了日本人的口头禅。

要解决很多事情的科长、数月后要参加入学考试的考生、准备国会审议资料的公务员等，任何人都赶着期限而不停地说"很忙"。但是，真的这么忙吗？最好把手放到胸前试着考虑一下。

比如说，考生如果早点准备考试的话就好了，可是却一天一天地往后拖延，过着散漫的生活，临近考试了才终于开始慌乱起来，想要熬夜加油。另外，公务员如果在期限前一周把资料弄好的话，就会马上提交给国会议员吗？不，或许要重新考虑、追加什么的，做出很多辩解，不到期限跟前一定不会提交。如果早提交的话，或许又被派上新的工作，不知不觉地想着，要在期限前勉强地提交，以显示自己的辛苦吧。

就像这样，日本人实际上把用至今为止一半以下的时间就能够做出的事情，却使用了全部的时间来做的吧？当然，这不仅仅只限于日本人，或许这是全世界共同的人类的愚蠢心理吧。

某个年轻的工薪族拜访客户的社长。被寒暄问到"忙吗"，他回答了"非常忙"。"不能使用忙这样的词语来形容自己。故意做出忙的样子是很可耻的。"据说他被社长这样说了。

我想要把这个社长的话铭刻在心中。

第14单元　配套练习

問題1　次の文の（　　）に入れるのに最もよいものを、1・2・3・4から一つ選びなさい。

① 毎朝起きてから、運動というほどの（　　）が、簡単な体操をする。

　　1　ものではない　　　2　なにものでもない　　3　のみではない　　　4　ばかりではない

② 最近、政治家として（　　）行為をして、政界から去っていく議員が多すぎる。

　　1　あるごとき　　　　2　ありながらの　　　　3　あるまじき　　　　4　あるなりの

③ 徹夜（　　）店の前に並んで、アップルの新製品を発売開始日に買いたい人がいる。

　　1　にして　　　　　　2　までして　　　　　　3　にもまして　　　　4　とあって

④ 私は自分の正直な感想を述べた（　　）です。他意はありません。

　　1　かぎり　　　　　　2　そのもの　　　　　　3　しまつ　　　　　　4　まで

⑤ 店員に勧められる（　　）、高い化粧品を買ってしまい後悔している。

　　1　まま　　　　　　　2　てまえ　　　　　　　3　なしに　　　　　　4　であれ

⑥ 一番愛している父親を失って、彼は悲しくてたまらない。今はそっと（　　）しておいたほうがいい。

　　1　このままに　　　　2　だけましに　　　　　3　ながらに　　　　　4　をまえに

⑦ お金をためて家を建てるため、彼は毎日汗（　　）になって働いた。

　　1　かたわら　　　　　2　ごとく　　　　　　　3　とやら　　　　　　4　まみれ

⑧ 彼は、口では旅行に行きたくないと言っていたが、（　　）でもないらしい。

　　1　あながち　　　　　2　まんざら　　　　　　3　ただ　　　　　　　4　なんという

⑨ 彼はなぞ（　　）笑いをしたが、どういう意味なのだろう。

　　1　めいた　　　　　　2　そびれた　　　　　　3　きわまった　　　　4　ゆえの

⑩ 黙ってさえいれば、だれにも分かり（　　）だろう。

　　1　きりがない　　　　2　はすまされない　　　3　にはおかない　　　4　はしない

問題2　次の文の＿★＿に入る最もよいものを、1・2・3・4から一つ選びなさい。

⑪ いまや情報時代だ。家の中にいても世界の情報が手に取るように分かる。＿＿＿＿　＿＿＿＿　＿＿＿＿

　　＿★＿。

　　1　現地に行く　　　　2　もない　　　　　　　3　わざわざ　　　　　4　まで

⑫ 彼女は、＿＿＿＿　＿★＿　＿＿＿＿　＿＿＿＿アラビア語もぺらぺらだそうだ。

　　1　さること　　　　　2　も　　　　　　　　　3　ながら　　　　　　4　日本語

⑬ 意外に易しい入学試験でした。＿＿＿＿　＿＿＿＿　＿★＿　＿＿＿＿。

　　1　言われている　　　2　でもない　　　　　　3　世間で　　　　　　4　ほど

⑭ まさか彼が私をだまして＿＿＿＿　＿＿＿＿　＿★＿　＿＿＿＿。

　　1　とは　　　　　　　2　みなかった　　　　　3　お金を奪う　　　　4　思っても

⑮＿＿＿＿ ＿★＿ ＿＿＿＿、＿＿＿＿なんて信じられないよ。

1　も　　　　　　2　刑事の財布を狙う　　3　あろうに　　　　4　人

問題3　次の文章を読んで、⑯から⑳の中に入る最もよいものを、1・2・3・4から一つ選びなさい。

　忙しいときに「猫の手も借りたい」と言う。なぜ猫で、犬ではないのか。同じ人類の友でも、犬は番犬、猟犬、盲導犬、警察犬と各方面で人間の手伝いをしている。猫は⑯遊び相手を務めるだけだ。

　それなのに人は犬の手を⑰。なぜだろうと思っていたら、作家早乙女勝本さんの文章を読んでやっと理由が分かった。早乙女家には犬がいる。ある日、野良猫が庭に侵入してきた。犬は金綱のフェンスまで猫を追い詰め、両者はにらみ合った。⑱一騎打ち、と思われたとき、犬はシッポを巻いて引き下がった。犬の武器は口と歯なのに、猫は手を武器にしている。犬がかみつく前に、猫の手で目をやられる。危険を察知したのだ。猫は木登りにも顔をなでるにも手を使うが、犬の場合は手でなく、前足にすぎない。

　犬が手を使えないことを昔の人は知っていた。だから猫の手に目を着けたというのが早乙女説だ。猫の手にも注目するぐらいだから、日本人は昔から手を大事にしてきた。料理屋が板前を雇い入れるとき、まず手を見たと彫刻家高村光太郎も書いている。「うま手」と言って、指のずんぐりした板前の手があるのだそうだ。⑲農民の手、職人の手、みんな独特だ。その人の生き方が手のしわ、指の形に現れている。洗濯や炊事に明け暮れた昔の母親の手も風格があった。おふくろの味はあの手が作った。

　いま、電車の吊革にぶら下がった手を見ると、どれものっぺりしていて特徴がない。ボタンをポンと押せばなんでもできる手抜き時代。手に表情がないのも⑳。手で物を作るのが文化とすれば、文明が文化を破壊している。人間の手が借りたい。

⑯	1　気が重ければ	2　気が向ければ	3　気を配れば	4　気にかかれば
⑰	1　借りようとしない	2　借りるべきではない	3　借りることはない	4　借りるほどでもない
⑱	1　いかに	2　まことに	3　いまさら	4　あわや
⑲	1　そういえば	2　その反面	3　それに対して	4　それとも
⑳	1　限られている	2　あるまじきことだ	3　もってのほかだ	4　無理はない

| 問題1 | 1-5：1 3 2 4 1 | 6-10：1 4 2 1 4 | 問題2 | 11-15：2 2 4 4 1 | 答案 |
| 問題3 | 16-20：2 1 4 1 4 | | | | |

第14単元　配套练习 精解

1 选项1「ものではない」意为"不该、不能、并非"。选项2「なにものでもない」意为"什么也不是"。选项3「のみではない」意为"不仅"。选项4「ばかりではない」意为"不仅"。

　　译文： 每天早上起床后，虽然并非是做运动，但会简单做套体操。

2 选项1「あるごとき」意为"如有……一样"。选项2「ありながらの」表达不正确。选项3「あるまじき」意为"不该有的"。选项4「あるなりの」表达不正确。

　　译文： 最近，有太多的议员做了政治家不该做的事情而离开了政界。

③ 选项1「にして」意为"到了……才……"。选项2「までして」意为"甚至"。选项3「にもまして」意为"比……更……"。选项4「とあって」意为"因为"。

译文：有人甚至熬夜在商店前排队，想要在苹果新品发售日当天购买新产品。

④ 选项1「かぎり」意为"界限、极限、最后、只限于……、只要……"。选项2「そのもの」意为"……本身、简直……"。选项3「しまつ」意为"（结果）竟然……"。选项4「まで」意为"甚至、不过是……"。

译文：我不过是阐述了一下自己的真实感受而已，没有其他意思。

⑤ 选项1「まま」意为"保持原样、随意、任凭"。选项2「てまえ」意为"这边、面子、才能、当着……的面"。选项3「なしに」意为"没有……"。选项4「であれ」意为"无论……还是……"。

译文：被店员劝说，买了高价化妆品，现在很后悔。

⑥ 选项1「このままに」意为"就这样……"。选项2「だけましに」作为句型不存在。选项3「ながらに」意为"虽然……但是……"。选项4「をまえに」意为"面对……、面临……"。

译文：失去最爱的父亲，他非常伤心。现在最好就这样让他静静地待着。

⑦ 选项1「かたわら」意为"一边……一边……"。选项2「ごとく」意为"好像、如……一样"。选项3「とやら」意为"叫什么、听说……"。选项4「まみれ」意为"沾满"。

译文：为了攒钱建房子，他每天汗流浃背地工作。

⑧ 选项1「あながち」后面与否定形式连用，意为"不一定……、未必……"。选项2「まんざら」后面与否定形式连用，意为"并不完全……"。选项3「ただ」意为"只、仅、免费、普通"。选项4「なんという」意为"叫作什么的……、真是……"。

译文：虽然他嘴上说不想去旅行，但好像也并不完全如此。

⑨ 选项1「めいた」意为"像……样子、有……的气息、带有……意味"。选项2「そびれた」意为"失去机会"。选项3「きわまった」意为"到达极限"。选项4「ゆえの」意为"因为……的"。

译文：他谜一样的微笑是什么意思呢？

⑩ 选项1「きりがない」意为"没完没了"。选项2「はすまされない」意为"没有结束、没有解决"。选项3「にはおかない」前接「ず」，意为"必然……"。选项4「はしない」意为"没有……、不会……"。

译文：只要沉默不语的话，就不会有任何人知道了吧。

問題 2

⑪ 全文：いまや情報時代だ。家の中にいても世界の情報が手に取るように分かる。わざわざ現地に行くまでもない。

译文：现在是信息时代。即使在家中，也能了解到全世界的信息。没有必要特地去现场。

⑫ 全文：彼女は、日本語もさることながらアラビア語もぺらぺらだそうだ。

译文：不用说日语了，据说就连阿拉伯语她都能说得很流利。

⑬ 全文：意外に易しい入学試験でした。世間で言われているほどでもない。

译文：入学考试意外的容易。并非如传言那样难。

⑭ 全文：まさか彼が私をだましてお金を奪うとは思ってもみなかった。

译文：根本没想到他竟然会骗我的钱。

⑮ **全文**：人もあろうに、刑事の財布を狙うなんて信じられないよ。

译文：难以相信竟然有人偏偏要偷刑警的钱包。

問題 3

⑯ 本题通过排除法判断，正确的应该是选项2「気が向ければ」（如果心情好的话）。选项1「気が重ければ」意为"如果心情沉重的话"。选项3「気を配れば」意为"如果留心的话"。选项4「気にかかれば」意为"如果担心的话"。

⑰ 本题的关键句是「忙しいときに『猫の手も借りたい』と言う。なぜ猫で、犬ではないのか。」（忙的时候会说"想借猫的手用一下"。为何是猫，而不是狗呢？）由此可以判断，正确的应该是选项1「借りようとしない」（不想借）。选项2「借りるべきではない」意为"不该借"。选项3「借りることはない」意为"用不着借"。选项4「借りるほどでもない」意为"没到借的程度"。

⑱ 本题的关键句是「～一騎打ち、と思われたとき、犬はシッポを巻いて引き下がった」（以为……会单打独斗时，狗却卷着尾巴退下阵来）。由此可以判断，正确的应该是选项4「あわや」（差一点……、眼看就要……）。选项1「いかに」意为"如何"。选项2「まことに」意为"真的"。选项3「いまさら」意为"事到如今"。

⑲ 本题通过排除法判断，正确的应该是选项1「そういえば」（是啊、对了、说起来）。选项2「その反面」意为"相反"。选项3「それに対して」意为"与此相对"。选项4「それとも」意为"或者"。

⑳ 本题的关键句是「いま、電車の吊革にぶら下がった手を見ると、どれものっぺりしていて特徴がない。ボタンをポンと押せばなんでもできる手抜き時代。手に表情がないのも～」（现在，看到吊在电车吊环上的手，每个都很单调，没有特点。这是一个只要按一下按钮，任何事都能完成的偷工时代。手上没有表情也……）。由此可以判断，正确的应该是选项4「無理はない」（合情合理）。选项1「限られている」意为"被限定"。选项2「あるまじきことだ」意为"不该有的事"。选项3「もってのほかだ」意为"毫无道理、荒谬"。

译文：

忙的时候会说"想借猫的手用一下"。为何是猫，而不是狗呢？即使同样是人类的朋友，狗却分为看家狗、猎狗、导盲犬、警犬等，在各方面帮助人们。猫如果心情好的话，也仅仅会充当玩伴而已。

尽管如此，人还是不想借狗的手。为何会这样呢？读了作家早乙女胜本先生的文章，终于知道了缘由。早乙女先生家里有狗。有一天，一只野猫闯入院子里。狗把猫追到钢丝栅栏边，两者相互盯视。眼看就要单打独斗起来，狗却卷着尾巴退下阵来。狗的武器是嘴和牙齿，而猫的武器是手。狗在啃咬之前，被猫的手弄到了眼睛，而觉察到很危险。猫爬树或者抚摸脸都是用手，而对于狗来说则不是手，而只不过是前脚而已。

古人早就已经知道狗不使用手了，所以才注意到了猫的手，这是早乙女先生的说法。因为连猫的手都注意到了，所以说明日本人从很久以前就很注重手了。雕刻家高村光太郎也写道，饭店雇佣厨师的时候，首先要看手。据说，手指短粗的厨师的手也叫作"好手"。这样说来，农民的手、工匠的手，都很独特。那个人的生活方式通过手上的皱纹和手指的形状来展现。以前，整日忙于洗衣、做饭的妈妈的手也很有特点。妈妈的味道就是用那双手来完成的。

现在，看到吊在电车吊环上的手，每个都很单调，没有任何特点。这是一个只要按一下按钮，任何事都能完成的偷工时代，手上没有"表情"也是合情合理的。如果用手来制作东西是一种文化的话，那么文明破坏了这种文化。想要借人类的手一用。

第15単元　配套练习

問題1　次の文の（　　　）に入れるのに最もよいものを、1・2・3・4から一つ選びなさい。

① 彼女は全然反省していない。彼が怒るのも（　　　）。
1　もってのほかだ　　　2　もっともだ　　　3　そのものだ　　　4　しかるべきだ

② 小野さんは電車を降りる（　　　）、駅員室に飛び込んでいった。どうしたのだろう。
1　こととて　　　2　なりに　　　3　ならでは　　　4　や否や

③ 最後にあの友人に会ったのが、いつ（　　　）覚えていない。
1　とて　　　2　やら　　　3　とやら　　　4　なり

④ 日本は四方を海に囲まれた島国である（　　　）、昔から漁業が盛んだった。
1　というもの　　　2　ときたら　　　3　だに　　　4　がゆえに

⑤ 実験は失敗した。本当に「残念」としか（　　　）。
1　言いそびれる　　　2　言いようがない　　　3　言ってみせる　　　4　言うかいがない

⑥ 恥ずかしげもなく、よくも口に出せた（　　　）。
1　おもいだ　　　2　かぎりだ　　　3　ものだ　　　4　だけましだ

⑦ 町へ行くより、（　　　）寮で小説を読むほうがいいと思っている。
1　むしろ　　　2　あながち　　　3　ただ　　　4　なんという

⑧ どんなに言われても、分からないものは（　　　）んだ。
1　分かりようもない　　　2　分からない　・　　　3　分かることはない　　　4　分からずにはおかない

⑨ 今一番ほしいものは時間をおいて（　　　）。
1　それまでだ　　　2　きりがない　　　3　すべがない　　　4　ほかにない

⑩ ふだんはおとなしい（　　　）、いざとなるとなかなか決断力に富んだ女性です。
1　ようでいて　　　2　だけは　　　3　とおもいきや　　　4　でもしたら

問題2　次の文の　★　に入る最もよいものを、1・2・3・4から一つ選びなさい。

⑪ これから＿＿＿＿　＿＿＿＿　＿＿＿＿　★　病気になってしまった。
1　と思った　　　2　勉強するぞ　　　3　やさきに　　　4　頑張って

⑫ この調子だったら、あまり＿＿＿＿　＿＿＿＿　＿＿＿＿　★　。
1　もの　　　2　望ましい結果は　　　3　と思われる　　　4　期待できない

⑬ それでも姉の葬儀のために＿＿＿＿　★　＿＿＿＿　＿＿＿＿のだ。
1　出かけて　　　2　不自由な体　　　3　いった　　　4　をおして

⑭ ＿＿＿＿　＿＿＿＿　＿＿＿＿　★　、生き残れる可能性がある。
1　ように　　　2　責任の取り　　　3　よっては　　　4　部長も

⑮ 先輩のアドバイスを＿＿＿＿　＿＿＿＿　★　＿＿＿＿、聞かないからこんな結果になってしまった。
1　よかった　　　2　聞いて　　　3　ものを　　　4　いれば

問題3　次の文章を読んで、⑯から⑳の中に入る最もよいものを、1・2・3・4から一つ選びなさい。

　バブル期と呼ばれた時代、土地の値段は限りなく上がっていった。普通のサラリーマンが、東京の都心に住むなどということはほとんど⑯ことだった。そこで、都心から離れた郊外に、都心から引っ越してきた家族が住み始め、町がつくられた。その町は、ニュータウンと呼ばれた。私もそんなニュータウンの住人の一人だった。

　新しい住人たちのために、小さな中学校がつくられた。先生方は生徒全員の顔と名前を⑰。校歌は校長先生が作詞、音楽の先生が作曲したオリジナルだった。名前が「薫」という男の先生は、歌詞の中にさりげなく自分の名前を織り込んでもらった。手作りの温かみのある校歌だった。

　バブルの進行⑱、郊外の宅地は拡大し、公団住宅がたくさん建ち、ニュータウンには子供たちがあふれた。中学校の生徒数も増え続け、私が通ったころの中学校ではなくなった。

　しかし、急速に時代は流れ、バブル期は終わり、土地の値段も下がり始めた。ニュータウンに移り住む人もいなくなった。⑲、住人の2代目は新しい家庭を持って、次々とニュータウンから出て行ったのである。中学校の生徒数も減っていき、ついに6年前に廃校になってしまった。

　廃校が決まった時、有志の呼びかけで、たった20年足らずの歴史を閉じようとしている母校に、卒業生や、かつての先生方が集まり、校歌を合唱した。

　3月は卒業の季節、あちらこちらで校歌が歌われている。母校の校歌はもう⑳が、あの日の大合唱は今でも私の耳に残っている。

⑯	1　考えるにあたらない	2　考えるはずがない	3　考えられない	4　考えたくない
⑰	1　覚えてくださった	2　覚えてやった	3　覚えておいた	4　覚えていただいた
⑱	1　に照らして	2　にもまして	3　に至って	4　に伴って
⑲	1　そのうえ	2　それゆえ	3　それどころか	4　そのため
⑳	1　歌われることはない		2　歌われるほどでもない	
	3　歌われるべきではない		4　歌われるまではない	

問題1　1-5：2 4 2 4 2　　6-10：3 1 2 4 1　　　**問題2**　11-15：3 3 4 3 1

問題3　16-20：3 1 4 3 1

答案

第15単元　配套练习　精解

1 选项1「もってのほかだ」意为"毫无道理、岂有此理"。选项2「もっともだ」意为"理所当然"。选项3「そのものだ」意为"简直……"。选项4「しかるべきだ」意为"理所当然"，意思和选项2相同，但「しかるべきだ」前面通常接「動詞て形」。

　　译文：她完全没有反省。他生气也是理所当然的。

2 选项1「こととて」意为"因为"。选项2「なりに」意为"与……相应的"。选项3「ならでは」意为"只有……才……"。选项4「や否や」意为"刚一……就……"。

译文：小野刚一下电车，就跑进了站务员室。到底是怎么了呢？

3 选项1「とて」意为"即使"。选项2「やら」意为"什么"。选项3「とやら」意为"叫什么、听说……"。选项4「なり」意为"刚——……就……"。

译文：最后见到那个朋友是在什么时候，记不住了。

4 选项1「というもの」意为"……这种东西"。选项2「ときたら」意为"提起……"。选项3「だに」意为"至少、甚至、即使"。选项4「がゆえに」意为"因为……"。

译文：因为日本是四面环海的岛国，所以从很久以前渔业就很兴盛。

5 选项1「言いそびれる」意为"错过说的机会"。选项2「言いようがない」意为"无法说"。选项3「言ってみせる」意为"说给……看看"。选项4「言うかいがない」意为"没有说的意义"。

译文：实验失败了。真的只能说很遗憾了。

6 选项1「おもいだ」意为"思考、感觉、感受"。选项2「かぎりだ」意为"极限、只限于……"。选项3「ものだ」意为"本来就是……、真是……"。选项4「だけましだ」意为"幸好"。

译文：还真是好意思说出口。

7 选项1「むしろ」意为"与其……不如……"。选项2「あながち」后面与否定形式连用，意为"不一定……"。选项3「ただ」意为"仅仅、免费、普通"。选项4「なんという」意为"叫什么、多么……"。

译文：我觉得与其去街上，不如在宿舍看小说比较好。

8 选项1「分かりようもない」意为"无法明白"。选项2「分からない」意为"不明白"。选项3「分かることはない」意为"用不着明白"。选项4「分からずにはおかない」意为"必然明白"。

译文：不管怎样被说，不懂的还是不懂。

9 选项1「それまでだ」意为"……就完了"。选项2「きりがない」意为"没完没了"。选项3「すべがない」意为"无法"。选项4「ほかにない」意为"没有其他"。

译文：现在最想要的除了时间以外没有其他。

10 选项1「ようでいて」意为"看上去好像……但实际上……"。选项2「だけは」意为"能……都……、起码得……"。选项3「とおもいきや」意为"本以为……"。选项4「でもしたら」意为"如果……就……"。

译文：她平时看起来好像很安静，但实际上紧要关头还是一个很有判断力的女人。

問題 2

11 全文：これから頑張って勉強するぞと思ったやさきに、病気になってしまった。

译文：正想着今后要努力学习的时候就生病了。

12 全文：この調子だったら、あまり望ましい結果は期待できないものと思われる。

译文：一般认为，这种状态的话，很难期待有好的结果出现。

13 全文：それでも姉の葬儀のために不自由な体をおして出かけていったのだ。

译文：即使如此，还是不顾身体残疾而出门去参加了姐姐的葬礼。

14 全文：部長も責任の取りようによっては、生き残れる可能性がある。

译文：要看怎么追究责任了，部长也有幸存下来的可能性。

15 全文：先輩のアドバイスを聞いていればよかったものを、聞かないからこんな結果になってしまった。

译文：如果听从前辈的建议就好了，因为没有听，所以才出现了这样的结果。

問題 3

16 本题的关键句是「バブル期と呼ばれた時代、土地の値段は限りなく上がっていった。普通のサラリーマンが、東京の都心に住むなどということはほとんど〜ことだった」（被称为泡沫期的那个时代，土地的价格不断上涨。普通的工薪族几乎……住到东京的市中心）。由此可以判断，正确的应该是选项3「考えられない」（不能想象）。选项1「考えるにあたらない」意为"不值得考虑"。选项2「考えるはずがない」意为"不可能考虑"。选项4「考えたくない」意为"不想考虑"。

17 本题通过排除法可以判断，正确的应该是选项1「覚えてくださった」（记住我们）。选项2「覚えてやった」意为"为对方记住"。选项3「覚えておいた」意为"事先记着"。选项4「覚えていただいた」意为"承蒙记住"。

18 本题通过排除法可以判断，正确的应该是选项4「に伴って」（伴随……）。选项1「に照らして」意为"对照……、参照……"。选项2「にもまして」意为"比……更……"。选项3「に至って」意为"到了……才……"。

19 本题的关键句是「ニュータウンに移り住む人もいなくなった。〜、住人の2代目は新しい家庭を持って、次々とニュータウンから出て行ったのである」（没有人移居到新城了。……居民的第2代也建立了新家，一个接一个地离开了新城）。由此可以判断，正确的应该是选项3「それどころか」（不仅如此）。选项1「そのうえ」意为"而且"。选项2「それゆえ」意为"因此"。选项4「そのため」意为"因此"。

20 本题的关键句是「廃校が決まった時、有志の呼びかけで、たった20年足らずの歴史を閉じようとしている母校に、卒業生や、かつての先生方が集まり、校歌を合唱した」（决定停办学校的时候，响应有关人士的呼吁，在要结束仅仅不足20年历史的母校里，毕业生以及之前的老师们聚集在一起，合唱了校歌）。由此可以判断，正确的应该是选项1「歌われることはない」（用不着被唱）。选项2「歌われるほどでもない」意为"并没有到被唱的程度"。选项3「歌われるべきではない」意为"不应该被唱"。选项4「歌われるまではない」意为"没必要被唱"。

译文：

　　被称为泡沫期的那个时代，土地的价格不断上涨。普通的工薪族几乎无法想象住到东京的市中心。因此，从市中心搬家过来的人们开始居住在距离市中心较远的郊外，城镇被建立了起来。那个城镇被称为新城。我也是新城的居民之一。

　　为了新的居民，建立了小规模的中学。老师们能记住全体学生的长相和名字。校歌是校长作词、音乐老师作曲的原创作品。名字是"薰"的男老师，在歌词中不动声色地加入了自己的名字。这是一首大家亲手制作的充满温暖的校歌。

　　随着泡沫期的深入，郊外的地皮在扩大，建立了很多公共住宅，新城里满是孩子们。中学的学生数量也在持续增加，已经变得和我上学时的中学不同了。

　　但是，时光飞逝，泡沫时期结束，土地价格也开始下降。没有人移居到新城了。不仅如此，居民的第二代也建立了新家，一个接一个地离开了新城。中学的学生数量也在减少，最终在6年前学校荒废了。

　　决定停办学校的时候，响应有关人士的呼吁，在要结束仅仅不足20年历史的母校里，毕业生以及之前的老师们聚集在一起，合唱了校歌。

　　3月份是毕业的季节，到处都在唱着校歌。虽然我已经用不着唱母校的校歌了，但那日的大合唱依旧在我的耳边回响。

第16单元　配套练习

問題1　次の文の（　　　）に入れるのに最もよいものを、1・2・3・4から一つ選びなさい。

1 大変残念ではありますが、今回（　　　）、本会は解散することといたしました。

　　1　もあいまって　　　　2　をかぎりに　　　　3　ゆえに　　　　4　はさておき

2 日本の服飾専門店ユニクロはロンドン店（　　　）、ヨーロッパ進出を開始した。

　　1　までして　　　　2　によらず　　　　3　はいざしらず　　　　4　をかわきりに

3 創業40周年（　　　）、会社の名前を変更することにした。

　　1　にかこつけて　　　　2　をきに　　　　3　にてらして　　　　4　とはいえ

4 妹の結婚式を間近に（　　　）、我が家は、なんとなく落ち着かない雰囲気だ。

　　1　備えて　　　　2　揃えて　　　　3　控えて　　　　4　適えて

5 これまでの実績や経験（　　　）、代表選手を選んだ。

　　1　たりとも　　　　2　とあって　　　　3　をふまえて　　　　4　ならでは

6 その韓国の歌手が、4年間の下積み（　　　）日本デビューを果たした。

　　1　に至って　　　　2　を経て　　　　3　ですら　　　　4　とばかりに

7 本校は本年度（　　　）、学生募集を打ち切る。

　　1　というもの　　　　2　ながらに　　　　3　ともなしに　　　　4　をもって

8 父は会社の倒産によって、転職（　　　）。

　　1　を余儀なくされた　　2　しないですむ　　　　3　するすべがない　　　　4　するきりがない

9 市民の反対（　　　）、議員たちは視察旅行に出発していった。

　　1　をよそに　　　　2　でもしたら　　　　3　とあれば　　　　4　にして

10 あいつは、企業のトップに（　　　）、裏から手を回していろいろと工作をしている汚いやつだ。

　　1　なるくらいなら　　　　　　　　　2　なってからというもの

　　3　なるとも　　　　　　　　　　　　4　ならんがため

問題2　次の文の＿★＿に入る最もよいものを、1・2・3・4から一つ選びなさい。

11 最後の部分は、＿＿＿　＿★＿　＿＿＿　＿＿＿を巧みに描いている。

　　1　を前に　　　　2　人間の弱さ　　　　3　自然の脅威　　　　4　した

12 彼は＿＿＿　＿＿＿　＿＿＿　＿★＿、ここまでの地位になった。

　　1　苦労　　　　2　ものともせず　　　　3　あれだけの　　　　4　を

13 ＿＿＿　＿★＿、＿＿＿　＿＿＿人々を心から讃える。

　　1　を顧みず　　　　2　を救った　　　　3　多くの命　　　　4　わが身

14 結婚したら退職しろという会社の女性差別＿＿＿＿、＿＿＿＿　＿★＿　＿＿＿＿。

　　1　を禁じえない　　　　2　には　　　　3　怒り　　　　4　今でも

15 台風の中、人々は＿＿＿　＿★＿　＿＿＿　＿＿＿歩いていた。

　　1　になって　　　　2　強風に　　　　3　んばかり　　　　4　飛ばされ

問題3 次の文章を読んで、⑯から⑳の中に入る最もよいものを、1・2・3・4から一つ選びなさい。

　自分の仕事をどのようにして決めるか。現代のように選択肢が多いと、迷っている時間が思いのほか長い。その「迷い時間」を本当に惜しいと思いますね。仕事に正面から向き合わずにいると、奥へ踏み込んでいくことができない。中にある面白い領域に⑯。

　慎重になったり不安になったりするのは後回しにして、⑰目の前のチャンスに一歩足跡をつけようと言いたいですね。今いろいろ考えるのではなくて、走り出せ。良し悪しは後から⑱。

　ジョッキーである私には、競馬にかかわる多くの人からアンカーとしての大きな期待が寄せられる。馬券を購入してくださるファンの期待も大きいことはよく承知しています。でも、そのひとつひとつを⑲。私はこの体を使って、馬とひとつになって走ることだけを考えるのです。私のベストを引き出せるのは、私しかいないから。

　生意気だと⑳が、誰にどんな言葉を贈られても、どのようなプレッシャーをかけられても、私を100%知っているのは私しかいない。それは、動いてきたからわかる。やってきた仕事は自分のもの、苦しんだ経験も自分だけのもの。動いていけばそういう財産が蓄えられていくのです。

⑯　1　届かない　　　　2　届けるべきではない　　　3　届くことはありえない　　　4　届けない

⑰　1　はるかに　　　　2　かろうじて　　　　　　　3　とにかく　　　　　　　　　4　いまさら

⑱　1　嫌だったら考えたくない　　　　　　　　　　2　嫌だったら考えられない

　　3　嫌でも考えている　　　　　　　　　　　　　4　嫌でも考えられる

⑲　1　数えるにあたらない　　　　　　　　　　　　2　数えても仕方がない

　　3　数えるきりがない　　　　　　　　　　　　　4　数えてしかるべきだ

⑳　1　言われるかもしれません　　　　　　　　　　2　言ってはやりきれません

　　3　言ってやみません　　　　　　　　　　　　　4　言われることはありません

問題1　1-5：2 4 2 3 3　　　6-10：2 4 1 1 4　　　**問題2**　11-15：1 2 1 3 4

問題3　16-20：1 3 4 2 1　　　　　　　　　　　　　　　　　　　　　　　**答案**

第16単元　配套练习　精解

1 选项1「もあいまって」意为"与……相结合"。选项2「をかぎりに」意为"以……为界限、仅限于……、……为止"。选项3「ゆえに」意为"因为"。选项4「はさておき」意为"……暂且不提"。

　　译文：虽然非常遗憾，但本会在此次会议之后就要解散了。

2 选项1「までして」意为"甚至于……"。选项2「によらず」意为"不论……"。选项3「はいざしらず」意为"……姑且不论"。选项4「をかわきりに」意为"以……为开端"。

　　译文：日本的服装专卖店优衣库，以伦敦店为开端，开始打入欧洲市场。

3 选项1「にかこつけて」意为"以……为借口"。选项2「をきに」意为"以……为契机"。选项3「にてらして」意为"对照……、参照……"。选项4「とはいえ」意为"虽说……"。

译文：以创业40周年为契机，决定变更公司的名字。

④ 选项1「備えて」意为"准备"。选项2「揃えて」意为"备齐"。选项3「控えて」意为"临近"。选项4「適えて」意为"实现"。

译文：妹妹的结婚典礼迫近，总觉得我们家的气氛很不安定。

⑤ 选项1「たりとも」后面与否定形式连用，意为"即使……也不……"。选项2「とあって」意为"因为"。选项3「をふまえて」意为"依据……、在……基础上"。选项4「ならでは」意为"只有……才……"。

译文：依据迄今为止的实际业绩和经验，选出了代表选手。

⑥ 选项1「に至って」意为"到了……才……"。选项2「を経て」意为"经过……"。选项3「ですら」意为"甚至"。选项4「とばかりに」意为"以为……是……、几乎就要说……"。

译文：那个韩国歌手经历了4年的雪藏，终于实现了在日本的初次登台。

⑦ 选项1「というもの」意为"……这种东西"。选项2「ながらに」意为"虽然……但是……"。选项3「ともなしに」意为"无意中……，却……"。选项4「をもって」意为"以此……"。

译文：本校到今年年末为止，停止招收学生。

⑧ 选项1「を余儀なくされた」意为"迫不得已……"。选项2「しないですむ」意为"没有……就解决了"。选项3「するすべがない」意为"无法做……"。选项4「するきりがない」意为"没完没了做……"。

译文：父亲因为公司破产，所以不得不转行。

⑨ 选项1「をよそに」意为"不顾……"。选项2「でもしたら」意为"如果……就……"。选项3「とあれば」意为"如果……"。选项4「にして」意为"到了……才……"。

译文：不顾市民的反对，议员们启程去考察旅行了。

⑩ 选项1「なるくらいなら」意为"与其成为……不如……"。选项2「なってからというもの」意为"自从成为……之后"。选项3「なるとも」意为"即使成为"。选项4「ならんがため」意为"为了成为"。

译文：那人是一个为了成为企业高层，而在背地里使了很多手段的肮脏家伙。

問題 2

⑪ 全文：最後の部分は、自然の脅威を前にした人間の弱さを巧みに描いている。

译文：最后的部分，巧妙地描写了面对自然的威胁时人类的软弱。

⑫ 全文：彼はあれだけの苦労をものともせず、ここまでの地位になった。

译文：他受了很多苦，却毫不畏惧，才有了今天的地位。

⑬ 全文：わが身を顧みず、多くの命を救った人々を心から讃える。

译文：衷心赞扬那些不顾自身安危而挽救了很多性命的人们。

⑭ 全文：結婚したら退職しろという会社の女性差別には、今でも怒りを禁じえない。

译文：结婚的话就要离职，对于公司的这种女性歧视，我至今还不禁很愤怒。

⑮ 全文：台風の中、人々は強風に飛ばされんばかりになって歩いていた。

译文：在台风中，人们感觉就要被强风吹走了似的艰难地行走着。

问题3

16 本题的关键句是「仕事に正面から向き合わずにいると、奥へ踏み込んでいくことができない」（不从正面面对工作的话，就不能踏入其内部）。由此可以判断，正确的应该是选项1「届かない」（到达不了）。选项2「届けるべきではない」意为"不该送交"。选项3「届くことはありえない」意为"不可能送到"。选项4「届けない」意为"不送交"。

17 本题通过排除法可以判断，正确的应该是选项3「とにかく」（总之）。选项1「はるかに」意为"遥远、远远地……"。选项2「かろうじて」意为"好不容易才……"。选项4「いまさら」意为"事到如今"。

18 本题通过排除法可以判断，正确的应该是选项4「嫌でも考えられる」（即使讨厌也可以考虑）。选项1「嫌だったら考えたくない」意为"如果讨厌的话不想考虑"。选项2「嫌だったら考えられない」意为"如果讨厌的话不能被考虑"。选项3「嫌でも考えている」意为"即使讨厌也会在思考"。

19 本题通过排除法可以判断，正确的应该是选项2「数えても仕方がない」（即使数也只能如此）。选项1「数えるにあたらない」意为"用不着数"。选项3「数えるきりがない」意为"数起来没完没了"。选项4「数えてしかるべきだ」意为"数是理所当然的"。

20 本题通过排除法可以判断，正确的应该是选项1「言われるかもしれません」（或许被说）。选项2「言ってはやりきれません」意为"忍受不了说"。选项3「言ってやみません」中的句型「～てやまない」意为"……不已"。选项4「言われることはありません」意为"没必要被说"。

译文：

如何决定自己的工作呢？像现代这样有很多选择机会的话，迷茫的时间也会出乎意料的长。我觉得那个"迷茫的时间"真的是很可惜啊。不从正面面对工作的话，就不能踏入其内部，也就不能到达其内在的有趣的地方。

我想说的是，变得谨慎或者不安什么的推迟到以后再说，总之，要先向眼前的机会迈出一步，留下自己的足迹。现在不是要多多考虑，而是要跑起来。即使讨厌，也要在之后再考虑好坏。

作为职业骑师的我，被很多和赛马相关的人当成精神支柱，给予了很大的期待。我深知许多支持者购买赛马彩票支持我。但是，即使历数那些也无可奈何。我只是思考如何使用这个身体，与马合为一体地奔跑。因为，能够让我全力发挥的只有我自己。

或许会被说是比较傲慢，但无论被任何人说了什么，被给予了怎样的压力，百分之百了解我的就只有我自己。那是因为我一直以来都是这样行动的，所以知道。工作是自己的事，痛苦的经历也仅仅属于自己。如果一直行动下去的话，就能够积累这样的财富。

综合模拟题1

問題1　次の文の（　　）に入れるのに最もよいものを、1・2・3・4から一つ選びなさい。

① 練習の（　　）、簡単に失敗しました。

　1　かいもなく　　　　2　かいあって　　　　3　だけあって　　　　4　までもなく

② 雨のため運動会が中止になって、残念な（　　）。

　1　ほどだ　　　　　　2　かぎりだ　　　　　3　しまつだ　　　　　4　当然だ

③ オーナー社長である彼はいったん言い出した（　　）、自分の意見を変えようとしない。

　1　ごとく　　　　　　2　くらいなら　　　　3　とはいえ　　　　　4　が最後

④ あの人は公務員として働く（　　）、夜はライブハウスで歌を歌っている。

　1　かたわら　　　　　2　こととて　　　　　3　すら　　　　　　　4　だに

⑤ 家事をするのが女性でなければいけない（　　）、そんなことはない。

　1　ともなく　　　　　2　かというと　　　　3　ならでは　　　　　4　にかこつけて

⑥ 小野さんはお酒を飲むようになってから（　　）、すっかり人が変わってしまった。

　1　とあって　　　　　2　というもの　　　　3　というふうに　　　4　といえども

⑦ 寒い地方では塩分をとりすぎる（　　）。

　1　きらいがある　　　2　きりがない　　　　3　だけましだ　　　　4　ままになる

⑧ 無抵抗の動物に危害を加えるとは卑劣（　　）行為だ。

　1　あっての　　　　　2　だけの　　　　　　3　極まる　　　　　　4　との

⑨ 血管が集中している箇所だったので、手術がいかに難しかった（　　）。

　1　そのものだ　　　　2　いかんだ　　　　　3　ものか　　　　　　4　ことか

⑩ 正月の（　　）、初詣には着物を着て出かけようと思う。

　1　ゆえに　　　　　　2　ようでは　　　　　3　ことだし　　　　　4　ままに

問題2　次の文の　★　に入る最もよいものを、1・2・3・4から一つ選びなさい。

⑪ 風邪気味なのだから、パーティーに＿＿＿　＿＿＿　＿★＿　＿＿＿よ。

　1　と思う　　　　　　2　無理に　　　　　　3　ことはない　　　　4　行く

⑫ 「犯人が＿★＿　＿＿＿　＿＿＿　＿＿＿ことが悔しい」と、被害者の父親は涙ながらに時効の廃止を訴えた。

　1　しまった　　　　　2　のまま　　　　　　3　時効を迎えて　　　4　分からずじまい

⑬ お腹を空かせて帰ってきた子供たちが、＿＿＿　＿★＿　＿＿＿　＿＿＿。

　1　しまう　　　　　　2　そばから　　　　　3　食べて　　　　　　4　料理を作る

⑭ 実験を成功させるには＿＿＿　＿＿＿　＿＿＿　＿★＿です。

　1　ある　　　　　　　2　忍耐　　　　　　　3　のみ　　　　　　　4　ただ

15 あなた＿＿＿＿＿ ＿＿＿＿ ＿★＿ ＿＿＿＿、計画を白紙には戻せないでしょう。

　1　反対した　　　　　　2　いくら　　　　　　3　ところで　　　　4　一人が

> **問題3**　次の文章を読んで、16 から 20 の中に入る最もよいものを、1・2・3・4 から一つ選びなさい。

　通常「サービス」は日本語では「奉仕」と訳されている。16、奉仕という言葉から受けるニュアンスは、ボランティア的で無料に繋がりやすい。「サービス業」はサービスを売るのが商売だから、この商品が無料では困る。サービス業におけるサービスは 17。

　第一に、サービスはすべて販売促進施策である、と割り切るべきである。

　私たちがお客様を神様として大切にするのは、もう一度来店してもらうにはどのようなサービスをすべきかが全ての基本である。一見打算的に見えるが、お客が気分よく過ごす事ができれば何度でも 18。私たちの商売のコツは如何に一人でも多くの常連客を持つことが出来るかに尽きる。

　第二は、客はこうしてあげれば満足するはずだと、一方的に決め付けないことである。

　客は何を望んでいるか、店の者にどうして貰いたいかをはっきり 19。客は十人十色、一人ずつ考え方が違う。ゆっくり落ち着きたい人、少し陽気に騒ぎたい人、従業員に話しかけたい人などいろいろいる。また、自分はどうでもいいから 20 を大切にしてもらいたい場合、この店は自分のフランチャイズだと自負して、特別大事にされているところを見せたい人もいる。

16　1　はたして　　　　　　2　しかし　　　　　3　なぜなら　　　　　4　だからといって
17　1　どのように考えるべきか　　　　　　　2　このように考えていないのだろう
　　3　どのように考えていたはずか　　　　　4　このように考えていたわけだろう
18　1　足を伸ばしてくれた　　　　　　　　　2　足を使ってくれた
　　3　足を出してくれた　　　　　　　　　　4　足を運んでくれる
19　1　掴んでいなければならない　　　　　　2　掴んでいるにちがいない
　　3　掴んでいなくてもいい　　　　　　　　4　掴んでいないものだ
20　1　従業員　　　　　　2　お客様　　　　　3　同伴者　　　　　4　常連客

問題1　1-5：1 2 4 1 2　　　6-10：2 1 3 4 3　　　**問題2**　11-15：3 4 2 3 1

問題3　16-20：2 1 4 1 3

答案

综合模拟题 1　精解

1 选项1「かいもなく」意为"没有效果、没有回报"。选项2「かいあって」意为"有效果、有回报"。选项3「だけあって」意为"到底不愧是……"。选项4「までもなく」意为"没必要"。

　译文：练习没有效果，很容易就失败了。

2 选项1「ほどだ」意为"甚至到……程度"。选项2「かぎりだ」意为"仅限于……、最高、顶点、极限"。选项3「しまつだ」意为"（结果）竟然……"。选项4「当然だ」意为"……是当然的"。

　译文：因为下雨，运动会中止了，非常遗憾。

③ 选项1「ごとく」意为"如……一样"。选项2「くらいなら」意为"与其……不如……"。选项3「とはいえ」意为"虽说……"。选项4「が最後」意为"（既然……）就必须……、（一……）就非得……"。

译文： 作为公司所有者的社长，他一旦说出口之后，就不想改变自己的意见。

④ 选项1「かたわら」意为"一边……一边……"。选项2「こととて」意为"因为"。选项3「すら」意为"甚至"。选项4「だに」意为"至少、哪怕、甚至"。

译文： 那个人在作为公务员工作的同时，晚上还在音乐厅里唱歌。

⑤ 选项1「ともなく」意为"无意地……"。选项2「かというと」意为"要说……、至于是否……、是不是（就）……"。选项3「ならでは」意为"只有……才……"。选项4「にかこつけて」意为"以……为借口"。

译文： 是不是说做家务的就必须是女性，其实并没有那回事儿。

⑥ 选项1「とあって」意为"因为"。选项2「というもの」意为"……这种东西"，「〜てからというもの」意为"自从……以后"。选项3「というふうに」意为"像……样的"。选项4「といえども」意为"虽说……"。

译文： 小野自从喝酒以后，就完全变了一个人。

⑦ 选项1「きらいがある」意为"有……倾向"。选项2「きりがない」意为"没完没了"。选项3「だけましだ」意为"幸好"。选项4「ままになる」意为"搁置、任凭"。

译文： 在寒冷的地方，有过度摄取盐分的倾向。

⑧ 选项1「あっての」意为"有……才……"。选项2「だけの」意为"能够……的……"。选项3「極まる」意为"穷尽、极其"。选项4「との」意为"……的……"。

译文： 加害毫无抵抗能力的动物，真是卑劣至极的行为。

⑨ 选项1「そのものだ」意为"简直……"。选项2「いかんだ」意为"要看……如何、根据……"。选项3「ものか」意为"哪能……"。选项4「ことか」意为"多么……啊"。

译文： 因为是血管集中的地方，所以手术是多么困难啊。

⑩ 选项1「ゆえに」意为"因为"。选项2「ようでは」意为"取决于……；如果……的话，那就……"。选项3「ことだし」意为"因为"。选项4「ままに」意为"随意、任凭"。

译文： 因为是正月，所以我想穿着和服去初次参拜。

問題 2

⑪ **全文：** 風邪気味なのだから、パーティーに無理に行くことはないと思うよ。

译文： 因为有点感冒了，所以我觉得没必要勉强去参加聚会。

⑫ **全文：** 「犯人が分からずじまいのまま時効を迎えてしまったことが悔しい」と、被害者の父親は涙ながらに時効の廃止を訴えた。

译文： 受害者的父亲含泪呼吁废除时效制度，他说："在还不知道犯人是谁的时候迎来了时效期间界满，非常不甘心。"

⑬ **全文：** お腹を空かせて帰ってきた子供たちが、料理を作るそばから食べてしまう。

译文： 孩子们空着肚子回家，我刚做完饭他们就吃光了。

⑭ **全文：** 実験を成功させるにはただ忍耐あるのみです。

译文： 要使实验成功，仅仅需要忍耐。

⑮ **全文：** あなた一人がいくら反対したところで、計画を白紙には戻せないでしょう。

译文：你一个人不管如何反对，也不能使计划作废吧。

问题3

16 本题的关键句是「通常『サービス』は日本語では『奉仕』と訳されている。〜、奉仕という言葉から受けるニュアンスは、ボランティア的で無料に繋がりやすい」（通常把"服务"翻译成日语的"奉献"。……奉献这个词有一种微妙的感觉是志愿者性质的，容易和无偿联系在一起）。由此可以判断，正确的应该是选项2「しかし」（但是）。选项1「はたして」意为"果然"。选项3「なぜなら」意为"因为、原因是……"。选项4「だからといって」意为"（但不能）因此而……"。

17 本题通过排除法可以判断，正确的应该是选项1「どのように考えるべきか」（应该如何考虑呢）。选项2「このように考えていないのだろう」意为"没有这样考虑吧"。选项3「どのように考えていたはずか」意为"曾经是如何考虑的呢"。选项4「このように考えていたわけだろう」意为"就是这样考虑的吧"。

18 本题通过排除法可以判断，正确的应该是选项4「足を運んでくれる」（光临）。选项1「足を伸ばしてくれた」意为"伸开腿（呈轻松姿势休息）、到更远的地方去"。选项2「足を使ってくれた」意为"使用脚"。选项3「足を出してくれた」意为"出现了亏空"。

19 本题的关键句是「第二は、客はこうしてあげれば満足するはずだと、一方的に決め付けないことである。客は何を望んでいるか、店の者にどうして貰いたいかをはっきり〜」（第二，就是不要单方面地断定，如果这样对待客人的话就应该会让对方满意的。……弄清楚客人期望的是什么，以及希望店员如何做）。由此可以判断，正确的应该是选项1「摑んでいなければならない」（必须抓住）。选项2「摑んでいるにちがいない」意为"一定抓住了"。选项3「摑んでいなくてもいい」意为"没抓住也可以"。选项4「摑んでいないものだ」意为"没有抓住"。

20 本题的关键句是「この店は自分のフランチャイズだと自負して、特別大事にされているところを見せたい人もいる」（也有人自负地认为，自己在这家店中拥有特权，希望让人看到自己被特殊照顾）。由此可以判断，正确的应该是选项3「同伴者」（同行的人）。选项1「従業員」意为"从业人员、职工"。选项2「お客様」意为"客人"。选项4「常連客」意为"常客"。

译文：

通常把"服务"翻译成日语的"奉献"。但是，奉献这个词有一种微妙的感觉是志愿者性质的，容易和无偿联系在一起。"服务业"是以销售服务作为买卖的，所以如果这个商品是免费的话就会很为难。应该如何考虑服务业中的服务呢？

第一，应该明确，服务全都是促进销售的措施。

我们把客人作为神来重视，为了让其再次光临，应提供怎样的服务，这是一切的基础。虽然乍一看有些算计，但是如果客人能开心地度过这段时间的话，就会多次光临。我们做生意的要领就是如何让更多的人成为常客。

第二，就是不要单方面地断定，如果这样对待客人的话就应该会让对方满意的。

必须清楚地抓住客人期望的是什么，以及希望店员如何做。客人各不相同，每个人的想法都不一样。想舒适地享受安静的人，想稍微热闹一点的人，想和营业员主动聊天的人等等，有各式各样的人存在。此外，也有人认为自己怎么样都行，但想让店员重视一下同伴，这种情况下其实是自负地认为，自己在这家店中拥有特权，希望让同伴看到自己是被特殊照顾的。

综合模拟题 2

问题 1　次の文の（　　　）に入れるのに最もよいものを、1・2・3・4から一つ選びなさい。

1 締め切りを過ぎてもよければ、完成できない（　　　）。

　　1　ほどでもない　　　　　2　ものでもない　　　　3　はしない　　　　　4　というものだ

2 この1週間の忙しさ（　　　）よ。テレビを見る暇もなかったんだから。

　　1　としたところだ　　　2　そのものだ　　　　　3　それまでだ　　　　4　といったらなかった

3 言われる（　　　）ことを言われると、気分を害してしまうものだ。

　　1　かいがない　　　　　2　きりがない　　　　　3　までもない　　　　4　なくはない

4 悲しい恋愛物語の映画を見て、涙を（　　　）。

　　1　禁じえなかった　　　　　　　　　　　　　2　禁じないとも限らない

　　3　禁じないものでもない　　　　　　　　　　4　禁じるとまではいわない

5 今年のリンゴの味は、まあまあ（　　　）。

　　1　てのことだ　　　　　2　といったところだ　　3　には無理がない　　4　にもほどがある

6 どんなに反対（　　　）、私の決意は変わりません。

　　1　されてまえ　　　　　2　されようと　　　　　3　されるなり　　　　4　されんがため

7 こんなにおいしい料理を独り占めできるなんて、ぜいたくの（　　　）。

　　1　ことだ　　　　　　　2　極みだ　　　　　　　3　そのものだ　　　　4　始末だ

8 孫が生まれたと聞いて彼がどれだけ喜んだかは、想像（　　　）。

　　1　といったらない　　　2　ないではすまない　　3　にかたくない　　　4　にあたらない

9 どんなにきれいな花でも、枯れてしまえば（　　　）。

　　1　もっともだ　　　　　2　のみだ　　　　　　　3　それまでだ　　　　4　しかるべきだ

10 生活保護がもらえなくなったら、ホームレスになる（　　　）。

　　1　のみだ　　　　　　　2　ほどだ　　　　　　　3　ばかりだ　　　　　4　までだ

問題 2　次の文の＿★＿に入る最もよいものを、1・2・3・4から一つ選びなさい。

11 このドキュメンタリー映画は世界中の視聴者を＿＿＿＿　＿＿＿＿　★　＿＿＿＿。

　　1　おかない　　　　　　2　感動させず　　　　　3　はずだ　　　　　　4　には

12 ファンの皆さんには＿＿＿＿　＿＿＿＿、＿＿＿＿　★　。

　　1　にたえません　　　　2　暖かい声援を　　　　3　感謝　　　　　　　4　送っていただき

13 みんなの表情は、＿＿＿＿　＿＿＿＿　＿＿＿＿　★　だった。

　　1　と言わんばかり　　　2　試合に負けた　　　　3　私のせいだ　　　　4　のは

14 彼の作った料理は、＿＿＿＿　＿★＿　＿＿＿＿　＿＿＿＿美的感覚を刺激するものだった。

　　1　ほど　　　　　　　　2　でなくてなんだろう　3　と言われる　　　　4　芸術

15 弱者を助けるために弁護士になろうと励む＿＿　★　＿＿＿＿　＿＿＿＿　＿＿＿＿。

　　1　やまない　　　　　　　2　彼女の成功　　　　　3　願って　　　　　　　4　を

問題3　次の文章を読んで、16から20の中に入る最もよいものを、1・2・3・4から一つ選びなさい。

　秘密というのは、誰にも言えないから秘密なわけで、16、一人で問題を抱え込んでいる状態です。そして、秘密を持つということは、一概に17。それがバネによって、自分を成長させることも出来ます。

　秘密を、自分だけで抱え込んで、成長していくか、あるいは誰かに相談して、その人とともに、秘密を成長のバネにしていくか、ということになると、自分だけでやっていけるんだったら、人に言わないほうが得ですね。基本的には自分ひとりで持ち続けることができれば、と思います。

　秘密を上手に持ち続けていると、秘密から出てきたエキスみたいなものは、18に分けてあげられるんですよね。悩んでいる友人や子供に対する時なども、「うん、その気持ち、分かるよ」と言うだけで、こちらがしっかり受け止めているのだというのが、相手に伝わる。

　「私にも、そういうことがあってね」などと、わざわざ自分の秘密を19、ふところの深さみたいなものが伝わるものです。

　また、言わねばならない「とき」というものもあると思います。それを言いそびれると、妄想が20。妄想があらわれるところまでいかなくても、それに近い、似たような状態は、誰でもしばしば経験することがあります。そしてそれは、その人の魂からの合図である場合が多い。

16　1　それゆえ　　　　　　2　いわば　　　　　　　3　とはいえ　　　　　4　にもかかわらず
17　1　悪いとは思わなかった　　　　　　　　　　　　2　悪いわけにはいかない
　　3　悪くなりえない　　　　　　　　　　　　　　　4　悪いわけではない
18　1　他人　　　　　　　　　2　自分　　　　　　　　3　現実　　　　　　　4　理想
19　1　話してみせると　　　　2　話さなくても　　　　3　話すわけですが　　4　話すべきですが
20　1　生まれるにちがいない　　　　　　　　　　　　2　生まれなくてはいけない
　　3　生まれたことがある　　　　　　　　　　　　　4　生まれたりもする

| 問題1 | 1-5：24312 | 6-10：22334 | 問題2 | 11-15：11122 | 答案 |
| 問題3 | 16-20：24124 | | | | |

综合模拟题2　精解

1 选项1「ほどでもない」意为"并非达到……程度"。选项2「ものでもない」意为"也并不那么……、也并非……"。选项3「はしない」意为"不……"。选项4「というものだ」意为"也就是……"。

　译文：如果过了期限也可以的话，也并非完成不了。

2 选项1「としたところだ」作为句型不存在。选项2「そのものだ」意为"简直……"。选项3「それまでだ」意为"……就完了"。选项4「といったらなかった」意为"极其……、难以形容"。

　译文：这一周非常忙，因为连看电视的时间都没有。

③ 选项1「かいがない」意为"没有效果"。选项2「きりがない」意为"没完没了"。选项3「までもない」意为"没有必要"。选项4「なくはない」意为"并非不……"。

译文：被人说了没必要说的事，搞坏了心情。

④ 选项1「禁じえなかった」意为"禁不住"。选项2「禁じないとも限らない」意为"不一定不禁止"。选项3「禁じないものでもない」意为"也并非不禁止"。选项4「禁じるとまではいわない」意为"不至于说禁止"。

译文：看了悲伤的爱情电影，不禁落泪。

⑤ 选项1「てのことだ」意为"是因为……才……"。选项2「といったところだ」意为"也就是……那个程度"。选项3「には無理がない」意为"……合情合理"。选项4「にもほどがある」意为"……也要有个分寸"。

译文：今年的苹果味道也就是勉勉强强。

⑥ 选项1「されたてまえ」中的「てまえ」意为"当着……的面"。选项2「されようと」中的「ようと」意为"即使……也……、不管……都……"。选项3「されるなり」中的「なり」意为"一……就……"。选项4「されんがため」中的「んがため」意为"为了……"。

译文：不管如何被反对，我的决心都不会改变。

⑦ 选项1「ことだ」意为"就得……"，或者表示各种感情。选项2「極みだ」意为"极限、顶点、……至极"。选项3「そのものだ」意为"简直……"。选项4「始末だ」意为"（结果）竟然……"。

译文：能够自己一个人独占这么好吃的饭菜，真是奢侈至极。

⑧ 选项1「といったらない」意为"极其……、难以形容"。选项2「ないではすまない」意为"不……不算完"。选项3「にかたくない」意为"不难……"。选项4「にあたらない」意为"用不着……"。

译文：听说孙子出生了，不难想象他是多么开心啊。

⑨ 选项1「もっともだ」意为"……是理所当然的"。选项2「のみだ」意为"仅仅"。选项3「それまでだ」意为"……就完了"。选项4「しかるべきだ」意为"……是理所当然的"。

译文：不管多么漂亮的花，如果枯萎的话也就完了。

⑩ 选项1「のみだ」意为"仅仅"。选项2「ほどだ」意为"程度"。选项3「ばかりだ」意为"只……、刚……、越发……"。选项4「までだ」意为"大不了……就是了、也就是……"。

译文：如果得不到生活保障了，大不了成为流浪汉就是了。

問題2

⑪ 全文：このドキュメンタリー映画は世界中の視聴者を感動させずにはおかないはずだ。

译文：这个纪录片一定会让全世界的观众感动。

⑫ 全文：ファンの皆さんには暖かい声援を送っていただき、感謝にたえません。

译文：各位支持者给予了我温暖的声援，不胜感激。

⑬ 全文：みんなの表情は、試合に負けたのは私のせいだと言わんばかりだった。

译文：大家的表情几乎就是在说失败全是因为我。

⑭ 全文：彼の作った料理は、芸術でなくてなんだろうと言われるほど美的感覚を刺激するものだった。

译文：他做的饭菜能够刺激人的美感，甚至被称赞为艺术。

15 **全文**：弱者を助けるために弁護士になろうと励む彼女の成功を願ってやまない。

译文：她为了救助弱者而想要成为律师，我衷心祝愿她能成功。

問題3

16 本题的关键句是「秘密というのは、誰にも言えないから秘密なわけで、～、一人で問題を抱え込んでいる状態です」（所谓的秘密，不能向任何人说出来，所以才是秘密，……一个人承担问题的状态）。由此可以判断，正确的应该是选项2「いわば」（所谓……、可以说……）。选项1「それゆえ」意为"因此"。选项3「とはいえ」意为"虽说……"。选项4「にもかかわらず」意为"尽管……还……、虽然……但是……"。

17 本题的关键句是「それがバネによって、自分を成長させることも出来ます」（通过偶然的机会，也能够使自己成长起来）。由此可以判断，正确的应该是选项4「悪いわけではない」（并不坏）。选项1「悪いとは思わなかった」意为"没觉得坏"。选项2「悪いわけにはいかない」中的「～わけにはいかない」前面一般不接「イ形容詞」。选项3「悪くなりえない」意为"不能变坏"。

18 本题的关键句是「悩んでいる友人や子供に対する時なども、『うん、その気持ち、分かるよ』と言うだけで、こちらがしっかり受け止めているのだというのが、相手に伝わる」（在面对正处于苦恼中的朋友或孩子时，仅仅说"嗯，那种心情，我懂啊"，就能向对方传达自己已经很好地理解了）。由此可以判断，正确的应该是选项1「他人」（他人）。选项2「自分」意为"自己"。选项3「現実」意为"现实"。选项4「理想」意为"理想"。

19 本题通过排除法可以判断，正确的应该是选项2「話さなくても」（即使不说）。选项1「話してみせると」意为"试着说的话"。选项3「話すわけですが」意为"当然说、也就是说、因为说"。选项4「話すべきですが」意为"应该说"。

20 本题通过排除法可以判断，正确的应该是选项4「生まれたりもする」（有时也会产生）。选项1「生まれるにちがいない」意为"一定产生"。选项2「生まれなくてはいけない」意为"必须产生"。选项3「生まれたことがある」意为"曾经产生"。

译文：

所谓秘密，不能向任何人说起，所以才称之为秘密，也就是一个人承担问题的状态。而且，拥有秘密并非一概是坏事。通过偶然的机会，也能使自己成长起来。

是自己一个人怀揣着秘密成长呢，还是和谁商量，与那个人一起将秘密变为成长的机遇呢？如果可以自己一个人继续做下去的话，不和别人说会比较有利。我认为，基本上来说，最好可以自己怀揣着秘密。

如果能自己一个人很好地怀揣着秘密的话，就能把从秘密中释放出来的精华一样的东西分给别人。面对着正在烦恼的朋友或孩子时，仅仅说"嗯，那种心情，我懂啊"，就能向对方传达出自己已经很好地理解了。

"我也有过那种事"，即使不像这样特意说出自己的秘密，内心深处的东西也能传达出来。

另外，我认为还有一样必须要说的东西，即"时机"。如果错过了说出秘密的时机，有时也会胡思乱想。即使不会胡思乱想，人们也都屡次体会过那种类似的状态。而且，很多时候，那是从那个人的灵魂里发出的信号。

综合模拟题 3

問題1　次の文の（　　　）に入れるのに最もよいものを、1・2・3・4から一つ選びなさい。

1 うちの妹（　　　）、授業中にファッション雑誌を見ていて先生に怒られたらしい。

　　1　と思いきや　　　　　2　といえども　　　　3　としたって　　　　4　ときたら

2 私の町は観光地なので、休日（　　　）、朝から観光客の車で道路が渋滞する。

　　1　ともなると　　　　　2　とはいえ　　　　　3　ともなく　　　　　4　とやら

3 スピーチするのは初めての経験（　　　）、彼はひどく緊張していた。

　　1　とあいまって　　　　2　というもの　　　　3　とあって　　　　　4　というか

4 国民の生活を最優先すること、それが政治家（　　　）者の使命である。

　　1　なる　　　　　　　　2　きる　　　　　　　3　くる　　　　　　　4　たる

5 姉が金メダルを取れたのも、家族の絆（　　　）と私は思っております。

　　1　あってはかなわない　2　あってのことだ　3　あってはばからない　4　あってのものだ

6 4月ともなると、この辺りは花見（　　　）お寺に参る客でにぎやかになる。

　　1　たりとも　　　　　　2　だけは　　　　　　3　だに　　　　　　　4　がてら

7 いくら成績がよくても、出席状況の（　　　）、卒業できないこともある。

　　1　かぎりでは　　　　　2　いかんでは　　　　3　ならでは　　　　　4　ことなしには

8 国民の支持（　　　）、政権を運営することは不可能だ。

　　1　ながらも　　　　　　2　であれ　　　　　　3　にしたって　　　　4　なくして

9 また、例の（　　　）会議はだらだらと続けられ、結局、何も決まらなかった。

　　1　ゆえに　　　　　　　2　ごとく　　　　　　3　ようでは　　　　　4　なりの

10 彼の言動は政治家として（　　　）で、非難されて当然だ。

　　1　ないではすまないもの　　　　　　　　　2　それまでのこと

　　3　あるまじきもの　　　　　　　　　　　　4　いざしらずのもの

問題2　次の文の＿★＿に入る最もよいものを、1・2・3・4から一つ選びなさい。

11 社長にアメリカ出張を命じられたが、＿＿＿＿　＿★＿　＿＿＿＿　＿＿＿＿出発しなければならない。

　　1　できずに　　　　　2　ゆえに　　　　　　3　たいした準備も　　4　急なこと

12 学生たちは、＿＿＿＿　＿★＿　＿＿＿＿　＿＿＿＿。

　　1　努力を積んでいる　2　かなえんがため　　3　日々　　　　　　　4　夢を

13 ＿＿＿＿　＿＿＿＿　＿＿＿＿　＿★＿調査が行われた。

　　1　を　　　　　　　　2　すべく　　　　　　3　明らかに　　　　　4　インフルエンザの感染経路

14 同僚なんだから、仕事のことは聞いてくれれば＿★＿　＿＿＿＿　＿＿＿＿　＿＿＿＿。

　　1　ものを　　　　　　2　いくら　　　　　　3　協力した　　　　　4　でも

15 息子は＿＿＿＿　＿★＿　＿＿＿＿　＿＿＿＿と言って、ご飯を食べ始めた。

　　1　減った　　　　　　2　やいなや　　　　　3　おなかが　　　　　4　食卓に着く

問題3　次の文章を読んで、16から20の中に入る最もよいものを、1・2・3・4から一つ選びなさい。

　ウェブが普及するようになってから、これまでずっと、「ウェブのコミュニケーションは手軽すぎる」と 16 。

　ウェブでは、パソコンやケータイの画面を通じて相手とコミュニケーションをすることになります。もちろん、相手は目の前にいませんし、電話と違って同じ時間を 17 。メッセージを伝えたいときには、ブログやSNSにアクセスして、何かを書いておく。 18 、相手はいつかは分からないけれども、同じサイトにアクセスしてそれを読む。どちらも、相手にまったく気兼ねすることはありません。

　そのことが、お互いに見ているのはサイトの画面だけで、相手ではないのではないか、相手のことを大切にしていないのではないか、と言われる原因になっています。こういう指摘はあたっているところもあります。知らず知らずのうちに、面と向かっては言わないようなことを書いてしまって、相手を 19 。

　その一方で、場所と時間を気にしなくてもいいという気軽さが、コミュニケーションの量を増やしたり、外国にいる友達とのやりとりにつながったりすることもあります。

　 20 、コミュニケーションの手軽さには、いいことと悪いことの両面があるのです。ですから、手軽さの何が問題で、どう生かしていくのかを考えていくことが、これからウェブと付き合っていくなかで重要になってきます。

16　1　言えなくてはいけません　　　　　　2　言っても言い過ぎではありません
　　3　言ってもさしつかえません　　　　　4　言われつづけてきました
17　1　ともにするわけでもありません　　　2　ともにするかいがありません
　　3　ともにするべきではありません　　　4　ともにしようとしません
18　1　なぜなら　　　　　2　そうすると　　　　3　しかしながら　　　　　4　だからといって
19　1　傷付けているにちがいない　　　　　2　傷付けているまでだ
　　3　傷付けているのも当然だ　　　　　　4　傷付けているかもしれません
20　1　それに対して　　　　2　というのは　　　　3　そのうえ　　　　　　4　要するに

問題1	1-5：4 1 3 4 2	6-10：4 2 4 2 3	**問題2** 11-15：2 2 2 2 2
問題3	16-20：4 1 2 4 4		**答案**

综合模拟题3　精解

1 选项1「と思いきや」意为"原以为……"。选项2「といえども」意为"虽说……"。选项3「としたって」意为"即使……"。选项4「ときたら」意为"提起……、说到……"。

　译文： 提到我妹妹，她在上课时看时尚杂志，好像被老师说了。

2 选项1「ともなると」意为"要是……"。选项2「とはいえ」意为"虽说……"。选项3「ともなく」意为"无意地……"。选项4「とやら」意为"叫什么、听说……"。

　译文： 我居住的城市是观光胜地，所以要是到了休息日，从早上开始路上就因游客的车而变得拥堵。

3 选项1「とあいまって」意为"与……相结合"。选项2「というもの」意为"……这种东西"。选项3「と

あって」意为"因为"。选项4「というか」意为"说是……呢"。

译文：因为是第一次演讲，所以他非常紧张。

4 选项1「なる」意为"成为"。选项2「きる」意为"切割"。选项3「くる」意为"来"。选项4「たる」意为"作为……的……"。

译文：最优先考虑国民的生活，那是作为政治家的使命。

5 选项1「あってはかなわない」中的「～てはかなわない」意为"……吃不消；……的话，让人受不了"。选项2「あってのことだ」意为"……是因为有……才行"。选项3「あってはばからない」中的「～てはばからない」意为"毫无忌惮地……"。选项4「あってのものだ」也意为"有……才……"，但「もの」不符合题意。

译文：我认为，姐姐能够拿到金牌是因为有家人的支持。

6 选项1「たりとも」后面与否定形式连用，意为"哪怕……也不……"。选项2「だけは」意为"起码得……"。选项3「だに」意为"至少、哪怕、甚至"。选项4「がてら」意为"顺便……"。

译文：到了4月份，这一带有很多来赏花，顺便到寺院参拜的客人，很热闹。

7 选项1「かぎりでは」意为"只限于……的话"。选项2「いかんでは」意为"根据……、要看……"。选项3「ならでは」意为"只有……才……"。选项4「ことなしには」意为"不……（而）……"。

译文：不管成绩多么好，根据出席情况，也有可能毕不了业。

8 选项1「ながらも」意为"虽然……但是……"。选项2「であれ」意为"无论……还是……"。选项3「にしたって」意为"即使……也……"。选项4「なくして」意为"如果没有……"。

译文：如果没有国民的支持，使政权运营下去是不可能的。

9 选项1「ゆえに」意为"因此"。选项2「ごとく」意为"像……一样"。选项3「ようでは」意为"取决于……；如果……的话，那就……"。选项4「なりの」意为"与……相适的"。

译文：又像往常一样，会议冗长地持续下去，结果也没有做出任何决定。

10 选项1「ないではすまないもの」意为"不……不算完"。选项2「それまでのこと」中的「～までのことだ」意为"大不了……就是了"。选项3「あるまじきもの」意为"不该有的东西"。选项4「いざしらずのもの」中的「いざしらず」意为"……姑且不论"。

译文：他的言行是作为政治家所不该有的，受到谴责也是理所当然。

問題2

11 **全文**：社長にアメリカ出張を命じられたが、急なことゆえにたいした準備もできずに出発しなければならない。

译文：被社长命令去美国出差，因为比较急，所以都没有好好准备就必须出发。

12 **全文**：学生たちは、夢をかなえんがため日々努力を積んでいる。

译文：学生们为了实现梦想，每天都在不断努力。

13 **全文**：インフルエンザの感染経路を明らかにすべく調査が行われた。

译文：为了搞清楚流感的感染路径，进行了调查。

14 **全文**：同僚なんだから、仕事のことは聞いてくれればいくらでも協力したものを。

译文：因为是同事，所以如果问我工作上的事，我一定会尽全力配合的。

15 **全文**：息子は食卓に着くやいなやおなかが減ったと言って、ご飯を食べ始めた。

　　译文：儿子刚坐在饭桌前就说肚子饿，开始吃起了饭。

問題3

16 本题通过排除法可以判断，正确的应该是选项4「言われつづけてきました」（一直被说）。选项1「言えなくてはいけません」意为"必须能说"。选项2「言っても言い過ぎではありません」意为"即使说也不过分"。选项3「言ってもさしつかえません」意为"说也无妨"。

17 本题的关键句是「相手は目の前にいませんし、電話と違って同じ時間を～」（对方不在眼前，而且也和电话不同，相同的时间……）。由此可以判断，正确的应该是选项1「ともにするわけでもありません」（并非共同做）。选项2「ともにするかいがありません」意为"没有共同做的意义"。选项3「ともにするべきではありません」意为"不应该共同做"。选项4「ともにしようとしません」意为"不想共同做"。

18 本题的关键句是「メッセージを伝えたいときには、ブログやSNSにアクセスして、何かを書いておく。～、相手はいつかは分からないけれども、同じサイトにアクセスしてそれを読む」。（想要传达某种消息的时候，访问博客或SNS，事先写上什么内容。虽然不知道对方会在什么时候登录，但访问相同的网址就能读到）。由此可以判断，正确的应该是选项2「そうすると」（这样的话）。选项1「なぜなら」意为"因为、原因是……"。选项3「しかしながら」意为"然而、但是"。选项4「だからといって」意为"（但不能）因此而……"。

19 本题通过排除法可以判断，正确的应该是选项4「傷付けているかもしれません」（或许伤害了）。选项1「傷付けているにちがいない」意为"一定伤害了"。选项2「傷付けているまでだ」意为"大不了伤害了就是了"。选项3「傷付けているのも当然だ」意为"伤害了也是理所当然"。

20 本题的关键句是「～、コミュニケーションの手軽さには、いいことと悪いことの両面があるのです」（容易交流有好的一面，也有不好的一面）。由此可以判断，正确的应该是选项4「要するに」（总之）。选项1「それに対して」意为"与此相对"。选项2「というのは」意为"那是因为……、所谓……"。选项3「そのうえ」意为"而且"。

译文：

　　网络普及之后，人们到现在一直说"网络交流过于简单了"。

　　在网络中，人们是通过电脑或手机的画面来和对方进行交流的。当然，对方不在眼前，而且也和电话不同，交流时双方并非是在同一个时间。想要传达某种信息的时候，访问博客或SNS，事先写上些内容。这样的话，虽然不知道对方会在什么时候登陆，但访问相同的网址就能读到这段话。任何人都无需对对方有所顾虑。

　　这成了为人诟病的原因，有人指责道："彼此看到的仅仅是网络画面，而不是对方吧？是不是并没有重视对方呢？"这样的看法也有对的地方。不知不觉中，有可能写上面对面时所不会说的话，或许会伤害了对方。

　　另一方面，网络交流让人很轻松，不用介意地点和时间。这可以增进交流，也能让人们和在国外的朋友交往。

　　总之，简便的交流有好的一面，也有不好的一面。所以，思考简便的交流中哪些地方是问题，以及应如何有效加以利用，这在我们今后使用网络时变得重要。

无敌绿宝书

新日语能力考试　N1 语法

（必考句型＋基础句型＋超纲句型）

精缩版

李晓东⊙主　编

张　曼　沈英莉　毕素珍⊙副主编

▶便于携带

▶强化记忆

【无敌绿宝书】

必考句型＋基础句型＋超纲句型

共收录495个句型和语法点

目　录

必考句型

第 1 単元

第 2 単元

第3単元

第6単元

・无敌绿宝书・

第9単元

第 12 単元

第13单元

第14单元

第 15 単元

基础句型

第 17 单元

超纲句型

第18单元

必考句型：240 个

基础句型：91 个

超纲句型：164 个

必考句型

| **1** | **～あっての** | 有了……才有……、没有……就没有……、没有……就不能…… |

接続 名詞＋あっての

解说 以「名詞＋あっての＋名詞」的形式表示正因为有了前项的条件，后项的结果才成立，或者如果没有前项的条件，后项的结果就不能成立。即对于后项来说，前项是绝对必要的。有时可以在「あっての」的前面加上「が」。

* 両親あっての 私 です。両親がいなければ今日の私 はいない。
   有了父母才有我。如果没有父母就不可能有今天的我。

* 我が社は創 業 以来、お客様あっての 商 売をモットーに経営している。
   我公司自创业以来，一直遵循着没有客人就没有生意的宗旨进行运营。

* 彼女が退学したのは、きっと何か訳があってのことだろう。
   一定是有什么原因，她才会退学的吧。

| **2** | **～（を）あてにする** | 指望……、依靠……、相信…… |

接続 名詞＋（を）あてにする

解说 表示相信、指望、依靠着前项。

* 初めから他人の助けを当てにするような人間は、決して成功しません。
   从一开始就依靠他人帮助的那种人是绝对不会成功的。

* 彼は今年の予定の 収 入 をあてにして多額の金を借りた。
   他指望着今年预期的收入，借了很多钱。

* あんな奴があなたに金を貸してくれるとあてにするな。
   你不要指望那种人会借钱给你。

1

3 強（あなが）ち～ない　不一定……、未必……

接続　強ち＋動詞ない形＋ない

強ち＋イ形容詞く形＋ない

強ち＋ナ形容詞語幹＋ではない / じゃない

強ち＋名詞＋ではない / じゃない

解説　表示并非完全是那样。

• あの人（ひと）は頼（たよ）りにならない男（おとこ）だが、あながち無能（むのう）というわけではない。

他虽然不是一个可以依靠的男人，但也未必就是无能。

• その件（けん）は難（むずか）しいが、あながち不可能（ふかのう）ではない。

那件事虽然很难，但未必办不到。

• 彼（かれ）の論理（ろんり）には難点（なんてん）もあるが、あながち間違（まちが）いとは言（い）えない。

他的逻辑虽然也有缺点，但不能说就一定是错误的。

4 ～以外（いがい）の何物（なにもの）でもない　不外乎是……、无非是……、就是……

接続　動詞辞書形＋以外の何物でもない

イ形容詞＋以外の何物でもない

ナ形容詞語幹＋以外の何物でもない

名詞＋以外の何物でもない

解説　表示强烈的肯定，意思是"无非是这样的"，等同于「～にほかならない」。

• 私（わたし）にとって、子育（こそだ）ては愉快（ゆかい）以外（いがい）の何物（なにもの）でもない。

对于我来说，育儿是非常愉快的。

• 1週間（しゅうかん）ぶりの学校（がっこう）だから、だるい以外（いがい）の何物（なにもの）でもない。

因为隔了一周才上学，所以感觉懒洋洋的。

• 彼（かれ）は以前（いぜん）の取材（しゅざい）で「運（うん）を呼（よ）び寄（よ）せるのは努力（どりょく）以外（いがい）の何物（なにもの）でもない」と語（かた）ってくれました。

在以前的采访中，他曾经对我说"能招来运气的不外乎努力"。

5　～いかんだ／～いかんで（は）／～いかんによって（は）

根据……、取决于……

接続　名詞（＋の）＋いかんだ

解説　表示某事能否实现是由前项的内容、状态来决定的。与N2级语法点「～次第だ／～次第で（は）」的用法相似。「～いかんだ」用于句末，「～いかんで（は）／～いかんによって（は）」用于句子中顿处，表示至关重要的决定条件。

- 成績が伸びるかどうかは、本人の今後の努力いかんだ。

  成绩能否提高取决于本人今后的努力。

- 新製品に対する客の反応いかんでは、商品開発チームの解散もありうる。

  根据顾客对新产品的反应，也有可能解散商品开发团队。

- 原則として禁止だが、理由のいかんによっては、特別に例外を認めることもある。

  原则上是禁止的，但是根据原因，有时也会承认个别例外。

6　～いかんにかかわらず／～いかんによらず／～いかんを問わず

不论……都……、
不管……都……

接続　名詞（＋の）＋いかんにかかわらず

解説　表示无论前项如何，后项都成立。强调后项的成立不受前项内容的影响。一般用于正式场合。

- 入場券を紛失された場合は、理由の如何にかかわらず入場をお断りします。

  如果丢失入场券，不论是何理由都禁止入场。

- 筆記試験の結果いかんによらず、次の面接試験を受けることになっています。

  无论笔试结果如何，都将接受之后的面试。

- 我が社では、年齢・性別・学歴のいかんを問わず、優秀な人材を採用する方針です。

  我公司的方针是，无论年龄、性别、学历，择优录用。

7 一概（いちがい）に～ない　不能一概地……、不能笼统地……

接续　一概に＋動詞ない形＋ない

解说　后面接续「できない」、「言えない」等表示否定某种可能性的表达方式，表示不能一概地做某事之意。言外之意是要考虑其他条件或情况。

- 学校（がっこう）の成績（せいせき）が悪（わる）いからといって、一概（いちがい）に将来（しょうらい）の見通（みとお）しが暗（くら）いとは言（い）えない。

  虽说在学校的成绩差，但是也不能笼统地说将来前景黯淡。

- 一概（いちがい）に漫画（まんが）が悪（わる）いと言（い）うことができない。中（なか）には素晴（すば）らしいものもある。

  不能笼统地说漫画就不好。其中也有非常好的东西。

- 一概（いちがい）に言（い）えないが、大体（だいたい）中学生（ちゅうがくせい）ぐらいの年頃（としごろ）は、女（おんな）の子（こ）の成長（せいちょう）が早（はや）い。

  虽然不能一概而论，但是大体上中学生这样大小的年纪，女孩子的成长发育要早。

8 今（いま）でこそ　现在虽然是……

接续　今でこそ＋動詞／イ形容詞／ナ形容詞語幹／名詞

解说　以「今でこそ～（だ）が、～」的形式，表示"现在这种事情已经是理所当然的了，但是以前……"之意。后项一般为"在过去没有这种事"或"正好相反"之意。

- 彼（かれ）は今（いま）でこそ売（う）れっ子（こ）の漫画家（まんがか）だが、以前（いぜん）は売（う）れない画家（がか）だった。

  他现在虽然是人气极高的漫画家，但以前就是一个不知名的画家。

- 今（いま）でこそ日本人（にほんじん）とうまく交流（こうりゅう）できるが、日本語（にほんご）を勉強（べんきょう）し始（はじ）めた頃（ころ）は全然（ぜんぜん）駄目（だめ）だった。

  现在虽然能够跟日本人流利交流，但是刚开始学日语的时候根本就不行。

- 今（いま）でこそ外科医（げかい）は医者（いしゃ）のメインストリームみたいな扱（あつか）いだけど、昔（むかし）は外科医（げかい）は医者（いしゃ）ではなかった。

  虽然现在外科医生被当作医生的主流，但是以前外科医生根本就不被当作医生。

9　言わずもがな

（1）不说为好、不说为妙、没有必要说

接续　言わずもがな＋の＋名詞

　　　言わずもがな＋だ

解说　表示没有必要说或最好不要说的意思。「もがな」是助词，表示强烈的愿望，意思相当于「～といいなあ」。

● 彼女はいつも言わずもがなのことを言う。

她总是说不该说的事。

● 彼女に言わずもがなのことを言ってしまって嫌われた。

对她说了不必要的话，被讨厌了。

● そんなことはもう分かり切っているのだから、言わずもがなだ。

那种事已经是非常明了的了，所以不需要说了。

（2）当然、不待言、别说是……

接续　言わずもがな＋名詞

解说　表示不用说的意思，相当于「もちろん」之意。

● そんな簡単なことは大人は言わずもがな、子供さえ知っている。

那么简单的事情，别说是大人了，就连小孩子都知道。

● 彼は英語は言わずもがな、スペイン語も流暢に話すことができる。

英语自不待言，就连西班牙语他都说得很流利。

● 学生は言わずもがな、教師までが集まった。

别说是学生了，就连老师都到场了。

10　～（よ）うが／～（よ）うと／～（よ）うとも　　不管……、即使……、不论……

接续　動詞意向形＋が

　　　イ形容詞語幹＋かろう＋が

　　　ナ形容詞語幹＋だろう＋が

　　　名詞＋だろう＋が

解说　表示逆接条件，不管前项如何，后项都是成立的。后项一般为表示意志、决心

或是像「自由だ」（自由的）、「勝手だ」（随意的）、「関係ない」（没有关系）等意思的表达方式。经常与疑问词「だれ」、「何」、「いつ」、「どこ」及副词「どんなに」等一起使用。

- 私が何時に家に帰ろうとも、あなたには関係ないことでしょう。

  不管我几点钟回家，都跟你没有关系吧。

- 報酬が多かろうと少なかろうと、私はやるべきことをやるだけだ。

  不论报酬多还是少，我都只是在做我应该做的事。

- たとえ上司だろうが、間違いは指摘しなければならないと思う。

  我想即使是上司，也必须要指出他的错误。

11 ～（よ）うが～まいが／ ～（よ）うと～まいと　不管……还是……

接続　五段動詞意向形＋が＋五段動詞辞書形＋まいが

一段動詞意向形＋が＋一段動詞辞書形／一段動詞ます形＋まいが

サ変動詞の接続：しよう＋が＋するまいが／すまいが／しまいが

カ変動詞の接続：来よう＋が＋くるまいが／こまいが

解説　用同一动词的肯定推量与否定推量的并列来表示"无论是不是……、不管是否……"的意思。虽然「～（よ）うが」和「～（よ）うと」的意思一样，但使用时要保持前后一致，如果用「～が」就都用「～が」，用「～と」就都用「～と」。

- あの教授は学生が分かろうが分かるまいがかまわず授業を進めていく。

  那个教授不管学生懂了还是没懂，都会往下继续讲课。

- 人が認めてくれようと（認めて）くれまいと、私は自分の作品を作るだけだ。

  不管别人是否认可，我只是在创作自己的作品。

- 結婚しようが（結婚）しまいが自由だが、子供に対する責任だけはきちんと果たすべきだ。

  结婚与否是自由的，但是应该好好对孩子负起责任。

12　～（よ）うにも～ない

即使想要……也无法……、
即使想要……都……不了

接续　動詞意向形＋（よ）うにも＋同じ動詞可能形のない形＋ない

解说　前面接动词的意向形，后面接同一动词可能形的否定形。表示因为某种客观原因，即使想那么做也不能做或也做不到的意思。其中的动词不能使用非意志性动词。

・彼女の電話番号を知らないから、電話をかけようにもかけられない。
因为不知道她的电话号码，所以即使想给她打电话也打不了。

・こんなに教育費が高いと、若い夫婦は子どもを持とうにも持てない。
如果教育费用这么高，年轻夫妇即使想要孩子也要不起。

・母は日本語ができないので、僕の日本人のガールフレンドと話そうにも話せない。
母亲不会说日语，所以即使想跟我的日本女友说话也说不了。

13　～覚えはない

（1）不曾……过、你没有资格……

接续　動詞受身の辞書形＋覚えはない

解说　接在动词被动态的原形后，表示"我不曾被……过"或"……没有资格……我"的意思。含有谴责对方之意。

・最近、無言電話がよくある。人に恨まれる覚えはないんだけどなあ。
最近经常接到骚扰电话。我不曾得罪过谁啊。

・子供から「あんたに怠け者だと非難される覚えはない」と言われたことがある。
曾经被孩子说过"你没有资格说我懒惰"。

・彼はいつも「タバコは私個人だけの問題で、人に指図される覚えはない」と言っている。
他总是说"吸烟是我个人的问题，别人没有资格对我指手画脚"。

（2）我不记得……

接续 動詞た形＋覚えはない

解说 接在动词的过去式之后，表示"我自己并不记得有过某种经历"之意。一般用于别人指责自己时的自我辩解。

- 私 は確かにそんな 植 物を植えた覚えはない。

  我确实不记得种过那种植物。

- あんたに「助けてほしい」なんて言った覚えはない。

  我不记得跟你说过要你帮忙。

- 私 はお前をそんな礼儀知らずな子に育てた覚えは無いよ。

  我不记得把你培养成了那样一个不懂礼貌的孩子。

14 〜思いをする／〜思いだ　　感觉……、感到……、觉得……

接续 動詞辞書形＋思いをする

　　　 イ形容詞辞書形＋思いをする

　　　 ナ形容詞な形＋思いをする

解说 用于说话人触景生情时抒发内心的感受。在叙述过去的经历时要用过去式「〜思いをした／〜思いだった／〜思いでした」。多接在表示感情的词之后。

- 日本での一人暮らし、最初はとても 心 細い思いをした。

  一个人在日本生活，刚开始时心中感觉非常不安。

- こんなに嫌な思いをするくらいなら、あの 男 と離婚したほうがましだ。

  要是感觉这么讨厌的话，还不如跟那个男的离婚的好。

- その事を聞いて、 私 ははらわたが煮えくり返る思いだった。

  听到那件事，我感觉怒不可遏。

15 〜甲斐がある／〜甲斐がない／〜甲斐もなく　　(有/无)效果、(有/无)回报

接续 動詞た形＋甲斐がある

　　　 名詞＋の＋甲斐がある

解说 接在表示动作的动词或表示行为的名词后，肯定形式表示该行为得到了预期的效果或得到了回报，否定形式表示其努力没有得到回报或没有效果。

* 一生懸命勉強した甲斐があって、彼は東京大学に合格した。

  拼命学习有了回报，他考上了东京大学。

* みんなの手厚い看護の甲斐もなく、彼は息を引き取った。

  大家的细心护理也没有效果，他还是停止了呼吸。

* 苦労の甲斐があって、やっと日本語で論文が書けるようになった。

  辛苦有了回报，终于能用日语写论文了。

必考句型

第 2 单元

---

1 ～限(かぎ)りだ　　非常……、很……、无比……、极其……

接续　イ形容詞辞書形+限りだ

　　　ナ形容詞な形+限りだ

　　　名詞+の+限りだ

解说　表示说话人的某种感情、心情达到最高点。前面接续表示心情的词语。如「喜(よろこ)ばしい」（高兴）、「腹立(はらだ)たしい」（生气）、「心強(こころづよ)い」（有把握的）、「羨(うらや)ましい」（羡慕）、「残念(ざんねん)」（遗憾）等等。

・彼(かれ)は、頭(あたま)もいいし、性格(せいかく)もいいし、しかもお金持(かねも)ち。本当(ほんとう)に羨(うらや)ましい限(かぎ)りだ。

他又聪明、性格又好，而且很有钱。真是太令人羡慕了。

・半年(はんとし)も準備(じゅんび)をしたのに中止(ちゅうし)だなんて、残念(ざんねん)な限(かぎ)りだ。

准备了半年却中止了，非常遗憾。

・念願(ねんがん)の日本(にほん)留学(りゅうがく)が決(き)まって、嬉(うれ)しさの限(かぎ)りだ。

盼望已久的去日本留学的事终于定下来了，真是太高兴了。

---

2 ～が最後(さいご) / ～たら最後(さいご)　　一旦……就非得……、
　　　　　　　　　　　　　　　　　　　　　　　一旦……就必定……

接续　動詞た形+が最後

　　　動詞た形+ら最後

解说　表示"某事一旦发生就必定……"的意思。后项是表示说话人意志或必然发生的状况的表达方式。后面一般为不好的结果。

・あの会社(かいしゃ)の社長(しゃちょう)は、約束(やくそく)の時間(じかん)に遅(おく)れたが最後(さいご)、二度(にど)と会(あ)ってくれないだろう。

一旦不遵守约定的时间，下次就不可能再见到那个公司的社长了吧。

• どんな秘密も、彼女に話したが最後、会社中に広がってしまう。

不管什么秘密，一旦跟她说了的话，就必定会传遍整个公司。

• ケーキが好きな娘に見つかったら最後、全部一人で食べられてしまう。

一旦被我那爱吃蛋糕的女儿发现，就会全部被她一个人吃掉的。

3 ～かたがた　顺便……、兼……、同时……

接续　名詞＋かたがた

解说　接在动作性名词后面，表示一个行为兼具两个目的，即同一主语在相同的时间段之内同时进行前项与后项（没有先后顺序），且前项为主要行为，后项为次要行为。多用于正式场合或书信之中。经常接续的名词有「お礼」、「挨拶」、「お見舞い」、「報告」「お詫び」、「お願い」等等。

• 引越しのご挨拶かたがた、私たち家族の近況をご報告します。

在通知您我们要搬家的同时，跟您汇报一下我们家的近况。

• お世話になったお礼かたがた、お土産を持って恩師のお宅を訪ねた。

想要答谢老师对我的照顾，我带着礼物去拜访了恩师的家。

• 母は一人暮らしの私を心配で、管理人にお願いかたがた、様子を見に来た。

母亲很担心一个人生活的我，所以拜托管理员多照顾我的同时，顺便来看望了我。

4 ～かたわら

(1) 在……旁边

接续　動詞辞書形＋かたわら

　　　　名詞＋の＋かたわら

解说　接在动作性名词或动词之后，多用于情景描写。一般见于故事等书面性语言。

• お母さんが洗濯をするかたわらで、子供たちが水遊びをしている。

母亲在洗衣服，在她旁边，孩子们正在玩水。

• 本を読んでいる花子さんのかたわらで、1匹の猫が眠っていた。

花子正在读书，旁边有一只猫在睡觉。

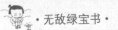

お父さんは僕の部屋に入って、ベッドのかたわらにある高い椅子に座った。

父亲走进我的房间，坐在了床旁边的高椅子上。

接续　動詞辞書形＋かたわら

　　　　名詞＋の＋かたわら

解说　表示在从事主要活动、职业、工作等以外，在空余时间还做其他事情。前项为主要工作，后项为次要工作。前项与后项分别在不同时间内进行，且多用于习惯性行为。

彼は大学で日本語を勉強するかたわら、高校で美術を教えている。

他一边在大学学习日语，一边在高中教授美术。

彼女はデパートに勤めるかたわら、夜は茶道や生け花の教室に通った。

她在百货商场上班的同时，晚上还去上课学习茶道和插花。

最近では家事のかたわら、ネットで株取引する主婦が増えているそうだ。

听说最近在做家务的同时，在网上进行股票交易的主妇正在增加。

5　～がてら　顺便……、借……之便、在……的同时……

接续　動詞ます形＋がてら

　　　　名詞＋がてら

解说　接在动作性名词或动词连用形之后，表示在做前项的同时顺便把后项也做了的意思。前项与后项是在同一时间段内进行的，且前项为主要行为，后项为次要行为。一般用于口语。

散歩がてら、古本屋に寄って、本を数冊買ってきた。

在散步的同时去了趟旧书店，买回来几本书。

新しく購入した機械をテストがてら、使ってみた。処理が速くてなかなか良い。

在测试新买的机器的同时顺便用了一下。处理速度很快，非常不错。

東京にいる友達を訪ねがてら、日本を観光して回った。

我去看望了在东京的朋友，顺便在日本游览了一番。

6 ~が早いか　　刚一……就……

接续　動詞辞書形＋が早いか

動詞た形＋が早いか

解说　表示刚一发生前项就发生了后项或在发生前项的同时发生了后项。是书面语。

- 息子は朝ご飯を食べおわるが早いか、かばんを持って駆け出していった。

儿子刚一吃完饭就拿起包跑了出去。

- デパートが開くが早いか、お客さんがバーゲン会場に殺到した。

百货商店刚一开门，客人们就涌入了甩卖会场。

- 彼は答えを書き終わったが早いか、問題紙を提出して教室から飛び出していった。

他刚一写完答案，就交了试卷，飞奔出教室了。

7 ~から~を守る / ~を~から守る　　保卫……免遭……、保护……免受……

接续　名詞＋から＋名詞＋を守る

名詞＋を＋名詞＋から守る

解说　表示保卫某人或物，使之免受伤害或破坏。

- 放射能汚染から子供たちを守る対策を講じなければならない。

必须要采取对策，保护孩子们免受放射线污染的侵害。

- 俺はどうしても彼女を悪党の手から守りたい。

我无论如何都想要从坏人们手中保护她。

- 災害から貴重な文化財を守るために、被害防止に関する調査・研究を行う。

为了保护珍贵的文化财产免遭灾害的破坏，要进行关于防止受害的调查研究。

8 ~からある / ~からの　　……之多、竟有……、……以上、值……

接续　名詞＋からある

解说　接在表示数量的名词后面，表示数量、大小、重量、长度等超过一定的量。一般用于说话人感觉数量特别多的场合。

• 彼は60キロからあるバーベルを軽々と持ち上げた。

他轻轻松松地就举起了60公斤重的杠铃。

• 釣り好きの父は体長が1メートルからある魚を釣って、とても自慢している。

喜欢钓鱼的父亲钓到了一条足有1米多长的鱼，非常得意。

• 数名しか採用しない会社の社員募集に、400人からの人が応募した。

只录用几个人的公司员工招聘，竟有400多人来应聘。

9 〜からいいようなものの／〜からよかったものの 因为……幸好没……（但……）

接続 ［動詞、イ形容詞、ナ形容詞、名詞］の普通形＋からいいようなものの

解説 表示因为某种原因，幸好没有导致那么严重的后果之意。言外之意是，虽然从结果来看避免了最坏的事态，但也不是很好。含有较重的责备、指责的语气。

• 火を消したからよかったものの、一つ間違えば大変なことになるところだった。

幸好把火灭了，稍有差错可就不得了了。

• 事故に遭い、命を落とさずにすんだからいいようなものの、今後は安全運転を心掛けよう。

遇上事故，幸好没有生命危险，今后一定要注意安全驾驶。

• 運転手が教えてくれたからよかったものの、もう少しで大切な卒業論文をタクシーの中に忘れるところだった。

幸好司机提醒了我，要不然差一点儿就把重要的毕业论文落在出租车上了。

10 〜からなる 由……组成、由……构成

接続 名詞＋からなる

解説 表示某种事物、物质等的成分或构成要素。用在句尾时常用「〜からなっている」的形式。口语和郑重的书面语均可以使用。

• 日本列島は、海に囲まれた五つの大きな島と、多くの小さな島からなっている。

日本列岛由被大海包围的5个大岛和众多的小岛组成。

- 貿易は商品の両方向の流れ、即ち輸出と輸入からなる。

  贸易是由商品的双向流动，即由出口和进口组成的。

- 日本政府は、中国からの要請を受け、20人からなる医療チームを20日に派遣することを決めた。

  日本政府应中国的请求，决定于20日派出一个由20人组成的医疗队。

11 ～きらいがある　有点儿……、有……的倾向、往往……、有……之嫌

接续　動詞辞書形＋きらいがある

　　　動詞ない形＋ない＋きらいがある

　　　イ形容詞辞書形＋きらいがある

　　　ナ形容詞な形＋きらいがある

　　　名詞＋の＋きらいがある

解说　表示有某种倾向或某种嫌疑，常与「とかく」、「ともすると」等词一起连用。一般用于不好的场合。是书面语形式。

- 一人で勉強するととかく怠けるきらいがあるので、大勢でしたい。

  如果一个人学习，往往会懒惰，所以我想跟大家一块儿学。

- 彼は確かに有能だが、少し生意気なきらいがあるんだ。

  他确实很有能力，但是有些狂妄自大的倾向。

- 元社長は人事異動や方針決定において独裁のきらいがあった。

  原社长在人事变动和方针决策等方面有独裁之嫌。

12 ～きりがない　没完没了、没有限度、无限

接续　動詞ば形＋きりがない

　　　動詞た形＋ら＋きりがない

　　　動詞て形＋も＋きりがない

　　　動詞辞書形＋と＋きりがない

解说　表示如果做前面的事项，就会没完没了、没有限度。

- 彼が決心するのを待っているときりがないよ。

  你要是等着他下定决心，那就指不定要等多久了。

- 彼の欠点を一々数え上げたらきりがないほどです。

  ——列举他的缺点的话，那可就没完没了了。

- 上を見ればきりがないし、下を見てもきりがないから、人を羨ましがっても仕方がない。

  人比人气死人，所以即使羡慕别人也是没有用的。

13 ～極まる / ～極まりない　　極其……、非常……、……极了

接続　イ形容詞辞書形＋こと＋極まりない

　　　　ナ形容詞語幹＋極まる

　　　　ナ形容詞語幹＋（なこと）＋極まりない

解説　表示达到了极限的意思。通常用来抒发说话人的情感，多用于负面、消极的场合。注意「～極まりない」并不是「～極まる」的否定形，而是一个形容词，两者的意思相同。该句型是较郑重的书面语。

- 最近、車を運転しながら電話をかけている人が多い。危険極まることだ。

  最近，很多人一边开车一边打电话。这是非常危险的。

- 最も近い駅までバスで1時間もかかり、不便（なこと）極まりない。

  去距离最近的车站也要坐1个小时的公交车，太不方便了。

- 彼は仕事を何もしないで、打ち上げパーティーだけ来るなんて、図々しいこと極まりない奴だ。

  他什么工作都不做，只来参加竣工宴，真是个极其厚脸皮的人。

14 ～くもなんともない　　一点儿也不……、根本不……、毫不……

接続　イ形容詞く形＋もなんともない

解説　与表示感叹的「怖い」、「面白い」和表示需求的「したい」、「ほしい」等词一起使用，表示强烈否定的心情。

- 彼の褒め言葉を聞いた時の私の気持ちは、嬉しくもなんともなかった。

  听了他表扬我的话，我一点儿也不高兴。

- 友達にすすめられて見た映画だが、面白くもなんともない。

  虽然是朋友推荐我看的电影，但是一点儿意思都没有。

- 社長なんて偉くもなんともない。課長、部長、包丁、盲腸と同じだ。

  社长什么的根本就没什么了不起。和科长、部长、厨师、盲肠都是一样的。

15 〜くらいなら／〜ぐらいなら

（1）与其……不如……、与其……宁愿……、要是……还不如……

接续　動詞辞書形＋くらいなら

　　　　動詞ない形＋ない＋くらいなら

解说　一般以「〜くらいなら〜のほうがましだ」、「〜くらいなら〜のほうがいい」或「〜くらいなら〜する」的形式出现。表示说话人对前项的做法极其厌恶，或表示说话人虽然认为前后项都不是很理想，但相比较来说还是后项更好一些。

- あんな男に頭を下げるくらいなら、いっそ死んだほうがましだ。

  要是向那样的男人低头认输的话，我还不如死了的好。

- 飲んで気持ちが悪くなるくらいなら、初めから飲まないほうがいい。

  要是喝了酒以后难受的话，最好从一开始就不喝。

- 彼は東京を離れたくないので、「転勤するぐらいなら会社を辞める」と言っている。

  因为他不想离开东京，所以他说"要是调动工作，我还不如辞职"。

（2）如果连……都……的话

接续　動詞辞書形＋くらいなら

　　　　動詞ない形＋ない＋くらいなら

解说　表示如果连前项本应该不会出现的情况都出现了的话，那么后项会怎样就完全可以想象了，或者表示如果前项都这样的话，那么后项就更不用说了。有时带有一种轻视的语气。

- 先生が分からないくらいなら、学生の私に分かるはずがない。

  连老师都不懂的话，作为学生的我更不可能懂。

- いつも元気な山田さんが風邪を引くぐらいなら、他の人は肺炎になっちゃうだろう。

  就连平时身体很好的山田都患感冒的话，那其他人恐怕要得肺炎了吧。

- 僕なんかができるぐらいなら、君のような優秀な人間にできないはずがない。

  就连我这样的都能做到的话，像你这样优秀的人不可能做不到。

必考句型

第3单元

1 ～こと

（1）必须……、要……

接续 動詞辞書形＋こと

イ形容詞辞書形＋こと

解说 表示命令、警告或者说话人认为应该这样。多用于书面语。也可以以「ことと
する」的形式使用。

- この 証 書は後で必要になるから、大切に保存すること。

  这个证书以后要用，所以要妥善保存。

- 明日は駅前に午前 8 時 集 合。遅れないこと。

  明天上午 8 点在站前集合。不要迟到。

- 試験当日は受験 票 を忘れないこと。

  考试当天不要忘记带准考证。

（2）真是……啊

接续 ナ形容詞な形＋こと

ナ形容詞語幹＋だ＋こと

名詞＋だ＋こと

解说 表示对前项的感叹。

- あら、素敵な洋服だこと。お姉さんに買ってもらったの？

  哎呀，好漂亮的西服啊。是你姐姐给买的吗？

- 元気だこと。でも電車の中で騒いではいけないよ。

  你真是精力充沛啊。但不能在电车中吵闹哦。

- まあ、かわいい赤ちゃんだこと。

  哎呀，多么可爱的婴儿啊。

2　ことここに至っては　事已至此

接续　作为接续词独立使用

解说　消极假定，表示事态已经发展到无法扭转的状况。句末表达否定的意思，多与「ない」相呼应，常用「ことここに至っては、もう～ない」的形式。也可以用「ここに至っては」，意为"到了这步"。

• ことここに至っては、手の施しようもないよ。

事已至此，没有办法啦。

• ことここに至っても、原発政策を維持するそうだ。

听说即便事已至此，也要坚持核能发电政策。

• ことここに至っては、素人にはどうすることもできない。

事已至此，外行人也只能束手无策。

3　～ごとき／～ごとく／～ごとし　如……、像……似的

接续　動詞普通形（＋が）＋ごとき

名詞（＋の）＋ごとき

名詞＋である＋が＋ごとき

解说　「ごとし」为终止形，用于句子末尾。「ごとき＋名詞」、「ごとく＋動詞、イ形容詞、ナ形容詞」的各种形式，相当于现代语中的「ようだ」。从语法上讲，仅用于习惯性的词组。

• おまえのごとき世間知らずに、何ができると言うのか。

像你这样不谙世事的人能做什么？

• 初恋は淡雪のごとく、はかなく消えていった。

初恋如同春雪一般脆弱地消融了。

• 鈴木のごとき初心者に負けるとは、くやしくてしかたがない。

败给铃木那样的初学者，真是让人不甘心。

4　～ことこのうえない　无比……、在此之上没有更……的

接续　イ形容詞辞書形＋ことこのうえない

ナ形容詞な形＋ことこのうえない

解说　表示无以复加，是比较郑重的书面语表达。与「このうえなく＋イ形容詞」、「このうえなく＋ナ形容詞」意思大致相同。

- あなたが一緒に来てくれるなら、心強いことこのうえない。

  如果你一起来的话，会让我心里更有底。

- 電車は1時間に1本、しかも、終電は10時で、不便なことこのうえない。

  电车一小时一趟，而且末班电车是 10 点，极其不方便。

- 今日で校舎が壊されるなんて、さびしいことこのうえありませんね。

  今天校舍就要被拆除，让人感觉无比伤感。

5 ～ことだし　因为……所以……、由于……

接续　名詞修飾形＋ことだし

解说　表示理由陈述。郑重的说法为「ことですし」。

- 時間もないことだし、会議を早めに始めよう。

  因为没有时间了，所以咱们早点儿开会吧。

- 夜も更けてきたことだし、今日はこの辺でお開きにしましょう。

  由于夜已深了，今天就到这里结束吧。

- 正月のことだし、初詣には着物を着て出かけようと思う。

  因为是正月，所以我想穿和服去参拜。

6 ～ことと思う / ～ことと存じます　我想……

接续　［動詞、イ形容詞］の普通形＋ことと思う

　　　　ナ形容詞な形＋ことと思う

　　　　名詞＋ことと思う

解说　表示推测，是书面语，多用于书信。前接各种词的普通形，表示对对象现在
　　　　状况的一种推断，并带有同情等感情色彩。多与表示推测的副词一起使用。
　　　　「～ことと存じます」是更郑重、更有礼貌的用法。

- これは皆さんもきっとどこかで習われたことと思います。

  我觉得这个大家肯定在哪里学习过。

- 当地はめっきり寒くなりました。京都も寒いことと存じますが。

  当地已经明显地冷了起来。我想京都也很冷吧。

皆様には、お変わりなくお過ごしのことと存じます。わたくしどももおかげさまで元気にしております。

我想大家一定别来无恙吧。托你们的福，我们也很好。

7 ～こととて　因为……、无论怎么说、由于……

接续　［動詞、イ形容詞、ナ形容詞］の名詞修飾形＋こととて

名詞＋の＋こととて

解説　表示原因、理由。多用于书信等书面语。

- シンポジウムでの発表は初めてのこととて、すっかり緊張してしまった。

因为第一次在研讨会上做汇报，所以十分紧张。

- 早朝のこととて、公園にはまだだれもいなかった。

因为是清晨，所以公园还什么人都没有。

- 車で旅行に行ったが、初心者のこととて、迷ってしまった。

开车去旅行，但因是新手而迷路了。

8 ～ことなしに　不……（而……）

接续　動詞辞書形＋ことなしに

解説　表示在不做某事的状态下做另一件事。

- 今野さんは感情を表に出すことなしに、つねに冷静に対処できる人だ。

今野是一个不把感情流露于表面，总能冷静应对事情的人。

- 彼は朝まで1回も目覚めることなしに、ぐっすり眠った。

他酣眠一宿，直到早晨未醒一次。

- だれにも知られることなしに、パーティーの準備をすることにした。

我打算不让任何人知晓地去准备晚会。

9 このぶんでは～ / このぶんで行くと～　照这种情况进展的话……、照这个速度进展的话……

接续　作为接续词独立使用

解説　进行假定，表示按照现今的状态继续下去的话，后项会怎样。

- この分でいくと、今週末までには仕事は出来上がる。

  照这个速度进展下去的话，这周末前能完成工作。

- この分では何もかもだめになるだろう。

  按照这种情况下去的话，就全搞砸了吧。

- このぶんで行くと、日本人の「日本語力」も世界で3位くらいかな。

  照这种情形的话，日本人的"日本语能力"也只能排在世界第三位左右了吧？

10 ～始末だ 落到……地步、竟然……、落得……的下场、导致……结果、竟到了……地步

接续 動詞辞書形＋始末だ

[この、その、あの]/[こんな、そんな、あんな]＋始末だ

解说 多指消极的、坏的结果。该句型后项不能跟积极意义的结果。

- 甘やかされて育ってきた子供たちは困難なことに出会うと、簡単に投げ出してしまうしまつだ。

  娇生惯养长大的孩子一遇到困难就会轻易地放弃。

- 酔っ払って大騒ぎしたあげく、店のドアまで壊すしまつだ。

  喝醉酒大吵大闹，结果连店门都弄坏了。

- ゴルフを始めたが、腰を痛めてしまい、病院に通う始末だ。

  开始打高尔夫，却把腰弄伤了，结果落得每天去医院的下场。

11 ～ず～ず 不……也不……

接续 Ａイ形容詞語幹＋からず＋Ｂイ形容詞語幹＋からず

Ａ動詞ない形＋ず＋Ｂ動詞ない形＋ず

解说 「Ａイ形容詞」与「Ｂイ形容詞」、「Ａ動詞」与「Ｂ動詞」多为相反或相近词义的词汇。经常构成惯用说法，如「負けず劣らず」意为"不分优劣、平手"，「飲まず食わず」意为"不吃不喝"。

- 暑からず寒からずの好季節となりました。

  到了不冷不热的好时节。

- 本当に飲まず食わずで人体に影響を及ぼさないのかを検証されているそうです。

  据说正在验证不吃不喝是否真的对人体没有影响。

・だが負けず劣らずの美貌とセクシーさが話題になっている。

但是，不相上下的美貌与性感成为大家的话题。

12 ～ずくめ　全是……、清一色……

接续　名詞＋ずくめ

解说　接在名词之后，表示身边全是这些东西。

・お葬式があったのか、黒ずくめの服装の人がたくさん歩いている。

也许是因为有葬礼吧，来来往往的许多人身着一身黑色服装。

・規則ずくめの生活がいやになって、鈴木さんは学校を3年生でやめてしまったそうだ。

据说铃木对满是规矩的生活厌烦了，三年级的时候辍学了。

・この電球なら、電気代も安くなるし、寿命も長い。いいことずくめだ。

这个电灯泡又省电费，使用寿命又长，都是优点。

13 ～ずじまい　没能……、未能……、最终没有……

接续　動詞ない形＋ずじまい

解说　意为「しないで終わる」，即没能做成某事而时间就过去了。多含有极其惋惜、后悔、遗憾、失望的语气。

・やりたいことは山ほどあったが、結局、何もできずじまいでこの年になった。

想要做的事情有很多，可是什么都没做就到了这个年纪。

・かばんに入れたまま忘れていて、せっかく書いた手紙を出さずじまいだった。

好不容易写的信放在包里忘记了，最终没能寄出。

・せっかくのゴールデンウィークだったが、風邪を引いて熱があったので、どこも行かずじまいになってしまった。

难得的黄金周，因为感冒发烧，最终哪儿也没能去。

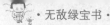

14　～ずに済む / ～ないで済む　　没有……也过得去、用不着……也成

接续　動詞ない形＋ずに済む

解说　「すむ」此处表示「足りる」、「解決する」之意。该句型表示即使不做前项也没有问题。

- 海外旅行のときはクレジットカードがあれば、大金を持ち歩かずにすむ。

  海外旅行时，如果持有信用卡就不用随身携带大量现金了。

- LED 電球は長寿命なので、何度も交換せずにすむ。

  LED 灯泡寿命长，所以不用多次替换也没问题。

- 姉が買って来てくれた薬で熱が下がったので、病院へ行かずにすんだ。

  服用了姐姐买来的药退了烧，所以没用去医院。

15　～ずにはおかない / ～ないではおかない　　一定要……、不能不……、势必……

接续　動詞ない形＋ずにはおかない

解说　表示说话人强烈的决心，含有「必ず～する」的意义。表示不做某事的话，内心不能平静。

- 警察はこの事件の犯人を逮捕せずにはおかないだろう。

  警察势必要逮捕这个案件的罪犯吧。

- 首相の公式な発言は何でも国の将来に影響を与えないではおかない。

  首相在公开场合的发言势必会对国家的将来产生影响。

- 自然は環境破壊を繰り返す人間に罰を与えずにはおかないだろう。

  自然势必会对不断破坏环境的人类给予惩罚吧。

必考句型

1　〜ずにはすまない / 〜ないではすまない
不……不行、非……不可、必须……

接続　動詞ない形＋ずにはすまない

（「する」的接续是「〜せずにはすまない / 〜しないではすまない」。）

解説　表示从自己的义务感、周围的状况、社会性的常识等方面考虑，"必须做什么"或者"不做什么就不被允许或解决不了"之意。语气较为生硬，是书面语。其中「〜ずにはすまない」比「〜ないではすまない」语气更为生硬。

- 人から借りた金を、返さないでは済まないよ。

　从别人那儿借来的钱不还是不行的。

- これだけの被害者を出したとあっては、刑事責任を問われずには済まないだろう。

　要是有这么多的受害人，必须被追究刑事责任吧。

- 知らずにやったこととはいえ、悪いことをしたのは確かなのだ。謝罪せずにはすまないだろう。

　虽说是在不知道的情况下做的，但确实做了坏事。不道歉不行吧。

2　〜すべがない　没有办法……

接続　動詞辞書形＋すべがない

解説　表示毫无办法，意思等同于「〜ようがない」。

- 決勝戦で、相手のあまりの強さになすすべもなく敗れた。

　在决赛中，对方太强大了，我们没有办法败了下来。

- 親の恩に報いるすべがない。

　父母的恩情无以为报。

・父親の病気が日一日と重くなるのをなすすべもなく見ている。

眼睁睁地看着父亲的病一天比一天严重。

3　～（で/に/と）すら　　连……都……、甚至连……都……

接续　名詞＋（で/に/と）すら

解说　特别举出极端事例，强调"就连该例都如此，其他的就更不用说了"之意。是
　　　比较拘谨的书面语表达方式。

・この大学の学生の中には、教師に対する口の聞き方すら知らないものがいる。

这所大学的学生当中，有人甚至连应怎样同老师说话都不知道。

・彼は朝寝坊して、試験の時ですら遅刻しました。

他早上睡懒觉，连考试都迟到了。

・私は緊張しすぎて、ちらっと見ることすら出来ませんでした。

我过于紧张，连一眼都没看到。

4　～せめてもの　　总算……、还算……、最起码……、唯一的……

接续　せめてもの＋名詞

解说　是连语，后面接续名词，表示"虽然不能满足，但是可以得到一定的安慰"
　　　之意。

・彼女にとって、絵をかくことがせめてもの楽しみだ。

对她来说，画画算是唯一的乐趣。

・失恋で傷ついている彼を、そっとしておくのがせめてもの思いやりだ。

让因失恋而受伤的他安静一会儿是最起码的体谅。

・せめてものお礼の印に、これを受け取ってください。

就这么一点点小礼物，请您收下吧。

5　～そのもの/～そのものだ　　……本身、非常……、简直……、就是……

接续　ナ形容詞語幹＋そのもの
　　　名詞＋そのもの

解说　是一种强调说法。「～そのもの」表示前面接续的词语本身，经常不译。
　　　「～そのものだ」表示"不是别的，简直就是……"之意。

* 地震そのものによる被害もさることながら、直後の火災によって命を落とした人も少なくない。

地震本身引起的灾害就不用说了，因之后的火灾而丧命的人也不在少数。

* 危険は病気そのものからではなく、それに伴う二次感染から引き起こされる。

危险并非来自这种病本身，而是由与之伴随而来的二次感染所引起的。

* 池のそばの小さな小屋での私の生活は平和そのものだった。

我在池边小屋中的生活非常平和。

6 ～そばから 刚……就……、一……就……

接续 動詞辞書形＋そばから

動詞た形＋そばから

解说 多用于表示同一场面中反复出现的动作或现象。后项多表示发生了使前项变得无意义的事情。是比较陈旧的表达方式。「～そばから」与其他表示时间的语法点的区别在于，可以表示经常发生的事情或者个人习惯等等。一般用于对说话人来说不太好的事情反复出现的场合。

* 年を取ってからの勉強は効率が悪い。聞いたそばから忘れていくのだから。

上了年纪以后再学习，效率特别低，因为听了就忘。

* 稼ぐそばから使ってしまうので、貯金するどころではない。

因为挣来钱就花光了，所以根本谈不上存钱。

* 大家族の台所はたいへんだ。洗うそばからすぐ汚れた食器がたまる。

大家庭的厨房真累人。刚洗完，马上就又堆满了脏了的餐具。

7 ～そびれる 错过……、失去……

接续 動詞ます形＋そびれる

解说 表示错过或失去做某事的机会。

* ひどくがっかりしたことには、彼らはその計画を実行しそびれてしまった。

令人非常失望的是，他们错过了实施那项计划的机会。

・長電話のせいで、ゆうべは寝そびれてしまった。

由于煲电话粥，昨晚没睡成。

・課長があまり忙しいので、つい例の件を言いそびれてしまった。

因为科长太忙了，所以我一直没有机会说那件事。

8	~それまで（のこと）だ / ~これまで（のこと）だ	……就完了、……就没用了、……就无话可说了

接续　動詞ば形＋それまで（のこと）だ

　　　動詞た形＋ら＋それまで（のこと）だ

　　　動詞辞書形＋と／なら＋それまで（のこと）だ

　　　ナ形容詞語幹＋であれば＋それまで（のこと）だ

　　　名詞＋であれば＋それまで（のこと）だ

　　　［動詞普通形、イ形容詞普通形、ナ形容詞語幹、名詞］＋なら＋それまで（のこと）だ

解说　前面常与「ば」、「たら」、「と」、「なら」一起连用，表示"如果……就完了"和"如果……就全没用了"等意思。表明事情一旦发展至此，将无法改变某种消极的局面，表现出一种死心、绝望的心情。有时也会用于假定一种消极局面，劝说需要注意的场合。「それまでだ」与「これまでだ」的区别在于，「それ」表示远指，是"那样"的意思；而「これ」表示近指，是"这样"的意思。

・いくら立派な計画を立てても、途中で諦めたらそれまでのことだ。

不管制订了多么好的计划，中途放弃了也就完了。

・せっかくの野外コンサートも、雨天ならそれまでだ。

好不容易盼到的露天音乐会，要是下雨就全完了。

・多額の生命保険に入っても、死んでしまえばそれまでだ。自分はもらえない。

即使缴纳巨额的生命保险，死了也就全没用了，自己又得不到。

9	それはそれとして	此事暂且不论、另外还有、那先不说

接续　通常在句首使用。

解说　用于暂且将之前的话题放在一边，而转到其他话题上。

・切符を買うのに2時間も並びました。それはそれとして、奥さんの具合

はどうですか。

我买票居然排了两个小时的队。先不说那个，尊夫人的情况怎么样了?

- 君の言っていることは分かる。まあそれはそれとして、僕の立場も考えてくれ。

我明白你说的。那个先不说，你也得考虑一下我的立场啊。

- 彼女先月赤ちゃんが生まれたよ。それはそれとして、来年イタリア料理の勉強でイタリアに行く予定だ。

她上个月生宝宝了。那个先不说，我打算明年去意大利学习意大利料理。

10 たかが～ぐらいで　就是点儿……、不就是……

接续　たかが＋［動詞、イ形容詞、ナ形容詞、名詞］の名詞修飾形＋ぐらいで

（但是，不用「名詞＋の」的形式，可以采用「名詞＋である」和「ナ形容詞語幹＋である」的形式。）

解说　以「たかがAぐらいでB」的形式，表示"就为了前项A这么点儿小事，不必或用不着做后项B"的意思。表明说话人认为前项的程度比较低，没有必要做后项的动作或事情。

- お兄ちゃんにたかがケーキを食べられたぐらいで、泣くな。

不就是哥哥把你的蛋糕给吃了吗，哭什么!

- たかがちょっと暗いぐらいで、一人でトイレに行けないなんてね。

有点儿黑就不敢一个人去厕所，真是的!

- たかがこんな雪ぐらいで、喜ぶとは。暑い国の方には珍しいですね。

为这么点儿雪就如此高兴。对气候炎热地区的人来说是很稀奇的啊。

11 ～だけは　能……都……、起码得……、该……都……

接续　動詞辞書形＋だけは

解说　以「動詞辞書形＋だけは＋同じ動詞の活用形」的形式，表示前项能做的事情已经尽可能都做了，后项内容多为不期待或不要求程度更高的事情。

- 彼女にはすでに助けるだけは助けてあげた。後は彼女次第だ。

我已经竭尽全力帮助她了。剩下的就全靠她自己了。

- アメリカへ留学に行く決意は両親に話すだけは話したが、承諾してくれるかどうかは分からない。

我把要去美国留学的决心该跟父母说的都说了，但不知道他们会不会同意。

- その事件に関して調べるだけは調べたが、犯人は全然目鼻がつかなかった。

关于那个案子，该调查的都已经调查了，但是犯人是谁却一点儿眉目都没有。

12 ～だけましだ　幸好……、好在……

接续　［動詞、イ形容詞、ナ形容詞］の名詞修飾形＋だけましだ

名詞＋な＋だけましだ

解说　表示尽管情况不是太好，但是比最坏的情况要好或者没有更加严重，好在只到此为止的意思。一般用于说话人虽然不太满意，但还算凑合的场合。「まし」表示"虽然不能说好，但与其他更差的相比还算是好的"。该句型是一种口语表达方式。

- 1万円給料が上がっただけましですよ。僕なんて給料が減っていますから。

你好在还涨了 1 万日元的工资，我的工资都降了呢。

- この会社は仕事が忙しすぎるが、残業がないだけましだ。

这家公司工作非常忙，但幸好不用加班。

- このアパートはうるさいけど、駅前で便利なだけましだ。

这个公寓虽然有些吵，但是好在位于站前很方便。

13 ただでさえ　本来就……、平时就……

接续　通常在句首使用。

解说　表示"即使在一般情况下也……"的意思。用于表述即使在一般情况下都这样，更何况是在非一般情况下，程度肯定更加严重。

- 今日はただでさえ忙しいのに、母に買い物に行かされた。

今天本来就很忙，却又被母亲叫去买东西了。

- これはただでさえおいしいものが、さらに我が隠し味を入れたら美味しくてたまらなくなるよ。

本来就很好吃的东西，再加上本人秘制的调味料，简直变得好吃得不得了。

- ただでさえあまり国民に信用されていなかったのに、あんなへまをやっ

てはあの政治家はもうだめだ。

本来就不怎么受国民信赖，如果做了那样的错事，那个政治家算是完了。

14 ただ～のみ／～のみだ　只有……

接续　［ただ＋動詞辞書形＋のみ］／［動詞辞書形＋のみだ］

　　　　［ただ＋イ形容詞＋のみ］／［イ形容詞＋のみだ］

　　　　［ただ＋名詞（＋格助詞）＋のみ］／［名詞（＋格助詞）＋のみだ］

解说　表示限定。与「～だけ」意思相同，但是是较为生硬的书面语。有「ただ」时强调的语气更强。

● 社員たちはただ部長の指示を聞くのみで、誰も行動に移さなかった。

　員工们只是听着部长的指示，谁都没有采取行动。

● 人はただ自身に都合がいい意見にのみ耳を傾けるきらいがある。

　人总是倾向于听取对自己有利的意见。

● ただ厳しいのみではいい教育とは言えない。

　只是严格的话，不能说是好的教育。

15 （ただ）～のみならず／（ただ）～のみでなく／（ただ）～のみか　不仅……而且……

接续　（ただ＋）［動詞、イ形容詞、ナ形容詞、名詞］の普通形＋のみならず（但是「ナ形容詞」用「ナ形容詞語幹＋である」的形式，名詞或者不接「だ」，或者接「である」。）

解说　意思等同于「（ただ）～だけでなく」。「ただ」表示强调，后面经常与「も」一起连用。前项和后项是互为对照、并列或类似的内容。是文语体。

● 新聞記者は政府から不正な金を受け取るのみならず、記事の内容まで政府に漏らしていたという。

　据说报社记者不仅从政府那里收取不法资金，还将报道内容泄漏给了政府。

● あの国は、ただ資源が豊富であるのみならず、優れた人材も出ている。

　那个国家不仅资源丰富，而且优秀人才辈出。

● 入学試験は、成績のみか、部活やボランティアなどの活動も選考のポイントになる。

　入学考试不仅看成绩，社团活动和志愿者活动等也会作为选拔的采分点。

必考句型

第 5 单元

---

1 〜たつもりはない　没想……

接続　動詞た形＋つもりはない

解説　表示自己没有想过那样，用于否定自己之前所做的行为。

- 彼に仕事を頼んだつもりはないが、彼はすっかり自分がやる気になっていた。

  没有想过把工作交给他做，但他俨然已经跃跃欲试了。

- 油断をしたつもりはないのだが、ゴールの前で他の選手に追い抜かれてしまった。

  没有想过掉以轻心，但在到达终点前被其他选手追赶上来了。

- あの人を傷付けるようなことを言ったつもりはないんだが。

  本没想说伤害他的话。

2 〜たところで　即使……也（不）……

接続　动词た形＋ところで

解説　表示即使做了前面的事项，也得不到后面的结果。

- 言葉を尽くして説明したところで、料理の味は伝わらない。

  即使用再多的言语说明，也无法传达美食的味道。

- 今から走ったところで、授業に間に合わない。

  即使现在跑去，也来不及上课。

- どちらにしたところで、大局に影響があるとは思えない。

  我想无论选择哪一个，也不会对大局有影响。

3 　**〜だに**　连……都……

接続　動詞辞書形＋だに

　　　名詞＋だに

解説　「だに」是文语助词在现代日语中的残余。表示举出一个极端的事例。有时可以和「すら」、「さえ」替换，同时和否定形式相呼应，有时可以和「だけでも」相替换。

- 会えるとは夢にだに思わなかったプロのサッカー選手に会うことができ、サインをしてもらって、ゆうべは感動して寝られなかった。

  做梦都没有想过能遇到职业足球运动员，还得到了对方的签名。昨晚激动得不能入睡。

- 殺人事件を起こした犯人の心は、考えるだに恐ろしい。

  杀人犯的心理，连想想都让人觉得恐怖。

- 宝くじが当たるとは、予想だにしなかった。

  连想都没有想过能中彩票。

4 　**〜だの〜だの**　……啦……啦

接続　［動詞、イ形容詞］の普通形＋だの＋［動詞、イ形容詞］の普通形＋だの

　　　［ナ形容詞語幹、名詞］＋だの＋［ナ形容詞語幹、名詞］＋だの

解説　「だの」是并列副助词。表示并列、列举几个具有代表性的事物。常用「〜だの〜だの」、「〜だの〜など」的形式，最后一个「だの」有时会加上格助词。

- 彼の部屋にはCDだの、ビデオだのが散らかっていて、足の踏み場もない。

  他的房间里散落着CD、录像带之类的东西，都没有落脚的地方。

- ただで譲ってもらったからには古いだの汚いだのと文句は言えない。

  既然是免费获得的，就无法抱怨旧啦、脏啦什么的。

- あの人はいつも遅刻をしてきて、電車が遅れただの、目覚まし時計が壊れただのの言い訳を始める。

  那个人总是迟到，老是找借口说电车晚啦或闹钟坏啦之类的。

5 ～たまえ ……吧（可灵活翻译）

接续 動詞ます形＋たまえ

解说 「たまえ」是补助动词「たまう」的命令形。常用于成年男子同辈之间或对晚辈的谈话中，表示比较客气、随和的命令或请求。

- 私は君たち社員を信じている。この企画は好きなように進めたまえ。

  我信任你们这些职员。这个计划按照你们的意愿执行吧。

- もう社会人だろう。新聞ぐらいは読みたまえ。

  你已经走向社会了。多读读报纸吧。

- 文句があるなら、堂々とここへ出てきて言いたまえ。

  如果有怨言，请堂堂正正地来这里说出来吧。

6 ～ためしがない 从来没有……

接续 動詞た形＋ためしがない

解说 表示迄今为止从来没有做过前面的事项。其中，「試し」的意思为"尝试"。

- 時間に正確な彼は、約束の時間に遅れたためしがない。

  守时的他，从来没有迟到过。

- あいつと一緒に仕事をすると失敗ばかりで、うまくいったためしがない。

  和那家伙一起工作总是失败，从没有进展顺利过。

- 占いなんて、当たったためしがありません。

  占卜从来没有准过。

7 ～たりとも 即使……也（不）……

接续 名詞＋たりとも

解说 「たりとも」是文语的残余。前面接以"1"字开头的数量词。「たり」为文语的完了助动词，「とも」为文语的接续助词。「たりとも」的意思等同于「であっても」。后项通常接否定或消极的内容，比如「ない」、「だめだ」等。该句型表示即使数量少或程度低，也不能做后项的事。

- 水不足なので、1滴たりとも、無駄にできない。

  因为缺水，所以即使一滴水也不能浪费。

- お米は農民の汗の結晶だ。1粒たりとも残したりできない。

大米是农民汗水的结晶。即使一粒米也不能剩下。

- 借金を返すまでは、1円たりとも余分な出費は避けなければならない。

  在还清欠款之前，即使是一日元，也要避免额外的花销。

8　～たる（もの）　作为……的……

接续　名詞＋たるもの

名詞＋たる＋名詞

解说　「たる」是文语助动词「たり」的连体形，接在名词的后面，等同于「である」，意为断定事实。「たる」后有时可以接「もの」，有时可以接表示同格的其他名词。该句型表示以前面的身份做后面的行为，后项有时是否定的表达，有时是肯定的表达。

- プロの料理人たるもの、料理に手抜きは許されない。

  作为职业厨师，不允许做饭时疏忽。

- 首相たるもの、自らの発言に責任を持たなければならない。

  作为首相，必须要对自己的发言负责。

- 行政府たる内閣は政党間の対立に超然と対処し、良識をもって法案を審議すべきである。

  作为行政机关的内阁应该超然地对待政党间的对立，以正确的判断力审议法案。

9　～だろうが～だろうが／～だろうと～だろうと　不论是……还是……

接续　名詞＋だろうが＋名詞＋だろうが

名詞＋だろうと＋名詞＋だろうと

解说　表示后项不受前项的限制，即表示前面两项无论如何，后项都保持不变。

- 男だろうが、女だろうが、条件はあまり変わらないんじゃないか。

  不论男女，条件都没什么变化吧。

- 部下だろうが、上司だろうが、仕事に責任を持たなければならない。

  不管是部下还是上司，都必须对工作负责。

- 雨だろうと、風だろうと、実施計画は決して変更しない。

  不管下雨还是刮风，都绝不会改变实施计划。

10 ～だろうに

（1）本来是……可……、本以为……可是……

接续 ［動詞、イ形容詞、ナ形容詞］の普通形＋だろうに

解説 表示说话人对前项的同情或批评。

- ピーナッツなんてどこでも買えるだろうに、母はわざわざ故郷から持ってきた。

  本来花生米在任何地方都能买到，妈妈却专门从老家带来了。

- 忙しくて大変だっただろうに、また新しい仕事が入ってきた。

  本来就很忙、很辛苦，却又来了新的工作。

- 犯人の殺意をうすうす感じとっただろうに、十分な注意を怠った。

  本来隐约感受到了犯人的杀机，却疏忽大意了。

（2）表示遗憾

接续 ［動詞、イ形容詞、ナ形容詞］の普通形＋だろうに

解説 表示对于没有实际做前项的事而感到遗憾。

- 皆様にお話しすることができれば、もっと気が楽だっただろうに。

  如果能讲给大家听，我一定会更加放松的。

- もしあなたも電話していたら、私はもっと感動しただろうに。

  如果你也打电话的话，我一定会更感动的。

- もし酒を飲み過ぎなかったら、そんな事故を起こさなかっただろうに。

  如果没有喝太多酒，就不会发生那样的事故了。

11 ～つ～つ　又……又……、忽而……忽而……

接续 動詞ます形＋つ＋動詞ます形＋つ

解説 「つ」是并列助词，来自于文语完了助动词「つ」，用于书面语中。「～つ～つ」意思相当于「～たり～たり」，表示两种或两种以上的动作、状态反复出现。

- 夫婦は、お互いに持ちつ持たれつ、協力し合って生きていくものだ。

  夫妻俩就应该彼此依靠、相互配合地生活在一起。

- 入り口の前で行きつ戻りつしていたが、とうとう決意して入っていった。

  在入口前走来走去，最终下定决心进去了。

- マラソンは二人の選手の抜きつ抜かれつの大接戦だった。

  马拉松成了两位运动员之间你追我赶的激战。

12 ～っぱなし　放任……、一直……

接续　動詞ます形＋っぱなし

解说　「っぱなし」来自「放し」一词。而「放し」的原意是"放开"。该句型有两个意思：一是表示保持原来的样子，本来该做的事情却没有做，与「～たまま」不同，多含有负面的评价；二是表示一直保持着同样的状态而不变。

- しまった。窓を開けっぱなしで出てきてしまった。

  糟了。没有关窗户就出来了。

- 鈴木さんにはお世話になりっぱなしで、お礼の言葉もありません。

  一直承蒙铃木的关照，却连句感谢的话都没有。

- 帰宅ラッシュに重なってしまったので、電車で1時間ずっと立ちっぱなしだった。

  因为遇到下班高峰，所以在电车上一直站了一个小时。

13 ～であれ／～であろうと　不管……都……

接续　疑問詞＋であれ

　　　ナ形容詞語幹＋であれ

　　　たとえ＋名詞＋であれ

　　　どんな＋名詞＋であれ

　　　名詞＋は＋どうであれ

解说　表示即便是前面的事项，后项依旧成立。

- 給料がいくらであれ、この仕事が好きだから続けていきたい。

  不管工资多少，因为喜欢这个工作，所以我想一直干下去。

- 理由が何であれ、あなたのしたことは間違っていると思う。

  不管是什么理由，我认为你做的事都是错误的。

- 転勤先がどこであれ、私は家族と一緒に行こうと思っている。

  不管调往哪里工作，我都想和家人一起去。

14 ～であれ～であれ / ～であろうと～であろうと

无论……
还是……

接续 ナ形容詞語幹＋であれ＋ナ形容詞語幹＋であれ
名詞＋であれ＋名詞＋であれ

解说 「であれ」是「である」的命令形。用两个「であれ」，有时也会用三个「であれ」，表示并列类推其他，无论是哪一种都不超出后面的结论。「であろうと」是「である」的未然形加接续助词「と」构成的。该句型的意思等同于「～でも～でも」。

• パートタイムであれフルタイムであれ、自分の仕事には責任を持ちたいものだ。

无论是小时工还是全职，我都想对自己的工作负责。

• 猫を育てるのであれ、熱帯魚を飼うのであれ、生き物の世話は楽しい。

无论是养猫还是养热带鱼，照顾这些动物都很开心。

• 生まれてくる子供が 男 であれ 女 であれ、どちらでもうれしいに決まっている。

无论生男孩还是女孩，都一定会很开心。

15 ～ていただけるとありがたい（/うれしい）/～てもらえるとありがたい（/うれしい）/～ていただければありがたい（/うれしい）/～てもらえばありがたい（/うれしい）

您要能……那就太感谢（/高兴）了

接续 動詞て形＋いただけるとありがたい（/うれしい）

解说 表示如果对方能那样做的话，那么说话人会相当感激、高兴等。

• 今度の日曜日、引越しを手伝ってもらえるとありがたいんだけどな。

这个周日，您要是能帮我搬家，那真是感激不尽啊。

• 今度のパーティーに、小野さんに来てもらえるとうれしいのですが。

这次的聚会，如果小野能来那就太高兴了。

• アンケートに答えていただけるとありがたいのです。

如果您能回答一下调查问卷，那就太感谢了。

必考句型

---

1 **〜てからというもの** 自从……以后

接続 動詞て形＋からというもの

解说 表示以前项为契机，后项发生了较大的改变。

- デジタルカメラを買^かってからというもの、いつも持^もち歩^{ある}くようになった。
  自从买了数码相机之后，就一直拿着到处走。

- 海外留学^{かいがいりゅうがく}してからというもの、彼^{かれ}は１日^{にち}も休^{やす}まず、まじめに授業^{じゅぎょう}に出^でるようになった。
- 自从去海外留学之后，他一天都没有休息，总是认真地去上课了。

- 不景気^{ふけいき}になってからというもの、大学生^{だいがくせい}の就職活動^{しゅうしょくかつどう}は、大変厳^{たいへんきび}しいものになっている。
  自从经济不景气之后，大学生的就业形势变得异常严峻。

2 **〜てしかるべきだ** 当然要……、应该要……

接続 動詞て形＋しかるべきだ

解说 「しかる」是文语动词「しかり」的连体形。「しかり」的意思同「そうだ」、「そのとおりだ」。「べき」是文语助动词「べし」的连体形。「しかるべきだ」意为"适当的、相当的、应该"。该句型表示前项事项是理所当然的或者合情合理的。

- 民主主義^{みんしゅしゅぎ}の世^よの中^{なか}なんだから、個人^{こじん}の意見^{いけん}は尊重^{そんちょう}されてしかるべきだ。
  因为是民主主义社会，所以个人意见应该被尊重。

- 古^{ふる}い資料^{しりょう}に基^{もと}づいたこの計画^{けいかく}は、見直^{みなお}されてしかるべきだ。
  依据旧资料而制订的此计划应该被重新评估。

突然の社長交替について、株主に何らかの説明があってしかるべきだ。

社长突然换人，就此，应该向股东做些说明。

3 ～てしまいそうだ　恐怕会……、好像要……了

接续　動詞て形＋しまいそうだ

解说　表示恐怕会做出前面的事项。「～てしまう」表示动作、行为的完了、完成。
「～そうだ」表示根据眼前看到的具体样子、情况、状态、趋势等进行推断，
意为"好像要……"。「～てしまいそうだ」表示好像前面的动作要完成的
样子。

- 一度にいくつも問題が起きて、頭が爆発してしまいそうだ。

  一下子发生若干问题，头好像快要爆炸了。

- 毎日毎日暑くて暑くて、もう気が狂ってしまいそうだ。

  每天都很热，快要疯了。

- 喉が乾いてたまらないので、一気にジュースを飲んでしまいそうだ。

  因为喉咙干得不得了，所以好像一口气就要把果汁喝光似的。

4 ～でなくてなんだろう / ～でなくてなんであろう

……不是……是什么呢、就是……

接续　名詞＋でなくてなんだろう

解说　表示强调前面事项就是事实。

- たった5歳で4か国語を話せるなんて、これが天才でなくてなんだろう。

  仅仅5岁就能讲4国语言，这就是天才啊。

- 一分一秒でもそばにいたいと思う。これが愛でなくてなんであろう。

  我想分分秒秒都在你身边。这不是爱是什么呢？

- 子供が悪いことをしたら叱る。これが親としての姿でなくてなんだろう。

  孩子做错了事就要批评。这就是父母该做的事。

5 ～てのことだ　是因为……才……

接续　動詞て形＋のことだ

解说　表示就是因为前项，才有可能完成某事。

- 彼は事業に成功できたのは、友達の支持があってのことだ。

  就是因为有朋友的支持，他才能事业成功。

- あなたを厳しく叱ったのは、あなたの将来を考えてのことだ。

  之所以严厉斥责你，是为你的将来考虑。

- 今度の成功はみんなの努力があってのことだと思いますよ。

  我认为这次的成功全是因为大家的努力。

6 ～ではあるまいか　难道不是……吗、是不是……呀

接续　動詞辞書形＋の＋ではあるまいか

イ形容詞辞書形＋の＋ではあるまいか

［ナ形容詞語幹、名詞］（＋なの）＋ではあるまいか

解説　可以表示一种推测，有时也用于表示说话人的一种主张。比「～ではないだろうか」的表达更加郑重。

- いまこそ人生を変えるチャンスではあるまいかと思っている。

  我想现在就是改变人生的好机会吧。

- この方法なら誰でも利用できるのではあるまいか。

  这个方法的话，难道不是任何人都可以利用吗？

- 小さな地震が続いている。大きな地震が起こるのではあるまいか。

  持续有小型地震发生。是不是要发生大地震啊？

7 ～ではあるまいし／～じゃあるまいし　又不是……

接续　名詞＋ではあるまいし

解説　表示因为不是前项，所以当然可以发生后项。助动词「まい」的意思有两个，一个等同于「ないだろう」，另一个意思等同于「ないつもりだ」。在本句型中的意思是第一个，即表示否定的推量，意为"不会……吧"。「ではあるまいし」是书面语的表达方式，而「じゃあるまいし」是口语的表达方式。

- 壊れ物ではあるまいし、そんなに大切に扱わなくてもいいよ。

  又不是易碎物品，不必那样小心翼翼。

- 赤ちゃんではあるまいし、自分のことは自分でしてよ。

  又不是婴儿，自己的事要自己做。

• 天才ではあるまいし、こんな難しい問題が分かるもんか。

我又不是天才，这么难的问题怎么能会呢?

8 ～て（は）かなわない／～ちゃかなわない ……得难以承受

接続 動詞て形＋（は）かなわない

イ形容詞て形＋（は）かなわない

ナ形容詞て形＋（は）かなわない

解説 表示无法应付或承受前面的事项。「かなわない」是动词「敵う」的否定表达形式。「敵う」的意思为"可以做到、经得起、受得住"。「～ちゃかなわない」是「～て（は）かなわない」的口语表达形式。

• 今日もまた残業だよ、こう忙しくてはかなわないなあ。

今天又加班，忙得受不了。

• 赤ちゃんがお腹にいる女性にとって、目の前でタバコを吸われてはかなわないだろう。

对于怀孕的女人们来说，被动吸烟是难以忍受的。

• 仕事に誇りを持ってはいるが、こんなに残業が多くてはかなわない。

对于工作有自豪感，但加班多得难以承受。

9 ～てばかりはいられない／～てばかりもいられない 不能总……

接続 動詞て形＋ばかりはいられない

解説 表示不能总做前面的事或总保持前面的状态。「～てばかりはいられない」是由「～てばかりいる」变来的。「～てばかりいる」意为"总是……"。「いられない」是「いる」可能形的否定表达，意为"不能……"。

• 試験が近いため、日曜だからといって遊んでばかりはいられない。

因为要考试了，所以虽说是周日，也不能总是玩儿。

• 試験に合格したからといって、喜んでばかりはいられない。

虽说考试及格了，但也不能总是高兴。

• 父に死なれて、いつまでも悲しんでばかりはいられない。

父亲去世了，但也不能总是伤心。

10 〜ではすまされない

如果……的话，是不能解决问题的；如果……的话，是不行的

接続　動詞普通形＋ではすまされない

名詞＋ではすまされない

解説　表示某项事情是不能迁就的，或者表示如果以前面事项结束的话是不行的、是不能解决问题的。「〜済まされない」是由动词「済ます」变来的。「済ます」的意思是"完成、应付、解决"。「済まされる」不是使役被动形，而是动词「済ます」的可能形。「済まされない」意思是"不能解决、不能应付"。

・ 管理層の人として、マネジメントに関する基本の知識を知らないではすまされない。

作为管理层，缺乏管理的基础知识是不行的。

・ このストーリーはただの笑い話ではすまされないと思うところがある。

这个故事有些地方发人深省，并不只让人一笑而过。

・ このままでは済まされない。

这样可不能算完。

11 〜てはばからない　直言不讳地……、毫不客气地……

接続　動詞て形＋はばからない

解説　「憚る」是动词，意为"顾忌、忌惮、怕"。「はばからない」意为"毫无顾忌、直言不讳"。该句型表示毫不客气地、毫无顾忌地做某事。

・ クラスで一番できるのは自分だと言ってはばからない。

毫不客气地说自己在班上学习最好。

・ 彼は、自分が世界一のバレーボール選手だと言ってはばからない。

他毫不客气地说自己是世界第一的排球运动员。

・ 田中課長は、次に部長になるのは自分だと公言してはばからない。

田中科长大言不惭地说接下来当部长的是自己。

12 ～て（は）やりきれない ……的话，让人受不了； ……的话，接受不了

接续 動詞て形＋（は）やりきれない

イ形容詞て形＋（は）やりきれない

ナ形容詞て形＋（は）やりきれない

解说 表示某事让人无法忍受、无法接受。「やりきれない」由动词「やる」和「きれる」的否定形式构成。其中，「～きれる」表示完全能够做得到。「やりきれない」的意思是"做不完、忍受不了、应付不了"。可以单独使用。

• 正午になると暑くてやりきれない。

到了中午就热得受不了。

• 毎晩 12 時まで勉強しているので、朝は眠くてやりきれない。

因为每天晚上学习到 12 点，所以早上困得受不了。

• いつも彼女の愚痴ばかり聞かされてやりきれない。

总是不得不听她的抱怨，真受不了。

13 ～てまえ 考虑到……；由于当着……的面，只好……

接续 動詞普通形＋てまえ

名詞＋の＋てまえ

解说 「手前」的意思是"自己的面前、这边、面子"。该句型表示考虑到说话人的立场以及为了维护其声誉而有了后项。

• 正直に言って、ジェットコースターに乗るのは怖かったが、彼女のてまえ、そんなことは口に出せなかった。

说实话，乘坐过山车时很害怕。但是当着女友的面，不能说出来。

• 夫がトヨタに勤めている手前、ホンダの車を買うわけにはいかない。

考虑到丈夫在丰田上班，我也不能买本田的车。

• 子供に交通ルールを守れ、と言ったてまえ、僕が信号無視をするわけにはいかないよ。

考虑到我对孩子说过要遵守交通规则，所以我自己也不能无视信号灯。

14 ～てみせる　一定要……、……给人看看

接续　動詞て形＋みせる

解说　「見せる」的意思为"让……看、呈现、假装"。该句型表示说话人强烈的意志或决心，即表示不得不或一定要做某事给别人看。

• 来年こそは、試験に合格してみせると、彼は心に誓った。

他在内心发誓，明年一定要考试及格。

• あえて悲しそうな顔をしてみせた。

硬要做出一副悲伤的样子给人看。

• 私は必ず夢を実現してみせる。

我一定要实现梦想给人看看。

15 ～ても～きれない　即使……也（不）……

接续　動詞て形＋も＋動詞ます形＋きれない

　　　　動詞意向形＋としても＋動詞ます形＋きれない

　　　　動詞意向形＋と思っても＋動詞ます形＋きれない

解说　表示即使做前项也不会实现后项。

• 私は彼のことを信じようと思っても、信じきれないのです。

我即使想相信他的话，也无法相信。

• 彼は喜びを隠そうとしても隠し切れないようだった。

他即使想掩饰喜悦，好像也无法掩饰。

• この報酬額は、毎日8000万円ですが、使っても使い切れないという凄まじい金額となります。

这个报酬是每天8000万日元，真是怎么用也用不完的惊人金额。

• 二人で食べても食べ切れない物を持ってきた。

带来了两个人吃都吃不完的食物。

必考句型

1 ～ても～すぎることはない　不管多……也不过分

接続　動詞て形＋も＋動詞ます形＋すぎることはない

動詞て形＋も＋イ形容詞語幹＋すぎることはない

解说　表示无论怎么样做前面事项也不过分。「過ぎる」意为"经过、过、过度"。

还可以作为接尾词，表示超过某种程度或限度。

• お布団を干すなら、お天気にいくら注意しても注意しすぎることは
ない。

如果要晒被子的话，无论多注意天气也不过分。

• 定期検査の重要性をいくら強調しても強調しすぎということは
ない。

无论多强调定期检查的重要性也不过分。

• 日焼け止めに、時期が早くても早すぎることはない。

防晒要越早越好。

2 ～てもさしつかえない／～でもさしつかえない　即使……也无妨

接続　動詞て形＋もさしつかえない

イ形容詞て形＋もさしつかえない

ナ形容詞て形＋もさしつかえない

名詞＋でもさしつかえない

解说　「差し支える」意为"障碍、有影响"。「差し支えない」表示可以做前面事
项，与「～てもいい」、「～てもかまわない」的意思基本相同，但语气比较
郑重，用于非常正式的场合。

• 「小鳥くらいなら飼ってもさしつかえないでしょう」と管理人は言った。

管理员说："如果是小鸟的话，即使饲养也无妨吧。"

・印鑑をお持ちでなければ、サインでもさしつかえありません。

　　如果您没有带印章，签名也无妨。

・もし今週 ご都合が悪いようでしたら、来週でも差し支えありません。

　　如果您这周不方便的话，下周也无妨。

3　〜でもしたら　如果……的话

接续　動詞ます形＋でもしたら

解说　表示提醒对方，如果发生前面事项的话会很难处理或很为难。

・この不正事件が新聞に掲載されでもしたら、大騒ぎになることだろう。

　　如果这种非法事件被刊登在报纸上的话，会引发大骚动吧。

・このことが彼女に知られでもしたら大変だ。

　　这件事情如果被她知道的话那就惨了。

・かぎをかけ忘れでもしたら大変だよ。

　　如果忘记锁门的话可不得了。

4　〜てもともとだ / 〜でもともとだ　和原来一样、不赔不赚

接续　動詞て形＋もともとだ

　　　　イ形容詞て形＋もともとだ

　　　　ナ形容詞て形＋もともとだ

解说　「元々」的意思为"不赔不赚、同先前一样"。前项通常是消极内容，表示即使发生了前项也和平时一样。多用于做某事失败，或做一些成功可能性比较小的事情的场合。

・初めからあまり可能性はなかったから、失敗してもともとだ。

　　因为从最初就几乎没有可能性，所以即使失败也没什么。

・勉強不足だとは思うが、試験を受けてみよう。落ちてもともとだ。

　　我觉得准备得不充分，但想试着考考看。即使落榜也无所谓。

・失敗して元々だという気持ちを抱いて取り組んでいきましょう。

　　抱着即使失败也没什么的心态来应对这件事吧。

5 ～でもなんでもない　并不是什么、并没有什么、根本就不……

接続　ナ形容詞語幹＋でもなんでもない
　　　　名詞＋でもなんでもない

解説　「でも」是副助词，两个「でも」构成对等文节，表示全面否定。「なんでもない」意为"算不了什么、没关系、什么也不是"。

- あんな人、恋人でもなんでもないわ。彼の話、もうしないで。
　那个人根本就不是我的恋人。不要再提他了。

- 鈴木？あいつの話、やめてくれ。あんなやつ、友達でもなんでもないよ。
　铃木？不要提那家伙了。那样的人根本不是什么朋友。

- これぐらいピアノを弾ける人は大勢いる。彼女は、特別でもなんでもないよ。
　有很多人弹钢琴都能到这种水平。她并不是特别优秀。

6 ～てもはじまらない　即使……也没用、就是……也白费

接続　動詞て形＋もはじまらない

解説　「はじまらない」是「始まる」的否定表达形式，意思相当于「むだだ」（白费、无用功）、「何にもならない」（无济于事）。该句型表示做前项也没用，无法挽回。

- 試合に負けた後で、後悔しても始まらない。
　比赛失败之后，即使后悔也白费。

- 仕事が失敗した後で、いまさら意見を言ってもはじまらない。
　工作失败了，事到如今即使提出意见也没用。

- 言おうか言うまいか、一人で悩んでいても始まらない。
　是说还是不说呢，一个人苦恼也没用。

7 ～てやまない　非常……、……不得了、……不已

接続　動詞て形＋やまない

解説　「やまない」是动词「止む」的否定形式，表示"不停止"的意思。该句型前面通常接表示感情、意愿、意志的动词，表示那种感情一直持续着。通常在会话中不使用该句型。

・夫婦になったお二人の 幸 せをお祈りしてやみません。

我衷心地祈愿成为夫妻的两个人幸福。

・ご成功を念願してやみません。

衷心祝愿你成功。

・世界の永 久 平和を祈念してやみません。

衷心地祈求世界永久和平。

8　～とあいまって/～もあいまって/～と～とがあいまって

与……相结合、加上……

接续　名詞＋は＋名詞＋とあいまって

　　　名詞＋は＋名詞＋もあいまって

　　　名詞＋と＋名詞＋とがあいまって

解说　动词「相まつ」的意思是"两个以上的事情同时发生并相互起作用"。该句型
　　　表示与其他因素相互作用。

・料 理 人の技 術 と素材のよさとがあいまって、非 常 によい味を出して
いる。

厨师的技术加上优质的食材，使得饭菜的味道非常鲜美。

・あの俳優は年齢が知性と相まって、素晴らしい魅 力 を出している。

那个演员的年龄加上才智，展现了出色的魅力。

・社 長 のリーダーシップは社員の努 力 も相まって、その会社は急 成 長
した。

社长的领导才能加上员工的努力，使得那个公司飞速成长。

9　～とあって　因为……

接续　［動詞、イ形容詞、ナ形容詞、名詞］の普通形＋とあって

解说　「と」表示思维活动的内容。「あって」是由「ある」变化而来的，「て」表
　　　示原因、理由。「とあって」的意思相当于「という理由で」、「であった関
　　　係で」、「という状況なので」。前项表示原因，后项则是由前项导致的结果
　　　或采取的行动。后项不使用意志、推量的表达方式。

・台風が近付いているとあって、どの家も対策に追われている。

因为台风临近，所以所有人家都在采取防护对策。

彼は海外旅行が初めてとあって、昨晩は興奮で寝られなかったそうだ。

听说他第一次出国旅行，所以昨晚兴奋得不能入眠。

珍しい皆既日食が見られるとあって、島には世界中から人々が集まった。

因为可以看见难得的日全食，所以岛内聚集了来自世界各地的人们。

10 ～とあれば／～とあっては　如果……

接続　［動詞、イ形容詞、ナ形容詞、名詞］の普通形＋とあれば

解説　「とあれば」表示如果是前面状况的话就会发生后面的事项，意思等同于「であれば」、「なら」、「ならば」。「とあっては」的意思相当于「という状況では」，表示如果在前面的那种特别状况下，就会发生后项的事或采取后项的行动。

愛するあの人のためとあれば、家族だって捨てられます。

如果是为了所爱的人，我甚至可以舍弃家人。

私の身分証明書が必要とあれば、すぐにでも持参しますので、おっしゃってください。

如果需要我的身份证，我可以马上带来，所以请您告诉我。

先生のお呼びとあれば、何があっても駆けつけないわけにはいかない。

如果是老师叫我，不管有什么事都必须马上赶过去。

11 ～といい～といい　不论……还是……

接続　名詞＋といい＋名詞＋といい

解説　表示并列提出某个事物的两个方面，后面是对其评价。

この家は広さといい、間取りといい、私の理想のマンションだ。

这个房子不论是面积还是房间布局，都是我理想中的公寓。

このホテルは部屋といい、スタッフの対応といい、どれも満足のいくレベルだ。

这个酒店不论是房间，还是工作人员的接待，都是让人满意的水准。

気配りといい、話し方といい、彼はこのホテルのスタッフでもっとも優秀だ。

无论是对客人的细心照顾还是说话方式，他都是该宾馆员工中最优秀的。

12 ～というか～というか　　是……还是……

接续　動詞辞書形＋というか＋動詞辞書形＋というか

イ形容詞辞書形＋というか＋イ形容詞辞書形＋というか

ナ形容詞語幹＋というか＋ナ形容詞語幹＋というか

名詞＋というか＋名詞＋というか

解说　表示对人或事的总体印象或判断等。这种印象或判断是说话人随时想到的。

- うちのお父さんは、まじめというか、頭がかたいというか、もう少し
人生を楽しめばいいのにと思うんだけどね。

  我爸爸，是说他严肃呢，还是死板呢，如果他能再好好享受一下人生就好了。

- 子犬は可愛いというか愛らしいというか、抱きしめたくなる。

  小狗，是说它可爱呢，还是乖巧呢，想要抱抱它。

- あいつ、また無断欠勤か。非常識というか、無責任というか、あきれ
てものが言えないな。

  那家伙又无故缺勤。是说他无常识呢，还是没有责任感呢？惊愕得说不出话来。

13 ～といったところだ／～というところだ　　也就是……那个程度

接续　動詞普通形＋といったところだ

名詞＋といったところだ

解说　表示处在前项所提的状态、状况，或指所说的程度。

- この辺の一人暮らし用アパートなら、家賃はせいぜい8万円といったと
ころだ。

  这边一个人住的公寓，房租最多也就是8万日元左右。

- 「よく故郷に電話するの？」「月に1、2回といったところかな。」

  "经常给老家打电话吗？" "一个月也就打一两次吧。"

- 運動しているといっても、軽くジョギングするといったところです。

  虽说是在运动，但也就是慢跑而已。

14 ～というふうに　　……这样的

接续　動詞辞書形＋というふうに

名詞＋というふうに

解说　表示对某种做法、方法、状态等进行举例说明。

- 桜、チューリップというふうに、春にたくさんの花が咲きます。

  春天很多鲜花盛开，例如樱花、郁金香等等。

- 午前はピアノを弾き、午後は日本語を勉強するというふうに、彼は習い事で忙しい。

  上午弹钢琴、下午学日语，他每天都像这样忙着学习。

- 「どちらでもある」というふうに考えるべきではなく、「どちらでもない」というふうに考えるべきなのだ。

  不该认为"任何地方都有"，而应该想"任何地方都没有"。

15 ～というもの 整整……

接续 名詞＋というもの

解説 接在表示时间的数词之后，强调说明在整个时间段之内，一直进行某种动作或一直保持某种状态。

- 昨晩から 24 時間というもの、何も食べていない。

  从昨晚开始，整整 24 小时没有吃任何东西。

- 彼はここ 3 ヶ月というもの、旅行先からメールも手紙も送ってこない。

  他这整整三个月，从旅行目的地既没有发来邮件，也没有寄来信。

- 留学から帰ってから 1 か月というもの、仕事もしないで家でぶらぶらしている。

  留学归来整整一个月，不去上班，光在家闲着。

必考句型

第8单元

1 ～といえども

（1）虽说……但……

接续 ［動詞、イ形容詞、ナ形容詞、名詞］の普通形＋といえども

解说 表示前面为一个既定的事实，即列举一个极端的、特别的事例，但结论是与一般情况没有差别的。该句型表达的意思为「～だが、それでも～」。

- N1級合格者といえども、日本語の勉強が必要ないというわけではない。

  虽说过了新日语能力考试 N1 级，但并非没有学习日语的必要了。

- 日本人といえども、敬語を上手に話すのは難しい。

  虽说是日本人，但很好地使用敬语依旧很难。

（2）即使……也……

接续 1＋量词＋といえども

解说 表示列举最小的数目，对此进行全面否定。该句型的意思是「～も～ない」。

- わたしは1日といえども仕事を休みたくない。

  即使一天，我也不想旷工。

- 1円といえども、道に捨てる人はたぶんいないと思います。

  我想，即使是一日元，大概也没有人会丢到路上。

（3）不管怎么样，也……

接续 疑問詞＋名詞＋といえども

たとえ／いかなる＋名詞＋といえども

解说 表示假定一个极端的事例，即使是该事例也不能做后项内容。该句型的意思是「それでも～」。通常和「どんな」、「どれほど」、「たとえ」、「いかなる」等一起使用。

- たとえ宗教といえども、人の心の自由を奪うことはできないはずだ。

  即使是宗教，也应该不能剥夺人们内心的自由。

- いかなる困難といえども、われわれの決心を揺るがすことはできない。

  不管任何困难也动摇不了我们的决心。

2 ～といったらない／～ったらない／～といったら ……之极、
ありはしない／～といったらありゃしない ……不得了

接续 ［動詞、イ形容詞、ナ形容詞］の普通形＋といったらない

　　　　名詞＋といったらない

解说 表示极端的程度。「～といったらない」、「～ったらない」接在名词后面，可以用于表示褒义或贬义。褒义表示好得无法用语言表达，贬义表示"太糟了、不得了"等。接在形容词后也可以表示褒义或贬义，意思为"无比、无上"。「～といったらありはしない」只用于表示贬义。「～といったらありゃしない」是比「といったらありはしない」更通俗的说法，常常省略为「～ったらありゃしない」。

- 携帯電話の説明書の厚さといったらない。電話機のより厚いのだから。

  手机的说明书厚得不得了，因为它比电话机的还要厚。

- 最近地震が多くて、恐ろしいったらありゃしない。

  最近地震多，可怕得不得了。

- 特別な奨学金をいただきまして、彼女の喜びようといったらなかった。

  得到特别奖学金，她高兴得不得了。

3 ～といっても言い過ぎではない／ 说是……也不过分
～といっても過言ではない

接续 ［動詞、イ形容詞、ナ形容詞］の普通形＋といっても言い過ぎではない

　　　　名詞＋といっても言い過ぎではない

解说 「言い過ぎ」、「過言」都是名词，意为"说得过火、说过头"。该句型表示即使如此说，也并非言过其实。

- 彼女は、この20年で最高の才能を持った歌手だといっても過言ではない。

  说她是最近20年最有才华的歌手也不过分。

- 僕が大学に合格できたのは、すべて小野先生のおかげだといっても言い過ぎではない。

我能够考上大学，全是托小野老师的福，即使这么说也不过分。

- この選挙が国の未来を決めると言っても過言ではない。

这次选举将决定国家的未来，即使这么说也不过分。

4　～といわず～といわず　无论是……还是……

接续　名詞＋といわず＋名詞＋といわず

解説　表示列举同类中具有代表性的两件事物或某个事物的两个方面，暗示其他都是如此。意思等同于「～も～もみんな～」。该句型在强调「～も～も、どこも /いつも/どれも、みんな」时使用。该句型的意思与「～といい～といい」相近，参见第7单元中有关两句型的辨析。

- この町は冬になると、道路といわず湖といわず、何でも凍ってしまう。

这个城市一到冬天，无论是道路还是湖水，到处都结冰。

- 足といわず顔といわず、息子は全身泥だらけで帰ってきた。

不管是脚还是脸，儿子全身都是泥地回家了。

- 5歳の息子は、机といわず壁といわず、どこにでもクレヨンでかいてしまうので、困っているのよ。

5岁的儿子用蜡笔往桌子、墙壁上到处乱画，真让人没有办法。

5　～と思いきや　原以为……

接续　［動詞、イ形容詞、ナ形容詞、名詞］の普通形＋と思いきや

解説　「思いきや」是由动词「思う」的「ます形」，同时加上了表示过去的文语助动词「き」，以及表示反语的助词「や」组成的。该句型的意思是「～かと思ったら、そうで はなく」。即表示本来如此预想，但却出乎意料地出现相反的结果。

- ちゃんとお金を払ったと思いきや、実は私の思い違いだった。

原以为付款了，结果其实是我记错了。

- 分かってくれたと思いきや、彼は全然理解していなかった。

本来以为他明白我的意思了，但他实际上根本没有理解。

• 雪は止んだと思いきや、再び降り始め、一夜にして野山を真っ白に
　した。

本以为雪停了，结果又开始下，一夜之间将整个山野都变白了。

6　～ときたら / ～とくると / ～ときては　一提起……来

接续　名詞＋ときたら

解说　表示强调将那个事物作为话题提出来，后项就此进行评价。其中，「～ときた
　　　ら」的谓语多含有不满、责备或自嘲的语气。

• あの店ときたら、サービスは悪いし、値段も高い。

提起那家店，不仅服务差，价格也贵。

• 弟ときたら、彼女のことばかり気にしている。

提起弟弟，他在乎的仅仅是女友。

• うちの母ときたら、おっちょこちょいで、塩と砂糖を間違えて入れるん
　だから。

说起我妈妈，她总是毛手毛脚，因为她有时会把盐和糖搞错。

7　～ところを

（1）在……之时

接续　［動詞、イ形容詞、ナ形容詞］の普通形＋ところを

解说　表示时间，在关键的时候发生了后面的事项。用于勉强对方或给对方添麻烦的时
　　　候，是顾及对方的一种表达方式。后面通常接表示委托、致歉、感谢等内容。

• 本日はお疲れのところをわざわざお越しいただき、誠に恐縮です。

今天，您在很劳累之时，特意大驾光临，非常过意不去。

• お休み中のところを失礼致します。切符を拝見いたします。（電車の
　中で）

在您休息的时候打扰了。请出示一下车票。（在电车中）

• ご多忙のところを集まりくださり、ありがとうございました。

各位百忙之中聚集到此，非常感谢。

（2）正……之时

接续　動詞辞書形 / た形＋ところを

解说　表示后项对于前面事项的直接作用，一般后续动词是「見る」、「見かける」、
「見つける」、「発見する」等表示视觉或发现意义的动词，或「呼び止める」、
「捕まえる」、「捕まる」、「襲う」、「助ける」等表示停止、攻击、救助之类的
词语。有时还表示本来就要出现的事态却没有出现，而出现了与前项矛盾、相
反的事态。

- もう少しで優勝するところをミスして負けました。
  本来差一点就是冠军了，可是由于失误，输了。

- 先生は生徒が遊んでいるところを教室の窓から見ていた。
  老师从教室的窗户看着正在玩耍的学生。

- 街を歩いているところを警官に呼び止められた。
  在街上行走时被警察叫住了。

| 8 | ～としたところで / ～としたって / ～としても /
～にしたところで / ～にしたって / ～にしても | 即使……
也…… |

接续　［動詞、イ形容詞、ナ形容詞、名詞］の普通形＋としたところで

解说　表示逆接，承认前项，但后项是与预想相反、相矛盾的内容。「～としたとこ
ろで/～としたって」意思等同于「～としても」。「～にしたところで/～に
したって」意思等同于「～にしても」。其中，「したって」是「しても」的
口语表达方式。

- 頭が悪いのを親のせいにしたって成績がよくなるわけじゃない。
  即使把头脑笨归咎于父母，成绩也不会因此而变好。

- 日曜はゆっくりしたいから、出かけるとしたって午後になると思う。
  周日想悠闲地度过，所以我想即使出去也是下午了。

- 日本に留学するかそれとも中国にするか、どちらにしたところで、漢
  字の勉強は避けられない。
  不论是去日本留学还是去中国，都不能避开学习汉字。

9　～とて

（1）即使是……

接续　名詞＋とて

解说　表示即使是前项也与其他相同。此表达方式有些陈旧，口语中常用「だって」的形式。

• 赤ちゃんが助からなかった。私とて悔しい気持ちは皆と同じだ。

婴儿未能获救。即便是我，也和大家一样感到很遗憾。

• 最近は個人のプライバシーを尊重するため、表現の自由を規制しようという動きがある。それはインターネットの世界とて例外ではない。

最近，为了尊重个人隐私而有限制言论自由的倾向。即使是互联网的世界也不例外。

• 最近は父親とて、育児に無関心ではいられない。

最近，即使作为父亲，也不能对育儿漠不关心。

（2）即使……

接续　動詞た形＋とて
　　　名詞＋だ＋とて

解说　表示即使作为前项也未必能有后项的结果。「だとて」是「でも」、「としても」、「としたって」、「たところで」等的文言说法，这种说法一般在口语中不常使用。常伴有「いくら」、「どんなに」、「たとえ」等副词。

• いまさら勉強したとて、学者になれるわけではない。

即使现在学习也不能成为学者。

• たとえ親友の頼みだとて、お金は貸せない。

即使是亲友的拜托，也不能借钱。

• たとえ子供だとて、その問題が解けると思う。

我认为即使是孩子，也能解决那个问题。

10　～となると／～となれば／～となったら／～となっては　要是……的话

接续　［動詞、イ形容詞、ナ形容詞］の普通形＋となると
　　　名詞＋となると

解说　表示提示前项作为话题，后面的谓语表示与所提示的事项密切相关。既可以表示现实状况，也可以表示假定的状况。该句型还可以变成「～ともなると」的形式。

- 仮に、三人でやっている今の仕事を一人でするとなると、今のように5時には帰れないなあ。

  如果现在要把三个人做的工作一个人来做的话，就无法像现在这样5点下班了。

- お互いの両親と食事会をしたとなると、もうそろそろあの二人も結婚かな。

  要是已经和双方父母一起吃过饭了的话，那两个人马上就要结婚了吧。

- このカバンは前から欲しかったのだが、いざ買うとなると、財布との相談になる。

  虽然这个包之前就想买，但是如果真的要买的话，就要看看钱包里的钱是否够了。

11 〜との〜 ……的……

接续　[動詞、イ形容詞、ナ形容詞]の普通形＋との＋名詞

解说　这是比较正式的文体表达。常与表示"书信、委托、警告、命令、回答"等语言活动的词语连用，或与表示"意见、思考、希望"等思考活动的词语连用。当表示说话人自己的想法时，通常不用「との」而用「という」。

- 先生から、来週の私たちの結婚式には出席できないとのお返事をいただいた。

  收到老师的回信，说下周无法出席我们的婚礼。

- 安全でおいしい物を食べて欲しいとの思いから、彼は無農薬野菜に拘って作っている。

  希望大家能吃到安全、美味的食物，他致力于生产无农药蔬菜。

- 通販会社に苦情のメールを送ったが、商品の交換には応じられないとの回答が来た。

  向函售公司发出投诉的邮件，却得到回答说商品无法替换。

12 〜とは

（1）所谓的……就是……

接续　名詞＋とは

解说　表示对前项事物进行解释或说明，是书面表达，在口语中常用「〜というのは」。

- MDとは、ミニディスクのことです。

  所谓的 "MD" 就是使用光盘的小型录放机。

- パラリンピックというのは、障害者のオリンピックのことです。

  残奥会就是残疾人的奥运会。

- 歳暮というのは、1年の終わりに、お世話になった人に贈る贈り物のことです。

  所谓的年终礼品，就是在一年的年末送给关照过自己的人的礼物。

（2）竟然……、难道……

接续 ［動詞、イ形容詞、ナ形容詞、名詞］の普通形＋とは

解说 表示对前面事项感到意外、吃惊、感叹等。口语中较随便的说法是「～なんて」。

- あの勉強の一番嫌いだった太郎が大学院まで行ったとは。驚きましたね。

  那个最讨厌学习的太郎竟然去读了研究生。真是令人惊讶啊。

- 人の不幸を見て笑うとは、あの人はなんと冷たい人か。

  竟然嘲笑他人的不幸，那个人真是冷血啊。

- こんなに早く問題が片付くとは、ありがたいことだ。

  问题竟然这么快就解决了，真是感激不尽啊。

---

13 ～とは言い条　虽说……

接续 動詞普通形＋とは言い条

　　　名詞＋とは言い条

解说 「言い条」的本意是"主张、意见"。该句型的意思等同于「～とはいうものの」、「～とはいっても」。表示前后两项为逆接的关系，即虽说前项如此，但后项与之相反、矛盾。

- 調べものとは言い条、半分は写しものである。

  虽说是调查，但一半都是抄的。

- 同じナイル流域に住んでいるとは言い条、言語と宗教が全く違う。

  虽说同样居住在尼罗河流域，但是语言和宗教截然不同。

- 先生とは言い条、実は一緒におやつを食べたり鬼ごっこをして遊んだりしてくれるんだ。

虽说是老师，其实也在一起吃点心、一起玩捉迷藏游戏。

14 ～とはいえ　　虽说……可是……

接続　［動詞、イ形容詞、ナ形容詞、名詞］の普通形＋とはいえ

解説　「と」は格助詞、表示后项「言う」所指的内容。「いえ」是「言う」的命令形。该句型表示前项承认事实如此，但后项却是相反的结果。该句型的意思等同于「～と（は）いっても」、「～と（は）いうものの」、「～と（は）いいながら」。

- いくら会社のためとはいえ、法律に違反するようなことをしてしまったら終わりだ。

虽说是为了公司，但如果做了违法的事那也就完了。

- 息子の学費のためとはいえ、残業はつらいなあ。

虽说是为了儿子的学费，但加班还是很痛苦啊。

- 成人したとはいえ、彼女はまだまだ子供っぽい。

虽说长大成人了，但她还是很孩子气。

15 ～とばかりに　　简直就要说……、显示出……的样子

接続　［動詞、イ形容詞、ナ形容詞、名詞］の普通形＋とばかりに

　　　名詞＋とばかりに

解説　表示某种状态虽没有说出来，但在神态或行为上表现出来了，仿佛真的就是那样。

- 落ちるとばかりに、柿の実に石を投げたが、当たらなかった。

柿子眼看就要掉下来了，用石头去扔，却没有打中。

- 彼は来いとばかりに大きく手を振った。

他用力挥手，好像在说"你过来"。

- 彼女は、「あなたのせいだ」とばかりに、彼を睨んだ。

她瞪着他，就像在说"都是你的错"。

必考句型

第 9 单元

1　～と見(み)られている / ～と考(かんが)えられている　一般认为……

接続　［動詞、イ形容詞、ナ形容詞、名詞］の普通形＋と見られている

解説　表示大多数人对前面事项的评价、看法等。

- 日本語(にほんご)を学習(がくしゅう)する外国人(がいこくじん)の数(かず)はさらに増(ふ)えると見(み)られている。

  一般认为，学习日语的外国人会继续增加。

- 今回逮捕(こんかいたいほ)された犯人(はんにん)は、2年前(ねんまえ)の事件(じけん)にも関与(かんよ)していると見(み)られている。

  人们认为这次被逮捕的犯人和两年前的案件也有关联。

- それを整理(せいり)すると大体以下(だいたいいか)のような状況(じょうきょう)だったと考(かんが)えられている。

  一般认为，整理后大体是以下的情况。

2　～とまでは～ない　还没有……

接続　［動詞、イ形容詞、ナ形容詞、名詞］の普通形＋とまでは＋動詞ない形＋ない

解説　「まで」表示程度，意为"甚至"，后面接否定表达形式。该句型表示还没有达到前项的程度或还没有到前项的地步。

- 東京大学(とうきょうだいがく)には絶対(ぜったい)受(う)からないとまでは言(い)わないが、もう一度考(いちどかんが)え直(なお)してみたらどうだろうかといいたい。

  虽然不是说绝对考不上东京大学，但我想说，你再重新考虑一下如何？

- 退院(たいいん)したらマラソンとまでは行(い)かないが、歩(ある)くことぐらいは問題(もんだい)がない。

  出院后虽不能跑马拉松，但走路还是没有问题的。

- 夫婦喧嘩(ふうふげんか)ぐらいのことはあっても、離婚(りこん)とまではならないでしょう。

  虽然有时夫妻会吵架，但还不至于要离婚吧。

3　～とも　无论……也……、即使……也……

接续　イ形容詞て形＋とも

　　　　ナ形容詞語幹＋かろう＋とも

解说　助詞「とも」意为"即使、尽管"。该句型表示无论前项条件如何，都要实
　　　行，意思等同于「～ても」。

- 学生は少なくとも1日2時間は勉強しろ。

　学生一天最少要学习两个小时。

- どんなに苦しくとも自殺が一番罪深い。

　不管多么苦，自杀也是罪孽深重的。

- 今日がどんなに辛くとも、誰にも明日はやってくる。

　无论今天多么辛苦，对于任何人来说，明天都会到来。

4　～ともすると／～ともすれば　往往……、每每……

接续　助詞＋ともすると

解说　「ともすると」作为副词，意为"往往、动辄"。在句子中，表示容易发生后项
　　　的事，且后项通常是不喜欢的事态。常与「がち」、「かねない」一起使用。

- 近代の芸術がともすると、自閉的になるようですね。

　近代艺术好像往往会变得自我封闭。

- 優れた人間はともするとすべてを自分でやりたがる。

　优秀的人往往想要所有的事都自己来做。

- 人はともすると、自分の都合のいいように物事を考えがちだ。

　人往往会往对自己有利的方向想。

5　～ともなく／～ともなしに

（1）漫不经心地……、无意中……

接续　動詞辞書形＋ともなく

解说　表示并不是有意识、有目的性的行为。意思为「特に～しようというつもりでな
　　　く」。「ともなく」和「ともなしに」的意思完全相同。

- 夜一人で好きな雑誌を見るともなく眺めている時間が好きだ。

　晚上一个人漫不经心地看喜爱的杂志，我很喜欢这样的时候。

ラジオを聞くともなく聞いていたら、突然地震のニュースが耳に入ってきた。

不经意地听收音机，突然听到了地震的新闻。

• 窓の外を見るともなく見ていたら、珍しい鳥が飛んできた。

无意中看了眼窗外，正好有一只珍奇的鸟飞来。

（2）不知……、说不清……

接续　疑問詞＋ともなく

解说　「ともなく」接在表示询问场所、时间、人等疑问词加助词之后（也有时不加助词），表示不能明确断定是何人、来自何方或去向何处。该句型只能使用「ともなく」，而无「ともなしに」的表达形式。

• どこからともなく、焦げた匂いが漂ってきた。

不知从哪里飘来了烧焦的味道。

• 「行ってきます」と、だれにともなくそう言って父は出かけた。

父亲不知对谁说了一句"我出去了"，就出门了。

• ツバメの群れはどこへともなく飛んで行った。

一群燕子不知飞向哪里了。

6　〜ともなると／〜ともなれば　要是……

接续　動詞辞書形＋ともなると

　　　名詞＋ともなると

解说　表示前项到了某种状况之后，后项会与之相应发生改变。该句型的意思为「〜という程度の立場になると」。

• 最終学年ともなれば、のんびりしてばかりはいられない。

要是到了最后一个学年的话，可不能一直悠闲下去了。

• こんな北国でも春ともなれば、たくさんの花が咲く。

即便是北方，要是到了春天，也有很多鲜花盛开。

• 子供も中学生ともなれば、親や教師を批判的に見るようになる。

孩子要是成了中学生，也会变得批判地看待父母和老师了。

7　～とやら

（1）叫什么……

接续　名詞＋とやら

解说　「とやら」的意思等于「とかいう」。通常接在没有记住的名称之后，表示不太确定或不太肯定的事情。

- 留守 中 に佐藤さんとやらいう 人 から 電話 があった。

  不在家的时候有个叫佐藤的人来电话了。

- 例 の 小野 さんとやらいう 人 はよく 学校 へ 来 るのか。

  那个叫小野的人经常来学校吗?

（2）说是……、听说……

接续　動詞普通形＋とやら

解说　表示不明确的传说，或表示虽然不确切，但是确实那样听到了。

- 彼 の 父親 が来月 上 京 するとやら。

  听说他的父亲下个月来东京。

- その 事件 以来、その 人 は 姿 を 現 していないとやら。

  那个事件之后，听说那个人就没有出现过。

- 父 が 10 歳 の 時、迷子 になったとやらの 話 がある。

  听说父亲 10 岁的时候曾经走丢过。

8　～ないでもない　　也不是不……

接续　動詞ない形＋ないでもない

解说　表示有时也会那样做，或者指条件合适的话或许会发生某事。通常用于消极地肯定某事。该句型的意思等同于「～ないものでもない」。

- この 歌手 に 顔 が 似 ているねと 言 われて、自分 でもそんな 気 がしないでもなかった。

  被人说长得像这个歌手，自己也并非没有这样觉得过。

- 妻 は 肉 を 食 べないでもないんですが、あまり 好 きじゃないんです。

  妻子也并非不吃肉，只是不怎么喜欢。

・4人でこれだけ集中してやれば、月末までに完成しないでもない。

四个人如果全力以赴去做的话，到月底也并非不能完成。

9 ～ないとも限らない　说不定……

接続　動詞ない形＋ないとも限らない

イ形容詞く形＋ないとも限らない

ナ形容詞語幹＋では＋ないとも限らない

名詞＋では＋ないとも限らない

解説　「限らない」的意思是"不一定"。该句型表示不排除有某种可能性，意思等同于「～おそれがある」、「～かねない」、「～するかもしれない」。

・小学生たちが通学途中で事故にあわないとも限らないので、集団登校を実施している。

小学生们上学途中说不定会遭遇事故，所以现在都是集体上学。

・旅行先ではいつもパスポートを持っている。必要なときがないとも限らないからだ。

在旅行目的地一直拿着护照。因为说不定什么时候会用到。

・ミスがないとも限らないので、念のためもう一度確認しよう。

说不定会有错误，所以为了慎重起见，再次确认一下吧。

10 ～ないまでも　没有……至少也……

接続　動詞ない形＋ないまでも

解説　表示从较高的程度退一步考虑后项现实的问题，即指虽然没有到某个程度，但至少要这样。后项多接表示希望、意志、命令、要求等表达，如「べきだ」、「てください」、「なさい」、「てほしい」等。

・今日の演奏は最高の出来とは言えないまでも、お金を払う価値があったと思う。

今天的演奏虽然不能说是最完美的，但我觉得至少值得花钱买票去看。

・20代の肌とはいかないまでも、40歳のころの肌質を取り戻したい。

虽然不能变成20多岁的肌肤，但至少想恢复到40岁左右的肤质。

- 毎日は授業に出席できないまでも、少なくとも教科書を家で読みなさい。

  虽然不能每天去听课，但至少请在家读一读教科书。

11 ～ないものだろうか／～ないものか　难道不会……吗

接続　動詞ない形＋ないものだろうか

解説　表示说话人强烈希望实现某事的心情。

- こんな山奥で車が故障してしまった。だれか通らないものか。

  在这种深山里，车出现故障了。会不会有人路过呢?

- なんとかコストを下げられないものかと思い、いろいろ工夫してみたが、やはりだめだった。

  我心想，难道不能降低成本了吗? 于是对此下了一番工夫，但还是没有成功。

- どうにかして1週間ぐらい休みが取れないものだろうか。

  难道不能请到一周左右的假吗?

12 ～ないものでもない　或许会……、也并非不……

接続　動詞ない形＋ないものでもない

解説　表示说话人消极地肯定或许会发生某事。该句型的意思等同于「～ないでもない」。

- 彼は自信がないと言っているが、実績を考えれば受賞できないものでもないと思う。

  他说自己没有信心，但我想如果考虑到实际业绩的话，他或许会得奖。

- これは難しい企画ですが、皆が協力すれば始められないものでもないと思います。

  这个计划很困难，但我想如果大家一起努力的话或许能够达成。

- 理由次第では、手を貸さないものでもない。

  根据你讲的理由，我也并非不会帮忙。

13 ～ながら（の / に / にして） 保持……的状态

接续　動詞ます形＋ながら

　　　　名詞＋ながら

解说　表示做某动作时的状态或情景，或表示某种状态、情形一直没有改变。该句型
多用于比较固定的惯用表达，比如「涙ながら」（流着泪）、「生まれなが
ら」（天生）、「昔ながら」（一直以来）、「いつもながら」（如平常一
样）等。

- 彼女は生まれながらの美声を生かして、歌手になった。

  她发挥天生的好嗓子，成了歌手。

- その女の人は涙ながらに思い出を語った。

  那个女人流着泪诉说着回忆。

- このワインは、昔ながらの伝統的な作り方でできている。

  这个红酒使用自古以来就有的传统方式制作而成。

14 ～ながら（も） 虽然……但是……

接续　動詞連用形＋ながら（も）

　　　　イ形容詞辞書形＋ながら（も）

　　　　ナ形容詞語幹（＋であり）＋ながら（も）

　　　　名詞（＋であり）＋ながら（も）

解说　表示前后两项互相矛盾。该句型的意思等同于「けれども」、「のに」、
「が」等。

- 田中さんは学生の身でありながら、食品会社を経営している。

  田中虽然是学生，却经营着食品公司。

- その人は耳が少し不自由ながら、体は非常に元気です。

  那个人耳朵有些背，但是身体很健康。

- 事件の真相を知っていながら、彼はなぜか語りたがらない。

  虽然知道事件的真相，但不知为何他却不想说。

15 ～なくして（は） 如果没有……

接续　名詞＋なくして（は）

解说　表示如果没有前面事项，那么后项很难实现或干什么事都很困难。

* 人との交わりなくして、人は生きていくことができない。

  如果不和他人交往，人是无法活下去的。

* 思いやりの心なくしては、結婚生活は難しい。

  如果缺乏相互体谅，那么婚姻生活很难维持。

* 彼女の苦労話は、涙なくしては聞けない。

  听过她的苦难遭遇，很难令人不流泪。

必考句型

第 10 単元

---

1 **〜なくはない / 〜なくもない**　不是没有……

接続　動詞ない形＋なくはない

イ形容詞く形＋なくはない

ナ形容詞て形＋なくはない

名詞＋が / も＋なくはない

解説　表示前面事项并非完全没有。也可以说成「ないこともない」、「ないでもない」。与「言う」、「考える」、「思う」、「認める」、「感じる」、「気がする」等有关思考、知觉的动词一起使用时，表示有那样的心情。

・N１の模擬試験をやったら、先月より30点上がったのだから、実力が付いたと言えなくはない。

做了一下 N1 模拟试题，比上个月提高了 30 分，所以可以说实力提高了。

・このスープはおいしくなくはないが、味が薄い気がする。

这个汤并非不好喝，只是感觉味道淡淡的。

・晩御飯をごちそうしてくれるのなら、考えなくもないけどね。

如果请我吃晚饭的话，也不是不会考虑一下的。

---

2 **〜なしに**　没有……

接続　名詞＋なしに

解説　表示没有做前面的事就直接做了后项的事。

・彼は全く計画なしに、１年間の旅行に出発した。

他没有做任何计划就开始了为期一年的旅行。

・あの人は断りなしに部屋に入ってきた。礼儀を知らないやつだ。

那个人没有打招呼就进房间了。真是不懂礼貌的家伙。

- 医者は同意なしに、患者の個人情報を他人に教えることはできない。

  医生未经过患者的允许，不能把其个人信息告诉他人。

3　～なしには　　如果没有……就（不）……

接续　名詞＋なしには

解说　「なし」是文语形容词，「に」是格助词，「は」是副助词。「なしには」与
后面的否定词语相呼应，相当于「なくては」、「なければ」。前项是假定条
件，后项多是可能形的否定形式。

- 先生方のご指導なしには、論文を書き上げられなかっただろう。

  如果没有老师们的指导，大概就无法完成论文了吧。

- 彼女は音楽なしには生きていけないと言うぐらい、今は音楽にのめりこ
  んでいる。

  现在她正沉迷于音乐之中，可以说如果没有音乐就无法活活下去。

- いろいろな人の助けなしには、日本で生活できないだろう。

  如果没有很多人的帮助，大概就无法在日本生活了吧。

4　なにひとつ～ない　　一点……也不／没有……

接续　なにひとつ＋動詞ない形＋ない

解说　表示对前面的事项进行全面否定。意思相当于「少しも～ない」。如果前项是
人物，则意为「だれひとり～ない」。

- 彼の言動には、不審な点は、何一つなかった。

  他的言行中没有一点可疑的成分。

- これで完璧だ。なにひとつ不安な点は存在しない。

  这样就完美了。不存在任何值得担心的地方。

- 証拠は何一つつかめなかった。

  没有抓住任何一个证据。

5　～ならいざしらず／～はいざしらず　　姑且不论……

接续　名詞＋ならいざしらず

解说　「いざしらず」的意思为"暂且不说、不太清楚"。该句型表示对于前项不太
清楚或姑且不论，后半部分叙述的事情要比前项严重或更有特殊性。最后多伴
有表示惊讶或情况严重等语句。

- 休みの日ならいざしらず、今日もどうしてこんなに客が多いのか。

  休息日暂且不论，今天为何有这么多客人呢?

- 初めてのことならいざしらず、もう４度目なのだから、もう少し余裕を持つべきだ。

  如果是第一次就算了，但已经是第四次了，所以多少应该熟练些了。

- 小学生ならいざしらず、大学生が洗濯もできないなんて信じられない。

  小学生的话就算了，大学生连衣服都不会洗，简直让人难以相信。

6 ～ならでは / ～ならではの　只有……才有的、只有……才能……

接续　名詞＋ならでは

解说　「ならでは」来源于文语指定助动词「なり」的未然形加上接续助词「で」，再加上副助词「は」构成。表示正因为前项才有后项，如果没有前项就不会有后项。多用「名詞＋ならではの＋名詞」的形式，也可以用「～ならでは～ない」的形式。

- これは子供ならではの自然な発想だ。

  这是只有孩子才有的自然的想法。

- この成功は彼ならでは不可能なことだ。

  这件事只有他才能做成功。

- 白血球は顕微鏡ならでは見えない。

  白细胞只有用显微镜才能看到。

7 ～ならまだしも　若是……还说得过去，可是……

接续　［動詞、イ形容詞、ナ形容詞］の名詞修飾形＋ならまだしも

　　　　名詞＋ならまだしも

解说　「まだしも」的意思为"还好、还行"。该句型的意思是「～ならまだいいが、しかし～」，表示如果是前项的话，尽管不满意但还算可以，即表示虽然不是很积极地肯定，但也还说得过去。

- 僕に相談するならまだしも、彼女はなぜあいつに相談したのだろう。

  倘若跟我商量那倒罢了，她为什么要找那家伙商量呢?

- 自分の失敗を認めるならまだしも、他人のせいにするようでは、嫌われてしまう。

若是承认自己失败的话还说得过去，但如果归咎于别人的话，会被讨厌的。

- 1年に1回ぐらいならまだしも、何度も間違い電話があると不安になる。

  一年有一次的话还说得过去，如果接到很多次打错的电话，则会变得很不安。

8　〜なり　——……就……

接续　動詞辞書形＋なり

解说　表示前项动作刚出现，就马上出现后项的动作或状态。后项的动作一般是突发性的、意料之外的。后项不能接表示命令、否定、推量、意志等动词，也不用于描述自己的行为，并且前后两项的动作主语必须是相同的。

- マラソンの選手はゴールに着くなりばったり倒れてしまった。

  马拉松运动员刚一冲线，就突然倒下了。

- 少年はシートに座るなりうとうとしはじめた。

  少年刚一入座就迷迷糊糊地开始打瞌睡了。

- その女の子は部屋に入るなり大声で泣き出した。

  那个女孩刚进房间就大声哭起来。

9　〜なり〜なり　或是……或是……

接续　動詞普通形＋なり＋動詞普通形＋なり

　　　名詞＋なり＋名詞＋なり

解说　意思是「〜でも〜でも、好きな方を選んで」。表示列举两个或两个以上的事物，从中选择一个。后项大多是表示建议、命令等的句子。一般不用于过去的事物。

- 行くなり行かないなり、とにかく早く返事をしたほうがいい。

  不管是去还是不去，最好早点回复。

- その箱、要らないなら片付けるなり捨てるなりしてよ。邪魔だから。

  那个箱子，如果不要的话，要么收起来，要么扔掉。因为比较碍事。

- 分からないことがあったら、インターネットで調べるなり人に聞くなりしなさい。

  如果有不明白的事，请上网查一下或问问别人。

10　〜なりなんなり　……之类的、……什么的

接续　動詞辞書形＋なりなんなり

　　　　名詞＋なりなんなり

解说　表示只要与此类似的事或物都可以。当表示场所的时候用「なりどこなり」的形式。

● 散歩するなりなんなりして、少し運動したほうがいい。

　散步也好什么也好，最好稍微运动一下。

● 分からない言葉があれば、辞書を引くなりなんなりして調べるといい。

　如果有不懂的词，查一下辞典什么的比较好。

● バラなりなんなり、彼女の好きな花を買ったほうがいいと思う。

　玫瑰也好什么也好，最好买一些她喜欢的花。

11　〜なりに / 〜なりの　符合……的

接续　イ形容詞辞書形＋なりに

　　　　名詞＋なりに

解说　表示根据前面个人的能力做与之相符的行为，多指正面评价。

● 面接は自分なりにできたと思っていたが、結果は不合格だった。

　虽然自己觉得面试得还不错，但却没合格。

● 彼女なりに努力して作った料理だから、まずくても全部食べなくては悪い。

　这是她努力做的饭菜，所以即使不好吃也要全部吃掉。

● 子供なりに親の苦労を理解しているものだ。

　孩子也能理解父母的辛劳。

12　〜なるもの　所谓的……

接续　名詞＋なるもの

解说　「なる」是文语指定助动词「なり」的连体形，接在名词后，与「という」的意思相同，而「もの」指事物。该句型表示提及前面的事项，意为"叫作……、被称为……"。

● エロ小説なるものは精神上のアヘンである。

所谓的色情小说就是精神上的鸦片。

- 日本のすきやきなるものを一度食べてみたい。

想吃一次所谓的日本火锅。

- 最近ダイエットフードなるものがはやっている。

最近，所谓的减肥食品很流行。

13 なんという～　简直太……

接续　なんという＋名詞

解说　表示对感到吃惊、惊讶或认为很棒的事情而发出感叹。

- 若いのになんという落ち着いた人なのだろう。

虽然年纪尚轻，但却是如此沉稳的一个人啊。

- なんという嫌な男でしょう。

多么令人讨厌的男人啊。

- 子供を殺すなんて、なんという残虐なやつだろう。

竟然杀害孩子，真是个残忍的家伙啊。

14 ～に値する　值得……

接续　動詞辞書形＋に値する

　　　名詞＋に値する

解说　表示值得做前项，或表示物有所值。

- 真に「自分は称賛に値する優れた人間である」と思わなければなりません。

必须认为自己是值得称赞的优秀的人。

- それは信頼に値する音楽家たちの作品だ。

那是值得信赖的音乐家们的作品。

- たとえ広げるに値する情報があったとしても、人を単なる道具として使ってはいけない。

即使有值得扩散的消息，也不能仅仅把人当作工具而加以利用。

15 ～に（は）あたらない　用不着……、不必……

接续　動詞辞書形＋に（は）あたらない

　　　　名詞＋に（は）あたらない

解说　该句型的意思是「ふさわしくない」、「適当ではない」，表示没有必要做前

　　　　项的事情或那样做是不恰当的。多接在「感心する」、「驚く」、「非難する」、

　　　　「賞賛する」等动词后。

- この程度のことは誰でもできる。賞賛するにはあたらない。

  这种程度的事任何人都能做。不必称赞。

- 結婚相手が歌手だからといって、驚くにはあたらない。彼も歌手だ。

  结婚对象是歌手也不必大惊小怪。他自己也是歌手。

- 日本語能力試験で160点とったからって、驚くにはあたらない。彼に

  はそれだけの実力もあり、努力もしたのだから。

  日语能力考试得了160分也不必大惊小怪。因为他有那个实力，而且还很用功。

必考句型

第 11 单元

---

1 **〜にあって／〜にあっては／〜にあっても** 处于……的情况下

接続 名詞＋にあって

解説 「に」表示抽象事物和一般事物的存在场所。「ある」是表示存在的动词。该句型指处于前面的状况之中，出现了后面的事情。

- 学術界にあっては、その先生にかかわるうわさがいろいろとあった。

  在学术界有各种关于那个老师的传闻。

- 忙しすぎて寝る時間さえない状況にあっても、彼は子供のために毎朝弁当を作っている。

  太过忙碌，连睡觉的时间都没有，即使是在这种状况下，他还每天早上为孩子做便当。

- どんな困難な状況にあっても、決して諦めてはいけない。

  不管是在何种困难的状况下，也决不能放弃。

2 **〜に至る／〜に至るまで／〜に至って（は）／〜に至っても** 甚至……、到……才……

接続 動詞辞書形＋に至る

　　　名詞＋に至る

解説 「至る」的意思为"达到、成为"。该句型表示事态的变化最后达到某种状态。「〜に至っては」还有"至于……、谈到……"之意，而「〜に至っても」也有"即使到了……（程度）"的意思。

- 妻は決定的な証拠を見せられるに至って、彼はついに浮気していることを認めた。

  直到妻子拿出决定性的证据，他才终于承认自己出轨。

今回の期末テストは、どの科目もまったくだめで、読解にいたっては、100点中25点しかとれなかった。

这次期末考试，任何一科都考得不好，阅读理解满分100分只考了25分。

映画制作の仕上げの段階に至って初めて重大なミスがあると気がついた。

直到电影制作的最后阶段，才意识到有重大的失误。

3 ～に言わせれば　让……来说

接続　名詞＋に言わせれば

解説　「言わせれば」是「言わせる」的假定形，意为"如果让……说"。该句型表示依照某人的意见，会有后项的内容。

わたしに言わせれば、こんなのは子供の問題です。

让我来说的话，这就是孩子的问题。

うちの子に言わせれば、18歳はもう大人だから何でも自分で決めたいそうである。

让我孩子来说的话，18岁已经是大人了，所以任何事情都想自己决定。

成功の秘訣というのは、ぼくに言わせれば、70パーセントが運だ。

我认为，成功的秘诀70%是运气。

4 ～におかれましては　关于……的情况

接続　名詞＋におかれましては

解説　「～においては」的礼貌、尊敬的表达方式是「～におきましては」，而更加礼貌、尊敬的表达方式则为「～におかれましては」。该句型是非常郑重的书面表达，意思等同于「～においては」、「～におきましては」、「～には/～にも」。通常接在表示地位、身份较高的人的名词后面，用于表达对对方的问候等。

先生におかれましては、ますますご清祥のことと存じます。

我得知老师愈加康泰。

貴社におかれましては、ますますご繁栄のことと喜びもうしあげます。

得知贵公司发展越来越好，非常高兴。

• 先生におかれましては、ご壮健の由、心からお喜び申し上げます。

得知老师身体健康，我从心里感到高兴。

---

5 〜に（は）及ばない /
〜に及ばず　　不必……、不用……；赶不上……、不如……

接続　動詞辞書形＋に（は）及ばない

　　　名詞＋に（は）及ばない

解説　「及ばない」、「及ばず」是「及ぶ」的否定表达，表示能力、地位、实际成绩等未达到某种水平，意为"赶不上"。有时以「〜するには及ばない」的形式使用时，意为"不需要……、用不着……"。

• 手術の結果がよいというのだから、心配するにも及ばない。

据说手术的结果很好，所以不必担心了。

• 走ることでは彼に及ばないが、泳ぐことでは彼には負けない。

跑步我赶不上他，但是游泳的话不输给他。

• 大雪で、バスは言うに及ばず、雪に強いはずの地下鉄さえも止まってしまった。

因为大雪，不用说是公交车了，就连本应不太受雪天影响的地铁也停了。

---

6 〜にかかっている　　关系到……、全看……

接続　名詞＋にかかっている

解説　「係る」意为"有关、关系到"。该句型表示与前项息息相关。

• この試合に勝てるかどうかは、彼の右足にかかっていると言っても過言ではない。

这场比赛能否获胜就看他的右腿了，即使这样说也不为过。

• この新製品が売れるかどうかは、テレビの宣伝にかかっている。

这种新产品能否畅销，全看电视的宣传了。

• このチームが優勝できるかどうかは、この試合にかかっている。

这个队能否获胜，全看这场比赛了。

7　～にかかわる　关系到……

接続　名詞＋にかかわる

解説　「かかわる」意为"关系到、涉及到、拘泥"。该句型表示与前项相关联。

- 警察はついに事件の真相にかかわる証拠を手に入れた。

　警察终于拿到了与事件真相相关的证据。

- 医者の仕事は人命にかかわることだから、少しのミスも許されない。

　因为医生的工作关系到人命，所以不允许丝毫的失误。

- 秘密にしろと言われたが、ここにいる全員にかかわることなので、話すことにする。

　虽然被说过要保守秘密，但因为关系到在座各位，所以决定说给大家听。

8　～にかぎったことではない　不仅仅……

接続　名詞＋にかぎったことではない

解説　「限る」意为"限定、仅限于"。该句型表示不仅仅限于前项，还有其他情况。

- この店が忙しいのは年末に限ったことではないが、それにしても、今週の忙しさは異常だった。

　虽然这家店繁忙的时候不仅仅在年末，但即使如此，这周生意仍好得很异常。

- ゲームが好きなのは、子供にかぎったことではない。

　喜欢游戏的不仅仅是孩子们。

- 一人で子供を育てているのは彼女に限ったことではない。

　不仅仅只有她是一个人养育孩子的。

9　～にかこつけて　假托……

接続　名詞＋にかこつけて

解説　「かこつける」意为"借口、凭借、假托"。该句型表示以前项为借口。

- どうせ会社が支払ってくれるんだから、接待にかこつけて、この際高い酒も頼んでしまおう。

　反正公司会买单的，假托接待，这次点贵的酒吧。

- 彼は病気にかこつけて早退しているが、そんな必要があるのだろうか。

  他以生病为借口早退了，有这必要吗?

- 出張にかこつけて、北京にいる恋人に会いに行った。

  以出差为借口，去见在北京的恋人。

10 〜にかたくない　很容易就能……、不难……

接续　動詞辞書形＋にかたくない

　　　名詞＋にかたくない

解说　「難い」意为"不容易、困难"。该句型常常接在表示想象、理解、推测等词的后面。为书面表达。

- 今の社長がすべてを手にすることは想像にかたくない。

  不难想象现在的社长把所有的都据为己有。

- やがて息子が親の跡を継ぐことは、想像にかたくない。

  不难想象儿子最终将继承父母的家业。

- 彼が今、うれしさの極みにあることは、想像にかたくない。

  不难想象他现在开心至极。

11 〜に越したことはない　没有比……再好的了

接续　動詞辞書形＋に越したことはない

　　　イ形容詞辞書形＋に越したことはない

　　　ナ形容詞語幹＋である＋に越したことはない

　　　名詞＋である＋に越したことはない

解说　「越す」意为"超过、胜过"。该句型表示这是最好的，没有比前项更好的了。

- 高い点数が取れるにこしたことはないけど、大切なのは、試験に合格することだ。

  虽然最好能得到高分，但是重要的是考试及格。

- 同じ種類の仕事をするなら、給料がいいにこしたことはない。

  如果是做同类的工作的话，当然选工资高的。

- 仕事は早くできるにこしたことはないが、もっと大切なのは、間違わないことだ。

  虽然迅速完成工作是最好不过的，但更加重要的是不要出错。

12 ～にして

（1）到了……才……

接续 名詞＋にして

解说 表示到了某个阶段才发生了某件事。通常使用的形式是「～にしてようやく」、「～にして初めて」、「～にしてやっと」。

- この歳にして初めて、両親の苦労が理解できた。

  到了这个年纪，才开始理解父母的辛苦。

- 4回目にしてやっと自動車運転免許試験に合格できた。

  到了第四次才终于通过了汽车驾照考试。

- 浪人中の彼は、3回目にしてようやく大学の芸術学部に合格できた。

  作为考试落榜生的他，考了三次才考上了大学的艺术系。

（2）同时、虽然……但是……

接续 名詞＋にして

解说 既可以表示单纯的并列，也可以表示逆接。

- 彼は有能な研究者にして大企業の経営者だ。二足のわらじをはいている。

  他是有能力的研究者，同时也是大企业的经营者。一人身兼两职。

- 鈴木さんの主張は単純にして幼稚だ。誰も信用しないだろう。

  铃木的主张很单纯、幼稚。没有人会相信的吧。

- 小野さんの絵は優美にして大胆で、見る者全員を幸せにする絵だ。

  小野的画很优美、大胆，是让所有观看者都倍感幸福的画。

（3）表示时间或状态

接续 名詞／副詞＋にして

解说 表示时间或状态等。接在特定的名词或副词后，用于叙述某种事情的状况。比如可以以「一瞬にして」、「生まれながらにして」、「幸いにして」、「不幸にして」、「たちまちにして」等形式使用。

- 不合格の知らせを受け、望みは一瞬にして消えてしまった。

  接到不合格的通知，希望瞬间破灭。

・ 生^うまれながらにして、体^{からだ}の弱^{よわ}い子供^{こども}だった。

一生下来就是体质弱的孩子。

・ 超高層^{ちょうこうそう}ビルが一瞬^{いっしゅん}にして崩^{くず}れ落^おちるのをこの目^めで見^みた。

亲眼看到了摩天大楼瞬间倒塌的景象。

13 〜に即^{そく}して（は）/ 〜に即^{そく}しても / 〜に即^{そく}した

根据……、
按照……

接续 名詞＋に即して（は）

解说 「即する」意为"结合、根据、适应"。该句型表示依据某种规则、规定处理某事。常接在表示事实、体验、规范等名词的后面，表示以此为基准处理后项。当后项是名词的时候，通常使用「〜に即した＋名詞」的形式。

・ 消費者^{しょうひしゃ}のニーズに即した商品^{しょうひん}を、開発^{かいはつ}し売^うり出^だす必要^{ひつよう}がある。

有必要开发、销售适应消费者需求的产品。

・ 私^{わたし}の経験^{けいけん}に即^{そく}して言^いえば、外国語^{がいこくご}の上達^{じょうたつ}にはその国^{くに}で生活^{せいかつ}するのが一番^{いちばん}です。

如果依据我的经验来说的话，要想学好外语，最好在该国生活。

・ 今度^{こんど}の件^{けん}は会社^{かいしゃ}の規定^{きてい}に即^{そく}して処理^{しょり}する。

这次的事件要根据公司的规定进行处理。

14 〜にたえる

（1）耐得住……、能承受……

接续 名詞＋にたえる

解说 「耐える」意为"经受、承受"。该句型表示能经受住前项事物。

・ この家^{いえ}は強震^{きょうしん}にたえるように建築^{けんちく}されている。

这所房子是按照能承受强震的标准而建造的。

・ その子^こは苦^{くる}しい訓練^{くんれん}にたえる。

那孩子能承受艰苦的训练。

（2）值得……

接续 動詞辞書形＋にたえる

名詞＋にたえる

解说　「堪える/耐える」意为"值得、有做的价值"。该句型表示有做前项事情的价值。通常前面只能接「鑑賞」、「批判」、「見る」、「読む」、「一読」等数量有限的词。

• この展覧会の出品作品には、観賞にたえるものは少ない。

这个展览会展示的作品中，值得观赏的作品较少。

• この本は、一読にたえるようなものではない。

这本书不值得一读。

• 彼こそこの重要な任務にたえる人物だ。

只有他才是值得托付这个重要任务的人。

15　～にたえない

（1）不堪……、忍受不了……

接续　動詞辞書形＋にたえない

解说　「堪えない」是「堪える」的否定表达。该句型表示情况严重，不能听下去或看下去。前面通常只接「見る」、「聞く」、「読む」等数量有限的词。

• その女優をとりまく噂は、聞くにたえないものが多いようです。

关于那个女演员的绯闻，好像很多是不堪入耳的。

• その女の人は、今は見るにたえないほどにしわくちゃです。

那个女人现在满脸皱纹，惨不忍睹。

• 電車の中で女子高校生が話していたが、その言葉遣いは聞くにたえないものだった。

电车中女高中生在聊天，其用词不堪入耳。

（2）不胜……、相当……

接续　名詞＋にたえない

解说　通常接在「感激」、「感謝」、「悲しみ」、「怒り」等数量有限的词语后面，表示加强其意思。一般作为较为生硬的客套话使用。

• 交通事故で少女が足を失ったことは悲しみにたえない。

少女因交通事故而失去了腿，令人伤心至极。

- スタッフの方の 心配り、細かな配慮、女性ならではの気づかいで、どれだけ支えられてきたでしょう。今でも感謝にたえない気持ちです。

  工作人员悉心的照料，以及女性独有的关怀，给予了我很大的支持。即使现在，依旧不胜感激。

- 被害者の 状況 を聞いて怒りにたえない。

  听了受害者的情况，我异常愤怒。

必考句型

第 12 单元

---

1 **～に足（た）る ／ ～に足（た）りる ／ ～に足（た）らない ／ ～に足（た）りない**　　值得……/ 不值得……

接续　動詞辞書形＋に足る

解说　表示（没）有某种价值或资格。「足る」是「足りる」的文语动词，用于书面语。

- 彼（かれ）は会議（かいぎ）の開催（かいさい）に当（あ）たって、信用（しんよう）するに足（た）る完璧（かんぺき）な資料（しりょう）を用意（ようい）した。

  他在开会之日准备了值得信赖的完整资料。

- その人（ひと）は今度（こんど）の大会（たいかい）では、体（からだ）の不調（ふちょう）から満足（まんぞく）に足（た）る成績（せいせき）が取（と）れなかった。

  那个人在这次大会上因为身体状态不佳，未能取得令人满意的成绩。

- 彼（かれ）のように自慢（じまん）ばかりする選手（せんしゅ）は恐（おそ）れるに足（た）りない。

  像他那样自傲的选手不足为惧。

---

2 **～に照（て）らして**　　依照……

接续　名詞＋に照らして

解说　「照らす」意为"对照、参照"。该句型表示参照前项的标准而做后面的事项。

- 当校（とうこう）では、学生（がくせい）たちの論文（ろんぶん）を次（つぎ）のポイントにてらして、評価（ひょうか）しています。

  本校依照下面的要点来评价学生们的论文。

- 法規（ほうき）にてらして正（ただ）しいかどうかを判断（はんだん）する。

  依据法规判断是否正确。

- 彼（かれ）の行（おこな）いは、法律（ほうりつ）にてらして、罰（ばっ）せられるべきものだ。

  他的行为应该依据法律给予处罚。

3 **～にと思って** 为了……、作为……

接続　名詞＋にと思って

解説　前面通常接表示人或目的的名词。该句型表示为了前项的人或事物，而做出后
　　　项的事。有时也会用「～にと思い」。

- 娘の大学進学の資金にと思って貯金していたが、結局娘は進学しな
  かった。

  为了女儿考大学而攒钱，结果女儿却没有上大学。

- 今後の参考にと思って、海外旅行での体験を記録しておくことにした。

  作为今后的参考，我决定把海外旅行的体验记录下来。

- 旅行の記念にと思って、写真をたくさん撮った。

  作为旅行纪念，拍了很多照片。

4 **～にとどまらず** 不仅……、不限于……

接続　名詞＋にとどまらず

解説　「留まる」的意思为"停留、限于、止于"。该句型表示不仅仅有前项，而且
　　　还有后项出现或有后项的状况。

- その歌手は、オペラファンにとどまらず、幅広い層に人気がある。

  那个歌手不仅仅在歌剧迷中，在其他很多阶层中也很受欢迎。

- 美しくなりたいということは、若い女性にとどまらず、私たちみんな
  の願望でしょう。

  想变美不仅仅是年轻女性，也是我们大家的愿望吧。

- 「継続は力なり」という言葉は外国語学習にとどまらず、いろいろな
  勉強についても言えることだ。

  "坚持就会胜利"，这句话不仅仅适合于外语学习，也对各种学习都适用。

5 **～に～ない** 想……却不能……

接続　動詞辞書形＋に＋同じ動詞可能形のない形＋ない

解説　表示想做某事却没有做成。意思相当于「そうしたくてもできない」。

• 失敗はしたが、何と言っても子供だから、怒るに怒れなかった。

虽然失败了，但不管怎么说还是孩子，所以想生气也无法生气。

• 父の 10 年間の闘病生活を見て、本当に泣くに泣けぬ思いをしてきた。

看到父亲 10 年间和病魔斗争的生活，心里难过得想哭却哭不出来。

• 雨が降っているので、行くにも行けない。

因为下雨了，所以想去也去不成。

6　〜にのっとって　依照……

接续　名詞＋にのっとって

解说　「のっとる」意为"遵照、遵循、依据"。该句型表示遵循或依照前项做某事。

• 選手たちは、スポーツマン精神にのっとって、正々堂々と戦うことを誓った。

选手们遵循运动员精神，发誓要堂堂正正地比赛。

• この試験には出題規準があり、それにのっとって問題が作られている。

这个考试有出题基准，依据此基准出试题。

• 二人は、その地方の古式にのっとって結婚式を挙げた。

两个人依照那个地方的古典方式举行了结婚典礼。

7　〜には変わりはない　在……上没有什么变化

接续　名詞＋には変わりはない

解说　「変わり」意为"变化、异常"。该句型表示在某点上没有什么异常。

• 気持ちを伝えることには変わりはない。

在传达心情上无任何不同。

• 高齢出産が困難なことに変わりはない。

没有改变的是，高龄生产很困难。

• 成功だろうが失敗だろうが、挑発的行動であることには変わりはない。

不管成功还是失败，都是挑衅行为。

8 ～には無理（むり）がある　……里有不合理的地方

接续　名詞＋には無理がある

解说　「無理（むり）」意为"无理、不合适、勉强"。该句型表示有不可能实现的地方，或者表示有不合乎道理的地方。

- 遠距離恋愛（えんきょりれんあい）には無理（むり）があると思（おも）っている人（ひと）が少（すく）なくない。

　不少人认为远距离恋爱有些不合实际。

- 運動（うんどう）で痩（や）せるのには無理（むり）があると言（い）われている。

　据说靠运动变瘦有些不合实际。

- この業界（ぎょうかい）で裁量労働（さいりょうろうどう）を導入（どうにゅう）するのには無理（むり）がある。

　在这个领域引入弹性工作制有些勉强。

9 ～にひきかえ　　与……相反

接续　名詞＋にひきかえ

解说　「引（ひ）き替（か）える」意为"交换、相反"。该句型表示与前项相反或不同。常用「それにひきかえ」的形式，有时也只用「ひきかえに」的形式。

- 弟（おとうと）は優秀（ゆうしゅう）で奨学金（しょうがくきん）をもらった。それにひきかえ、僕（ぼく）は留年（りゅうねん）した。

　弟弟很优秀，得到了奖学金。相反，我却留级了。

- 前（まえ）の事務長（じむちょう）にひきかえ、新（あたら）しい事務長（じむちょう）は実（じつ）に仕事（しごと）が速（はや）い。

　与前任事务长相反，新事务长工作速度真的很快。

- 昨年（さくねん）の冬（ふゆ）は雪（ゆき）が少（すく）なかったのにひきかえ、今年（ことし）はよく雪（ゆき）が降（ふ）る。

　去年冬天降雪比较少。相反，今年经常下雪。

10 ～にもほどがある　　……也要有个限度 / 分寸

接续　動詞辞書形＋にもほどがある

　　　　　イ形容詞辞書形＋にもほどがある

　　　　　ナ形容詞語幹＋にもほどがある

　　　　　名詞＋にもほどがある

解说　「ほどがある」表示一般的还可以允许，但超过一定的限度就不好了，即前项也得有个限度。

• へらへら笑いながら謝罪にくるなんて、人を馬鹿にするにもほどがある。

一边傻笑一边来道歉，瞧不起人也要有个限度。

• 今日までの仕事だと知っていながら、終らせないまま帰るなんて無責任にもほどがある。

虽然知道是截止到今天的工作，但没有完成就回去，不负责任也要有个限度。

• この書類、計算も漢字も間違いだらけじゃないか。いいかげんにもほどがある。

这个文件中的计算和汉字都是错误。马马虎虎也要有个限度。

11 ～にもまして 比……更……

接续　名詞＋にもまして

解说　「増す」意为"增加、增多、数量变多"。该句型表示通过和前项比较，来强调后项的程度更多。

• リーダーには、ほかの誰にもまして彼女こそふさわしい人物だ。

作为领导，她比任何人都适合。

• 英語が以前にもまして重要になり、英語教育に力を入れる学校が増えている。

英语变得比以前更加重要，加强英语教育的学校在增加。

• 昨日の母からの電話で、何にもまして嬉しかったのは、父が元気になったことだ。

昨天接到妈妈的电话，比任何事都令人开心的是，爸爸身体变好了。

12 ～によらず 不论……、不按……

接续　名詞＋によらず

解说　「よらず」是「よる」的否定表达，意为"与……无关、与……不对应"。

• いかなる理由によらず、開封した商品は返品することはできない。

不论任何理由，开封了的商品都不能退货。

• 私の会社では性別によらず、仕事の成果によって給与が決められる。

我的公司不按性别，而是依据工作的成果决定其工资。

- 最近は古いしきたりによらず、卒業式を行う学校が増えている。

最近，不按照传统方式举行毕业典礼的学校增加了。

13 ～によるところが大きい　　与……有很大关系

接续　名詞＋によるところが大きい

解说　表示后项的出现主要是由于前项的原因，或者与前项有很大关系。

- 原因は食糧の配分の不公平によるところが大きいです。

原因和粮食分配的不公平有很大关系。

- 就職の時に学歴が問われるかどうかは、自分が就きたい職種によるところが大きい。

就职时是否会被询问学历，这和自己想从事的职业种类有很大关系。

- 部屋の中の明るさは窓の大きさと数によるところが大きいと思います。

我认为房间中的明亮程度和窗户的大小、数量有很大关系。

14 ～の至り　　无比……

接续　名詞＋の至り

解说　「至り」表示事物发展到的最高状态，意为“至、极、……所致”。该句型表示达到极致、处于最高的状态。常用于比较郑重的致辞等。

- 特別な奨学金をいただきまして、光栄の至りでございます。

得到了特别奖学金，我感到无上光荣。

- 今日は憧れの学長と拍手ができて、感激の至りだった。

今天能和崇拜的学长拍手，我感到无比感激。

- その会社の社長にお会いできて、光栄の至りに存じます。

能见到那个公司的社长，我感到无比荣幸。

15 ～の極み　　极其……

接续　名詞＋の極み

解说　「極み」的意思是“极、顶点、事物的极限”。接在表示幸福、感激、痛恨等一部分名词后，表示达到极限、顶点的意思。

昨日まで幸福の極みにあった山田さん一家も、一人息子を交通事故で亡くし、一瞬にして不幸のどん底に落ちてしまった。

直到昨天之前一直极其幸福的山田一家，独生子因交通事故去世了，瞬间就跌落到了不幸的谷底。

人間の代わりをするロボットがどんどん開発されている。全く科学技術の極みだ。

代替人类的机器人不断被开发。这简直是科技的顶点了。

時間を気にしないで暮らせるなんて、ぜいたくのきわみだね。

能够不在意时间地生活，真是极其奢侈啊。

必考句型

第 13 单元

---

1 **〜の名において**　　以……的名义

接续　名詞＋の名において

解说　「名」表示名义，「において」等同于「にて」、「で」。该句型表示在前项的名义下，或以前项的名义做后项的事。

- 私たちの息子の名において進めることはやめてください。
  请不要以我们儿子的名义行事。

- 神の名において誓ったのである。
  以神的名义发誓。

- 私は全社員の名において、皆様に歓迎の意を表します。
  我以全体职员的名义，向各位表示欢迎。

---

2 **〜のなんの**

（1）说……什么的

接续　［動詞、イ形容詞、ナ形容詞］の辞書形＋のなんの

解说　表示唠唠叨叨地发牢骚，或者说些各种各样不好的事情。

- 彼は頭が痛いのなんのと嘘をついて、学校をサボっている。
  他撒谎说头疼什么的而旷课。

- その女の人は部屋が狭いのなんのと文句を言っている。
  那个女人抱怨房间狭小什么的。

- あいつは、貸したお金を返すと言っているのに、今日は持っていないのなんのと言って、返してくれない。
  那个家伙说要还钱，却说今天没带钱什么的，不还给我。

（2）……极了、相当……

接续　［動詞、イ形容詞、ナ形容詞］の辞書形＋のなんの

解説　表示程度极其激烈或者状态严重。

- 風邪で病院に行ったら、太い注射を打たれた。もう、痛いのなんのって。

感冒去医院，结果被用很粗的针进行了注射。非常疼啊。

- 不動産屋にいい部屋があるって言われて、見に行ったら、もう狭いのなんの。あれじゃ、まさしくうさぎ小屋だわ。

不动产的人说有个不错的房子，去看了，结果非常狭小。那简直是兔子窝啊。

- 旅行中、天気はよかったんですが暑いのなんの、日中は外に出られず、ほとんど冷房の効いたホテルで過ごしました。

旅行中的天气很好，但是热极了。中午没法外出，几乎都在开着空调的宾馆中度过了。

3　〜のは〜ぐらいのものだ　就只有……才……

接续　［動詞、イ形容詞、ナ形容詞］の辞書形＋のは＋名詞＋ぐらいのものだ

解説　表示前项只有在后项的场合中才能够成立。

- こんな天気のいい日に家の中で読書をしているのは、運動嫌いな彼ぐらいのものだろう。

这么好的天气在家里读书，也就只有讨厌运动的他才会做出来。

- この村で家族が9人もいるのは、佐藤さんの家ぐらいのものだ。

这个村子一家有九口人的，也就只有佐藤家了。

- いまどき、携帯電話のない生活をしているのは、彼ぐらいのものだ。

现在，生活中没有手机的，也就只有他了。

4　〜はおろか　别说……就连……

接续　名詞＋はおろか

解説　「おろか」是副词，意为"不用说"。「〜はおろか」相当于「〜はいうまでもなく」、「〜はもちろん」。后项往往用「も」、「さえ」、「まで」、「すら」等副助词与之相呼应。

94

・車はおろか、人も通らない道で迷ってしまい困ってしまった。

别说车了，就连人都过不去，在这样的道路上迷路了，很为难。

・お金を使いすぎて、おみやげはおろか、帰りの切符を買うお金も残っていない。

花了太多的钱，别说土特产了，就连回程的票都没钱买了。

・入学試験というのに受験票はおろか、鉛筆も持って来ない学生がいる。

明明是入学考试，有的学生别说准考证了，就连铅笔都没有带来。

5　～ばかりになっている　马上就要……、只等……

接続　動詞辞書形＋ばかりになっている

解説　表示马上就要出现某种状态或者前项事情马上就要发生。

・仕事が終わって、もうすぐ家へ帰るばかりになっている。

工作结束，马上就要回家了。

・晩御飯ができて、もう食べるばかりになっている。

做好晚饭，马上就要吃了。

・皆が揃って、すぐ出発するばかりになっている。

大家都齐了，马上就要出发了。

6　～ばこそ　正因为……才……

接続　動詞ば形＋こそ

　　　　イ形容詞ば形＋こそ

　　　　ナ形容詞語幹＋であれば＋こそ

　　　　名詞＋であれば＋こそ

解説　「ば」为文语接续助词，表示原因。「こそ」意为"只有"，表示特别强调。

　　　　该句型表示既定条件，强调提示后项的理由。通常用于书面语。

・私が勤めを続けられるのも、近所に世話をしてくれる人がいればこそだ。

我之所以能持续工作下去，也就是因为身边有照顾我的人。

・才能や運ではなく、本人の努力があればこそ成功も可能になるのだ。

不是靠才华和运气，而是因为有本人的努力，才可能成功。

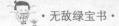

- 将来の夢があればこそ、今の苦しい仕事にも耐えられるのである。

  正是因为有未来的梦想，所以才能够忍受现在痛苦的工作。

7 ～はさておき／～はさておいて　暂且不管……

接续　名詞＋はさておき

解说　「さておく」是动词，意为"暂且不管、姑且不说"。该句型表示前项暂且不
管，而先来说后项。与「～は別として」相近。

- 冗談はさておき、君には才能がある。本当の歌手になれるかもしれないよ。

  玩笑暂且不说，你有才华。或许能成为真正的歌手。

- 結果はさておき、今日の日本チームは、なかなかいい試合をしました。

  结果暂且不提，今天的日本队比赛打得很出色。

- あの人の話は、内容はさておき、話し方がうまい。

  那个人说的话，内容暂且不提，说话方式很棒。

8 ～はずではなかった　本来不该……

接续　動詞辞書形＋はずではなかった

解说　表示实际与说话人的预测不同，通常含有失望或后悔的心情。通常用「こんな
はずではなかった」、「はずではなかったのに」的形式。

- あのチームは、1回戦で負けるはずではなかったのに、いったい何があったのだろう。

  那个队本来不应该在第一回合比赛中失败，到底是怎么了呢？

- サッカーが好きだった彼は、サラリーマンになるはずではなかった。

  喜欢足球的他本来不该成为工薪族的。

- あんな無口な人は教師になるはずではなかった。

  那么少言寡语的人本来不该成为老师的。

9 ～は別として　……另当别论

接续　名詞＋は別として

解说　表示前项是例外，可以另当别论。

- 賛成、反対が同数の場合は別として、たいていは多数決で決着がつくものだ。

  赞成、反对数相同的情况另当别论，大多数时候是按多数人的表决意见决定的。

- 行事がある日は別として、通常は 12 時に授業が終る。

  有传统活动的时候另当别论，通常是 12 点结束课程。

- 行くか行かないかは別として、あなたの考え方をはっきり言いなさい。

  去不去另当别论，请清楚地说出你的想法。

10 〜はもってのほかだ ……毫无道理、……很荒谬

接続 名詞＋はもってのほかだ

解説 「もってのほか」意为"毫无道理、没想到"。该句型表示前项没有道理，或者不合道理。

- 労働者にコーヒーを飲みながら、のんびりさせるなどということは、もってのほかだと思われた。

  一般认为，让工人一边喝咖啡一边悠闲度日是毫无道理的。

- 違法な戦争のため、多くの市民を殺すのはもってのほかだ。

  因为违法的战争而杀害很多市民，这是毫无道理的。

- 花を食べるなんてもってのほかだ。

  吃花是很荒谬的。

11 一口に〜と言っても 虽然都叫……但……

接続 一口に＋名詞＋と言っても

解説 「一口に」意为"一概而论"。该句型构成逆态确定条件，用来引出下面逆接的句子。表示虽然都说成前项，但是却有后项。

- 一口にラーメンと言っても、中国と日本では全然違うものなんだね。

  虽然都叫拉面，但是中国的和日本的截然不同。

- 一口に「花」と言っても、生け花以外にも身の回りには様々なかたちの花が飾られている。

  虽然都叫花，但除了插花之外，身边还装饰着各种形状的花。

・一口に会社と言っても、いくつか種類があるので、まずはそれを決めなければなりませんね。

虽说都叫公司，但是因为有很多种类，所以首先必须决定是哪一种。

12 （ひとり）～だけでなく／（ひとり／ただ）～のみならず／（ひとり）～のみか／（ひとり）～のみでなく

不仅……
而且……

接続 ［動詞、イ形容詞、ナ形容詞、名詞］の普通形＋だけでなく

（但是形容动词中的「だ」为「である」。名词可不接「だ」，而接「である」。）

解説 表示添加，前后项是互为对照、相互并立的内容。意思等同于「～ばかりでなく」、「ただ～だけでなく」、「ただ～のみならず/のみでなく/のみか」。

・南北問題は、ひとり発展途上国のみならず、地球全体の問題として考えなければならない。

南北问题不仅仅是发展中国家的事，而应该作为整个地球的问题进行考虑。

・会社の危機は、ひとり経営者のみならず、全社員に責任があると言ってよい。

公司的危机不仅仅是经营者的责任，可以说全体职员都有责任。

・この問題は本人のみならず、社会にも責任があると思う。

我认为这个问题的责任不仅在本人，社会也有责任。

13 ～べからざる／～べからず

不可……

接続 動詞辞書形＋べからざる

解説 「べからず」是文语助词「べし」的否定形式，表示禁止做某事。多用于告示牌、招牌等处。「べからざる」是「べからず」的连体形，作为定语使用，意为“不应该、不可”。「するべからず/するべからざる」常常用「すべからず/すべからざる」的形式。

・「ここでタバコを吸うべからず」と書いてあるのに、吸っている人がいる。

明明写着“这里禁止吸烟”，却还是有人吸烟。

　彼は社会人として許すべからざる行為をし、会社をクビになった。

他做了作为社会人所不被原谅的事，而被公司解雇了。

　ここは関係者以外入るべからず。

非相关人员禁止入内。

14　〜べく　为了……、要……

接続　動詞辞書形＋べく

解説　表示为了某种目的做某事。「べく」是文语助词「べし」的连用形。「するべく」常使用「すべく」的形式。

　なんとかしてこの研究を続けるべく、研究費助成の申請をすることにした。

为了尽量继续这项研究，决定申请研究经费赞助。

　今年中に完成すべく、ベストを尽くす。

为了今年之内完成而要竭尽全力。

　日本語の実力を備えるべく、毎日日本の新聞を読むことにした。

为了具备日语实力，决定每天读日本报纸。

15　〜べくもない　无从……、无法……

接続　動詞辞書形＋べくもない

解説　表示所希望做的事项完全没有可能实现。通常接在「望む」、「知る」等表示说话人的希望之类的动词后，意思等同于「できるはずがない」、「できるわけがない」。

　今の収入では、住宅の購入など望むべくもない。

凭现在的收入，无法期望购买住房。

　何も言わずに出かけたので、今どこにいるのか知るべくもない。

什么也没有说就出去了，所以无法知道现在在哪里。

　会社のリーダーたちが考えている経営戦略など、われわれ社員には知るべくもない。

公司领导们思考的经营策略，我们职员无从得知。

必考句型

第 14 单元

| 1 | ～ほどでもない / ～ほどでもなく | 不像……那样、
没有……的程度 |

接続　［動詞、イ形容詞、ナ形容詞、名詞］の辞書形＋ほどでもない

解説　「ほど」表示程度。该句型表示并非达到前项的程度。

- あなたが 考 えるほどでもない。
  并非像你所想的那样。

- 息子の 病 気は 入 院するほどでもないから、 心配しないでください。
  儿子的病没有到要住院的程度，所以请不要担心。

- 今度の部 長 は厳しいですが、前の部 長 ほどではありません。
  这个部长比较严厉，但还没到前任部长那种程度。

| 2 | ～ほどの～ではない / ～ほどのこと
ではない / ～ほどのものではない | 并非……程度、没有达到……
地步、不至于…… |

接続　動詞辞書形＋ほどの＋名詞＋ではない

　　　　動詞辞書形＋ほどのことではない / ほどのものではない

解説　「ほど」表示程度。该句型表示未达到所提的程度。

- 医者に行くほどの怪我ではない。
  伤得不严重，不至于去看医生。

- 子供の喧嘩ですから、親が出て行くほどのことではない。
  因为是孩子吵架，所以用不着大人出面。

- こんなことは取り立てて言うほどのことでもない。
  这种事情不值得特别一提。

3　まさか〜とは思わなかった　没想到会……

接续　まさか＋［動詞、イ形容詞、ナ形容詞、名詞］の普通形＋とは思わなかった

解说　表示发生了意想不到的事，对此有些吃惊。「まさか」有时还会与「とは知らなかった」、「想像していなかった」、「予想していなかった」等表达相呼应使用。

- まさか彼女に孫がいるとは思わなかったが、たしかに写真を見るとよく似ていた。

  没有想到她竟然有孙子，但看照片的话确实长得很像。

- まさか高校生が大会で優勝するとは思わなかった。

  没有想到高中生竟然能在大会上获胜。

- まさかその人がそんなばかなことを言うとは思わなかった。

  没有想到那个人竟然说出那样愚蠢的话。

4　〜まじき　不该……的

接续　動詞辞書形＋まじき

解说　「まじき」是古语助动词「まじ」的连体形。「まじ」的意思和「ないだろう」、「ないにちがいない」等相近。该句型表示作为前项不该有某种行为。通常以「あるまじき」的形式使用。

- 自分の娘を殺すなんて、母親にあるまじき行為だ。

  杀死自己的女儿不该是母亲应有的行为。

- 駅でタバコを吸うなんて、高校生にあるまじき行為だ。

  在车站吸烟不该是高中生应有的行为。

- 子供に暴力をふるい、死なせるなど親にあるまじき行為である。

  对孩子施加暴力而致死，这不该是父母应有的行为。

5　〜までして／〜てまで　甚至于到……地步

接续　動詞て形＋まで

　　　　名詞＋までして

解说　表示竟然做出前面这种极端的事情。有时在责备为了达到目的而不择手段时使用，有时也指为了达到某种目的而付出了不一般的努力。

- 貯金もないし、借金してまで車を買いたくない。

  我没有存款，不想借钱买车。

- 体を壊すようなことまでして、ダイエットする女性は少なくない。

  有不少女性为了减肥甚至把身体搞坏。

- この映画はわざわざ映画館に行ってまで見る価値はない。

  这个电影不值得专门跑到电影院观看。

6　～までだ / ～までのことだ

（1）……就是了、只好……

接续　動詞辞書形＋までだ

　　　　動詞ない形＋ない＋までだ

解说　表示现在的办法即使不成也没关系，再采取别的办法就是了，或者表示只好这样做了。

- もし彼がうんと言わなかったら、ほかの人に頼むまでのことだ。

  如果他没有答应的话，就只好拜托其他人了。

- 地下鉄が動かないのならしかたがない。歩いて帰るまでだ。

  地铁不开就没有办法了。只好步行回去。

（2）只是……、只不过……

接续　動詞た形 / 辞書形＋までだ

　　　　イ形容詞の普通形＋までだ

解说　表示解释那只是一点小事，或表示做那事只是那点理由，没有其他的意思。

- 聞かれたから、本当のことを言ったまでだ。怒るのはおかしい。

  因为被问到了，所以只是说了真实的事情而已。发脾气有些怪异。

- 事故にあって助かったのは、たまたま運がよかったまでだ。

  遭遇事故而获救，只不过是碰巧运气好罢了。

7　～までもない / ～までもなく　用不着……、没必要……

接续　動詞辞書形＋までもない

解说　表示没必要做某事。

- 読めば分かる。わざわざ私が説明するまでもない。

如果读的话就能明白。我没必要专门解释了。

- そんなことは、僕も知っている。君に言われるまでもない。

  那种事我也知道。没必要被你提醒。

- 離婚のことなら、いまさら話し合うまでもない。もう私の心は決まっているのだから。

  离婚的事情现在没有必要商量了，因为我心意已决。

8 〜まま／〜ままに　任凭……、任人摆布、惟命是从

接続　動詞辞書形＋まま

解説　表示按照前面所接词语的内容行事。

- ウェイターに勧められるままに、高いワインを注文してしまった。

  按照服务员的推荐点了贵的红酒。

- 被害者は犯人に言われるままに、お金を振り込んだそうだ。

  据说受害者按照犯人所说的那样汇了钱。

- 彼は部長に命令されるままに、夜1時まで残業していた。

  他按照部长的命令，加班到晚上1点钟。

9 〜ままになる／〜ままにする　搁置不管

接続　動詞の名詞修飾形＋ままになる

　　　　名詞＋の＋ままになる

解説　表示搁置不管，保持着同一状态或保持原状。「〜ままにする」是指说话人由于某种原因而特意不去改变该状态。「〜ままになる」是指保持原状、搁置不管的意思。

- このようなばらばらの知識をばらばらのままにしておくのは良くない。

  让这些零碎的知识保持着原样不太好。

- 僕は上司に命じられるままにしたのみだ。

  我只是按照上司的命令去做的。

- あの地震以来、ドアは壊れたままになっている。

  那次地震以来，门就一直坏着。

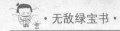

10 ～まみれ 全是……

接続 名詞＋まみれ

解说 表示沾满了很多不好的东西。

- 交通事故の現場には、血まみれの被害者が倒れていた。

  全身都是血的受害者倒在交通事故的现场。

- 選手たちは、全国大会出場を目指して、汗まみれになって練習している。

  选手们以参加全国大会为目标，汗流浃背地练习着。

- 押入れを整理していたら、埃まみれの古いアルバムが見付かった。

  整理橱柜，发现了全是灰尘的旧影集。

11 まんざら～ではない / まんざら～でもない 并非……

接続 まんざら＋ナ形容詞語幹＋ではない

まんざら＋名詞＋ではない

解说 「まんざら」为副词，意为"并不、并非"。该句型表示并不完全如此。

- 彼女は彼とよく喧嘩するが、まんざら嫌いではなさそうだ。

  她经常和他吵架，但是好像并非就很讨厌他。

- 口ではいやだと言っているが、その顔はまんざらいやでもなさそうだ。

  虽然嘴上说讨厌，但是好像脸上显示的并非是厌烦。

- あの人の言うことはまんざらうそではないらしい。

  那个人说的事好像并非是谎话。

12 ～めく 像……的样子、有……的气息

接続 名詞＋めく

解说 表示具有前项事物的要素。

- 3月後半になって、ずいぶん春めいてきた。

  到3月下旬之后，变得非常有春天的气息了。

- あの社長の言い方はいつも皮肉めいて聞こえる。

  那个社长的说话方式听起来总是像挖苦人。

• 梅雨も明けて、日差しも強まり、季節はいよいよ夏めいてきた。

梅雨期结束了，日照也变强了，季节越来越有夏天的气息了。

13 ～もあろうに　竟然……、可偏偏……

接续　名詞＋もあろうに

解说　「あろう」是「ある」的意志形，接续助词「に」接在「あろう」的后面表示逆接。

• こともあろうに、上司と喧嘩するなんて無茶だよ。

竟然和上司吵架，真是胡闹。

• 場所もあろうに、こんなところで言わなくてもいいじゃないか。

有的是地方，不要偏偏在这样的地方说了吧。

• こともあろうに彼が自殺するとは。

他竟然会自杀。

14 ～もさることながら　不用说……、……更是如此

接续　名詞＋もさることながら

解说　「さる」是古语，意思为"那样的、相当的"。「さること」意思为"那样的事、不用说的事、当然如此"。该句型表示前项是这样，而后项更是这样。

• 妹は、ピアノもさることながら、バイオリンもなかなか上手だ。

妹妹不用说弹钢琴了，就连小提琴也拉得很棒。

• その輝くような笑顔もさることながら、話す時の声が彼女の一番の魅力である。

那发光似的笑脸就不用说了，说话时的声音更是她最大的魅力。

• この大学は、外観もさることながら、教える先生方も古風な趣がある。

这个大学，不用说外观了，就连教课的老师们也具有古典的韵味。

15 ～もしない／～はしない／～やしない　不……

接续　動詞ます形＋もしない

解说　「も/は/や」都是助词，后面和「しない」连用，表示加强否定的语气。

• 1日や2日徹夜したところで、死にはしない。甘えるな。

熬夜一两天，也不会死掉。不要撒娇。

努力しなければできはしない。

不努力的话做不成。

いつになっても忘れやしないんだ。

无论到了任何时候，都不会忘记的。

必考句型

---

1 〜ものと思われる　　人们认为……

接续　［動詞、イ形容詞、ナ形容詞］の普通形＋ものと思われる

解说　「と思われる」意思为"被认为"，是作为被推测的表达方式来使用的。带有「もの」的 表达方式一般用于比较正式、严肃的文章或会话中。

- 今後はアジアの経済が世界の 中 心になっていくものと思われる。

  人们认为今后亚洲将成为世界经济的中心。

- どうやら彼の一言が離婚の原因になったものと思われる。

  人们认为，他的一句话成了离婚的原因。

- まだ明らかにされていないが、来 週 半ばまでには動きがあるものと思われる。

  虽然尚未明确，但是一般认为在下周中旬之前会有变动。

2 〜ものを　　却……

接续　［動詞、イ形容詞、ナ形容詞］の名詞修飾形＋ものを

解说　表示对所发生的不如意的事情表达不满的情绪。和「のに」的意思大体相同。

- 私 に言ってくれれば 協 力 したものを。

  如果跟我说的话就好了，我可以帮忙的。

- あの日、あのバスに乗らなかったら、事故に遭わずにすんだものを。

  那天如果不坐那辆公交车的话，就不会遭遇事故了。

- もっとよく 考 えてから買えば安いものが見付かったものを。

  如果深思熟虑之后再购买的话，就能找到便宜货了。

3 ～ももっともだ / ～も当然だ ……也是必然的、……也是理所当然

接续 動詞て形＋ももっともだ

名詞＋ももっともだ

解説 表示后项的发生是必然的。

- あなたが自分の家族のことを心配するのも当然だ。

  你担心自己的家人，这是理所当然的。

- こんなこと言ったら、殴られても当然だな。

  说了这样的话，被打也是理所当然的。

- サッカーの優勝争いがまったく話題にならないのも当然だ。

  足球的冠军争夺赛完全没有成为大家谈论的话题，这也是理所当然的。

4 ～や / ～や否や ―……就……

接续 動詞辞書形＋や

解説 表示跟着一个动作之后马上进行后面的动作。意思与「～が早いか」、「～なり」、「～たとたんに」相近。

- 緊急指令が告げられるやいなや、消防隊員は現場へ駆けつけた。

  一接到紧急指令，消防队员就立刻冲到了现场。

- 友達が入院したというメールが届くや否や、彼はその病院へ向かった。

  一接到朋友住院的邮件，他就立即奔向了医院。

- 横綱が姿を現すや、観客たちから拍手が起こった。

  横纲一现身，观众们就鼓起掌来。

5 ～矢先に / ～矢先の 正要……

接续 動詞た形＋矢先に

解説 表示要做某事时发生了后项。

- 帰ろうとしていたやさきに、部長に仕事を頼まれた。

  正要回家的时候，部长给我布置了工作。

- 久しぶりの家族旅行でした。これから出かけようとしたやさきに、息子がおなかが痛いと言い出した。

过了好久才有的家族旅行。正要出发的时候，儿子说肚子疼。

- 仕事を始めようとしたやさきに、お客から電話がかかってきた。

正要开始工作，客人来了电话。

6 ～やら　……什么的

接続　［動詞、イ形容詞、ナ形容詞］の普通形（＋の）＋やら

名詞＋やら

解説　表示不确定。意思等同于「か」。

- 何と書いてあるやら、読めない。

写着什么，看不出来。

- 弟は仕事に出かけたらいつ帰ってくるのやら、分からない。

弟弟出去工作，不知道何时回来。

- 友達へのプレゼントには何がいいのやら、見当がつかない。

给朋友什么样的礼物好呢，没有头绪。

7 ～ゆえ（に）／～ゆえの　因为……

接続　動詞辞書形＋ゆえ（に）

イ形容詞辞書形＋ゆえ（に）

ナ形容詞語幹（＋な）＋ゆえ（に）

名詞（＋の）＋ゆえ（に）

解説　「ゆえ」意为"理由、缘故"。该句型表示原因、理由。只用于书面语。有时也用「～がゆえ（に）」的形式。

- 日本は資源が乏しいがゆえに、貿易に力を入れてきた。

因为日本资源匮乏，所以一直以来下力气发展贸易。

- 今も貧しさゆえの犯罪が後を絶たない。

即使是现在，因贫穷而犯罪的现象也无法断绝。

- 彼は、有名であるがゆえに、普通に道を歩くこともできない。

他因为很有名，所以连很平常地在街上行走也做不到。

8　～ようがない / ～ようもない / ～ようがある / ～ようもある　无法……/ 有办法……

接続　動詞ます形+ようがない

　　　　漢語+の+しようがない

解説　「～ようがない/～ようもない」表示即使想做某事也无法做到。「よう」表示方法、样子、方式等。「～ようがある/～ようもある」表示有做某事的方法。

- 私は何も知らないので、説明のしようがない。

　我也什么都不知道，所以无法解释。

- 名前も住所も分からないのでは、調べようがない。

　姓名和住址都不知道的话，无法调查。

- 読みたい本があったので図書館に行ったが、臨時休館日だったため、借りようがない。

　因为有想读的书，所以去了图书馆。但因为是临时休馆日，所以无法借阅。

9　～ようで（いて）　看上去好像……，但实际上……

接続　［動詞、イ形容詞、ナ形容詞］の辞書形+ようで（いて）

解説　表示看上去好像如此，但实际上却并非如此。

- 彼は常に冷静なようでいて、時として非常に激しい一面もある。

　他总是看上去很冷静，但有时也有非常激动的一面。

- 社長は誰に対しても厳しいようでいて、意外にも子供には甘い顔を見せる。

　社长看起来好像对任何人都很严厉，但意外的是对孩子和颜悦色。

- 大学の教授は何でも知っているようでいて、意外に非常識なんだ。

　大学教授看上去好像什么都知道，却意外地毫无常识。

10　～ようでは / ～ようによっては　取决于……

接続　動詞ます形+ようでは

解説　表示后项取决于前面的想法或做法。

- 彼は経済的に恵まれていなかったが、考えようによっては幸せだったかもしれない。

虽然他经济状况不富裕，但看你如何去想了，或许他很幸福。

- 新聞記事の書きようによっては、白を黒にすることも可能である。

根据新闻报道的写法，有可能将白的变成黑的。

- 法律の解釈のしようによっては、有罪かどうかが決まるのはおかしい。

依据对于法律的解释来决定是否有罪，这很奇怪。

11 よく（も）〜ものだ　竟然……

接续　よく（も）＋動詞普通形＋ものだ

よく（も）＋イ形容詞辞書形＋ものだ

よく（も）＋ナ形容詞語幹＋な＋ものだ

解说　表示对前面事项的钦佩、欣赏或批评、嘲讽。

- よくもあんな自慢話ができたものだ。

竟然能说出那样自大的话来。

- 毎日その新聞は虚偽の報道をして、よくも恥ずかしくないものだ。

那个报纸每天都做些虚假的报道，竟然不害臊。

- よくもあんなふうに何時間もおしゃべりしていられたものだ。

竟然能那样讲几个小时。

12 〜より（も）むしろ〜　与其……莫不如……、与其……宁可……

接续　動詞辞書形／動詞ている形＋より（も）むしろ〜

名詞＋より（も）むしろ〜

解说　表示从两者之中选择的话，后者更好。或者表示与一般常识或期待相反。

- 出かけていくよりむしろ彼に電話をかけたほうがいい。

与其出门，不如给他打电话。

- この点について教師よりもむしろ学生のほうがよく知っている。

关于这点，与教师相比，还是学生更清楚。

- 人に頼むよりむしろ自分でやったほうがいい。

与其拜托他人，不如自己做。

13 ～れないものは～れない　不能……的还是不能……

接続　動詞可能形＋れないものは＋動詞可能形＋れない

解説　表示不能办到的事情还是办不到。

・いくら頼んでも、協力できないものはできないと言われ、ショックだった。

不管如何央求，被告知不能配合的事还是无法配合，很受打击。

・君の意見も分かるが、譲れないものは譲れない。

虽然明白你的意见，但是不能让步的还是无法让步。

・いくら友人の意見でも、賛成できないものはできない。

即使是朋友的意见，无法赞成的还是无法赞成。

14 ～をおいて（ほかに）～ない　除了……之外没有……

接続　名詞＋をおいて（ほかに）～ない

解説　表示除了前项没有其他。

・彼をおいてこの問題を解決できる人はいない。

除了他没有人能够解决这个问题。

・結婚するなら、あの人をおいて他にはいない。

如果结婚的话，除了和他之外没有别人了。

・あなたをおいてこの役にふさわしい人はいない。

除了你之外，没有人更适合这个工作了。

15 ～を押して　不顾……

接続　名詞＋を押して

解説　「押す」有"不顾、冒着"之意。该句型表示虽然有困难，但是仍然要坚持下去。

・その選手は、右足のけがをおして、試合に出場した。

那个选手不顾右腿的伤，参加了比赛。

・わたしの姉は、家族みんなの反対をおして結婚した。

我的姐姐不顾全家人的反对结婚了。

・その学生は、39度の高熱をおして、試験に出ていた。

那个学生不顾39度的高烧，参加了考试。

必考句型

第 16 单元

1 ～を顧みず／～も顧みず 不顾……

接続 名詞＋を顧みず

解説 「顧みる」意思为"顾虑、挂念"。该句型表示不顾前项而做后项。

- 高速道路で轢かれた仲間を、危険を顧みず救おうとする。

  不顾危险，要去营救在高速路上被撞的伙伴。

- 危険を顧みず、全力を尽くして活動を続ける自衛隊員を誇りに思う。

  对于不顾危险，竭尽全力继续工作的自卫队员感到自豪。

- 他人の迷惑を顧みず、自分勝手で無遠慮である。

  他不在乎给别人添麻烦，任性又不客气。

2 ～を限りに 仅限于……、最大限度……

接続 名詞＋を限りに

解説 表示以前项为界限或到此为止。有时也表示最大限度地做某事。

- 当店は、5月31日をかぎりに閉店いたします。長い間、皆様にはお世話になりました。

  本店5月31日闭店。感谢各位顾客长期以来的关照。

- その選手は今日の試合をかぎりに現役を引退し、コーチとしてやっていくそうだ。

  据说那个选手今天的比赛结束就退役了，以后当教练。

- 公園で迷子になった女の子は、声をかぎりに母親を呼び続けた。

  在公园迷路的女孩子不断大声地喊妈妈。

3　～を皮切りに（して）/ ～を皮切りとして　以……为开端

接续　名詞＋を皮切りに（して）

解说　「皮切り」意为"最初、首次、开始"。该句型表示以前项为契机开始了后项的事。

- 開会式後の第一線を皮切りに、約2週間にわたる高校野球大会が始まった。

  以开幕式后的第一时间为开端，开始了约两周的高中棒球比赛。

- 会議では、彼の発言をかわきりに、次々に新しい意見が出てきた。

  在会议上，以他的发言为开端，不断有新的意见被提出来。

- 展覧会は東京をかわきりに、全国の大都市で開催された。

  展览会以东京为开端，在全国的大城市举办开来。

4　～を機に / ～を機として　以……为契机

接续　名詞＋を機に

解说　表示以前项为契机。

- 当レストランでは、開店15周年をきに、メニューを大幅に変えました。

  本饭店以开店十五周年为契机，大幅度地改变了菜单。

- 今回の入院をきに、酒もタバコもやめようと思っている。

  我想要以这次住院为契机，戒掉酒和烟。

- 離婚を機に、彼女は住み慣れた北京から上海に引っ越した。

  以离婚为契机，她从住习惯了的北京搬到了上海。

5　～を禁じえない　禁不住……

接续　名詞＋を禁じえない

解说　表示面对某种情景而控制不住产生愤怒、同情、惊讶等情感。是比较生硬的书面语表达。

- 子供への虐待のニュースを見て、怒りを禁じえなかった。

  看到虐待孩子的新闻，我不禁愤然。

今回の社長交代には、驚きを禁じえなかった。

对于这次的社长交替，我不禁感到惊讶。

彼のひどい内容の発言には失笑を禁じえなかった。

他的发言内容过分，让我不禁发笑。

6 ～を控え（て）/ ～を～に控えて / ～に～を控えて　　面临……、靠近……

接続 名詞＋を控え（て）

解説 「控える」的意思为"等候、面临、临近"。本句型指时间上紧迫，马上就要发生某事。

受験を1か月後にひかえて、学生たちの集中力も高まってきたようだ。

一个月后面临考试，学生们的注意力好像也提高了。

オリンピック開幕を2か月後にひかえて、ロンドンでは、会場の準備が急ピッチで進んでいました。

两个月后面临奥运会开幕，在伦敦，会场的准备工作正在快速进行着。

1週間後に閉幕戦を控えて、選手たちの練習にも熱が入ってきた。

一周后就是闭幕战了，选手们的练习也更有热情了。

7 ～を踏まえて / ～を踏まえた　　根据……、依据……、在……基础上

接続 名詞＋を踏まえて

解説 「踏まえる」意为"踏、踩、根据、依据"。该句型表示依据前项做某事，或者表示把某事项或某想法考虑进去。

政治家たちは、制度を決める時、もっと生活スタイルの変化をふまえて議論すべきだと思う。

我认为，政治家们在制定制度时，应根据生活方式的变化进行讨论。

その形式を踏まえて書けば、それほど難しくはありませんよ。

依据那种形式写的话，并没有那么难。

会社の中間報告を踏まえて、これからの対策を考えたいと思います。

我想要依据公司的中期报告来考虑今后的对策。

8 ～を経て　经过……

接续　名詞＋を経て

解说　「経る」意为"经过"。该句型表示经过某个历程或某段时间。

- 新入社員は、3ヶ月の研修期間をへて、それぞれの部署に配属される。

  新来的职员经过三个月的研修期后，被分配到各个部门。

- 二度の審議をへて、新しい法案が議会で承認された。

  经过两次审议，新法案在议会上得到了通过。

- 厳しい予選を経て、決勝に10チームが進んできた。

  经过严格的预选，十支队进入了决赛。

9 ～を前に（して）　面对……、面临……、在……之前

接续　名詞＋を前に（して）

解说　表示时间、空间、事项等的接近。

- 何度も持ち上がった解散説を前にして、SMAPのメンバー5人の心境はどうだろうか。

  面对多次沸沸扬扬的解散传闻，SMAP的五位成员心情是怎样的呢?

- 卒業をまえにして、毎日忙しくてたまらない。

  临近毕业，每天忙得不亦乐乎。

- このような問題を前にして、何をためらっているのか。

  面对这样的问题，在犹豫什么呢?

10 ～をもって

(1) 以……、用……

接续　名詞＋をもって

解说　表示手段、方法、工具等。有时可以表示具体动作，有时也可以和抽象的名词一起使用，表示"具有"的意思。

- 結婚式は新郎新婦のあいさつをもって終る予定である。

  结婚典礼计划以新郎新娘的致辞结束。

- 彼は見事な処理能力をもって、今回の経営危機を乗り越した。

  他以出色的处理能力渡过了这次的经营危机。

- どんな手段をもってしても、時間をやめることはできない。

不论以何种手段，都无法使时间停下脚步。

（2）于……、以……

接续　名詞＋をもって

解说　表示前面事项的开始、结束、界限点等。通常在告知时间或状况，宣布会议等结束、开始时使用本句型。有时会使用「～をもちまして」的形式，比「～をもって」语气更加郑重。

- 私は本日をもって退職することになりました。

我从今日起退休。

- 本日の営業は午後10時をもって終了いたします。

今天的营业将在下午10点结束。

11 ～をものともせず（に）　不怕……、不顾……

接续　名詞＋をものともせず（に）

解说　该句型的前面多接表示险恶、困难等词语，表示不把它当一回事。

- 消防士は危険をものともせず、火の中に飛び込んで子供を助けた。

消防员不顾危险冲向火中，把孩子救出来。

- 不況をものともせず、急成長を続けている企業がある。

尽管经济不景气，有些企业仍持续快速成长着。

- 彼は、向かい風をものともせず、新記録を出した。

他不怕逆风，创造出了新纪录。

12 ～を余儀なくされる／～を余儀なくさせる　不得已……、只能……、迫使……不得不……

接续　名詞＋を余儀なくされる

解说　「余儀ない」意思为"无奈、被迫"。「させる」是使役态，而「される」是使役加被动态构成的约音，表示被迫。该句型表示不得已而做某事。

- 長引く不況で、我が社も雇用調整を余儀なくされた。

面对持续的经济不景气，我公司也被迫进行了雇佣调整。

医者の忠告を無視して病気になり、5年間の入院生活を余儀なくされた。

无视医生的忠告而得病，不得不过了5年住院生活。

会社の経営が悪化し、社員の約三分の一が退職を余儀なくされた。

公司的经营恶化了，大约三分之一的职员不得不退职。

13 〜をよそに　不顾……

接続　名詞＋をよそに

解説　「よそ」意为"别处、其他、丢在一边、置之不顾"。该句型表示把某事物当成没有直接关系，或者表示对前项不理睬、不放在心上。

妻の不満をよそに、彼は今日もゴルフに出かけていった。

不顾妻子的不满，他今天又去打高尔夫球了。

土砂崩れに対する周辺住民の不安をよそに、道路工事が進められている。

不顾周边居民对山体滑坡的担心，道路工程仍继续进行着。

ファンの期待をよそに、チームの成績は下降していった。

不顾支持者的期待，队伍的成绩在下降。

14 〜んがため（に）/〜んがための　为了……

接続　動詞ない形＋んがため（に）

解説　「ん」是表示推量的文语助动词「む」的连体形，表示意志、决心，接在「動詞ない形」的后面。文语格助词「が」相当于口语中的「の」，是文语的残余。「ために」表示目的。该句型表示为了某种目的而做某事，是一种文言的表达方式。通常用于惯用表达。该句型的意思和「ために」相同，但在口语中不使用。

彼女はつらい過去を忘れんがため、当てのない旅行に出た。

她为了忘记痛苦的过去，开始了漫无目的的旅行。

試験に合格せんがために、寝る時間も惜しんで勉強している。

为了考试合格，不惜占用睡眠时间来学习。

・勝たんがために、禁止されている薬を使うような選手は、本当のスポーツマンではない。

为了获胜而使用被禁的药品，这样的选手不是真正的运动员。

15 〜んばかりだ / 〜んばかりに / 〜んばかりの　眼看要……、几乎……

接続　動詞ない形＋んばかりだ

解説　「ん」为表示否定的助动词，与「ばかり」搭配使用，表示前面的动作即将发生。这只是一种比喻，用来说明极为近似的状况。

・子供たちは、引っ越していく友達を見送りながら、ちぎれんばかりに手を振った。

孩子们一边为要搬走的朋友送行，一边使劲挥舞着双手。

・小野さんは、おまえのせいだと言わんばかりに鈴木さんを睨んだ。

小野瞪着铃木，就像在说"都是你的错"。

・行方不明だった子供が見付かって、両親は涙を流さんばかりの喜びようだった。

找到了失踪的孩子，父母高兴得眼看就要流泪了。

基础句型

第 17 单元

---

1 〜あげく（に）　　结果……、最后……

接続　動詞た形+あげく（に）

名詞+の+あげく（に）

- 両親と相談したあげくに、彼と離婚することにした。

和父母商量之后，决定和他离婚。

2 〜あまり（に）　　过度……、过于……、太……

接続　［動詞、イ形容詞］の辞書形+あまり（に）

ナ形容詞な形+あまり（に）

名詞+の+あまり（に）

- 山田先生は仕事に熱心なあまり、昼食をとるのを忘れることもしばしばある。

山田老师因太过专注于工作，时常会忘记吃午饭。

3 〜以上（は）　　既然……就……

接続　［動詞、イ形容詞、ナ形容詞、名詞］の名詞修飾形+以上（は）

（另外，也可不用「名詞+の」的形式，而采用「名詞+である」和「ナ形容詞語幹+である」的形式。）

- 子供が行きたくないと言っている以上は、無理に連れて行けない。

既然孩子说不想去，就不能勉强带着去。

4 〜一方 / 〜一方で（は）　　一方面……另一方面……、同时……

接続　［動詞、イ形容詞、ナ形容詞、名詞］の名詞修飾形+一方

（也可以采用「名詞+である」和「ナ形容詞語幹+である」的形式。）

・夫は会社で仕事に励む一方、妻は家で家事に追われていた。

丈夫在公司拼命工作，妻子在家里忙于家务。

5 ～一方だ　越来越……

接続　動詞辞書形＋一方だ

・韓国へ来てから、痩せる一方だ。

来韩国之后，越来越瘦。

6 ～うえ（に）　而且……、既……又……

接続　［動詞、イ形容詞、ナ形容詞、名詞］の名詞修飾形＋うえ（に）

（也可以采用「名詞＋である」和「ナ形容詞語幹＋である」的形式。）

・値段が安いうえに品質が優れている。

不仅价格便宜，质量也很棒。

7 ～上は　既然……就……

接続　動詞辞書形／た形＋上は

・留学する上はいろいろな準備が要るでしょう。

既然要去留学，就需要做很多准备。

8 ～うちは　在……的期间、在……的时候

接続　動詞辞書形＋うちは

動詞ない形＋ない＋うちは

イ形容詞辞書形＋うちは

ナ形容詞な形＋うちは

名詞＋の＋うちは

・楽器は子供のうちは簡単に覚えられます。

孩童时期，学习乐器很简单。

9 ～おかげか／～おかげで／～おかげだ　幸亏……、由于……的缘故

接続　［動詞、イ形容詞、ナ形容詞］の名詞修飾形＋おかげか

名詞＋の＋おかげか

・静かだったおかげで落ち着いて勉強できた。

多亏安静，才能静下心来学习。

10 ～おそれがある 恐怕会……、有可能……

接続　動詞辞書形＋おそれがある

名詞＋の＋おそれがある

・車の数が増えると、交通渋滞がひどくなる恐れがある。

车增多的话，交通阻塞很可能会变得更严重。

11 ～かぎりでは 据……所……、在……范围内

接続　動詞辞書形＋かぎりでは

名詞＋の＋かぎりでは

・数字を見る限りでは、理にかなった提案に見えます。

从数字上来看，这是个非常合理的提案。

12 ～かけだ／～かけの／～かける ……做到一半、还没……完、刚要……就……

接続　動詞ます形＋かけだ

・電話のベルが鳴りかけたが、切れてしまった。

电话响了一下就被挂断了。

13 ～がたい 难以……、难……

接続　動詞ます形＋がたい

・この計画は成功したとは言いがたいですね。

很难说这个计划成功了。

14 ～がちだ／～がちの／～がちな／～がちに 常常……、动辄……、往往……

接続　動詞ます形＋がちだ

名詞＋がちだ

・疲れている時、車を運転すると事故が起こりがちだ。

疲劳的时候开车，很容易出事故。

15 ～かといえば / ～かというとそうではない / ～かというとそうとは限らない

本以为……实际并非……

接续　［動詞、イ形容詞、ナ形容詞、名詞］の普通形＋かといえば

　　　（也可以采用「名詞＋である」和「ナ形容詞語幹＋である」的形式。）

・どんな犬でも熱中症になりやすいかと言えば、そうではない。

本以为所有的狗都容易中暑，而实际上并非如此。

16 ～かどうか / ～か否か

是否……、是不是……

接续　［動詞、イ形容詞］の普通形＋かどうか

　　　ナ形容詞語幹（＋である / なの）＋かどうか

　　　名詞（＋である）＋かどうか

・息子に留学に行かせるか否かで悩んでいます。

犹豫着要不要让儿子去留学。

17 ～か～ないかのうちに / ～か～ないうちに

刚刚……就……

接续　動詞辞書形＋か＋同じ動詞ない形＋ないかのうちに

・おじさんは毎朝起きるか起きないかのうちにお酒を飲む癖がある。

叔叔有每天早上一起床就喝酒的习惯。

18 ～か何か

……之类的、……什么的

接续　名詞＋か何か

・ああ、のどが渇いた。ジュースかなにかありませんか。

啊，好渴啊，有没有果汁什么的。

19 ～かねない

很可能……、也许会……

接续　動詞ます形＋かねない

・ドアに鍵をかけないと、泥棒に入られかねない。

门不上好锁的话，小偷有可能进来偷东西。

20 ～かねる

难以……、不能……

接续　動詞ます形＋かねる

そういう態度には腹に据えかねます。

那种态度让人很难忍受。

21 ～からすると / ～からすれば 从……来看、根据……来判断

接続　名詞＋からすると

彼の収入からすると、そんな高い物はとても買えません。

从他的收入来看，很难买得起那么昂贵的东西。

22 ～からといって / ～からって / ～からとて 虽说……但……、尽管……也……

接続　［動詞、イ形容詞、ナ形容詞、名詞］の普通形＋からといって

やせているからと言って、体が弱いとは限らない。

虽说瘦，但未必身弱。

23 ～からには / ～からは 既然……就……

接続　［動詞、イ形容詞］の普通形＋からには

　　　ナ形容詞語幹＋である＋からには

　　　名詞＋である＋からには

中国に来たからには、中国の習慣に従います。

既然来了中国，就要遵循中国的习惯。

24 ～気味 有点儿……、稍有……

接続　動詞ます形＋気味

　　　名詞＋気味

あの人はどうも焦り気味です。

那个人有点急性子。

25 ～くせに / ～くせして 明明……却……、虽然……可是……

接続　［動詞、イ形容詞、ナ形容詞、名詞］の名詞修飾形＋くせに

勉強が嫌いなくせに、学者になりたがっている。

明明不喜欢学习，还想当学者。

26 〜こそ　只有……才……、正是……

接続　動詞て形＋こそ

　　　　名詞＋こそ

暑
あつ
い夏
なつ
こそ、暑
あつ
い国
くに
でよくアイスコーヒーを飲
の
む。

正是因为酷暑，在炎热的地区才经常喝冰咖啡。

27 〜ことだ／〜ないことだ　最好是……、应该……／最好不……、不应该……

接続　動詞辞書形＋ことだ

　　　　動詞ない形＋ないことだ

風邪
かぜ
をはやくなおしたいのだったら、暖
あたた
かくして、ゆっくり寝
ね
ることだ。

要想感冒早点好，最好是暖暖和和地好好睡一觉。

28 〜ことだから　因为……所以……

接続　名詞＋の＋ことだから

夫婦喧嘩
ふうふげんか
のことだから、全然気
ぜんぜんき
にしないでください。

因为是夫妻吵架，所以千万别在意。

29 〜ことに／〜ことには　令人……的是

接続　動詞た形＋ことに

　　　　イ形容詞辞書形＋ことに

　　　　ナ形容詞な形＋ことに

うれしいことに私
わたし
に好意
こうい
を持
も
ってくださっている男性
だんせい
がいる。

令人高兴的是，有男子对我有好感。

30 〜際に／〜際は／〜際には　在……的时候、遇到……的时候

さい　　　　さい　　　　さい

接続　動詞辞書形／た形＋際に

　　　　名詞＋の＋際に

お降
お
りの際
さい
はお忘
わす
れ物
もの
のないようお気
き
を付
つ
け下
くだ
さい。

下车的时候请不要遗忘物品。

31 ～最中に／～最中だ　　正在……中、在……时刻

接续　動詞ている形＋最中に

名詞＋の＋最中に

* カラオケで歌っている最中に演奏中止ボタンを押された。

正唱着卡拉 OK 时，有人按了演奏停止按钮。

32 ～さえ（も）／～でさえ（も）　　连……都……、甚至……都……

接续　名詞＋さえ（も）

* 夫婦喧嘩は犬さえ食わない。

夫妻吵架，别人莫管。

33 ～ざるをえない　　不得不……、不能不……

接续　動詞ない形＋ざるをえない

* 終電に間に合わなかったので、家まで歩かざるを得ない。

因为没赶上末班车，所以只好走路回家了。

34 ～しかない　　只好……、只有……

接续　動詞辞書形＋しかない

* バスで財布をすりにすられてしまったのだから、歩いて帰るしかない。

因为钱包在公交车上被扒手偷了，所以只有走路回去了。

35 ～次第　　一……就……、一……立即……

接续　動詞ます形＋次第

* お父さんは怒っていて、手にし次第その辺にあるものを投げつけた。

爸爸很生气，顺手抓到什么就摔。

36 ～ずに　　没有……、不……

接续　動詞ない形＋ずに

* 後ろを振り向かずにずっと前へ進みましょう。

不要回头，一直向前进吧。

37 ～ずにはいられない　不能不……、禁不住……

接続　動詞ない形＋ずにはいられない

- あの瞬間、「もう告白せずにはいられない」という気持ちを抑えられなくなった。

  那个瞬间，我压抑不住想要表白的心情。

38 ～だけ　尽量……、尽可能地……、能……就……

接続　動詞辞書形／可能形＋だけ

　　　イ形容詞辞書形＋だけ

　　　ナ形容詞な形＋だけ

- どうぞ、遠慮なく、お好きなだけ召し上がってください。

  请不要客气，想吃多少就吃多少。

39 ～だけあって　不愧是……、无怪乎……、到底是……、难怪……

接続　［動詞、イ形容詞、ナ形容詞、名詞］の名詞修飾形＋だけあって

　　　（但是，不用「名詞＋の」的形式。）

- 偉大な学者だけあって、彼はその問いに容易に答えた。

  不愧是伟大的学者，他很容易地回答出了那个问题。

40 ～だって　即使……也……、无论……也……

接続　ナ形容詞語幹＋だって

　　　名詞＋だって

　　　一部の格助詞＋だって

- 先生だって間違えることはあるよ。

  即使是老师，也有弄错的时候。

41 ～たとたん（に）　刚一……就……

接続　動詞た形＋とたん（に）

- 窓を開けたとたん、冷たい風が入ってきた。

  刚一打开窗户，冷风就吹进来了。

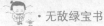

42 ～だらけ　满是……、全是……

接続　名詞＋だらけ

・服を着たまま寝てしまったから、皺だらけになってしまった。

因为穿着衣服就睡着了，所以弄得衣服满是褶皱。

43 ～っこない　根本不可能……

接続　動詞ます形＋っこない

・あんなに器用な彼でも作れなかった物だから、僕なんかに作れっこないよ。

连手那么巧的他都做不出来的东西，我是不可能做出来的。

44 ～つつある　正在持续地……、在渐渐地……

接続　動詞ます形＋つつある

・日本では子供が少なくなってきていることから、学校の数も減りつつある。

由于日本的儿童数量正在减少，所以学校的数量也在逐渐减少。

45 ～てからでないと ／ ～てからでなければ　如果不……就……、不等……之后就……

接続　動詞て形＋からでないと

・契約書の内容を確認してからでなければ、判は押せません。

不确认合同书的内容就无法盖章。

46 ～てしょうがない ／ ～てしかたがない　非常……、……得不得了

接続　動詞て形＋しょうがない

　　　イ形容詞て形＋しょうがない

　　　ナ形容詞て形＋しょうがない

・もう少し待てば、バーゲンで半額になったのに、残念でしょうがない。

如果再等一会儿就是半价优惠了，真是太可惜了。

47 ～て（は）いられない 不能……、无法……

接续 動詞て形＋（は）いられない

名詞＋で（は）いられない

・今日は大学から合格の通知が来る日なので、朝からじっとしてはいられないのです。

今天是大学来入学通知书的日子，所以从早上开始就坐立不安。

48 ～てばかりいる 老是……、净是……、光……、一味地……

接续 動詞て形＋ばかりいる

・努力家の姉とは違って、弟は怠けてばかりいる。

与努力的姐姐不同，弟弟总是偷懒。

49 ～ということではない／～ということでもない 并非是……、并不是……

接续 ［動詞、イ形容詞、ナ形容詞、名詞］の普通形＋ということではない

・あなたが行かないから私も行かないということではないよ。行きたくないだけだ。

并非是因为你不去我就不去，我只是不想去而已。

50 ～というものだ 真是……、才是……、也就是……

接续 ［動詞、イ形容詞、ナ形容詞、名詞］の普通形＋というものだ

（但「ナ形容詞」和「名詞」常常不接「だ」。）

・彼の研究がやっと業界から評価された。長年の努力が認められたというものだ。

他的研究终于得到了业界的好评，多年的努力得到了认可。

51 ～とおり（に）／～どおり（に） 按照……那样、如……那样

接续 動詞辞書形／た形＋とおり（に）

動詞ます形＋どおり（に）

名詞＋の＋とおり（に）

名詞＋どおり（に）

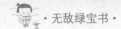

• 私の考えどおりに作品ができた。こんなに嬉しいことはない。

作品完成得跟我想的一样。没有比这更让人高兴的事了。

52 ～ところに / ～ところへ　　在……的时候

接続　動詞辞書形 / ている形 / た形＋ところに

• お風呂に入っているところに、友だちから電話がかかってきた。

正在洗澡的时候，朋友打来了电话。

53 ～途中（で）/ ～途中に　　……路上、……途中

接続　動詞辞書形＋途中（で）

名詞＋の＋途中（で）

• 仕事を途中で投げ出すのは無責任ですよ。

工作做到一半就扔下是不负责任的行为。

54 ～とは限らない / ～とも限らない　　未必……、不一定……、不见得……

接続　［動詞、イ形容詞、ナ形容詞、名詞］の普通形＋とは限らない

（也可以采用「名詞＋である」和「ナ形容詞語幹＋である」的形式。）

• 経験が豊富であるからといって必ずしもなんでも分かるとは限らない。

就算经验丰富，也不一定什么都知道。

55 ～ないではいられない　　不能不……、不由得……

接続　動詞ない形＋ないではいられない

• 母は部屋が汚れていると、片付けないではいられない。

房间一脏，妈妈就要去收拾。

56 ～にあたって / ～にあたり　　在……之际、在……的时候

接続　動詞辞書形＋にあたって

名詞＋にあたって

• 単身赴任するにあたって、いろいろな準備をしなければなりません。

单身赶赴新调职的岗位时，必须要做很多准备。

57 **〜に応じて（も）／〜に応じては／〜に応じ／〜に応じた** 　按照……、根据……

接続　名詞＋に応じて（も）

- 体力に応じて、適度な運動をするのは大事なことだ。

  根据个人体力进行适当的运动很重要。

58 **〜にかけて（は）／〜にかけても** 　在……方面、论……的话

接続　名詞＋にかけて（は）

- ディベートにかけては彼はクラスのだれにも引けを取らない。

  在辩论上他不输给班上任何人。

59 **〜に関して（は）／〜に関しても／〜に関する** 　关于……、有关……

接続　名詞＋に関して（は）

- ご紹介した商品に関しては、リンク先の販売店で取引となります。

  有关介绍到的商品，在链接里的商店有卖。

60 **〜に先立って／〜に先立ち／〜に先立つ** 　在……之前、先于……

接続　動詞辞書形＋に先立って

- 映画が始まるに先立ち、主演俳優が作品を紹介しました。

  电影开始之前，主演对作品做了介绍。

61 **〜にしても〜にしても** 　无论……都……、……也好……也好

接続　[動詞、イ形容詞、ナ形容詞、名詞]の普通形＋にしても＋[動詞、イ形容詞、ナ形容詞、名詞]の普通形＋にしても

（但是，不用「名詞だ＋にしても」或「ナ形容詞だ＋にしても」的形式，可以采用「名詞＋である」和「ナ形容詞語幹＋である」的形式。）

- 暇であるにしても、忙しいにしても、土曜日にはブログを更新することにしています。

  不管忙与否，每个周六都会更新博客。

62 **～に相違ない** 一定……、肯定……

接続 ［動詞、イ形容詞］の普通形＋に相違ない

ナ形容詞語幹（＋である）＋に相違ない

名詞（＋である）＋に相違ない

・この地域の民族紛争を解決するのは難しいに相違ない。

解决这个地区的民族纠纷肯定很难。

63 **～につけ～につけ** 无论……还是……、……也好……也好

接続 動詞普通形＋につけ＋動詞普通形＋につけ

イ形容詞辞書形＋につけ＋イ形容詞辞書形＋につけ

ナ形容詞語幹＋につけ＋ナ形容詞語幹＋につけ

名詞＋につけ＋名詞＋につけ

・暑いにつけ寒いにつけ、うちのおばあさんは体調が悪いと言う。

不管天气热还是冷，奶奶都说身体不舒服。

64 **～に伴って／に伴い／に伴う** 随着……、伴随……

接続 動詞辞書形＋に伴って

名詞＋に伴って

・利用者の増加に伴って、クレジットカードの被害は後を絶えず出ています。

随着使用者的增加，针对信用卡的诈骗事件也不断出现。

65 **～に反し（て）／～に反する／～に反した** 与……相反、违反……

接続 名詞＋に反し（て）

・消費者の意に反する勧誘の販売方式を取ってはいけない。

违背消费者意愿的推销方式是不可取的。

66 **～にほかならない** 无非是……、不外乎是……

接続 動詞辞書形＋にほかならない

名詞＋にほかならない

- デマのお先棒を担ぐことは、敵を利する行為にほかならない。

  帮助散布谣言正是有利于敌人的行为。

67 ～にもかかわらず　虽然……但是……、尽管……却……

接続　［動詞、イ形容詞、ナ形容詞、名詞］の普通形＋にもかかわらず

　　　（但是，不用「名詞だ＋にもかかわらず」或「ナ形容詞だ＋にもかかわらず」

　　　的形式，可以采用「名詞＋である」和「ナ形容詞語幹＋である」的形式。）

- 政府の努力にもかかわらず、不景気が続いている。

  尽管政府做出了努力，但经济还是不景气。

68 ～によると／～によれば　据说……、根据……

接続　名詞＋によると

- 先輩の話によれば、社長は小説を書いているそうです。

  据前辈说，社长在写小说。

69 ～にわたって／～にわたり／～にわたる／～にわたった　历经……、涉及……、在……范围内

接続　名詞＋にわたって

- 5時間にわたった会議が今やっと終了した。

  历经5个小时的会议现在终于结束了。

70 ～のみならず／～のみでなく／～のみか　不仅……而且……、不仅……也……

接続　［動詞、イ形容詞、ナ形容詞、名詞］の普通形＋のみならず

　　　（但是，不用「名詞＋だ」的形式，可以采用「名詞＋である」和「ナ形容詞

　　　語幹＋である」的形式。）

- ここでは食べ物のみならず、水も貴重だ。

  在这里，不只是食物，水也很珍贵。

71 ～ばかりか／～ばかりでなく　不仅……而且……、不仅……也……

接続　［動詞、イ形容詞、ナ形容詞、名詞］の名詞修飾形＋ばかりか

　　　（但是，不用「名詞＋の」的形式，可以采用「名詞＋である」和「ナ形容詞

　　　語幹＋である」的形式。）

- 自分のことばかりでなく、人の気持ちも考えなさい。

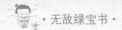

不要老是考虑自己，也要考虑一下别人的感受。

72　〜ばかりで　只……、光……、净……

接续　動詞辞書形＋ばかりで

イ形容詞辞書形＋ばかりで

ナ形容詞な形＋ばかりで

名詞＋ばかりで

・忙しいばかりで、あんまり儲からない。

只是忙，不怎么赚钱。

73　〜はずがない／〜はずはない　不可能……、不会……

接续　［動詞、イ形容詞、ナ形容詞、名詞］の名詞修飾形＋はずがない

・あの監督の映画だったら、面白くないはずがない。

那个导演拍的电影不可能不好看。

74　〜はもちろん／〜はもとより　不用说……就连……也……、别说……就连……也……

接续　名詞＋はもちろん

・この病院では医者はもとより、看護士も足りない。

这家医院别说医生了，就连护士也不够。

75　〜反面／〜半面　另一方面……、与……相反

接续　［動詞、イ形容詞、ナ形容詞、名詞］の名詞修飾形＋反面

（也可以用「名詞＋である＋反面」、「ナ形容詞＋である＋反面」的形式。）

・この新しい薬はよく効く反面、副作用も強い。

这种新药很有效，可是另一方面，副作用也很强。

76　〜もかまわず　不顾……、不管……

接续　名詞＋もかまわず

・試合では人目もかまわず、大声で応援した。

观看比赛的时候，我不顾旁人眼光，大声喊加油。

77 ～もの／～もん　因为……、由于……

接续　［動詞、イ形容詞、ナ形容詞、名詞］の普通形＋もの

（有时也有「です＋もの」或「ます＋もの」的形式。）

・誰でも悩みがあります。人間だもの。

谁都会有烦恼。都是人嘛。

78 ～ものがある　确实是……、真是……、实在……

接续　［動詞、イ形容詞、ナ形容詞、名詞］の名詞修飾形＋ものがある

・留学は楽しみだが、友達と会えなくなるのはつらいものがある。

虽然很期待去留学，可是去了之后见不到朋友，实在很难受。

79 ～ものだから　因为……

接续　［動詞、イ形容詞、ナ形容詞、名詞］の名詞修飾形＋ものだから

・雨が降ってきたものだから、濡れてしまった。

因为下雨了，所以被淋湿了。

80 ～ものの　虽然……但是……

接续　［動詞、イ形容詞、ナ形容詞、名詞］の名詞修飾形＋ものの

・新しいカメラを買ったものの、まだ一度も使っていない。

虽然买了新相机，可是一次都没用过。

81 ～ようがない／～ようもない　无法……、不能……

接续　動詞ます形＋ようがない

・この病気は現在の医学では治せない。どうしようもない。

这个病现代医学无法医治，没有办法。

82 ～ようなら　如果……的话

接续　動詞辞書形＋ようなら

　　　イ形容詞辞書形＋ようなら

　　　ナ形容詞な形＋ようなら

もし君が行くようなら電話をしてくれるよ。

如果你去的话，给我打电话吧。

83 ～より（も）むしろ～　与其……莫不如……、与其……宁可……

接续　動詞辞書形／ている形＋より（も）むしろ～

名詞＋より（も）むしろ～

出かけていくよりむしろ彼に電話をかけたほうがいい。

与其出去找他，不如给他打电话。

84 ～わけがない／～わけはない　不可能……、不会……

接续　［動詞、イ形容詞、ナ形容詞］の名詞修飾形＋わけがない

あんな背の高い子が小学生のわけがない。

那个孩子个子那么高，不可能是小学生。

85 ～わけではない／～わけでもない　并不是……、不一定……、并非……

接续　［動詞、イ形容詞、ナ形容詞］の名詞修飾形＋わけではない

嫌いなわけではないが、カラオケにはあまり行かない。

并非讨厌唱卡拉OK，但是不怎么去。

86 ～わりに（は）　虽然……但是……

接续　［動詞、イ形容詞、ナ形容詞、名詞］の名詞修飾形＋わりに（は）

あのレストランは値段のわりにおいしい料理を出す。

那家餐馆虽然价钱便宜，但味道很好。

87 ～を契機に（して）／～を契機として／～が契機になって／～が契機で　以……为契机

接续　名詞＋を契機に（して）

30歳になったのを契機にマラソンを始めた。

到了30岁，以此为契机，开始练习马拉松。

88　～を問わず / ～は問わず　　不管……、无论……、不拘……

接続　名詞＋を問わず

・彼は男女を問わず、みんなから好かれています。

不论男女，谁都喜欢他。

89　～をぬきにして / ～はぬきにして　　除去……、去掉……

接続　名詞＋をぬきにして

・冗談はぬきにして、本当のことを教えてください。

不要开玩笑了，告诉我实情吧。

90　～をめぐって / ～をめぐる　　围绕……、就……

接続　名詞＋をめぐって

・オリンピックの代表をめぐって、最後のレースが行われます。

围绕争夺奥运会参赛权，将进行最后的比赛。

91　～んだった　　……就好了、真该……

接続　動詞辞書形＋んだった

・もっと早く出るんだった。そうしたら、こんなに焦らなくて良かったのに。

早点出门就好了。如果那样的话，就不用这么着急了。

超纲句型

第 18 单元

---

1 あまりの〜に〜　对于……过度……

接続　あまりの＋名詞＋に

• 政治家のあまりの汚さに開いた口がふさがらない。

对于政治家的过度贪污，惊讶得说不出话来。

2 いかに〜か　多么……啊

接続　いかに＋［動詞、イ形容詞、ナ形容詞］の普通形＋か

　　　　いかに＋名詞＋か

• 雪山がいかに危険か、身をもって体験した。

亲身体验了雪山是何等的危险。

3 いくらなんでも〜　（未免）也太……、不管怎么样

接続　いくらなんでも＋用言

• この料理はいくらなんでも辛すぎて、とても食べられない。

这道菜未免也太辣了，根本吃不了。

4 いずれにしろ〜 ／ いずれにせよ〜　不管怎样

接続　副詞として

• パーティーに参加するかどうか、いずれにしろ返事は早いほうがいい。

是否参加宴会，不管怎么说，最好早点回复。

5 〜以前の〜　谈不上……

接続　Aは＋動詞辞書形／名詞＋以前の＋B

• 入学試験は、書類不備で受験する以前の問題だった。

因为文件不齐全，所以都不能参加入学考试。

6 ～うちにはいらない　算不上……、不能算是……

接続　動詞普通形＋うちにはいらない

イ形容詞辞書形＋うちにはいらない

名詞＋の＋うちにはいらない

・通勤の行き帰りに駅まで歩くだけでは、運動するうちにはいらない。

仅仅是上下班步行到车站，不能算作运动。

7 ～（よ）うと思えば～られる　如果想……就能……

接続　動詞意向形＋（よ）うと思えば＋動詞可能形

・40万円ぐらいなら、貯めようと思えば貯められる。

40万日元的话，如果想存就能存。

8 ～（よ）うとすらしない　连……也不想做

接続　動詞意向形＋（よ）うとすらしない

・主婦なのに、食事の後片付けをしようとすらしない。

明明是主妇，却连饭后收拾餐桌都不想做。

9 おいそれとは～ない　很容易地……、贸然……

接続　おいそれとは＋動詞ない形＋ない

・そんな大金をおいそれとは出せない。

不能轻易地拿出那么多钱。

10 思えば～　想起来

接続　思えば＋短文

・思えば、あのころはよくあなたと徹夜で議論しましたね。

想起来，那时经常和你一起通宵讨论呢。

11 ～おりに（は）　……的时候

接続　動詞辞書形／た形＋おりに（は）

名詞＋の＋おりに（は）

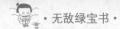

大阪にいらっしゃる折には、ぜひ、また当店にお立ち寄りください。

您来大阪的时候，一定请再次光临我们店。

12 〜がいい　最好……

接続　動詞辞書形＋がいい

悪いことばかり覚えて、お前なんか、そのうち警察に捕まるがいいよ。

净学坏，你这样的，最好一会儿就被警察逮捕。

13 〜がけ　顺便……

接続　動詞ます形＋がけ

病院への行きがけに、お見舞いの花でも買っていく。

去医院时，顺便买探病用的花。

14 〜が関の山だ　充其量……、顶多……

接続　名詞＋が関の山だ

今の働きでは一家三人食っていくのがせきのやまだ。

现在工作挣的钱刚够一家三口人糊口。

15 〜がましい　好像是……、……式的

接続　動詞ます形／名詞＋がましい

卒業式のスピーチに選ばれるなんて、晴れがましい。

被选去参加毕业典礼的演讲，真是难为情。

16 〜からいけない　因为……，所以不好

接続　用言普通形＋からいけない

　　　名詞＋だ＋からいけない

人の忠告を聞き入れないからいけないのだよ。

你不听别人的忠告可不好啊。

17 〜かれ〜かれ　不论……

接続　イ形容詞語幹＋かれ＋イ形容詞語幹＋かれ

営業部門に配属されたら、遅かれ早かれ一度は地方の支店を経験する

ことになるだろう。

如果被分配到营业部，迟早会去地方分店经历一下的吧。

18 かろうじて～　　勉強……、総算……

接続　かろうじて＋動詞た形

- 前の 車 にぶつかりそうになって 急 ブレーキをかけたら、かろうじて 助 かった。

就要撞上前面的车了，紧急刹车之后，总算得救了。

19 ～きっての　　头等……、头号……

接続　名詞＋きっての

- 彼女は 町 内きっての美人だ。

她是城内头号美女。

20 ～ぐるみ　　连带……、全部……

接続　名詞＋ぐるみ

- 会社ぐるみ事故の真相を隠していた。

全公司都在隐瞒事故的真相。

21 ～こそあれ　　只能是……

接続　ナ形容詞語幹＋で＋こそあれ

- あなたのその言い方は、皮肉でこそあれ、けっしてユーモアとは言えない。

你的那种说法，只能说是挪揄，绝不是幽默。

22 ～こそすれ　　只会……

接続　動詞ます形＋こそすれ
　　　　名詞＋こそすれ

- 日本で暮らしたいという外国人は増えこそすれ、減ることはないと思うな。

我认为，想在日本生活的外国人只会增加，不会减少。

23 〜こと（は）うけあいだ　保证……、肯定……

接続　動詞辞書形＋こと（は）うけあいだ

- そんなやり方をしていたのでは、失敗することはうけあいだ。

  那样做的话，一定会失败的。

24 ことによると〜　根据情况，或许……

接続　ことによると＋短文

- ことによると彼の優勝は取り消されるかもしれない。

  根据情况，或许他的冠军头衔会被取消。

25 〜ことは〜が／〜ことは〜けど　……是……但是……

接続　動詞普通形＋ことは＋動詞普通形＋が

　　　イ形容詞普通形＋ことは＋イ形容詞普通形＋が

　　　ナ形容詞な形＋ことは＋ナ形容詞辞書形＋が

- 来週のパーティー、行くことは行くけど、正直に言うとあまり気が進まないな。

  下周的晚会，去是去，但是说实话不太起劲。

26 〜こともならない　（也）不可能……

接続　動詞辞書形＋こともならない

- あの人は三人の子に取り巻かれて、逃げることもならなかったらしい。

  那个人被三个孩子围住，似乎逃不掉了。

27 これ／それ／あれ＋しき／しきの〜　少许……、一点……

接続　これ／それ／あれ＋しき／しきの＋名詞

- だらしないぞ、これしきのことで音を上げるな。

  没出息，这点事情不许叫苦。

28 これといって〜ない　没有特别的……

接続　これといって＋動詞ない形＋ない

- 3時間話し合ったが、これといっていいアイディアは出なかった。

  商量了三个小时，却没有想出特别好的想法。

29 ～盛り　……最盛时、……全盛状态、……鼎盛时期

接续　動詞ます形 / 名詞＋盛り

- 食べ盛りの子供がいるから、毎週お米を10キロ食べるのよ。

  因为有食欲旺盛的孩子，所以每周要吃10公斤大米呢。

30 さすがの～も　就连……也……

接续　さすがの＋名詞＋も

- さすがのチャンピオンもけがには勝てなかった。

  就连冠军也无法避免受伤。

31 さぞ～ことだろう　一定……吧

接续　さぞ＋動詞普通形 / イ形容詞辞書形 / ナ形容詞な形、である形＋ことだろう

- 息子が試験に合格して、両親はさぞ喜んでいることだろう。

  儿子考试合格，父母一定很开心吧。

32 ～しな　临……的时候

接续　動詞ます形＋しな

- 寝しなに薬をのむ。

  临睡前吃药。

33 ～しぶる　不痛快……、不情愿……

接续　動詞ます形＋しぶる

- お金を出ししぶるには、出ししぶるだけの理由があるはずです。

  不肯花钱应该有不肯花的理由。

34 ～じみる　看起来好像……、仿佛……

接续　名詞＋じみる

- まだ若いのに、どうしてそんな年寄りじみたことを言うんだ。

  明明还很年轻，为何说话那么像老人呢?

35 ～ずとも　即使不……也……

接续　動詞ない形＋ずとも

- そんな簡単なことぐらい聞かずとも分かる。

  那么简单的事，即使不问也能明白。

36 ～すれすれ　几乎接近……

接续　名詞＋すれすれ

- 僕の体すれすれのところを車が走り去った。

  车从我的身边飞驰而过。

37 それからというもの～　从此以后……

接续　それからというもの＋短文

- 彼はポットを倒してやけどをした。それからというもの気をつけるようになった。

  他碰倒了暖水瓶，被烫伤了。从此以后就注意了。

38 ～ぞろい　全是……

接续　名詞＋ぞろい

- さすが中国を代表する書家の作品展だけあって、傑作ぞろいですね。

  真不愧是中国最具代表性的书法家的作品展，全都是杰作啊。

39 ～だい？／～かい？　表示疑问

接续　疑問名詞＋だい

（「かい」作为终助词，接在句末各类词后。）

- 夜遅いから、送っていこうか。君、家はどこだい？

  已经很晚了，送你回去吧？你家在哪里？

- 君のお父さんは元気かい？

  你爸爸身体好吗？

40 たいして～ない　不太……、不怎么……

接续　たいして＋用言ない形＋ない

- ここの餃子は人気があるが、私はたいしておいしいと思わない。

  这里的饺子很受欢迎，但我觉得不太好吃。

41 〜たことにする　算作……、算是……

接续　動詞た形＋ことにする

- この話は聞かなかったことにしましょう。

  这句话就算是没有听见吧。

42 〜だにしない　连……都不……

接续　名詞＋だにしない

- このような事故が起きるとは想像だにしなかった。

  连想都没有想过会发生这样的事故。

43 〜たなりで　……着、一直……

接续　動詞た形＋なりで

- 父はタバコを口にくわえたなりで、ぼんやり庭を見ていた。

  父亲嘴里一直叼着烟，呆呆地望着院子。

44 〜たはずだ　的确……、确实……、应该……

接续　動詞た形＋はずだ

- たしかにここに置いたはずなのに、いくら探しても見当たらない。

  确实放在这里了，可是怎么也找不到。

45 〜たはずみに／〜たはずみで　在……时候

接续　動詞た形＋はずみに

- 転んだはずみに、カバンの中のかぎを落としてしまったようだ。

  好像是摔倒的时候，包里的钥匙掉出来了。

46 〜たひょうしに　刚一……的时候

接续　動詞た形＋ひょうしに

- 電車が発車したひょうしに、バランスを崩し倒れそうになった。

  电车刚一启动的时候，我没有站稳而要摔倒。

47 ～た分だけ　表示按其程度

接续　動詞た形＋分だけ

- 勉強した分だけ、成績も上がってくれたらいいのにな。

  如果学了多少成绩就会提高多少的话，那就好了。

48 ～たら～ただけ　越……越……、愈……愈……

接续　動詞た形＋ら＋動詞た形＋だけ

- 練習したらしただけの効果があった。

  越练习就越有效。

49 ～たら～たで　……也……

接续　動詞た形＋ら＋動詞た形＋で

- 大学に合格したらしたで、また学費などの問題で悩まされることになる。

  考上了大学也有考上的难处，又要为学费等问题而苦恼了。

50 ～たら～までだ　如果……只有……、假如……只好……罢了

接续　動詞た形＋ら＋動詞辞書形＋までだ

- 失敗したらもう一度やるまでだ。

  失败的话就只好再做一次。

51 ～たらしめる　使……成为……

接续　ＸがＹを＋Ａ名詞＋たらしめる＋Ｂ名詞

- 彼を真のリーダーたらしめているものは部下への強い愛情だ。

  他对部下强烈的爱使其成为真正的领导者。

52 ～たると～たるとをとわず　无论……还是……都……

接续　名詞＋たると＋名詞＋たるとをとわず

- 先生たると学生たるとをとわず例外なしに出た。

  无论老师还是学生，都无一例外地参加了。

53 ～尽くす ……尽、……完

接续 動詞ます形＋尽くす

- この調子で乱獲を続ければ、捕り尽くすのも時間の問題だ。

  按照这种情况，如果继续乱捕的话，捕尽只是时间问题。

54 ～ってば／～ったら 否定对方的疑惑、担心等，或者表示不满

接续 体言／短文＋ってば

- 母：タケシ、塾が終ったらまっすぐ帰ってくるのよ。

  母亲：小武，学习班结束后直接回家啊。

  息子：しつこいなあ。分かったってば。

  儿子：真啰唆。我明白啦。

55 ～ていはしまいか 是不是……呢

接续 動詞て形＋いはしまいか

- 環境保護の運動が盛んになってきたが、本質的な問題を忘れていはしまいか。

  环境保护运动变得兴盛起来，但我们是不是忘记了本质的问题呢？

56 ～ているところを見ると 从……来看

接续 動詞ている形＋ところを見ると

- 駅前に人が集まっているところをみると、何かイベントがあるらしい。

  站前聚集了很多人，由此看来好像有什么活动。

57 ～ている場合ではない 不是……的时候

接续 動詞ている形＋場合ではない

- 世界情勢が緊迫している。首相は、のんびりゴルフなどしている場合ではない。

  现在世界形势紧张，不是首相悠闲地打高尔夫球的时候。

58 てっきり～と思う   以为一定……

接续　てっきり+用言普通形+と思う

- てっきり今年もボーナスが出ると思っていたが。

  我本来以为今年也一定会发奖金呢。

59 ～てたまるか   受得了……、忍受……

接续　動詞て形+たまるか

- お前のような汚いやり方をする人間に負けてたまるか。

  输给你这样的卑鄙小人还得了?

60 ～て～ないことはない   不会不……

接续　動詞て形+同一動詞可能形のない形+ないことはない

- この工事は1週間あれば、やってやれないことはない。

  这个工程如果花一周的时间做的话,也不会做不完。

61 ～で(は)なしに   不是……而是……

接续　名詞+で(は)なしに

- 病人にはご飯でなしにお粥をあげてください。

  请给病人喝粥,不要让他吃米饭。

62 ～てなによりだ   ……比什么都好

接续　動詞て形+なによりだ

- 一時はどうなることかと心配したが、早く退院できて何よりだ。

  那时担心要怎么办,但能早点出院比什么都好。

63 ～てのける   做完……、大胆地……

接续　動詞て形+のける

- 彼女は18歳にして、「お金がない男性に興味がないの」と言ってのけた。

  她只有18岁,却大胆地说"对没钱的男人没兴趣"。

64 ～ては　表示动作反复出现

接续　動詞て形＋は

- このバスは、走っては止まり、走っては止まりで、なかなか前に進まない。

  这辆公交车走走停停，总是不前进。

65 ～てひさしい　……好久了

接续　動詞て形＋ひさしい

- 彼に会わなくなってひさしい。

  好久没有见他了。

66 ～てみろ　如果……的话，会有不好的结果

接续　動詞て形＋みろ

- 夏休みのお盆の時に遊園地なんかに行ってみろ、混雑で歩けやしない。

  暑假盂兰盆节的时候去游乐园的话，拥挤得不能走路。

67 ～てもどうなるものでもない　即使……也无济于事

接续　[動詞、イ形容詞、ナ形容詞]のて形＋もどうなるものでもない

　　　名詞＋でもどうなるものでもない

- いまから抗議してもどうなるものでもない。

  现在抗议也无济于事。

68 ～でもなさそうだ　并不像是……

接续　名詞＋でもなさそうだ

- 彼の行動からみれば悪い男でもなさそうだ。

  看他的行动，并不像坏人。

69 ～てやってもらえないか　能不能……呢

接续　動詞て形＋やってもらえないか

- 私は彼女の父親に「娘を富士山の頂上まで連れて行ってやってもらえないか」と言われた。

她父亲对我说："能不能带我女儿爬到富士山的山顶呢？"

70 ～てやる 做对方讨厌的事，让对方感到为难，含有挑战性、攻击性的心理

接续 動詞て形＋やる

- こんな不良品を売りつけられては黙っていられない。返金させてやる。

被强行推销，买了这样的不合格产品，无法沉默。一定要让对方退钱。

71 ～と 表示如前项那样的状态、样子

接续 名詞／助詞＋と

- 私たちは、東へと旅を続けた。

我们继续向东旅行。

72 ～というよりむしろ～だ 与其说是……，倒不如说是……

接续 名詞＋というよりむしろ＋名詞＋だ

- あの人は天才というより、むしろ努力家だ。

那个人与其说是天才，倒不如说是很努力的人。

73 ～というのも～からだ 之所以……是因为……

接续 用言普通形＋というのも＋用言普通形＋からだ

- 彼女が行かないというのも、本当は彼が行かないからだ。

她之所以不去，其实是因为他不去。

74 ～といってもせいぜい～だけだ 说是……顶多也就是……

接续 用言普通形／名詞＋といってもせいぜい＋用言普通形／ナ形容詞な形／名詞＋だけだ

- ボーナスといってもせいぜい2ヶ月分出るだけだ。

说是有奖金，顶多也就相当于两个月的工资。

75 ～と言わずしてなんだろう オ……

接续 用言普通形＋と言わずしてなんだろう

- 平凡な暮らしの中にこそ幸せがあるといわずしてなんだろう。

平凡的生活中才有幸福啊。

76 どうせ～なら　反正要……

接续　どうせ＋動詞辞書形 / た形＋（の）なら

どうせ＋イ形容詞辞書形 / た形＋（の）なら

どうせ＋ナ形容詞語幹＋なら / ナ形容詞た形＋（の）なら

どうせ＋名詞＋なら / 名詞＋だった＋（の）なら

● どうせ進学するなら一流の大学に入りたい。

反正要升学的话，就想进入一流的大学。

77 ～と（は）うってかわって　和……截然不同

接续　名詞＋と（は）うってかわって

● 冬休み前とはうってかわって、学生たちは、熱心に勉強に取り組み始めた。

和放寒假前截然不同，学生们都开始认真地学习。

78 どうりで～　当然……、怪不得……

接续　どうりで＋短文

● 今度のテストの問題を作ったのが鈴木先生だと聞いて、どうりで難しかったわけだと納得した。

听说这次考试由铃木老师出题，当然会难了。

79 とかく～がちだ / ともすると～がちだ　往往是……

接续　とかく＋動詞ます形 / 名詞＋がちだ

● 一度失敗すると人は、とかく自信をなくしがちである。

失败过一次的人，往往就容易不自信了。

80 ～ときた日には　说到……、要是……

接续　名詞＋ときた日には

● 毎日、忙しい店だけど、月末の金曜ときた日には、まさに目が回りそうだよ。

每天店里都很忙，但要是到了月末的周五，简直忙得一团糟。

81 ～ときまって —……就总是……

接续 動詞辞書形＋ときまって

- 選挙になるときまって候補者のポスターがあちこちに貼られる。

  一到选举日的话，总是到处张贴着候选者的海报。

82 ～とくれば 说到……的话

接续 A名詞＋とくれば＋B名詞

- 大阪とくれば、たこやきが一番思い浮かぶ。

  说到大阪的话，最先想起章鱼烧。

- 前々回の試験は98点、前回は99点とくれば、次は100点がとれそうだ。

  上上次的考试是98分，上次的话是99分，那么下次好像就能考100分了。

83 ～ところまでいかない／～ところまできていない 没有……程度、没有达到……地步

接续 動詞辞書形＋ところまでいかない

　　　名詞＋の＋ところまでいかない

- その時、私はこの文章を読んでまだ理解するところまでいっていかなかった。

  当时我读了这篇文章，还没有达到理解了的程度。

84 ～ところまでくる 到达……程度、到……地步

接续 動詞辞書形＋ところまでくる

　　　名詞＋の＋ところまでくる

- 双方の対立は一触即発のところまできている。

  双方的对立达到了一触即发的程度。

85 ～としたことが 竟会……、怎么会……

接续 名詞＋としたことが

- わたしとしたことが社長のカップを間違えるなんて、秘書失格だわ。

  我竟然弄错了社长的杯子。作为秘书真是不够格啊。

86 ～となく 无数、许多、总觉得……、说不清……

接续 どこ/なん+となく

なん+数词+となく

• あの人はどことなく君と似ている。

那个人说不清是什么地方和你长得像。

87 ～とはうらはらに 和……相反

接续 名詞+とはうらはらに

• 試合前の予想とはうらはらに、彼は無名の新人に負けてしまった。

和比赛前的预料相反，他输给了无名的新人。

88 ～とばかり思っていた 一直以为……（可结果竟然让人难以置信）

接续 用言普通形+とばかり思っていた

名詞+だ+とばかり思っていた

• あの二人は結婚するものだとばかり思っていた。

一直以为那两个人会结婚的。

89 ～とはなにごとだ ……究竟是怎么回事

接续 用言普通形+とはなにごとだ

名詞+だ+とはなにごとだ

• 報告を聞きながら小説を読むとは何事だ。

一边听报告一边看小说，成何体统。

90 ～とみえて 看起来……

接续 用言普通形+とみえて

名詞+（だ）とみえて

• 彼は最近忙しいと見えて、ぜんぜん連絡が来ない。

他最近好像很忙，都没有联系。

91 ～と見るや 刚一（看到）……就……

接续 名詞/動詞た形+と見るや

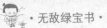

代表が飛行機から降りたと見るや花束をもった少年が駆け付けた。

代表刚下飞机，手持花束的少年就跑上前去。

92 ～ともあろう人が / ～ともあろう者が

（地位高、有信用的人）竟然……、
身为……还……

接続　名詞＋ともあろう人

校長先生ともあろう人が学校の設立された年を知らないなんて信じがたい。

令人难以置信的是，校长竟然不知道学校创立的年代。

93 ～とも～ともつかない　说不清是……还是……

接続　名詞＋とも＋名詞＋ともつかない

あの人は本気とも冗談ともつかない言い方をした。

那个人说的话让人分不清是认真的还是开玩笑的。

94 ～ないでいる　一直不……、一直没有……

接続　動詞ない形＋ないでいる

もう12時になったのに彼女はまだ寝ないでいる。

已经到夜里12点了，可她一直没睡。

95 ～なければよかったのに　如果不……的话该多好啊

接続　動詞ない形＋なければよかったのに

車を運転するのだから、お酒なんか飲まなければよかったのに。

因为要开车，所以如果不喝酒的话就好了。

96 ～などありはしない　绝对没有……

接続　名詞＋などありはしない

今の成績では、北京大学に入る可能性などありはしない。

以现在的成绩，绝对不可能考上北京大学。

97　〜などさらさらない　　絶没有……

接续　名詞＋などさらさらない

- 社長を疑う気持ちなどさらさらありません。

  绝对没有怀疑社长的意思。

98　〜なみ　　和……同等程度

接续　名詞＋なみ

- 明日の最高気温は30度で、平年並みの暑さとなるでしょう。

  明天的最高气温是30度，和往年一样热吧。

99　〜なら〜で　　如果……的话，那么……

接续　用言辞書形＋（の）なら＋用言辞書形＋で

　　　（但「ナ形容詞」采用「ナ形容詞語幹＋なら＋ナ形容詞語幹＋で」的形式。）

- 彼のことが嫌いなら嫌いで、はっきり伝えるべきだと思う。

  我认为，如果讨厌他的话，那么就应该直接告诉对方。

100　〜なら別だが　　如果……的话，另当别论

接续　動詞辞書形／た形＋（の）なら別だが

　　　イ形容詞辞書形／た形＋（の）なら別だが

　　　ナ形容詞語幹／た形＋（の）なら別だが

　　　名詞／名詞＋だった＋（の）なら別だが

- 弁償してくれるなら別だが、そうでなければ彼とはもう絶交だ。

  如果赔偿的话就另当别论，如果不赔的话就和他绝交。

101　なんでも〜そうだ　　据说……、听说……

接续　なんでも＋用言＋そうだ

- なんでも台風は西にそれてしまったそうだ。

  听说台风偏向西边了。

102　なんら〜ない／なんらの〜も〜ない　　没丝毫……、没有任何……

接续　なんら＋動詞ない形＋ない

　　　なんらの＋名詞＋も＋動詞ない形＋ない

• いくらやってみても、なんらの効果もなかった。

无论怎么试着做，也无任何效果。

103 ～に～

（1）……了又……、反复……

接续　動詞ます形＋に＋同一動詞

• 駅まで走りに走って、予定通りの新幹線に乗ることができた。

猛跑到车站，坐上了预定的新干线。

（2）……之后，某种组合

接续　名詞＋に＋名詞

• 日本の朝食といえば、やっぱりご飯に味噌汁でしょう。

说起日本的早饭，果然还是米饭加上酱汤吧。

104 ～にかかっては　说到……、提到……

接续　名詞＋にかかっては

• その編集者にかかっては、どんなに怠け者の作家でも、締め切りを守らされてしまう。

提到那个编辑，不管是多么懒惰的作家，都不得不遵守期限。

105 ～にかまけて　专心于……

接续　名詞＋にかまけて

• うちの主人は、仕事にかまけて、子供たちの世話をちっともしない。

我丈夫专心于工作，根本都不照顾孩子。

106 ～にしてみれば　从……来看

接续　名詞＋にしてみれば

• 社員の側にしてみれば、労働時間短縮より賃金アップが望ましい。

从公司职员的立场来看，比起缩短劳动时间，更期望提高工资。

107 ～にしのびない　不忍……

接续　動詞辞書形＋にしのびない

・元気な祖父だっただけに寝たきりの姿は、見るにしのびない。

曾经很健康的爷爷卧床不起的样子让我不忍目睹。

108 ～にて　在……（表示场所）

接续　名詞＋にて

・これより展望レストランにて昼食となります。その後、2時まで自由行動です。

现在我们去瞭望餐厅吃午饭。之后自由行动到2点。

109 ～にまつわる　关于……

接续　名詞＋にまつわる

・ガイドさんは、この寺にまつわる伝説を話してくれた。

导游给我们介绍了有关这座寺院的传说。

110 ～の一途をたどる　专朝着某个方向……

接续　名詞＋の一途をたどる

・日本の労働人口は減少の一途をたどっている。

日本的劳动人口一直在减少。

111 ～のがやっとだ　勉强……、刚够……

接续　動詞辞書形＋のがやっとだ

・あまりのショックに、彼はただ作り笑いでごたえるのがやっとだった。

过于受打击，他仅仅强颜欢笑地做了回应。

112 ～のではなかろうか　是不是……呢

接续　動詞辞書形／ている形＋のではなかろうか

　　　イ形容詞辞書形＋のではなかろうか

　　　ナ形容詞な形＋のではなかろうか／ナ形容詞語幹＋ではなかろうか

　　　名詞＋（なの）ではなかろうか

・彼は黙っていたが、本当はうわさの真相を知っているのではなかろうか。

虽然他沉默着，但实际上是不是知道传闻的真相呢？

113 ～はいうにおよばず　不必说……

接续　名詞＋はいうにおよばず

• 外国で生活するなら、その国の言葉はいうにおよばず、習慣や文化も身に付けなければならない。

在外国生活的话，那个国家的语言自不必说，也必须要掌握其习惯和文化。

114 ～は否めない　不能否定……

接续　名詞＋は否めない

• これだけ証拠がそろえば、彼が犯人だという説は否めない。

如果汇齐了这些证据的话，就不能否认他是犯人一说了。

115 ～はしないかと　会不会……呢

接续　動詞ます形＋はしないかと

• めまいがして、倒れはしないかと思った。

眩晕了，我想会不会摔倒呢。

116 ～羽目になる　结果……、陷入……困境

接续　動詞辞書形＋羽目になる

• 上司の仕事のやりかたに意見を言ったら、地方に転勤させられる羽目になった。

对上司的工作方法提出意见，结果被调任到地方去了。

117 ～ばりの～　像……、模仿……

接续　名詞＋ばりの＋名詞

• 彼女は映画スターばりのドレスを着て現れた。

她穿着像电影明星穿的裙子出现了。

118 ひた～に～　一个劲地……、极力地……

接续　ひた＋動詞ます形＋に＋動詞

• 夫に先立たれた彼女は午前中ひた泣きに泣いた。

她失去了丈夫，整个上午一个劲儿地哭。

119 ～ひとつとして～ない / ～ひとりとして～ない　就连……也没有、无一不……

接续　助詞＋ひとつとして＋動詞ない形＋ない

- その挑戦には一人として応ずるものはいなかった。

没有一个人接受那个挑战。

120 ～びる　看上去好像……、带有……的样子

接续　イ形容詞語幹＋びる

　　　名詞＋びる

- 人も通わぬような山奥に、古びた洋館がぽつんと一軒建っていた。

没有人经过的深山里，有一座古旧的洋楼孤零零地立在那里。

121 ～ぶり / ～っぷり　样子、样态、情况

接续　動詞ます形 / 名詞＋ぶり

- 君、なかなかいい飲みっぷりだね。お酒、強いんだろう。

你喝得真痛快啊。一定很能喝酒吧。

122 ～べくして～た　该……、必然……

接续　動詞辞書形＋べくして＋動詞た形

- 大恋愛の末、結婚した二人はやはり出会うべくして出会ったと言えるだろう。

长时间恋爱之后结婚了的两个人，他们的相遇是必然的，可以这样说吧。

123 べつだん～ない　并没有……、并不特别……

接续　べつだん＋動詞ない形＋ない

- 彼女たちのおしゃべりも私はべつだん気にならない。

对于她们的话，我也并没有特别在意。

124 ～へ～へと　一个劲地向……、一味地向……

接续　名詞＋へ＋名詞＋へと

• だんだん高くなってたくさん生えている杉の木が下へ下へとすいこまれて行きました。

很多杉树越长越高，根部向下越扎越深。

125 ～放題　自由、放任

接続　動詞ます+放題

• この携帯電話なら、メールが使い放題で月1500円です。

这个手机的话，短信随便使用，每个月的费用是1500日元。

126 ～まいとして　不想……

接続　動詞ない形+まいとして

• 医者は小さい子供をおびえさせまいとして、おもちゃを使って笑わせた。

医生不想让小孩害怕，就拿出玩具来逗他笑。

127 ～まいものではない／～まいものでもない　（也）不见得不……、也许会……

接続　動詞辞書形／連用形+まいものではない

• 途中で病気になるまいものではないから、薬を忘れないように。

路上不见得不生病，所以不要忘记带药去。

128 ～まくる　拼命地……、不停地……

接続　動詞ます形+まくる

• 私は昔から漫画が大好きで、あらゆる漫画を読みまくった。

我很早之前就特别喜欢漫画，拼命地看了各种漫画。

129 ましてや～　更何况……

接続　副詞として

• 成績優秀な彼女にとっても難しい試験なのだから、ましてやこの私が合格できるはずはないだろう。

因为对于成绩优秀的她来说都是很难的考试，所以更何况是我，我也不可能会及格吧。

130 まず～ないだろう / まず～まい　大概不会……吧

接续　まず+動詞ない形+ないだろう

- 彼女が面接に失敗することはまずないだろう。

  她大概不会面试失败吧。

131 ～までになっていない / ～までにいたっていない　还没有到……的程度

接续　動詞辞書形+までになっていない

- 怪我をした足は少しよくなったが、まだ歩けるまでにいたっていない。

  受伤的腿好点了，但还没到能走路的程度。

132 ～まんまと～　轻而易举地……、巧妙地……

接续　副詞として

- 彼の巧みな言葉にまんまと騙された。

  被他的花言巧语轻而易举地欺骗了。

133 みだりに～てはいけない / てはならない / ないでください　不要乱……、不可擅自……、不要随便……

接续　みだりに+動詞て形+はいけない / はならない

　　　みだりに+動詞ない形+ないでください

- 当人の迷惑を考えれば、みだりに人のうわさを流してはいけないことが分かります。

  如果想到会给当事人添麻烦的话，就会明白不要随便散布别人的流言。

134 無理からぬ～　不无道理的……

接续　無理からぬ+体言

- 彼があんなに悩むのも無理からぬことだ。

  他那样烦恼也是不无道理的。

135 ～目　表示所处位置

接续　動詞ます形+目

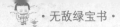

気候の変わり目には体調を崩しやすいですから、くれぐれもお体にお気をつけください。

因为气候变化的时候身体容易生病，所以请您一定多多保重身体。

136 〜もあろうかという　有……吧

接続　名詞＋もあろうかという

• 20人分もあろうかという大きなケーキが出てきた。

拿出了够二十个人吃的大蛋糕。

137 〜も〜ことだし〜も〜ことだしするから　既……又……，所以……

接続　名詞＋も＋［動詞普通形、イ形容詞普通形、ナ形容詞な形／語幹＋である、名詞＋である］＋ことだし＋名詞＋も＋［動詞普通形、イ形容詞普通形、ナ形容詞な形／語幹＋である、名詞＋である］＋ことだしするから

• 値段も安いことだし品物もいいことだしするから、これを買うことに決めた。

价格便宜质量又好，所以我决定就买这个。

138 〜もそこそこに　匆忙……

接続　名詞＋もそこそこに

• 朝ご飯もそこそこに会社へと向かうサラリーマンの姿は、どこか働き蜂に似ている。

匆忙吃完早饭就奔向公司的工薪族，他们的样子某些地方和工蜂挺像的。

139 〜ものか〜ものか　不知道是……还是……

接続　動詞た形＋ものか＋動詞た形＋ものか

• 人に頼んだものか自分でしたものか迷う。

是求人，还是自己干好，我犹豫不决。

140 〜ものとして　当作……、看作……

接続　用言普通形＋ものとして

• その金は旅行に使ったものとして、あきらめよう。

就把那个钱看作是去旅行花掉了，断念吧。

141 ～もろとも　和……一起、连同……一起

接续　名詞＋もろとも

・氾濫した川は濁流となって人々を家もろとも押し流してしまった。

河水泛滥，成为浊流，把许多人连同房子一起冲走了。

142 ～や～　或是……或是……

接续　数詞＋や＋数詞

・花子も年頃なんだから、ボーイフレンドが一人や二人いてもおかしくないわよ。

因为花子正值妙龄，所以有一两个男朋友也不奇怪啊。

143 やっとのことで～　好不容易……、好歹……

接续　連語として

・母は何か月もかかってやっとのことで車の免許をとりました。

妈妈用了好几个月的时间，好不容易才拿到了驾照。

144 やれ～だ、やれ～だと　……啦……啦（表示列举）

接续　やれ＋名詞＋だ、やれ＋名詞＋だと

・うちの妻は子供がちょっとでも具合が悪いというと、やれ薬だ、やれ医者だと大騒ぎをする。

如果孩子身体稍微不舒服，我妻子就乱成一团，又是让孩子吃药又是去看医生。

145 ～ゆえんは～にある　之所以……是因为……

接续　動詞辞書形＋ゆえんは＋名詞＋にある

・君が彼に勝るゆえんは実にこの点にあるのだ。

你之所以胜过他，其实就因为这点。

146 ～ように言う　（不）要……

接续　動詞辞書形＋ように言う

　　　動詞ない形＋ない＋ように言う

彼は、部下に書類を 5 部ずつコピーしておくように言った。

他对部下说了要每个文件复印五份。

147 ～ように 为了……、希望……、以便……

接続　動詞可能形＋ように

　　　　動詞ない形＋ない＋ように

風邪を引かないように、お母さんは子供に布団をしっかりかけてやった。

妈妈怕孩子着凉感冒，给孩子严严实实地盖好了被子。

148 ～よくしたもので / ～よくしたものだ 正好……、正巧……、太好了……

接続　（助詞＋）よくしたもので＋短文

よくしたもので私が病気になると妻が丈夫になる。

说来也巧，我病了，妻子身体却会结实起来。

149 よしんば～としても / ても / でも / たって 即使……也……

接続　よしんば＋［動詞、イ形容詞、ナ形容詞、名詞］の普通形＋としても

　　　　よしんば＋［動詞、イ形容詞、ナ形容詞］のて形＋も / 名詞＋でも

　　　　よしんば＋動詞た形＋って / イ形容詞く形＋たって

よしんば金があっても知識がなければだめだ。

即使有钱，没有知识也不行。

150 ～よほどのことだ / ～よほどのことがある （有）相当大的事

接続　短文＋よほどのことだ

我慢強い彼女が泣いているのだから、よほどのことがあったのだろう。

忍耐力很强的她竟然哭了，一定是有大事发生了吧。

151 よもや～まい 总不会……吧、未必……

接続　よもや＋動詞辞書形 / 連用形＋まい

よもや 5 つの子供がそんなことはするまいと思っていたのに。

我本想着 5 岁的孩子不会干那种事吧。

152 ～よりしか～ない　　只……

接续　動詞辞書形／名詞＋よりしか＋動詞ない形＋ない

- こういう機械は今のところ北京よりしかできません。

  这样的机器现在只有北京能够制造。

153 ～らしい～は～ない　　没有像样的……

接续　名詞Ａ＋らしい＋名詞Ａ＋は＋動詞ない形＋ない

- 今年は夏に入ってから２か月も雨らしい雨が降らなかった。

  今年入夏以来，两个多月没下过一场像样的雨。

154 ～わ～わ

（1）表示有很多前项的事

接续　動詞辞書形＋わ＋動詞辞書形＋わ

- もう５時だというのに、終っていない仕事があるわあるわ。今日は一体何時に帰れるのだろうか。

  已经5点了，还有很多工作没有完成。今天究竟几点能回去呢？

（2）表示不好的事接二连三地发生

接续　動詞辞書形＋わ＋動詞辞書形＋わ

- 高校時代のあの子は喧嘩はするわ、学校を辞めるわ、いつも親に心配をかけてしまった。

  高中时代那个孩子又打架啊，又退学啊，净让父母担心了。

155 ～をかさに（着て）　　依仗着……

接续　名詞＋をかさに（着て）

- 金の力をかさに着ての悪逆無道の数々、断じて許せない。

  依仗着金钱的力量而做了太多暴虐无道的事，这绝不能饶恕。

156 ～をくだらない　　超过……、不下……

接续　名詞＋をくだらない

- その政府は900兆ドルをくだらない額の借金があると言われている。

据说那个政府有超过 900 兆美元的负债。

157 ～をさかいに 以……为界

接続 名詞＋をさかいに

• 彼に出会った日をさかいに、私の人生は大きく変わった。

遇见他之后，我的人生发生了很大的改变。

158 ～をしりめに 轻视……、蔑视……、无视……

接続 名詞＋をしりめに

• 彼は忙しく働いている人たちをしりめに、さっさと自分の仕事を片付けて帰った。

他无视正忙着工作的人们，快速做完自己的工作就回家了。

159 ～を前提に（して） 以……为前提

接続 名詞＋を前提に（して）

• 今後、子供の数がさらに減ることを前提に、政策を考えなければならない。

今后孩子的数量进一步减少，必须以此为前提考虑政策。

160 ～を頼りに 依仗……、借助……

接続 名詞＋を頼りに

• 幼い頃の記憶だけを頼りに、彼は、自分の生まれた家を見つけ出した。

他仅仅依靠幼时的记忆，找到了自己出生时的家。

161 ～をなおざりにして 忽视……、疏忽……

接続 名詞＋をなおざりにして

• あの社員は、仕事をなおざりにして、インターネットに夢中になっている。

那个职员对工作疏忽，痴迷于上网。

162 ～をピークに（して）　……达到最盛时

接続　名詞＋をピークにして

- 日本では 1967 年をピークに 18 歳の人口の減 少 過程に入った。

  日本在 1967 年人口达到顶峰，之后 18 岁人口进入了减少阶段。

163 ～を振り出しに　以……为出发点

接続　名詞＋を振り出しに

- 成田をふりだしに世界各国を旅行します。

  从成田出发，周游世界各地。

164 ～んじゃない　不可以……

接続　動詞辞書形＋んじゃない

- みっともないから、ズボンをそんなに下げてはくんじゃない。

  因为很不像样，所以穿裤子时不要把裤子褪得那么低。

索引

（1. 每个句型后面对应的数字是所属单元
2. 本索引不包含第17单元基础句型）